UNE VIE APRÈS L'AUTRE

KATE ATKINSON

UNE VIE APRÈS L'AUTRE

roman

Traduit de l'anglais (Grande-Bretagne)
par
ISABELLE CARON

BERNARD GRASSET
PARIS

*L'édition originale de cet ouvrage a été publiée par Doubleday,
en 2013, sous le titre :*

LIFE AFTER LIFE

Avec le soutien du

Photo de la couverture : Ilona Wellmann/Millennium Images

ISBN 978-2-246-80765-0

À Elissa

Que dirais-tu si un jour, si une nuit, un démon se glissait jusque dans ta solitude la plus reculée et te dise : « Cette vie telle que tu la vis maintenant et que tu l'as vécue, tu devras la vivre encore une fois et d'innombrables fois... » Ne te jetterais-tu pas sur le sol, grinçant des dents et maudissant le démon qui te parlerait de la sorte ? Ou bien te serait-il arrivé de vivre un instant formidable où tu aurais pu lui répondre : « Tu es un Dieu et jamais je n'entendis choses plus divines ! »

NIETZSCHE, *Le Gai Savoir*,
traduction de Pierre Klossowski,
Gallimard, Folio essais, 1989.

Παντα χωρεῖ καὶ οὐδεν μένει
Tout change et rien ne reste immobile.

PLATON, *Cratyle*

Et si nous avions la chance de recommencer encore et encore jusqu'à ce que nous finissions par ne plus nous tromper ? Ce ne serait pas merveilleux ?

EDWARD BERESFORD TODD

MONTREZ VOTRE VALEUR[1]

Novembre 1930

La fumée de tabac et l'air moite la suffoquèrent à son entrée dans le café. Dehors, il pleuvait et des gouttes d'eau tremblaient encore comme des perles de rosée fragiles sur les manteaux de fourrure de certaines femmes à l'intérieur. Une armée de serveurs en tablier blanc se précipitaient dans un ballet bien réglé pour répondre aux besoins des *Münchner* dans leurs moments de loisir : café, gâteau et cancans.

Il était attablé au fond de la salle, entouré des comparses et flagorneurs habituels. Il y avait une femme qu'elle n'avait encore jamais vue – indéfrisable blond platine, maquillage épais –, une actrice, apparemment. La blonde s'alluma une cigarette, transformant l'exercice en spectacle phallique. Tout le monde savait qu'il préférait les femmes réservées et saines, de préférence bavaroises. Toutes ces amples jupes froncées et ces chaussettes montantes, pitié, mon Dieu.

La table était encombrée. *Bienenstich, Gugelhupf, Käsekuchen.* Il mangeait une part de *Kirschtorte.* Il aimait les gâteaux. Pas étonnant qu'il ait l'air aussi empâté, elle était surprise qu'il ne soit pas diabétique. Un corps d'une mollesse repoussante sous les vêtements (elle s'imaginait de la pâtisserie) jamais exposé aux regards. Ce n'était pas un homme viril. Il sourit en l'apercevant et fit mine de se lever en disant « *Guten Tag, gnädiges Fräulein* », indiqua la chaise à côté de lui. Le lèche-bottes qui l'occupait bondit et déguerpit.

11

« *Unsere Englische Freundin* » dit-il à la blonde qui souffla lentement sa fumée de cigarette et l'examina sans manifester le moindre intérêt avant de finir par lâcher : « *Guten Tag.* » Berlinoise.

Elle posa son lourd sac à main par terre près de sa chaise et commanda du *Schokolade*. Il tint absolument à ce qu'elle goûte au *Pflaumen Streusel*.

« *Es regnet*, fit-elle en guise de conversation.

— En effet, il pleut » convint-il en anglais avec un fort accent germanique. Il rit, content de sa tentative. Tout le monde autour de la table rit également. « *Bravo*, lança quelqu'un. *Sehr gutes Englisch.* » Il était de bonne humeur, se tapotait les lèvres de l'index avec un sourire amusé comme s'il écoutait un air dans sa tête.

Le *Streusel* était délicieux.

« *Entschuldigung* » murmura-t-elle en plongeant la main dans son sac pour y prendre un mouchoir. Des coins en dentelle, brodé à ses initiales « UBT », cadeau d'anniversaire de Pammy. Elle tamponna poliment les miettes de *Streusel* accrochées à ses lèvres, puis se baissa à nouveau pour ranger son mouchoir dans son sac et saisir le lourd objet qui y était niché. Le vieux revolver de son père, son arme de service datant de la Grande Guerre, un Webley Mark V.

Un geste répété cent fois. Un seul coup. Tout était dans la rapidité, pourtant après qu'elle eut sorti l'arme et l'eut visé au cœur, il y eut un instant, une bulle hors du temps, où tout parut se figer.

« *Führer*, dit-elle, rompant l'enchantement. *Für Sie.* »

Des armes jaillirent des étuis autour de la table et furent braquées sur elle. Une inspiration. Un seul coup.

Ursula appuya sur la détente.

Les ténèbres s'abattirent.

LA NEIGE

11 février 1910

Un courant d'air glacé, un sillage réfrigérant sur la peau. Elle se retrouve de but en blanc en dehors du dedans et l'univers humide, tropical qui lui était familier s'est soudain évaporé. Exposée aux éléments. Crevette épluchée, noix écalée.

Impossible de respirer. Le monde entier réduit à ça. Une inspiration.

Des petits poumons comme des ailes de libellule qui n'arrivent pas à se gonfler dans l'atmosphère étrangère. Pas d'air dans la trachée étranglée. Le bourdonnement d'un millier d'abeilles dans la minuscule conque nacrée d'une oreille.

Panique. La fille qui se noie, l'oiseau qui tombe.

*

« Le Dr Fellowes devrait être là, gémit Sylvie. Pourquoi n'est-il pas arrivé ? Où est-il ? » De grosses gouttes de sueur perlent sur sa peau comme de la rosée, on dirait un cheval dans la dernière ligne droite d'une course difficile. Le feu de la chambre est alimenté comme une chaudière de navire. Les épais rideaux de brocart sont soigneusement tirés pour se protéger de l'ennemi, la nuit. La chauve-souris noire.

« Il aura été coincé par la neige, vot'bonhomme, je suppose, madame. Il fait un temps épouvantable. La route sera fermée. »

13

Sylvie et Bridget étaient seules dans l'épreuve. Alice, la femme de chambre, rendait visite à sa mère malade. Et Hugh, bien sûr, courait tout Paris à la recherche de sa sœur Isobel. Sylvie ne souhaitait pas réveiller Mrs Glover qui ronflait comme un cochon truffier dans sa mansarde. Elle dirigerait les opérations tel un sergent-major sur un champ de manœuvre. Le bébé était en avance. Sylvie s'attendait à ce qu'il soit en retard comme les autres. Il ne faut jurer de rien.

« Oh, madame, s'écria soudain Bridget, elle est bleue, toute bleue.

— C'est une fille ?

— Le cordon s'est enroulé autour de son cou. Oh, Sainte-Marie, mère de Dieu. Elle s'est étranglée, la pauvre petiote.

— Elle ne respire pas ? Montrez-la-moi. Nous devons faire quelque chose. Mais quoi ?

— Oh, Mrs Todd, elle est partie. Morte avant d'avoir eu une chance de vivre. J'suis ben désolée. Elle va devenir un petit chérubin au paradis à présent, pour sûr. Oh, j'aurais aimé que Mr Todd soit là. J'suis ben désolée. Je réveille Mrs Glover ? »

*

Le petit cœur. Un petit cœur impuissant qui s'emballe. S'arrête soudain comme un oiseau tombé du ciel. D'un seul coup.

Les ténèbres s'abattirent.

LA NEIGE

11 février 1910

« Pour l'amour du ciel, ma fille, arrête de courir dans tous les sens comme une poule sans tête et va me chercher de l'eau chaude et des serviettes de toilette. Tu ne sais donc rien ? As-tu été élevée au milieu des champs ?

— Désolée, monsieur. » Bridget fit une petite révérence pour s'excuser comme si le Dr Fellowes était de la famille royale.

« Une fille, Dr Fellowes ? Je peux la voir ?

— Oui, Mrs Todd, un beau bébé bien dodu. » Sylvie se dit que le Dr Fellowes en rajoutait peut-être un peu avec ses allitérations. Il n'était pas porté à la bonhomie dans le meilleur des cas. La santé de ses patients, surtout leurs entrées en scène et leurs sorties, semblaient avoir le don de l'agacer.

« Elle serait morte étranglée par son cordon. Je suis arrivé juste à temps. Il s'en est fallu d'un clic. » Et de brandir ses ciseaux chirurgicaux pour que Sylvie les admire. Ils étaient petits, d'une élégante simplicité et leurs bouts pointus étaient recourbés. « Clic, clic », dit-il. Sylvie prit mentalement note, une vague notule vu son épuisement et les circonstances, de s'en acheter une paire en prévision d'une urgence similaire. (Peu vraisemblable, il est vrai.) Ou un couteau, un bon couteau bien aiguisé à garder tout le temps sur soi, comme la fille des brigands dans *La Reine des Neiges*.

« Vous avez eu de la chance que j'arrive à temps, dit le Dr Fellowes. Avant que la neige ne bloque les routes. J'ai appelé

15

Mrs Haddock, la sage-femme, mais je crois qu'elle est coincée du côté de Chalfont St Peter.

— Mrs *Haddock* ? » fit Sylvie qui fronça les sourcils. Bridget rit tout haut, puis s'empressa de bredouiller « Pardon, pardon, monsieur. » Bridget et elle étaient toutes les deux au bord de la crise d'hystérie, supposa Sylvie. Ce n'était guère surprenant.

« Pauvresse irlandaise, maugréa le Dr Fellowes.

— Bridget n'est qu'une fille de cuisine, une enfant. Je lui suis très reconnaissante. Tout s'est passé si vite. » Sylvie songea qu'elle aurait voulu être seule, qu'elle ne l'était jamais. « Vous allez devoir rester jusqu'à demain matin, je suppose, docteur, dit-elle du bout des lèvres.

— Je suppose que oui », fit le Dr Fellowes avec le même manque d'enthousiasme.

Sylvie soupira et lui suggéra de se servir un verre d'eau-de-vie à la cuisine. Et peut-être du jambon avec des pickles. « Bridget va s'occuper de vous. » Elle voulait se débarrasser de lui. Il avait mis au monde ses trois enfants (trois !) et elle ne l'aimait pas du tout. Seul un mari devrait voir ce qu'il voyait. Il avait tripoté et tisonné les parties les plus délicates et les plus secrètes de son anatomie avec ses instruments. (Mais préférerait-elle avoir une sage-femme du nom de Mrs Haddock pour l'accoucher ?) Tous les médecins qui s'occupaient des femmes devraient être des femmes. Ça ne risquait guère d'arriver.

Le Dr Fellowes s'attarda, tournicota, surveilla une Bridget au visage rouge qui lavait et emmaillotait le nouveau-né. Bridget était l'aînée de sept enfants, elle savait donc langer un nourrisson. Elle avait quatorze ans, dix ans de moins que Sylvie. A son âge, Sylvie portait encore des jupes courtes et était amoureuse de son poney, Tiffin. N'avait pas la moindre idée d'où venaient les bébés, n'avait guère été plus avancée pendant sa nuit de noces. Sa mère, Lottie, avait fait des allusions, mais craint de donner des précisions anatomiques. Les relations conjugales entre homme et femme semblaient, mystérieusement, impliquer des alouettes prenant leur essor au point du jour. Lottie était une femme

16

réservée. Certains auraient dit léthargique. Son époux, le père de Sylvie, Llewellyn Beresford, était un célèbre artiste mondain, mais pas du tout bohème. Pas de nudité ni de conduite louche dans sa maison. Il avait peint la reine Alexandra à l'époque où elle était encore princesse. Très aimable, selon lui.

Ils habitaient une belle maison à Mayfair et Tiffin avait son écurie près de Hyde Park. Quand elle broyait du noir, Sylvie avait l'habitude de se remonter le moral en s'imaginant de retour dans le passé ensoleillé, bien assise en amazone sur le petit dos trapu de Tiffin trottant sur Rotten Row par une belle matinée de printemps, sous la splendeur des arbres en fleurs.

« Que diriez-vous d'un thé bien chaud et d'une belle tartine de pain grillé et beurré, Mrs Todd ? demanda Bridget.

— Ça me ferait très plaisir, Bridget. »

Le bébé emmailloté comme une momie pharaonique fut enfin remis à Sylvie. Elle caressa doucement sa joue de pêche et dit « Bonjour, ma petite » et le Dr Fellowes se détourna afin de ne pas être témoin de démonstrations d'affection aussi sirupeuses. Si ça n'avait tenu qu'à lui, tous les enfants auraient été élevés dans une nouvelle Sparte.

« Une petite collation froide ne serait peut-être pas de refus, dit-il. Y aurait-il par hasard un peu de l'excellent piccalilli de Mrs Glover ? »

QUATRE SAISONS
COMBLENT LA MESURE DE L'ANNÉE[2]

_____

11 février 1910

Sylvie fut réveillée par un rai de soleil éblouissant qui perçait les rideaux comme un glaive d'argent brillant. A l'entrée de Mrs Glover dans la chambre, portant fièrement un énorme plateau de petit déjeuner, elle reposait avec langueur dans de la dentelle et du cachemire. Seule une occasion d'une certaine importance était susceptible d'attirer Mrs Glover si loin de son antre. Un perce-neige à demi gelé baissait la tête dans le soliflore posé sur le plateau. « Oh, un perce-neige ! s'écria Sylvie. La première fleur à montrer le bout de son pauvre nez. Quel courage ! »

Mrs Glover qui ne croyait pas les fleurs capables de courage ni d'ailleurs d'un autre trait de caractère, louable ou non, était une veuve qui n'était à Fox Corner que depuis quelques semaines. Avant son avènement, il y avait eu une femme prénommée Mary qui traînait la savate et brûlait les rôtis. Mrs Glover, quant à elle, avait tendance à servir des plats pas assez cuits. Dans la maison prospère de l'enfance de Sylvie, la cuisinière s'appelait « Cook » (« Cuisinière »), mais Mrs Glover préférait « Mrs Glover ». Ça la rendait irremplaçable. Sylvie s'obstinait à l'appeler « Cook » dans sa tête.

« Merci, Cook. » Mrs Glover cligna lentement de l'œil comme un lézard. « Mrs Glover », se corrigea Sylvie.

Mrs Glover posa le plateau sur le lit et ouvrit les rideaux. La lumière était extraordinaire, la chauve-souris noire, vaincue.

« Quelle luminosité, dit Sylvie en s'abritant les yeux.

— Que de neige », dit Mrs Glover en secouant la tête avec ce qui aurait pu être de l'émerveillement ou de l'aversion. Ce n'était pas toujours facile à savoir avec elle.

« Où est le Dr Fellowes ? demanda Sylvie.

— Il a eu une urgence. Un fermier piétiné par un taureau.

— Quelle horreur.

— Des hommes sont venus du village et ont essayé de déblayer son automobile, mais pour finir c'est mon George qui l'a pris en selle.

— Ah, dit Sylvie comme si elle comprenait soudain un détail déconcertant.

— Et ils appellent ça des chevaux-vapeur, fit Mrs Glover en soufflant par les naseaux comme un taureau. Voilà ce qui arrive quand on compte sur des machines ultramodernes.

— Hum », fit Sylvie, rechignant à contredire des vues aussi arrêtées. Elle était surprise que le Dr Fellowes soit parti sans l'examiner elle ou le bébé.

« Il est passé vous voir. Vous dormiez », dit Mrs Glover. Sylvie se demandait parfois si Mrs Glover était télépathe. Idée terrifiante.

« Il a d'abord pris son petit déjeuner, dit Mrs Glover, exprimant dans le même souffle approbation et désapprobation. L'homme a un sacré appétit, ça, c'est sûr.

— Je pourrais manger un cheval avec sa selle », dit Sylvie en riant. (Elle ne pourrait pas, bien sûr. Tiffin lui traversa brièvement l'esprit.) Elle prit les couverts en argent lourds comme des armes, prête à s'attaquer aux rognons à la diable de Mrs Glover. « Délicieux », dit-elle (l'étaient-ils ?), mais Mrs Glover était déjà en train d'examiner le bébé dans le berceau. (« Dodue comme un cochon de lait. ») Sylvie se demanda négligemment si Mrs Haddock était toujours coincée du côté de Chalfont St Peter.

« J'ai appris que le bébé avait failli mourir, dit Mrs Glover.

— Eh bien… » fit Sylvie. Entre la vie et la mort il n'y avait qu'un cheveu. Son père, le portraitiste mondain, avait glissé un soir sur le tapis d'Ispahan qui recouvrait le palier du premier après quelques petits verres de bon cognac. On l'avait découvert mort au pied de l'escalier, le lendemain matin. Personne ne l'avait entendu tomber ni appeler à l'aide. Il venait de commencer un portrait du comte Balfour. Jamais terminé. Evidemment.

On s'aperçut par la suite qu'il avait été beaucoup plus prodigue que la mère et la fille ne le croyaient. Il jouait en secret, avait des reconnaissances de dette dans toute la ville. Il n'avait pris aucune disposition en cas de mort inopinée et la belle maison de Mayfair ne tarda pas à grouiller de créanciers. C'était un château de cartes, s'avérait-il. Tiffin dut être vendu. Sylvie en eut le cœur brisé, éprouva beaucoup plus de chagrin que pour son père.

« Je croyais que son seul vice était les femmes », dit sa mère en se perchant momentanément sur une caisse d'emballage avec des airs de pietà.

Elles s'enfoncèrent dans une pauvreté digne et bien élevée. La mère de Sylvie devint pâle et sans intérêt, plus d'alouettes prenant leur essor pour elle : elle dépérit, minée par la consomption. Agée de dix-sept ans, Sylvie, qui s'apprêtait à poser pour des artistes, fut tirée d'affaire par un homme rencontré au guichet de la poste. Hugh. Une étoile montante dans l'univers prospère de la banque. L'exemple même de la respectabilité bourgeoise. Qu'est-ce qu'une belle fille sans le sou pouvait espérer de mieux ?

Lottie mourut en faisant moins d'histoires que prévu et Hugh et Sylvie se marièrent discrètement le jour des dix-huit ans de Sylvie. (« Comme ça, dit Hugh, tu n'oublieras jamais notre anniversaire de mariage. ») Ils passèrent leur lune de miel en France, une quinzaine délicieuse à Deauville avant de s'installer dans une félicité semi-rurale près de Beaconsfield, dans une maison de style vaguement Lutyens. Elle avait tout ce qu'on pouvait souhaiter – une grande cuisine, un grand salon avec des portes-fenêtres donnant sur la pelouse, un joli petit salon et plusieurs chambres qui attendaient d'être remplies d'enfants.

Il y avait même une petite pièce à l'arrière que Hugh pouvait utiliser comme bureau. « Ah, ma tanière », dit-il en riant.

La bâtisse était entourée de maisons similaires situées à une distance respectueuse. Derrière, il y avait une prairie, un bosquet et un bois rempli de jacinthes sauvages traversé par un ruisseau. La gare, qui n'était qu'un simple arrêt, permettrait à Hugh d'être à son bureau de banquier en moins d'une heure.

« Le vallon endormi », dit Hugh qui rit et prit galamment Sylvie dans ses bras pour lui faire franchir le seuil. C'était une demeure relativement modeste (rien à voir avec Mayfair) et néanmoins un peu au-dessus de leurs moyens, imprudence financière qui les surprit tous les deux.

*

« Nous devrions donner un nom à la maison, dit Hugh. Les Lauriers, Les Pins ou les Ormes.

— Mais il n'y en a pas un seul dans le jardin », fit remarquer Sylvie. Ils se tenaient devant les portes-fenêtres de leur récente acquisition et regardaient une étendue de pelouse trop haute. « Il faut que nous embauchions un jardinier », dit Hugh. La maison résonnait. Ils n'avaient pas encore commencé à la remplir de tapis Voysey, de tissus William Morris et autres commodités esthétiques d'une maison du vingtième siècle. Sylvie aurait préféré vivre au magasin Liberty plutôt qu'au domicile conjugal qui n'avait pas encore de nom.

« Arpents Verts, Bellevue, Prairie Ensoleillée, suggéra Hugh en passant son bras autour de son épouse.

— Non. »

Le précédent propriétaire de leur maison sans nom avait tout vendu pour aller vivre en Italie. « Imagine », dit Sylvie rêveusement. Elle était allée en Italie dans sa prime jeunesse, pour entreprendre un « grand tour » avec son père pendant que sa mère faisait une cure pour soigner ses poumons à Eastbourne.

« C'est plein d'Italiens, dit dédaigneusement Hugh.

— Exactement. C'est d'ailleurs là tout l'attrait, fit Sylvie en se dégageant de son bras.

— Les Pignons, La Propriété.

— Arrête, je t'en prie », dit Sylvie.

Un renard sortit du bosquet de broussailles et traversa la pelouse. « Oh, regarde comme il a l'air apprivoisé, fit Sylvie. Il a dû s'habituer à voir la maison inoccupée.

— Espérons que les chasseurs du coin ne sont pas à ses trousses, dit Hugh. Il est maigre.

— C'est une femelle. Elle allaite, on aperçoit ses mamelles. »

Hugh battit des paupières en entendant une terminologie aussi crue dans la bouche de sa jeune épouse encore vierge il y a peu. (Supposait-on. Espérait-on.)

« Regarde », chuchota Sylvie. Deux renardeaux bondirent dans l'herbe et culbutèrent l'un par-dessus l'autre pour jouer. « Oh, quelles charmantes petites bêtes !

— Certains diraient peut-être des animaux nuisibles.

— C'est peut-être *nous* qu'ils considèrent comme nuisibles, fit Sylvie. Fox Corner – voilà comment nous devrions baptiser la maison. Personne d'autre n'a une maison de ce nom et n'est-ce pas là tout l'intérêt d'un nom ?

— Tu es sûre ? fit Hugh, dubitatif. C'est un peu fantaisiste, non ? On dirait un livre pour enfants. *La maison de Fox Corner.*

— Un peu de fantaisie n'a jamais fait de mal à personne.

— Pourtant, à strictement parler, une maison peut-elle *être* un coin ? fit Hugh. Ne se trouve-t-elle pas plutôt *à* un coin ? »

C'est donc ça le mariage, songea Sylvie.

*

Deux petits enfants passèrent prudemment la tête à la porte. « Vous voici, dit Sylvie souriante. Maurice, Pamela, venez dire bonjour à votre nouvelle petite sœur. »

Ils s'approchèrent avec méfiance du berceau comme s'ils n'étaient pas certains de ce qu'il pouvait contenir. Sylvie se

23

souvenait d'avoir éprouvé un sentiment similaire en regardant le corps de son père dans son cercueil de chêne et de cuivre ornementé (charitablement payé par ses collègues de la Royal Academy of Arts). A moins que la raison de leur circonspection n'ait été Mrs Glover.

« Encore une fille », dit Maurice d'un air sombre. Il avait cinq ans, deux de plus que Pamela et c'était l'homme de la maison tant que Hugh était absent. « Pour affaires » avait expliqué Sylvie bien qu'en réalité il ait traversé la Manche en toute hâte pour arracher son imbécile de petite sœur aux griffes de l'homme marié avec lequel elle s'était enfuie à Paris.

Maurice enfonça un doigt dans la figure du bébé qui se réveilla et se mit à brailler de peur. Mrs Glover lui tira l'oreille. Sylvie tressaillit, mais Maurice supporta stoïquement la douleur. Elle devrait vraiment dire deux mots à Mrs Glover quand elle se sentirait plus vaillante.

« Comment allez-vous l'appeler ? demanda Mrs Glover.

— Ursula, fit Sylvie. Je la prénommerai Ursula. Ça signifie oursonne. »

Mrs Glover opina d'un air évasif. La bourgeoisie était un monde à part. Son solide gaillard de fils s'appelait simplement George. Prénom d'origine grecque signifiant celui qui travaille la terre, selon le pasteur qui l'avait baptisé, et George était effectivement laboureur dans le domaine agricole du manoir voisin d'Ettringham Hall, comme si son prénom avait déterminé sa destinée. Non que Mrs Glover ait l'habitude de penser à la destinée. Ni d'ailleurs aux Grecs.

« Bon, c'est pas tout ça, dit Mrs Glover. Il y aura une belle tourte à la viande de bœuf pour le déjeuner. Suivie d'un gâteau égyptien. »

Sylvie n'avait pas la moindre idée de ce que c'était. Elle s'imagina des pyramides.

« Nous devons tous garder nos forces, dit Mrs Glover.

— Ah oui, fit Sylvie. Je devrais probablement redonner la tétée à Ursula pour la même raison ! » Elle fut irritée par son point d'exclamation invisible. Elle n'arrivait pas vraiment à comprendre pourquoi, mais Sylvie se trouvait souvent encline à adopter un ton ouvertement allègre en présence de Mrs Glover comme pour rétablir une sorte d'équilibre naturel des humeurs dans le monde.

Mrs Glover ne put réprimer un léger frisson à la vue des seins pâles et veinés de bleu de Sylvie jaillissant de son peignoir de dentelle mousseuse. Elle chassa vite les enfants de la chambre. « Porridge », leur annonça-t-elle d'un air sévère.

*

« Dieu voulait sûrement ramener ce bébé à la vie, déclara Bridget en apportant une tasse de bouillon de viande fumant à Sylvie plus tard dans la matinée.

— Nous avons été mises à l'épreuve et nous n'avons pas démérité, répondit Sylvie.

— Cette fois-ci », fit Bridget.

Mai 1910

« Un télégramme », dit Hugh qui fit une entrée inattendue dans la nursery et perturba l'agréable petit somme que Sylvie avait piqué en allaitant Ursula. Elle se couvrit vite et s'enquit : « Un télégramme ? Quelqu'un est mort ? car l'expression de Hugh laissait entrevoir une catastrophe.

— De Wiesbaden.

— Ah, dit Sylvie. Izzie a donc eu son bébé.

— Si seulement ce butor n'avait pas été marié, dit Hugh. Il aurait pu faire de ma sœur une femme respectable.

— Une femme respectable ? fit Sylvie d'un ton songeur. Ça existe ? (Avait-elle dit ces mots tout haut ?) De toute façon, elle est si *jeune* pour être mariée. »

Hugh fronça les sourcils. Il n'en parut que plus beau. « Elle n'a que deux ans de moins que toi quand tu m'as épousé, fit-il.

— Et pourtant elle est tellement plus vieille d'une certaine façon, murmura Sylvie. Tout va bien ? Le bébé se porte bien ? »

Izzie était déjà visiblement enceinte quand Hugh l'avait retrouvée à Paris et mise de force dans le train, puis le bateau pour la ramener en Angleterre. Adelaide leur mère disait qu'elle aurait préféré que sa fille ait été enlevée par des gens qui se livraient à la traite des Blanches plutôt que de la voir embrasser une vie de débauche avec un tel enthousiasme. Sylvie trouvait l'idée de la traite des Blanches plutôt séduisante – s'imaginait enlevée par un cheikh du désert sur un coursier arabe, puis allongée sur un divan, vêtue de soie et de voiles, mangeant des sucreries et sirotant des sorbets en écoutant babiller ruisselets et fontaines. (Elle soupçonnait toutefois que la réalité était autre.) La notion de harem lui semblait absolument épatante – partager le fardeau des devoirs d'une épouse etc.

Adelaide, héroïquement victorienne dans ses attitudes, avait litté-ralement barré sa porte à la vue du ventre arrondi de sa benjamine et l'avait renvoyée de l'autre côté de la Manche pour attendre la fin de sa honte à l'étranger. Le bébé serait adopté au plus vite. « Un couple d'Allemands respectables qui ne peut pas avoir d'enfant », avait dit Adelaide. Sylvie essaya de s'imaginer donnant un enfant. (« Et nous n'entendrons plus jamais parler de lui ? » avait-elle demandé. « J'espère bien que non », avait répondu Adelaide.) Izzie allait maintenant être expédiée dans une *finishing school* en Suisse, bien qu'elle fût, semblait-il, déjà finie à plus d'un titre.

« Un garçon, dit Hugh en agitant le télégramme comme un drapeau. Bien dodu et cætera. »

*

Le premier printemps d'Ursula s'était déployé. Couchée dans son landau sous le hêtre, elle avait regardé les jeux de lumière dans les feuilles vert tendre lorsque la brise faisait délicatement osciller les branches. Les branches étaient des bras et les feuilles comme des mains. L'arbre dansait pour elle. *Fais dodo, mon bébé, tout en haut de l'arbre,* lui fredonnait Sylvie.

J'avais un petit arbre qui ne voulait donner qu'une noix de muscade argent et une poire d'or, chantait Pamela en zézayant.

Accroché à la capote de sa voiture d'enfant, un minuscule lièvre tourbillonnait, peau argent miroitant au soleil. Assis dans un petit panier, ce lièvre surmontait jadis le hochet de la petite Sylvie, hochet disparu depuis longtemps comme l'enfance de Sylvie.

Des branches nues, des bourgeons, des feuilles – le monde tel qu'elle le connaissait défila sous les yeux d'Ursula. Elle observa les changements de saison pour la toute première fois. Elle était déjà née avec l'hiver dans les os, puis vint la promesse vive du

27

printemps, les bourgeons qui gonflent, la chaleur indolente de l'été, la moisissure et le champignon de l'automne. Elle vit tout cela du point de vue limité de sa capote de landau. Sans parler des embellissements quelque peu aléatoires apportés par les saisons – le soleil, les nuages, les oiseaux, une balle de cricket égarée dessinant silencieusement une courbe au-dessus de sa tête, un arc-en-ciel une ou deux fois, la pluie trop souvent à son goût. (On tardait parfois à la sauver des éléments.)

Un soir d'automne où on l'avait oubliée, elle avait même vu apparaître la lune et les étoiles – spectacle aussi stupéfiant que terrifiant. Bridget fut réprimandée. Le landau était dehors par tous les temps car Sylvie avait l'obsession de l'air frais, héritée de sa propre mère, Lottie, qui avait dans sa jeunesse séjourné dans un sanatorium suisse, passé ses journées assise dehors sur une terrasse, emmitouflée dans une couverture, à contempler passivement les cimes enneigées des Alpes.

Le hêtre perdit ses feuilles et des tourbillons cuivrés et parcheminés remplirent le ciel au-dessus de sa tête. Un jour de novembre particulièrement venteux, apparut un personnage menaçant qui sonda du regard l'intérieur de la voiture d'enfant. C'était Maurice qui scanda « Areu, areu, areu » en faisant des grimaces avant de pousser les couvertures avec la pointe d'un bâton. « Stupide bébé », dit-il, puis il entreprit de l'ensevelir sous un doux tas de feuilles mortes. Elle commençait à se rendormir sous sa nouvelle couverture feuillue quand une main gifla soudain Maurice qui hurla « Ouille ! » et déguerpit. Le lièvre argent se mit à pirouetter sans fin, deux grosses mains la cueillirent dans son landau et Hugh dit « La voici » comme si on l'avait perdue.

« Comme un hérisson en hibernation, dit-il à Sylvie.
— Pauvre petit chou », fit-elle en riant.

*

L'hiver revint. Elle le reconnut.

Juin 1914

Ursula aborda son cinquième été sans autre mésaventure. Sa mère était soulagée de voir que le bébé, en dépit (ou peut-être à cause) d'un début de vie décourageant, devenait, à l'aide (ou peut-être en dépit) du régime rigoureux qu'elle lui imposait, une enfant calme en apparence. Ursula ne réfléchissait ni trop, comme Pamela parfois, ni pas assez, comme Maurice le plus souvent.

Un petit soldat, songea Sylvie en regardant Ursula emboîter le pas à Maurice et à Pamela sur la plage. Comme ils avaient tous l'air menu – c'était le cas, elle le savait – mais l'ampleur de ses sentiments pour ses enfants la surprenait parfois. Le plus petit, le plus récent de tous – Edward –, était confiné dans son moïse en osier posé sur le sable à côté d'elle et n'avait pas encore appris à semer la panique.

Ils avaient loué une maison en Cornouailles pour un mois. Hugh était resté la première semaine et Bridget jusqu'au bout. A elles deux, Bridget et Sylvie s'occupaient de faire (plutôt mal) la cuisine car Sylvie avait donné un mois de congé à Mrs Glover pour qu'elle puisse aller à Salford chez une de ses sœurs qui avait perdu un fils, mort de la diphtérie. Lorsqu'elle vit disparaître le large dos de Mrs Glover dans le wagon de chemin de fer, Sylvie poussa un soupir de soulagement sur le quai. « C'était inutile de l'accompagner à la gare, dit Hugh.

— Pour le plaisir de la voir partir », fit Sylvie.

29

Il y avait un soleil chaud, des brises marines tumultueuses et un lit dur et peu familier dans lequel Sylvie n'était pas dérangée de la nuit. Elles achetaient des tourtes à la viande, des frites et des chaussons aux pommes qu'ils mangeaient sur le sable, assis sur une couverture, adossés aux rochers. La location d'un chalet de plage réglait le problème toujours épineux de l'allaitement en public. Parfois, Bridget et Sylvie enlevaient leurs bottines et trempaient audacieusement leurs doigts de pied dans l'eau, d'autres fois, elles lisaient, assises sur le sable sous d'énormes parasols. Sylvie lisait Conrad tandis que Bridget avait un exemplaire de *Jane Eyre* donné par Sylvie car elle n'avait pas pensé à emporter un des romans de quatre sous palpitants qui avaient sa préférence. Bridget se révéla une lectrice animée : elle suffoquait fréquemment d'horreur ou était remuée jusqu'au dégoût et, pour finir, jusqu'au ravissement. La lecture de *L'Agent secret* semblait aride en comparaison.

C'était aussi une terrienne qui passait beaucoup de temps à s'inquiéter de savoir si la marée montait ou descendait, apparemment incapable de comprendre sa prévisibilité. « Ça change un peu tous les jours, expliquait patiemment Sylvie.

— Mais pourquoi donc ? demandait Bridget, déconcertée.

— Eh bien… » Sylvie n'en avait pas la moindre idée. « Pourquoi pas ? » concluait-elle d'un ton sec.

*

Armés de leur épuisette, les enfants revenaient d'une partie de pêche dans les flaques entre les rochers, à l'autre bout de la plage. Pamela et Ursula s'arrêtèrent à mi-chemin pour patauger au bord de l'eau, mais Maurice pressa le mouvement, piqua un sprint vers Sylvie avant de faire voler du sable partout en se jetant à plat ventre. Il tenait un petit crabe par une pince et Bridget poussa un cri strident en le voyant.

« Il reste des tourtes à la viande ? demanda-t-il.

— Un peu de tenue, Maurice », l'admonesta Sylvie. Il partait en pension à la fin de l'été. Elle en était plutôt soulagée.

*

« Viens, allons sauter dans les vagues », dit Pamela. Elle était autoritaire, mais d'une façon agréable, et Ursula était presque toujours contente de se ranger à ses idées et quand ce n'était pas le cas, disait oui quand même.

Comme poussé par le vent, un cerceau passa devant elle en roulant sur le sable et Ursula eut envie de courir derrière et de le rendre à son propriétaire, mais Pamela dit « Non, viens, allons barboter », et elles posèrent leur épuisette sur le sable pour entrer dans l'eau. Que celle-ci soit toujours glaciale alors qu'elles mouraient de chaud au soleil était un mystère. Elles hurlèrent et poussèrent des cris perçants comme d'habitude avant de se tenir par la main et d'attendre l'arrivée des vagues. Ces dernières étaient d'une petitesse décevante, des ondulations volantées de dentelle tout au plus. Elles s'aventurèrent donc plus avant.

A présent, les vagues n'étaient plus du tout des vagues, juste les mouvements d'une houle qui les soulevait puis suivait son cours. Ursula se cramponnait de toutes ses forces à la main de Pamela chaque fois que les rouleaux approchaient. L'eau lui arrivait déjà à la taille. Pamela continuait à avancer, figure de proue fendant les flots agités. Ursula avait maintenant de l'eau jusqu'aux aisselles et elle se mit à crier et à tirer Pamela par la main, essaya de l'empêcher d'aller plus loin. Pamela jeta un regard en arrière, dit « Attention, tu vas nous faire tomber » et ne vit donc pas l'immense vague qui se dressait dans son dos. Elle déferla en un clin d'œil sur elles, les ballotta comme des fétus de paille.

Ursula se sentit tirée vers le fond, de plus en plus profondément, comme si elle était au grand large et non tout près de la côte. Ses petites jambes pédalaient, essayaient de se planter dans le sable. Si seulement elle arrivait à se relever et à lutter contre les vagues, mais il n'y avait plus de sable et, prise de panique, elle commença à s'étouffer et à se débattre. Quelqu'un allait sûrement venir la sauver, non ? Bridget, Sylvie ou encore Pamela – où était-elle ?

Personne ne vint. Il n'y avait que de l'eau. De l'eau, toujours de l'eau. Son petit cœur impuissant battait à tout rompre, oiseau prisonnier de sa poitrine. Un millier d'abeilles bourdonnèrent dans la conque nacrée de son oreille. Plus d'air. Une enfant qui se noyait, un oiseau tombé du ciel.

Les ténèbres s'abattirent.

LA NEIGE

11 février 1910

Bridget enleva le plateau du petit déjeuner et Sylvie dit « Oh, laissez le petit perce-neige. Tenez, posez-le sur ma table de chevet. » Elle garda le bébé auprès d'elle aussi. Le feu flambait dans la cheminée et la lumière vive de la neige entrant par la fenêtre semblait à la fois joyeuse et bizarrement de mauvais augure. La neige s'entassait au pied des murs de la maison, les comprimait, les enterrait. Ils étaient dans un cocon. Elle s'imagina Hugh creusant héroïquement un tunnel pour rentrer au logis. Il était parti depuis trois jours à la recherche de sa sœur, Isobel. Hier (comme cela semblait loin maintenant) un télégramme était arrivé de Paris, disant LE GIBIER S'EST TERRÉ STOP SUIS À SA POURSUITE STOP bien que Hugh ne fût pas vraiment chasseur. Elle devrait lui envoyer elle aussi un télégramme. Que dire ? Quelque chose de mystérieux. Hugh aimait les énigmes. ÉTIONS QUATRE STOP TU ES PARTI STOP SOMMES TOUJOURS QUATRE STOP. (Bridget et Mrs Glover n'entraient pas dans le décompte de Sylvie.) Ou quelque chose de plus prosaïque. BÉBÉ EST ARRIVÉ STOP TOUS BIEN PORTANTS STOP. L'étaient-ils ? Tous bien portants ? Le bébé avait failli mourir. Asphyxié. Et s'il en gardait des séquelles ? Elles avaient triomphé de la mort, cette nuit. Sylvie se demanda quand la mort chercherait à se venger.

Sylvie finit par s'endormir et rêva qu'elle avait emménagé dans une nouvelle maison et cherchait ses enfants, parcourait les pièces inconnues en criant leurs noms, tout en sachant qu'ils avaient disparu à jamais. Elle se réveilla en sursaut et fut soulagée de voir qu'au moins le bébé était toujours à côté d'elle dans le grand champ de neige blanc de son lit. Le bébé. Ursula. Sylvie avait réfléchi au prénom, Edward si ç'avait été un garçon. Les prénoms des enfants étaient son apanage, la question semblait laisser Hugh indifférent, même s'il devait avoir ses limites, supposait Sylvie. Shéhérazade peut-être. Ou Guenièvre.

Ursula ouvrit ses yeux laiteux et parut fixer son regard sur le perce-neige fatigué. *Fais dodo, mon bébé,* fredonna Sylvie. Comme la maison était calme. Comme ce calme pouvait être trompeur. Un battement de cils, un pied qui glisse et on pouvait tout perdre. « Il faut à tout prix éviter les idées noires », dit-elle à Ursula.

LA GUERRE

Juin 1914

Mr Winton – Archibald de son prénom – avait installé son chevalet sur le sable et tentait de représenter un paysage marin au moyen de taches aqueuses – bleu de Prusse et cobalt, vert viride et terre verte. Il barbouilla deux mouettes plutôt floues dans le ciel, ciel qu'il était pratiquement impossible de distinguer des vagues en dessous. Il s'imagina montrant le tableau à son retour chez lui et disant : « Dans le style impressionniste, vous voyez. »

Mr Winton, célibataire, était de son métier commis principal dans une usine de Birmingham qui fabriquait des épingles, mais romantique de nature. Membre d'un club de cyclisme, il essayait tous les dimanches de s'éloigner le plus possible du smog de Birmingham et passait ses vacances annuelles au bord de la mer afin de pouvoir respirer un air hospitalier et se prendre le temps d'une semaine pour un artiste.

Il se dit qu'il pourrait essayer d'ajouter des personnages dans son tableau, ils lui donneraient un peu de vie et de « mouvement », élément que son professeur (il suivait des cours du soir) lui avait conseillé d'introduire dans son travail. Ces deux petites filles au bord de l'eau feraient l'affaire. Leurs chapeaux de soleil signifiaient qu'il n'aurait pas besoin de reproduire leurs traits, art qu'il ne maîtrisait pas encore tout à fait.

*

« Viens, allons sauter dans les vagues, dit Pamela.

— Euh… » fit Ursula qui hésitait à aller de l'avant. Pamela la prit par la main et l'entraîna. « Ne sois pas idiote. » Plus Ursula approchait du bord, plus elle était gagnée par la panique jusqu'au moment où elle fut submergée par la peur, mais Pamela rit et entra dans l'eau en éclaboussant et Ursula fut bien obligée de la suivre. Elle essaya de trouver quelque chose qui donne envie à Pamela de retourner sur la plage – une chasse au trésor, un homme avec un chiot – mais trop tard. Une immense vague se dressa, s'enroula au-dessus de leurs têtes avant de s'abattre sur elles et de les envoyer au fond, tout au fond du monde aquatique.

*

Sylvie fut très surprise de lever les yeux de son livre et de voir un inconnu se diriger vers elle avec une de ses filles sous chaque bras comme s'il transportait des oies ou des poulets. Les filles étaient trempées jusqu'aux os et larmoyantes. « Elles sont allées un peu trop loin, dit l'homme. Mais il y a eu plus de peur que de mal. »

Elles offrirent à leur sauveur, un certain Mr Winton, commis (« principal »), un thé avec des gâteaux dans un hôtel ayant vue sur la mer. « C'est le moins que je puisse faire, dit Sylvie. Vos bottines sont fichues.

— Ce n'était rien, dit modestement Mr Winton.

— Oh, non, détrompez-vous, ce n'était pas rien », dit Sylvie.

*

« Contents d'être de retour ? dit Hugh venu les accueillir sur le quai de la gare avec un sourire radieux.

— Et toi, content de nous voir revenus ? répondit Sylvie, quelque peu combative.

— Une surprise vous attend à la maison », dit Hugh. Sylvie n'aimait pas les surprises, tout le monde le savait.

36

« Devinez », dit Hugh.

Ils s'imaginèrent un nouveau chiot, ce qui était éloigné de la vérité : un moteur Petter que Hugh avait fait installer dans la cave. Ils descendirent tous l'escalier de pierre raide et écarquillèrent les yeux devant sa présence vibrante et huileuse, ses rangées d'accumulateurs en verre. « Que la lumière soit », dit Hugh.

Il faudrait longtemps avant que l'un d'eux soit capable d'appuyer sur un interrupteur sans s'attendre à exploser. Le moteur ne pouvait leur fournir que l'éclairage, bien sûr. Bridget avait espéré un aspirateur pour remplacer son balai mécanique Ewbank, mais le voltage était insuffisant. « Dieu merci », dit Sylvie.

Juillet 1914

Par les portes-fenêtres ouvertes Sylvie regardait Maurice installer un filet de tennis improvisé, opération qui semblait surtout consister à donner de grands coups de maillet sur tout ce qu'il voyait. Les petits garçons étaient un mystère pour elle. La satisfaction qu'ils éprouvaient à lancer des bâtons ou des pierres des heures durant, à collectionner obsessionnellement des objets inanimés, à détruire brutalement le monde fragile qui les entourait, rien de tout cela ne semblait cadrer avec les hommes qu'ils étaient censés devenir.

Des bavardages bruyants dans le vestibule annoncèrent l'arrivée joyeuse de Margaret et Lily, des ex-camarades de classe devenues des visiteuses rares qui apportaient des cadeaux gaiement enrubannés pour le nouveau bébé, Edward.

Margaret était une artiste, non mariée par militantisme, peut-être bien la maîtresse de quelqu'un, possibilité scandaleuse que Sylvie n'avait pas mentionnée à Hugh. Lily était membre de la Société fabienne[3], une suffragette mondaine qui ne prenait aucun risque pour ses convictions. Sylvie songea aux femmes qu'on nourrissait de force avec des tubes et porta une main rassurante à son charmant cou blanc. L'époux de Lily, Cavendish (ça faisait plus nom d'hôtel qu'autre chose), avait une fois coincé Sylvie lors d'un thé dansant, l'avait plaquée contre un pilier avec son corps de satyre sentant le cigare pour lui suggérer quelque chose de si scandaleux qu'aujourd'hui encore elle rougissait de honte rien que d'y penser.

« Ah, l'air frais, s'exclama Lily quand Sylvie les conduisit dans le jardin. C'est si *champêtre* ici. » Elles roucoulaient comme des colombes – ou des pigeons, cette espèce inférieure – devant le landau, admirant quasiment autant le bébé qu'elles applaudissaient la silhouette svelte de Sylvie.

« Je vais sonner pour qu'on nous apporte du thé », dit Sylvie déjà fatiguée.

*

Ils avaient un chien. Un gros mastiff français tacheté du nom de Bosun. « Le nom du chien de Byron », dit Sylvie. Ursula n'avait pas la moindre idée de qui était ce mystérieux Byron, mais il ne manifestait aucune intention de leur réclamer son chien. Bosun avait un doux pelage pas très dense qui roulait sous les doigts d'Ursula et son haleine sentait le collet de mouton que Mrs Glover devait, à son grand dégoût, lui préparer. C'était un bon chien, disait Hugh, un chien responsable, le genre à sortir les gens de bâtiments en flammes ou à les sauver de la noyade.

Pamela aimait déguiser Bosun avec un vieux bonnet et un vieux châle et faire comme si c'était son bébé, même s'ils en avaient un vrai à présent – un garçon, Edward. Tout le monde l'appelait Teddy. Ce nouveau bébé avait apparemment pris leur mère au dépourvu. « Je ne sais pas d'où il sort. » Sylvie avait un rire qui ressemblait à un hoquet. Elle prenait le thé sur la pelouse avec deux camarades de classe « remontant à son époque londonienne » venues examiner le nouveau-né. Vêtues toutes les trois de ravissantes robes légères et de grands chapeaux de soleil, elles étaient assises dans des fauteuils en osier en train de boire du thé et de manger le gâteau au sherry de Mrs Glover. Assis dans l'herbe à distance respectueuse, Ursula et Bosun espéraient récolter des miettes.

Maurice avait installé un filet et essayait sans grand enthousiasme d'apprendre à Pamela à jouer au tennis. Ursula était occupée à tresser une couronne de pâquerettes pour Bosun. Elle avait des doigts boudinés, maladroits. Sylvie avait les longs doigts habiles d'une artiste peintre ou d'une pianiste. Elle jouait sur le piano du salon (« Chopin »). Parfois ils chantaient en canon après le thé, mais Ursula n'arrivait jamais à entonner sa partie au bon moment. (« Quelle gourde », disait Maurice. « C'est en forgeant qu'on devient forgeron », disait Sylvie.) Quand elle ouvrait le piano, l'odeur qui en émanait rappelait l'intérieur de vieilles valises. Elle évoquait à Ursula sa grand-mère, Adelaide, qui passait ses journées toute de noire vêtue à siroter du madère.

Le nouveau bébé était bien bordé dans l'énorme landau placé sous le gros hêtre. Ils avaient tous occupé à tour de rôle cette splendeur, même si aucun d'eux ne s'en souvenait. Un petit lièvre argent était accroché à la capote et le bébé confortablement installé sous un petit couvre-pied « brodé par des religieuses » ; personne n'avait jamais expliqué qui étaient ces nonnes et pourquoi elles avaient passé leurs journées à broder des canetons jaunes.

« Edward, dit une des amies de Sylvie. Teddy ?

— Ursula et Teddy[4]. Mes deux nounours », dit Sylvie qui hoqueta de rire. Ursula n'était pas du tout certaine d'avoir envie d'être une oursonne. Elle aurait préféré être un chien. Elle s'allongea sur le dos et contempla le ciel. Bosun émit un grondement majestueux et s'étira à côté d'elle. Des hirondelles cisaillaient étourdiment l'azur. Elle entendait tinter délicatement des tasses sur des soucoupes, crisser et cliqueter la tondeuse à gazon poussée par le vieux Tom dans le jardin voisin des Cole, sentait le parfum poivré-sucré des œillets du parterre et le vert grisant de l'herbe fraîchement coupée.

« Ah, dit une des amies londoniennes de Sylvie en étendant ses jambes et en révélant de gracieuses chevilles gainées de bas blancs. Un long été chaud. N'est-ce pas délicieux ? »

La paix fut brisée par un Maurice dégoûté qui jeta sa raquette dans l'herbe où elle rebondit avec un bruit sourd et un craquement. « Je peux pas lui apprendre – c'est une fille ! » hurla-t-il avant de disparaître d'un air digne dans le bosquet de broussailles où il entreprit de donner de grands coups de bâton, bien que dans son esprit il fût dans la jungle, armé d'une machette. Il entrait en pension à la fin de l'été. Dans l'établissement fréquenté par Hugh et son père avant lui. (« Et ainsi de suite jusqu'à Guillaume le Conquérant probablement », disait Sylvie.) C'était pour lui « forger le caractère » disait Hugh, mais Ursula trouvait que c'était déjà fait. Hugh racontait qu'au début il pleurait tous les soirs avant de s'endormir et pourtant il ne demandait apparemment pas mieux que d'infliger la même torture à son fils. Maurice bombait le torse et déclarait que, lui, ne pleurerait pas.

(« Et nous ? demanda Pamela, inquiète. On devra aller en pension ?

— Uniquement si vous êtes très vilaines », répondit Hugh en riant.)

Pamela, les joues rosies, serra les poings et les planta sur ses hanches en beuglant « T'es un gros cochon ! » au dos indifférent de Maurice qui se retirait. Dans sa bouche, le mot « cochon » prenait une résonnance terrible. En réalité, les cochons étaient plutôt sympathiques.

« Pammy, la réprimanda doucement Sylvie. Surveille ton langage. »

Ursula avait souvent entendu Mrs Glover demander à Bridget de surveiller le lait, mais le langage... Elle s'approcha en catimini du gâteau.

« Oh, viens ici, lui dit une des femmes, laisse-moi te regarder. » Ursula essaya de se défiler, mais fut retenue par la main ferme de Sylvie. « Elle est vraiment jolie, n'est-ce pas ? dit l'amie de Sylvie. Elle tient de toi.

— Parce que c'est comme le lait, le langage, ça peut se sauver ? » demanda Ursula à sa mère, et les amies de Sylvie éclatèrent d'un charmant rire pétillant. « Quelle drôle de gamine, dit l'une d'elles.

— Oui, elle est vraiment tordante », dit Sylvie.

*

« Oui, elle est vraiment tordante, dit Sylvie.
— Les enfants sont d'une drôlerie », dit Margaret.

Ils sont tellement plus que ça, songea Sylvie, mais comment expliquer la magnitude de la maternité à quelqu'un qui n'avait pas d'enfant ? Sylvie se sentait carrément une matrone en compagnie des amies de sa jeunesse écourtée et sauvée par le mariage.

Bridget sortit avec un plateau et entreprit de ramasser la vaisselle du thé. Le matin, Bridget portait une robe à rayures pour les tâches ménagères, mais l'après-midi, elle passait une robe noire à poignets et col blancs assortie d'un tablier et d'un petit bonnet de la même couleur. Elle était montée en grade. Alice était partie pour se marier et Sylvie avait engagé une villageoise de treize ans qui louchait, Marjorie, pour aider aux gros travaux. (« Nous ne pouvions pas nous contenter de deux, Bridget et Mrs G ? demanda Hugh d'un air dubitatif. Ce n'est pas comme si elles s'occupaient d'un manoir.

— Non », dit Sylvie et il n'en fut plus question.)

Le petit bonnet blanc était trop grand pour Bridget et lui glissait continuellement sur la figure, lui bandait les yeux. Alors qu'elle remportait son plateau à la cuisine, elle fut soudain aveuglée et trébucha, évita juste à temps une culbute de music-hall et les seules pertes à déplorer furent le sucrier en argent et la pince à sucre qui fusèrent dans les airs tandis que les morceaux de sucre se répandaient comme des dés vierges sur le tapis vert de la pelouse. Maurice rit comme un bossu de la malchance de Bridget et Sylvie dit « Maurice, arrête de faire l'imbécile. »

Elle regarda Bosun et Ursula ramasser les morceaux de sucre, Bosun, avec sa grosse langue rose, Ursula, d'une façon excentrique, à l'aide de la pince à sucre malcommode. Bosun avala les siens tout ronds sans les croquer, Ursula suça lentement les siens, un à un. Elle serait l'originale de la famille, soupçonnait Sylvie. Etant fille unique, elle était souvent perturbée par la complexité des relations entre ses enfants.

« Tu devrais monter à Londres, lui dit soudain Margaret. Venir passer quelques jours chez moi. On s'amuserait comme des folles.

— Mais les enfants, fit Sylvie. Le bébé. Je ne peux pas les laisser.

42

— Pourquoi pas ? dit Lily. Ta nanny peut se débrouiller quelques jours sans toi tout de même.

— Mais je n'ai pas de nanny », fit Sylvie. Lily jeta un regard à la ronde comme si elle cherchait une nanny tapie dans les hortensias. « Et je n'en veux pas », ajouta Sylvie. (Vraiment ?) La maternité était sa responsabilité, sa destinée. C'était, à défaut d'autre chose (et que pouvait-il y avoir d'autre ?), sa vie. Elle serrait l'avenir de l'Angleterre sur sa poitrine. On ne pouvait pas la remplacer au pied levé comme si son absence n'avait guère plus d'importance que sa présence. « Et j'allaite le bébé moi-même », lança-t-elle. Les deux femmes parurent sidérées. Lily plaqua inconsciemment une main sur ses seins comme pour les protéger d'une agression.

« Dieu l'a voulu ainsi », dit Sylvie alors qu'elle ne croyait plus en Dieu depuis la perte de Tiffin. Hugh la sauva en traversant la pelouse à grandes enjambées en homme qui a un but dans la vie. Il rit, demanda « Qu'est-ce qui se passe ? », ramassa Ursula, la fit sauter nonchalamment en l'air et ne s'arrêta que lorsqu'elle faillit s'étrangler avec un morceau de sucre. Il sourit à Sylvie et dit « Tes amies » comme s'il était possible qu'elle ait oublié qui elles étaient.

« Vendredi soir, dit Hugh en remettant Ursula dans l'herbe, le dur labeur du travailleur est terminé et je crois que l'heure de l'apéritif a officiellement sonné. Voudriez-vous, mes charmantes dames, passer à quelque chose de plus fort que du thé ? Des gin-fizz peut-être ? » Hugh avait quatre sœurs plus jeunes et était à son aise avec les femmes. Cette qualité seule suffisait à les charmer. Sylvie savait que par instinct il était homme à chaperonner, pas à courtiser, mais s'interrogeait de temps à autre sur sa popularité et où elle pourrait le mener. Ou l'avoir déjà mené, d'ailleurs.

Une détente fut négociée entre Maurice et Pamela. Sylvie demanda à Bridget de sortir une table sur la petite (mais utile) terrasse pour que les enfants puissent dîner dehors – des toasts à la laitance de harengs et un blanc-manger rose tout juste pris

43

et parcouru de frissons incontrôlables. Sa seule vue rendit Sylvie légèrement nauséeuse. « Nourriture de nursery, dit Hugh avec délectation en regardant ses enfants manger.

— L'Autriche a déclaré la guerre à la Serbie », enchaîna-t-il et Margaret dit « Comme c'est stupide. J'ai passé un merveilleux week-end à Vienne l'an dernier. A l'Imperial, vous connaissez ?

— Pas intimement », fit Hugh.

Sylvie connaissait, mais ne le dit pas.

*

Des fils de la vierge flottaient dans les airs. L'esprit agréablement embrumé par l'alcool, Sylvie se rappela soudain la fin de son père, due à un excès de cognac, frappa dans ses mains comme si elle tuait un moucheron agaçant, déclara « Les enfants, il est temps d'aller vous coucher » et regarda Bridget pousser maladroitement le lourd landau sur la pelouse. Sylvie soupira et Hugh l'aida à se lever de sa chaise, l'embrassa sur la joue une fois qu'elle fut debout.

*

Sylvie ouvrit et cala la minuscule lucarne dans la chambre étouffante du bébé. Ils l'appelaient la « nursery », mais ce n'était qu'un trou de souris situé sous un coin de l'avant-toit, sans air l'été et glacial l'hiver et de ce fait totalement inadapté à un tendre nourrisson. Comme Hugh, Sylvie estimait que les enfants devaient être endurcis dès leur plus jeune âge afin de mieux encaisser les coups plus tard dans la vie. (La perte d'une belle maison à Mayfair, d'un poney chéri, de la foi en une déité omnisciente.) Elle s'assit dans le fauteuil de velours capitonné et allaita Edward. « Teddy » murmura-t-elle affectueusement tandis qu'il tétait avec voracité, s'étranglait et finissait par s'endormir rassasié. Sylvie préférait ses enfants bébés, brillants et neufs, comme les coussinets roses sous les pattes d'un chaton. Celui-là était à part pourtant. Elle embrassa la bourre de soie sur sa tête.

Des mots flottèrent dans l'air jusqu'à elle. « Toutes les bonnes choses doivent avoir une fin, entendit-elle Hugh déclarer à Margaret et Lily en les escortant à la salle à manger. Je crois que Mrs Glover, qui a des tendances poétiques, nous a préparé de la raie. Mais peut-être aimeriez-vous voir d'abord mon moteur Petter ? » Les deux femmes pépièrent comme les écolières stupides qu'elles étaient restées.

*

Ursula fut réveillée par des cris excités et des applaudissements. « L'électricité ! entendit-elle une des amies de sa mère s'exclamer. Comme c'est merveilleux ! »

Elle partageait une mansarde avec Pamela. Elles avaient des petits lits jumeaux séparés par une carpette en lirette et une table de chevet. Pamela dormait les bras au-dessus de la tête et criait parfois comme si on la piquait avec une épingle (tour horrible dont Maurice était friand). D'un côté du mur de leur chambre, il y avait Mrs Glover qui ronflait comme un soufflet de forge et de l'autre, Bridget qui marmonnait constamment durant son sommeil. Bosun dormait devant leur porte, toujours en faction, même endormi. Il lui arrivait de gémir doucement, mais impossible de deviner si c'était de plaisir ou de douleur. Le dernier étage était un endroit peuplé et agité.

Plus tard, Ursula fut de nouveau réveillée par les visiteuses qui prenaient congé. (« Cette enfant a un sommeil anormalement léger », disait Mrs Glover comme si c'était un trait de caractère à corriger.) Elle sortit de son lit et marcha pieds nus jusqu'à la fenêtre. En se juchant sur une chaise pour regarder dehors, chose qui leur avait été expressément interdite à tous, elle voyait Sylvie et ses amies sur la pelouse en contrebas, leurs robes voleter comme des phalènes dans le crépuscule qui tombait. Hugh se tenait au portail de derrière, attendant de les accompagner à la gare à pied.

Parfois Bridget emmenait les enfants à la gare chercher leur père au retour de son travail. Maurice disait que plus tard il serait peut-être conducteur de train ou explorateur dans l'Antarctique comme Ernest Shackelton qui s'apprêtait à partir pour sa grande expédition. A moins qu'il ne devienne simplement banquier comme son père.

Hugh travaillait à Londres, ville où ils se rendaient peu fréquemment pour passer un après-midi guindé dans le salon de leur grand-mère à Hampstead, les querelles de Maurice et Pamela « usant » les nerfs de Sylvie de sorte qu'elle était toujours de mauvaise humeur dans le train du retour.

Une fois tout le monde parti et les voix réduites à des murmures dans le lointain, Sylvie retraversa la pelouse pour regagner la maison, ombre qui s'obscurcissait à mesure que la chauvesouris noire déployait ses ailes. A l'insu de Sylvie, un renard la suivit d'un pas décidé avant de bifurquer et de disparaître dans le bosquet de broussailles.

*

« Tu n'as rien entendu ? » demanda Sylvie. Adossée à des oreillers, elle lisait un des premiers romans de Forster. « Le bébé peut-être ? »

Hugh pencha la tête de côté. Il lui fit penser un moment à Bosun.

« Non », dit-il.

D'habitude, le bébé faisait ses nuits. C'était un chérubin. Mais, Dieu merci, pas au paradis.

« C'est le plus facile qu'on ait eu jusqu'ici, dit Hugh.

— Oui, je pense que nous devrions le garder.

— Il ne me ressemble pas, fit Hugh.

— Non, convint-elle aimablement. Pas du tout. »

Hugh éclata de rire, l'embrassa affectueusement et dit : « Bonne nuit, j'éteins ma lampe.

— Je crois que je vais lire encore un peu. »

*

46

Par une chaude journée, quelques jours plus tard, elles allèrent regarder la rentrée de la moisson.

Sylvie et Bridget marchèrent à travers champs avec les filles, Sylvie portant le bébé dans son châle, que Bridget lui avait noué en écharpe. « Comme une paysanne irlandaise », avait dit Hugh, amusé. On était samedi et, libéré des mornes contraintes de sa profession, allongé dans la chaise longue en osier sur la terrasse de derrière, il lisait religieusement *Wisden Cricketers' Almanack*, la bible du cricket.

Maurice avait disparu après le petit déjeuner. C'était un garçon de neuf ans et il était libre d'aller où bon lui semblait avec qui bon lui semblait, bien qu'il eût tendance à s'en tenir à la compagnie exclusive d'autres garçons de neuf ans. Sylvie n'avait pas la moindre idée de ce qu'ils faisaient, mais à la fin de la journée, il rentrait crotté de la tête aux pieds en brandissant un trophée pas très ragoûtant : un bocal de grenouilles ou de vers, un oiseau mort, le crâne blanchi de quelque petite bête.

Le soleil avait depuis longtemps commencé sa raide ascension lorsqu'elles s'étaient enfin mises en route, encombrées du bébé, de paniers de pique-nique, de capelines et d'ombrelles. Bosun trottait à leur côté comme un petit poney. « Bonté divine, nous sommes chargées comme des réfugiés, dit Sylvie. Les Juifs quittant Israël peut-être.

— Des Juifs ? » dit Bridget en plissant le nez d'un air dégoûté.

Teddy dormit tout du long dans son porte-bébé improvisé pendant qu'elles escaladaient les échaliers et trébuchaient sur des racines boueuses durcies par le soleil. Bridget déchira sa robe à un clou et se plaignit d'avoir des ampoules aux pieds. Sylvie songea à enlever son corset et à l'abandonner au bord du sentier, imagina l'étonnement de la personne qui tomberait par hasard dessus. L'image lui revint soudain, inopinée dans la lumière aveuglante du grand jour et au milieu des vaches, de Hugh délaçant son corset dans leur hôtel de Deauville tandis que les bruits du dehors entraient par la fenêtre ouverte — le cri des mouettes, un homme et une femme se disputant dans un français âpre et rapide. Sur le bateau qui les ramenait de Cherbourg en Angleterre, Sylvie portait déjà le minuscule homoncule qui deviendrait Maurice, bien qu'elle en eût été bienheureusement inconsciente à l'époque.

« Madame ? dit Bridget, interrompant sa rêverie. Mrs Todd ? C'est pas du tout des *vaches*. »

*

Elles s'arrêtèrent pour admirer les chevaux de labour de George Glover, des énormes shires du nom de Samson et Nelson qui soufflèrent par les naseaux et secouèrent la tête en apercevant du monde. Ils rendaient Ursula nerveuse, mais Sylvie leur donna à chacun une pomme et ils cueillirent délicatement le fruit dans la paume de sa main avec leurs grosses lèvres d'un rose velouté. Sylvie déclara qu'ils étaient gris pommelé et beaucoup plus beaux que les gens, et Pamela demanda « Plus beaux même que les enfants ? », et Sylvie répondit « Oui, surtout les enfants » avant d'éclater de rire.

Elles trouvèrent George en train d'aider à rentrer la moisson. Quand il les aperçut, il traversa le champ à grandes enjambées pour les saluer. « Madame », dit-il à Sylvie en enlevant sa casquette et en essuyant la sueur de son front avec un grand mouchoir à pois blanc et rouge. De minuscules particules de balle adhéraient à ses bras. Comme la balle, les poils de ses bras étaient dorés par le soleil. « Il fait très chaud », dit-il sans nécessité. Il regarda Sylvie à travers la grande boucle de cheveux qui tombait toujours dans ses beaux yeux bleus. Sylvie parut rougir.

En plus de leur déjeuner – sandwiches à la pâte de hareng saur et à la crème de citron, limonade au gingembre et gâteau au carvi – elles avaient apporté le restant de pâté en croûte que Mrs Glover destinait à George ainsi qu'un petit pot de son célèbre piccalilli. Le gâteau au carvi était déjà rassis car Bridget avait oublié de le remettre dans sa boîte en fer-blanc et il avait passé la nuit dans la cuisine chaude. « Je ne serais pas surprise que les fourmis aient pondu dedans », avait dit Mrs Glover. Quand il fallut le manger, Ursula enleva toutes les graines, qui étaient légion, vérifia chacune d'entre elles pour s'assurer que ce n'était pas un œuf de fourmi.

Les ouvriers agricoles s'arrêtèrent pour déjeuner, essentiellement de pain et de fromage arrosé de bière. Bridget piqua un fard et pouffa de rire en remettant le pâté en croûte à George. Pamela répéta à Ursula que Maurice lui avait dit que Bridget en pinçait pour George, bien que Maurice ne leur parût pas être une source d'informations fiable en matière d'affaires de cœur. Ils mangèrent leur pique-nique en bordure du champ de chaume, George affalé avec désinvolture et mordant à belles dents dans le pâté en croûte, Bridget le contemplant avec admiration comme si c'était un dieu grec tandis que Sylvie s'affairait avec le bébé.

*

Sylvie s'éloigna d'un pas lourd afin de trouver un coin discret pour allaiter Teddy. Les filles élevées dans les belles maisons de Mayfair n'avaient pas pour habitude de se cacher derrière des haies pour donner la tétée à des nourrissons. Comme le faisaient sans nul doute les paysannes irlandaises. Elle eut une pensée émue pour le chalet de plage en Cornouailles. Le temps de trouver enfin un endroit suffisamment abrité, Teddy braillait à s'en décrocher la mâchoire, ses petits poings de pugiliste serrés pour braver l'injustice du monde. Au moment précis où Teddy prenait son sein, elle leva par hasard les yeux et vit George Glover émerger des arbres à l'autre extrémité du champ. L'apercevant, il s'arrêta et la regarda fixement comme une biche effarouchée. L'espace d'une seconde, il ne bougea pas, puis enleva sa casquette et dit : « Ça tape toujours, madame.

— Ça, c'est sûr », répondit brusquement Sylvie qui le regarda ensuite se hâter vers la barrière à claire-voie qui interrompait la haie au milieu du champ et sauter par-dessus avec l'aisance d'un grand cheval de chasse franchissant un obstacle.

A distance respectueuse, elles regardèrent l'énorme mois-
sonneuse avaler bruyamment le blé. « Hypnotique, hein ? » dit
Bridget. Elle avait appris le mot récemment. Sylvie sortit sa
jolie petite montre de gousset en or, article très convoité par
Pamela, et s'écria « Juste ciel, regardez l'heure qu'il est » bien
que personne n'en fît rien. « Il faut rentrer. »

Elles partaient lorsque George Glover cria « Ohé ! là-bas ! » et
se dirigea vers elles au petit trot. Il portait quelque chose dans
sa casquette. Deux bébés lapins pelotonnés. « Oh », fit Pamela
avec des larmes d'excitation dans la voix.

« Des lapereaux, dit George Glover. Blottis l'un contre l'autre
au milieu du champ. Leur mère est morte. Pourquoi ne pas les
prendre ? Un chacune ? »

Sur le chemin du retour, Pamela transporta les deux bébés
lapins dans la jupe de sa robe chasuble en la tenant fièrement
devant elle comme Bridget le plateau du thé.

*

« Regardez-vous, dit Hugh lorsqu'elles franchirent fatiguées
la porte du jardin. Dorées et baignées de soleil. Vous avez l'air
de vraies campagnardes.

— Plus rouges que dorées, je le crains », dit Sylvie avec regret.

Le jardinier était au travail. Il s'appelait Old Tom. (« Comme
un chat[5], disait Sylvie. Croyez-vous qu'on l'ait appelé un jour
Young Tom ? ») Il travaillait six jours par semaine, partageait
son temps entre Fox Corner et une maison voisine. Ces voisins,
les Cole, lui donnaient du « Mr Ridgely ». Il ne laissait aucune-
ment voir ce qu'il préférait. Les Cole vivaient dans une maison
très similaire à celle des Todd et Mr Cole, comme Hugh, était
banquier. « Juif », ajoutait Sylvie sur le même ton qu'elle aurait
dit « catholique » – intriguée mais néanmoins dérangée par un
tel exotisme.

« Je ne crois pas qu'ils pratiquent », dit Hugh. Pratiquent quoi ? s'interrogea Ursula. Maurice pratiquait le tennis, qu'il considérait comme un sport de garçon, comme on avait pu le constater.

Mr Cole était né avec un nom très différent, selon son fils aîné Simon, quelque chose de beaucoup trop compliqué à prononcer pour les langues anglaises. Le cadet, Daniel, était ami avec Maurice car même si les adultes n'étaient pas amis, les enfants se connaissaient bien. Simon, « un bûcheur » (disait Maurice), aidait Maurice tous les lundis soir avec ses maths. Sylvie, que sa judéité plongeait apparemment dans des abîmes de perplexité, ne savait pas trop comment le récompenser pour cette tâche ingrate. « Je risque de lui donner quelque chose qui les offense, conjecturait-elle. Si je lui donne de l'argent, ils penseront peut-être que c'est une allusion à leur réputation bien connue d'avarice. Si je lui donne des bonbons, ça pourrait ne pas correspondre à leurs prescriptions alimentaires.

— Ils ne pratiquent pas, répéta Hugh. Ils ne risquent pas de les observer.

— Benjamin est très observateur, dit Pamela. Hier, il a trouvé un nid de merles. » Et de foudroyer Maurice du regard. Il les avait surpris en train d'admirer les beaux œufs bleus tachetés de brun, s'en était emparé et les avait cassés sur une pierre. Il avait trouvé la plaisanterie excellente. Pamela lui avait jeté une petite pierre (enfin, plutôt petite) qui l'avait atteint à la tête. « Tiens, avait-elle dit. Comme ça, tu sauras quel effet ça fait d'avoir sa coquille brisée. » Il arborait à présent une vilaine entaille et une ecchymose à la tempe. « Je suis tombé », dit-il sobrement à Sylvie qui s'enquérait de l'origine de la blessure. Il était rapporteur, mais dénoncer Pamela aurait révélé le péché initial et Sylvie l'aurait sévèrement puni. Elle l'avait déjà pris en train de voler des œufs et l'avait giflé. Sylvie disait qu'ils devaient « révérer » la nature et non la détruire, mais la révérence n'était malheureusement pas dans le caractère de Maurice.

« Il apprend le violon, Simon, c'est bien ça ? dit Sylvie. Les juifs sont d'ordinaire très doués pour la musique, non ?

Je pourrais peut-être lui offrir des partitions, une chose de ce genre. » La discussion sur les périls d'offenser le judaïsme s'était tenue à la table du petit déjeuner. Hugh était toujours vaguement interloqué de trouver ses enfants à la même table que lui. Il n'avait pas pris de repas avec ses parents avant ses douze ans, âge auquel il avait été jugé digne de quitter la nursery. Il était le robuste diplômé d'une nanny efficace, un Etat dans l'Etat dans cette maison de Hampstead. La petite Sylvie, par contre, avait dîné tard, de *canard à la presse**, juchée en équilibre précaire sur des coussins, bercée par les flammes dansantes des bougies et le scintillement de l'argenterie, pendant que la conversation de ses parents flottait au-dessus de sa tête. Ce n'était pas, soupçonnait-elle à présent, une enfance tout à fait ordinaire.

*

Old Tom « défonçait » une fosse pour planter une nouvelle rangée d'asperges. Hugh avait abandonné depuis longtemps *Wisden* et remplissait de framboises un grand bol émaillé blanc dans lequel Pamela et Ursula reconnurent celui où Maurice gardait des têtards jusqu'à une période récente même si ni l'une ni l'autre ne mentionnèrent ce détail. « Ça donne soif, ces travaux agricoles », dit Hugh en se versant un verre de bière et ils éclatèrent tous de rire. Excepté Old Tom.

Mrs Glover sortit pour demander à Old Tom de lui déterrer des pommes de terre pour accompagner ses escalopes de bœuf. Elle maugréa à la vue des lapins : « Y a même pas de quoi faire un ragoût. » Pamela hurla et dut être calmée avec une gorgée de la bière de Hugh.

Dans un coin perdu du jardin, Pamela et Ursula firent avec de l'herbe et du coton hydrophile un nid qu'elles décorèrent de

_____

* Tous les mots et expressions en italique suivis d'un astérisque sont en français dans le texte.

pétales de rose tombés et y installèrent soigneusement les bébés lapins. Pamela leur chanta une berceuse, elle chantait juste et bien, mais les lapereaux dormaient depuis que George Glover leur en avait fait cadeau.

« Je crois qu'ils sont peut-être trop petits », fit Sylvie. Trop petits pour quoi ? s'interrogea Ursula, mais Sylvie ne le dit pas.

*

Ils s'assirent sur la pelouse et mangèrent les framboises avec de la crème et du sucre. Hugh regarda le ciel bleu, bleu et déclara « Vous avez entendu ce coup de tonnerre ? Il va y avoir un orage épouvantable, je le sens venir. Vous ne le sentez pas, Old Tom ? » s'enquit-il en élevant la voix pour que ce dernier qui bêchait au loin dans le carré de légumes l'entende. Hugh croyait qu'en sa qualité de jardinier Old Tom devait s'y connaître en météorologie. Old Tom ne dit rien et continua son travail.

« Il est sourd », fit Hugh.

*

« Non, pas du tout », dit Sylvie qui préparait un Rose Madder en écrasant des framboises, belles comme du sang, dans de la crème épaisse et se mit inopinément à penser à George Glover. Un fils de la terre. A ses mains fortes et carrées, à ses beaux chevaux gris pommelé comme de grands chevaux à bascule et à la façon dont il s'était prélassé sur le talus herbu pour déjeuner, dans la pose de l'Adam de Michel-Ange à la chapelle Sixtine, mais tendant le bras vers une autre tranche de pâté en croûte plutôt que vers la main de son Créateur. (Quand Sylvie avait accompagné son père, Llewellyn, en Italie, elle avait été épous-touflée par l'abondance de chair masculine dénudée dans les œuvres d'art.) Elle s'imagina donnant des pommes à manger dans sa main à George Glover et rit.

« Qu'y a-t-il ? » demanda Hugh et Sylvie répondit : « Quel beau garçon, ce George Glover.

— Il faut l'adopter alors », fit Hugh.

*

Cette nuit-là, Sylvie abandonna Forster pour des activités moins cérébrales, elle enlaça Hugh de ses membres brûlants dans le lit conjugal, plus cœur pantelant qu'alouette en plein essor. Elle se surprit à penser non pas au corps lisse, maigre et nerveux de Hugh, mais aux magnifiques membres cuivrés de centaure de George Glover. « Tu es très... dit Hugh qui, épuisé, contempla la corniche de la chambre à la recherche du mot approprié. Animée, finit-il par conclure.

— Ça doit être ce grand bol d'air frais », fit Sylvie.

*

Doré et baigné de soleil, songea-t-elle en s'assoupissant confortablement, mais voici que, chose inhabituelle, Shakespeare lui vint à l'esprit. *Garçons et filles vêtus d'or doivent tous comme les ramoneurs devenir poussière* et elle eut soudain peur.

« L'orage arrive enfin, dit Hugh. J'éteins ? »

*

Sylvie et Hugh furent tirés de leur paisible sommeil dominical par les gémissements de Pamela. Ursula et elle s'étaient réveillées de bonne heure tout excitées et s'étaient précipitées dehors pour découvrir que les lapereaux avaient disparu. Il n'en restait que le pompon duveteux d'une minuscule queue blanche maculée de rouge.

« Les renards, dit Mrs Glover avec une certaine satisfaction. Il fallait s'y attendre. »

Janvier 1915

« Vous connaissez la dernière ? » demanda Bridget.

Sylvie soupira et reposa la lettre de Hugh aux pages cassantes comme des feuilles mortes. Il avait beau n'être parti que depuis quelques mois au front, c'est tout juste si elle se souvenait encore d'avoir été mariée avec lui. Hugh était capitaine du Ox and Bucks. L'été dernier, il était banquier. Ça paraissait absurde.

Ses lettres étaient joyeuses et prudentes (*Les hommes sont formidables, ils ont vraiment du caractère*). Il les désignait par leur prénom (« Bert », « Alfred », « Wilfred ») mais depuis la bataille d'Ypres, ils étaient simplement devenus des « hommes » et Sylvie se demandait si Bert, Alfred et Wilfred étaient morts. Hugh ne mentionnait jamais la mort ni son processus, c'était comme s'ils étaient partis en virée, en pique-nique. (*Enormément de pluie cette semaine. Partout de la boue. J'espère que vous avez meilleur temps que nous !*)

« A la guerre ? Tu pars à la guerre ? » lui avait-elle crié quand il s'était engagé, et elle fut soudain frappée par le fait qu'elle ne lui avait encore jamais parlé sur ce ton. Peut-être qu'elle aurait dû.

S'il devait y avoir une guerre, lui expliqua Hugh, il ne voulait pas se dire un jour qu'il avait manqué le coche, que d'autres s'étaient présentés pour défendre l'honneur de leur pays et lui pas. « Ce sera peut-être la seule aventure de ma vie, dit-il.

— Aventure ? répéta-t-elle, incrédule. Que fais-tu de tes enfants, de ta *femme* ?

— Mais c'est pour toi que je fais ça », dit-il d'un air peiné, tel un Thésée incompris. A ce moment, Sylvie éprouva pour lui une intense aversion. « Pour protéger notre foyer, persista-t-il. Pour défendre tout ce en quoi nous croyons.

— J'ai pourtant entendu le mot *aventure* », fit Sylvie qui lui tourna le dos.

Elle l'avait cependant accompagné à Londres pour lui faire ses adieux. Ils avaient été bousculés par une foule immense qui agitait des drapeaux et poussait des hourras comme si une grande victoire avait déjà été remportée. Sylvie fut surprise par le patriotisme fanatique des femmes présentes sur le quai. La guerre ne devrait-elle pas transformer toutes les femmes en pacifistes ?

Hugh l'avait serrée contre lui comme s'ils étaient de jeunes amoureux et n'avait sauté dans le train qu'à la toute dernière minute. Il fut immédiatement englouti dans la marée d'hommes en uniforme. *Son régiment*, songea-t-elle. Comme c'était bizarre. A l'instar de la foule, il avait paru être extrêmement, bêtement joyeux.

Quand le train s'ébranla lentement pour quitter la gare, la foule surexcitée poussa un rugissement d'approbation en agitant frénétiquement des drapeaux et en lançant casquettes et chapeaux en l'air. Sylvie ne put que regarder d'un air hébété les fenêtres des wagons qui défilèrent lentement, puis de plus en plus vite jusqu'à former une masse indistincte. Elle n'aperçut pas la moindre trace de Hugh et supposa que la réciproque était vraie.

Une fois tout le monde parti, elle resta sur le quai à fixer à l'horizon le point où le train avait disparu.

Sylvie abandonna la lettre pour prendre ses aiguilles à tricoter.

« Vous connaissez la dernière ? » s'obstina Bridget. Elle disposait les couverts sur la table à thé. Sylvie fronça les sourcils, les yeux baissés sur ses aiguilles à tricoter, et se demanda si elle avait envie d'apprendre la moindre nouvelle dont Bridget fût la source. Elle rabattit une maille sur la manche raglan du chandail gris qu'elle tricotait pour Maurice. Toutes les femmes de la maison passaient désormais un temps fou à tricoter – cachenez et moufles, gants, chaussettes et bonnets, tricots de peau et pulls – pour que leurs hommes aient bien chaud.

Mrs Glover s'asseyait le soir près de la cuisinière et tricotait d'énormes gants, de taille à accommoder les sabots des chevaux de labour de George. Ils n'étaient pas destinés à Samson et Nelson, bien sûr, mais à George lui-même, un des premiers à s'engager, disait fièrement Mrs Glover à la moindre occasion, ce qui rendait Sylvie plutôt grognon. Même Marjorie, la fille de cuisine, avait attrapé le virus : elle s'escrimait après le déjeuner sur quelque chose qui ressemblait à un torchon à vaisselle, bien qu'appeler ça du tricot fût généreux. « Y a plus de trous que de laine. » Tel avait été le verdict de Mrs Glover qui l'avait ensuite giflée et lui avait dit de retourner à son travail.

Bridget s'était mise à tricoter des chaussettes informes – elle était totalement incapable de faire les talons – destinées à son nouvel amoureux. Elle avait « donné son cœur » à un palefrenier d'Ettringham Hall du nom de Sam Wellington. « La vieille botte[6] » disait-elle plusieurs fois par jour avant de rire comme une bossue de sa plaisanterie comme si c'était la première fois qu'elle la faisait. Bridget envoyait à Sam Wellington des cartes postales sentimentales sur lesquelles des anges planaient au-dessus de femmes en pleurs assises à des tables recouvertes de velours chenille. Sylvie avait laissé entendre à Bridget qu'elle devrait peut-être envoyer des missives plus joyeuses à un homme qui faisait la guerre.

Bridget gardait une photo de Sam Wellington, un portrait de studio, sur sa coiffeuse plutôt chichement fournie. Il occupait la place d'honneur à côté des vieux peigne et brosse émaillés que Sylvie lui avait donnés quand Hugh lui avait acheté un nécessaire de toilette en argent pour son anniversaire.

Le même portrait de rigueur montrant cette fois-ci George ornait la table de nuit de Mrs Glover. Sanglé dans un uniforme et mal à l'aise devant une toile de fond qui rappelait à Sylvie la côte amalfitaine, George Glover ne ressemblait plus à l'Adam de la Sixtine. Sylvie songea à tous les engagés qui s'étaient soumis au même rituel, souvenir destiné aux mères et aux amoureuses, pour certains la seule photo qui serait jamais prise d'eux. « Il pourrait se faire tuer, disait Bridget de son galant, et je pourrais oublier à quoi il ressemblait. » Sylvie avait beaucoup de photos de Hugh. Il menait une vie bien documentée.

Tous les enfants sauf Pamela étaient en haut. Teddy dormait dans son berceau, à moins qu'il ne fût réveillé, quoi qu'il en soit il ne se plaignait pas. Sylvie ne savait pas ce que Maurice et Ursula fabriquaient et s'en souciait peu car cela signifiait que la tranquillité régnait dans le petit salon mis à part de temps à autre un coup sourd et suspect au plafond et l'écho métallique de lourdes casseroles en provenance de la cuisine où Mrs Glover manifestait ses sentiments à propos de quelque chose – la guerre ou l'incompétence de Marjorie, ou les deux.

Depuis le début des combats en Europe continentale, ils avaient abandonné la table Regency Revival de la salle à manger, jugée trop extravagante pour l'austérité de rigueur en temps de guerre, et prenaient leurs repas sur la petite table du petit salon. (« C'est pas ça qui va nous faire gagner la guerre », disait Mrs Glover.)

Sylvie fit signe à Pamela qui obéit docilement aux ordres muets de sa mère et suivit Bridget autour de la table pour remettre les couverts dans le bon sens. Bridget ne différenciait pas sa droite de sa gauche ni le haut du bas.

Le soutien de Pamela au corps expéditionnaire avait pris la forme de la production en série de cache-nez brun grisâtre d'une longueur aussi extraordinaire que malcommode. Sylvie était agréablement surprise par la capacité de son aînée à supporter la monotonie. Elle lui serait d'un grand secours pour la vie qui l'attendait. Sylvie perdit une maille et lâcha un juron qui fit sursauter Pamela et Bridget. « Quelle nouvelle ? finit par demander Sylvie à contrecœur.

— Des bombes sont tombées sur le Norfolk, dit Bridget, fière de son information.

— Des bombes ? fit Sylvie en levant les yeux de son tricot. Sur le *Norfolk* ?

— Un raid de zeppelins, dit Bridget avec autorité. Typique des Boches. Ils se fichent pas mal de savoir qui ils tuent. Pour être mauvais, ils sont mauvais. Ils mangent les bébés belges.

— Enfin... dit Sylvie en rattrapant sa maille perdue, c'est peut-être un rien exagéré. »

Une fourchette à dessert dans une main et une cuiller dans l'autre, comme si elle s'apprêtait à s'attaquer à un des gâteaux bourratifs de Mrs Glover, Pamela hésita. « Mangent ? répéta-t-elle, horrifiée. Des bébés ?

— Non, dit Sylvie avec humeur. Ne sois pas idiote. »

Des profondeurs de la cuisine, Mrs Glover appela Bridget qui se précipita à son commandement. Sylvie l'entendit hurler à son tour au pied de l'escalier au reste des enfants : « Vot'dîner est servi. »

Pamela poussa le soupir de quelqu'un qui a déjà une longue vie derrière elle et s'attabla. Elle regarda d'un air absent la nappe et dit « Papa me manque.

— A moi aussi, ma chérie, fit Sylvie. A moi aussi. Ne sois pas bébête, va dire à tes frères et sœur de se laver les mains. »

A Noël, Sylvie avait préparé un gros colis pour Hugh : les inévitables chaussettes, un des cache-nez interminables de Pamela et en guise d'antidote aux précédents, une écharpe de cachemire double épaisseur tricotée par Sylvie et baptisée avec son parfum préféré, La Rose Jacqueminot, pour lui rappeler la maison. Elle s'imaginait Hugh portant l'écharpe à même la peau sur le champ de bataille, tel un preux chevalier arborant les couleurs de sa dame dans un tournoi. Ce rêve éveillé de chevalerie était un réconfort en soi, préférable aux aperçus d'une réalité plus sombre. Ils avaient passé un week-end hivernal à Broadstairs, dans le Kent, empaquetés dans des guêtres, des cache-corsets et des passe-montagnes et entendu gronder les canons de l'autre côté de la Manche.

Le colis de Noël contenait aussi un cake préparé par Mrs Glover, une boîte de biscuits fourrés à la crème de menthe poivrée quelque peu informes confectionnés par Pamela, des cigarettes, une bouteille de bon whisky pur malt, un livre de poèmes – une anthologie de poésie anglaise, surtout pastorale et pas trop ardue – ainsi que des petits présents fabriqués par Maurice (un aéroplane en balsa) et un dessin d'Ursula représentant un ciel bleu, de l'herbe verte et la minuscule silhouette déformée d'un chien. « Bosun » écrivit obligeamment Sylvie en haut. Elle ne savait pas du tout si Hugh avait reçu le colis.

Noël fut morne. Izzie vint et parla énormément de rien (ou plutôt d'elle) avant d'annoncer qu'elle s'était engagée dans le Détachement d'aide volontaire et partait pour la France dès la fin des festivités.

« Mais, Izzie, tu ne sais ni soigner ni cuisiner ni taper à la machine ni faire quoi que ce soit d'utile », dit Sylvie. Ses paroles dépassèrent sa pensée, mais Izzie était vraiment toquée. (« Une tête de linotte », trancha Mrs Glover.)

« C'est fichu alors, dit Bridget en apprenant le ralliement d'Izzie à la cause patriotique, nous aurons perdu la guerre avant le carême. » Izzie ne parlait jamais de son bébé. Il avait été adopté en Allemagne et Sylvie supposait qu'il était devenu citoyen allemand. Comme c'était étrange de penser qu'il n'était qu'un tout petit peu plus jeune qu'Ursula, mais qu'il était officiellement l'ennemi.

Puis au nouvel an, l'un après l'autre, tous les enfants attrapèrent la varicelle. Izzie sauta dans le premier train à destination de Londres dès l'éruption du premier bouton sur le visage de Pamela. « Et ça veut jouer les Florence Nightingale[7] », dit Sylvie agacée à Bridget.

*

Malgré ses doigts maladroits et boudinés, Ursula participait désormais à la frénésie de tricot qui avait gagné toute la maisonnée. Elle avait eu pour Noël un tricotin qui avait la forme d'une poupée de bois française appelée la reine Solange même si Sylvie « doutait » qu'un tel personnage eût jamais existé dans la réalité historique. Elle arborait des couleurs royales et portait une couronne jaune sophistiquée dans les pointes de laquelle on passait la laine. Ursula était un sujet dévoué et passait tout le temps libre dont elle disposait à profusion à créer de longs serpentins de laine qui n'avaient d'autre utilité que d'être enroulés pour former des napperons ou des couvre-théières biscornus. (« Où sont les trous pour le bec et l'anse ? » demandait Bridget, perplexe.)

« Excellent, ma chérie, disait Sylvie en examinant un petit napperon qui se détricotait lentement dans ses mains comme un animal émergeant d'un long sommeil. Souviens-toi que c'est en forgeant qu'on devient forgeron. »

*

« Vot' dîner est servi ! »

Ursula ignora délibérément l'appel à se mettre à table. Assise sur son lit, les traits plissés de concentration, complètement subjuguée par la majesté de sa tâche, elle passait de la laine autour de la couronne de la reine Solange. C'était un vieux bout de worsted fauve, mais nécessité faisait loi, disait Sylvie.

Maurice aurait dû regagner son pensionnat, mais sa varicelle avait été la plus grave et son visage était encore couvert de petites cicatrices comme s'il avait été becqueté par un oiseau. « Encore quelques jours à la maison, jeune homme », avait dit le Dr Fellowes, mais aux yeux d'Ursula, Maurice semblait en pleine santé.

Il tournait comme un lion en cage dans la pièce. Il trouva une pantoufle de Pamela sous le lit et se mit à taper dedans comme dans un ballon de foot. Puis il prit un bibelot de porcelaine, une dame en crinoline à laquelle Pamela tenait comme à la prunelle de ses yeux et la lança si haut qu'elle ricocha sur l'abat-jour en opaline avec un *bing* alarmant. Horrifiée, Ursula laissa tomber son tricot et plaqua ses mains sur sa bouche. La dame en crinoline atterrit en douceur sur le capitonnage boursouflé de l'édredon en satin de Pamela, mais pas avant que Maurice ne se soit emparé du tricotin abandonné pour courir avec comme s'il faisait voler un aéroplane. Ursula regarda la pauvre reine Solange fuser autour de la pièce et le bout de laine qui sortait de ses entrailles flotter derrière elle comme un mince étendard.

Puis Maurice fit quelque chose de vraiment méchant. Il ouvrit la fenêtre de la mansarde, ce qui introduisit un fâcheux courant d'air froid, et envoya promener la petite poupée en bois dans la nuit hostile.

Ursula traîna immédiatement une chaise jusqu'à la fenêtre, grimpa dessus et regarda dehors. Elle repéra la reine Solange, illuminée par la flaque de lumière venue de la fenêtre : elle gisait sur les ardoises dans la noue séparant les deux combles.

Maurice, devenu à présent un Indien peau-rouge, sautait d'un lit à l'autre en poussant des cris de guerre. « Vot'dîner est servi ! » beugla Bridget avec plus d'insistance au pied de l'escalier. Son cœur d'héroïne battant à tout rompre, Ursula les ignora délibérément tous les deux et enjamba tant bien que mal l'appui de fenêtre – tâche périlleuse – bien déterminée à sauver sa souveraine. Les ardoises étaient verglacées et Ursula avait à peine posé son peton en pantoufle dessus qu'il dérapa. Elle poussa un petit cri, tendit le bras vers la reine à tricoter qu'elle dépassa à toute allure, les pieds devant, glissade sans toboggan. Il n'y avait pas de garde-fou pour amortir sa chute, rien du tout pour l'empêcher d'être propulsée sur les ailes noires de la nuit. Elle eut comme une bouffée d'adrénaline, presque une sensation forte, tandis qu'elle était lancée dans l'espace infini, puis plus rien.

Les ténèbres s'abattirent.

LA NEIGE

11 février 1910

Le piccalilli avait la couleur glauque de la jaunisse. Le Dr Fellowes mangeait à la table de la cuisine éclairée par une lampe à pétrole qui fumait d'une façon agaçante. Il étala le piccalilli sur son pain beurré et y ajouta une épaisse tranche de jambon gras. Il pensa à la flèche de lard salé qui reposait au frais dans son cellier. Il avait choisi le porc lui-même, l'avait désigné au fermier, voyant en lui non pas un animal vivant, mais une leçon d'anatomie – un assemblage de côtes premières et de jarrets, de joues et de poitrine et d'énormes jambons à faire bouillir. De la chair. Il pensa au bébé qu'il avait arraché aux griffes de la mort d'un petit coup de ciseaux chirurgicaux. « Le miracle de la vie », dit-il sans émotion à la petite bonne irlandaise mal dégrossie (« Bridget, monsieur. ») « Je dois passer le reste de la nuit ici, ajouta-t-il. En raison de la neige. »

Il y avait un tas d'endroits où il aurait préféré être plutôt qu'à Fox Corner. Pourquoi la maison s'appelait-elle ainsi ? Pourquoi célébrer l'habitat d'un animal aussi fourbe ? Le Dr Fellowes avait chassé dans sa jeunesse, il avait fière allure sur sa monture dans sa veste écarlate. Il se demanda si la fille monterait dans sa chambre le lendemain matin avec un plateau de thé et de tartines grillées. L'imagina versant son broc d'eau chaude dans la cuvette et le savonnant devant le feu comme sa mère le faisait, il y avait des lustres. Le Dr Fellowes était obstinément fidèle à sa femme, mais son esprit battait la campagne.

Bridget le conduisit à l'étage avec une bougie. La flamme vacillait follement tandis qu'il suivait le maigre postérieur de la bonne jusqu'à la chambre d'amis glacée. Elle lui alluma une chandelle placée sur le chevet pot de chambre, puis disparut dans la gueule sombre du couloir en lançant un rapide « Bonne nuit, monsieur. »

Il resta allongé dans le lit froid avec des renvois de piccalilli. Il regrettait de ne pas être chez lui, près du corps flasque et chaud de Mrs Fellowes, une femme que la nature avait privée d'élégance et qui sentait toujours vaguement l'oignon. Ce qui n'était pas nécessairement une mauvaise chose.

L'ARMISTICE

20 janvier 1915

« C'est pour aujourd'hui ou c'est pour demain ? » dit Bridget avec humeur. Elle s'impatientait à la porte avec Teddy dans les bras. « Combien de fois faudra-t-y que je vous le répète : *vot'dîner est servi.* » Teddy se tortilla entre ses bras qui le serraient fermement. Absorbé dans les subtilités d'une danse de guerre peau-rouge, Maurice ne lui prêta aucune attention. « Descendez de cette fenêtre, Ursula, pour l'amour du ciel. Pourquoi elle est ouverte ? Il fait un froid de canard, vous allez attraper la mort. »

Ursula s'apprêtait à sauter par la fenêtre dans le sillage de la reine Solange, bien déterminée à la délivrer du no man's land du toit quand quelque chose la fit hésiter. Un petit doute, un pied chancelant et la constatation que le toit était très haut et la nuit très vaste. Puis Pamela était apparue en déclarant « Maman dit que vous devez aller vous laver les mains pour le dîner », suivie de près par Bridget montant l'escalier d'un pas lourd et bruyant avec son éternelle rengaine *Vot'dîner est servi !* et tout espoir de sauvetage royal s'envola. « Quant à vous, Maurice, continua Bridget, vous n'êtes qu'un sauvage.

— Mais oui, fit-il. Je suis un Apache.

— Vous pourriez être le roi des Hottentots en ce qui me concerne, mais VOT' DÎNER EST QUAND MÊME SERVI. »

Maurice poussa par défi un dernier cri de guerre avant de descendre bruyamment l'escalier et Pamela utilisa un vieux filet de crosse attaché à une canne pour repêcher la reine Solange dans les profondeurs glacées du toit.

Au menu du dîner figurait de la poule au pot. Teddy avait un œuf cocotte. Sylvie soupira. De nombreux repas comprenaient de la volaille sous une forme ou une autre maintenant qu'ils avaient un poulailler et une basse-cour grillagée à l'emplacement destiné à une planche d'asperges avant-guerre. Old Tom les avait quittés, bien que Sylvie ait entendu dire que « Mr Ridgely » travaillait toujours pour leurs voisins, les Cole. Il n'aimait peut-être pas qu'on l'appelle « Old Tom » tout compte fait.

« Ce n'est pas une de nos poules, hein ? demanda Ursula.

— Non, ma chérie », fit Sylvie.

La poule était dure et filandreuse. La cuisine de Mrs Glover n'était plus la même depuis que George avait été victime de gaz asphyxiants. Il était toujours dans un hôpital de campagne en France et quand Sylvie s'enquérait de la sévérité de ses lésions, Mrs Glover répondait qu'elle ne savait pas. « Quel calvaire », disait Sylvie qui songeait que si elle avait un fils blessé, loin de chez elle, elle se sentirait tenue de partir à sa recherche sans tarder. De soigner et guérir son pauvre garçon. Peut-être pas Maurice, mais Teddy, certainement. L'idée de Teddy gisant blessé et impuissant lui mit la larme à l'œil.

« Ça va, maman ? demanda Pamela.

— Absolument, dit Sylvie qui récupéra le bréchet dans la carcasse du poulet et l'offrit à Ursula qui déclara ne pas savoir faire un vœu. Eh bien, en règle générale, on souhaite que ses rêves se réalisent, expliqua Sylvie.

— Pas les miens, j'espère », fit Ursula, très inquiète.

*

« Pas les miens j'espère », dit Ursula en songeant à la tondeuse à gazon géante qui l'avait pourchassée toute la nuit ou à la tribu de Peaux-Rouges qui l'avaient ligotée à un poteau et encerclée, armés d'arcs et de flèches.

« C'est bien une de nos poules, non ? » dit Maurice.

Ursula aimait les poules, aimait la paille chaude et le côté duveteux du poulailler, aimait plonger la main sous les corps bien chauds et fermes pour trouver un œuf encore plus chaud.

« C'est Henrietta, non ? insista Maurice. Elle était vieille. Prête à passer à la casserole », disait Mrs Glover.

Ursula examina son assiette. Elle affectionnait particulièrement Henrietta. La tranche de viande blanche et dure ne livrait aucun indice.

« Henrietta ? glapit Pamela, alarmée.

— Vous l'avez tuée ? s'empressa de demander Maurice à Sylvie. Il y a eu beaucoup de sang ? »

Ils avaient déjà perdu plusieurs poulets à cause des renards. Sylvie se disait surprise par la stupidité des volatiles. Pas plus stupides que les gens, disait Mrs Glover. Les renards avaient aussi emporté le bébé lapin de Pamela, l'été passé. George Glover en avait sauvé deux et Pamela avait voulu à toute force fabriquer un nid pour le sien dans le jardin, mais Ursula s'était rebellée et avait emporté le sien à l'intérieur pour le mettre dans la maison de poupée où il avait tout renversé et laissé des crottes qui ressemblaient à de minuscules boules à la réglisse. Quand Bridget l'avait découvert, elle l'avait installé dans une dépendance et on ne l'avait plus jamais revu.

En dessert, ils eurent du roulé à la confiture accompagné de crème anglaise, la confiture faite avec les framboises de cet été. L'été n'était plus qu'un rêve à présent, disait Sylvie.

« Du bébé mort », dit Maurice avec l'horrible désinvolture que le pensionnat n'avait fait qu'encourager. Il enfourna un gros morceau de gâteau et ajouta « C'est comme ça qu'on appelle le roulé à la confiture à l'école.

— Tiens-toi bien, Maurice, l'avertit Sylvie. Et ne sois pas aussi ignoble, s'il te plaît.

— Bébé mort ? fit Ursula en reposant sa cuiller et en regardant son assiette d'un air horrifié.

— Les Allemands en mangent, dit Pamela d'un air sombre.

— Du dessert ? » fit Ursula perplexe. Est-ce que tout le monde ne mangeait pas du dessert, même l'ennemi ?

« Non, des bébés, dit Pamela. Mais seulement les Belges. »

*

Sylvie contempla le gâteau roulé, la veine ronde et rouge de confiture semblable à du sang, et frissonna. Ce matin, elle avait regardé Mrs Glover tordre le cou de la pauvre Henrietta sur un manche à balai et achever le volatile avec l'indifférence d'un exécuteur des hautes œuvres. Nécessité fait loi, je suppose, songea-t-elle. « On est en guerre, avait dit Mrs Glover, c'est pas le moment de faire les délicats. »

Pamela ne voulut pas en rester là. « C'est vrai, maman ? insista-t-elle doucement. C'était Henrietta ?

— Non, ma chérie, dit Sylvie. Je te donne ma parole d'honneur que ce n'était pas Henrietta. »

Des coups urgents frappés à la porte interrompirent la discussion. Ils restèrent immobiles sur leur chaise et se dévisagèrent tous comme s'ils étaient des criminels pris en flagrant délit. Ursula ne savait pas vraiment pourquoi. « Pourvu que ce ne soit pas une mauvaise nouvelle », dit Sylvie. Hélas, si. Quelques secondes plus tard, un cri terrible leur parvint de la cuisine. Sam Wellington, la vieille botte, était mort.

« Cette horrible guerre », murmura Sylvie.

*

Pamela donna à Ursula le restant de ses pelotes de laine d'agneau brun grisâtre à quatre fils et Ursula promit que la reine Solange accoucherait d'un petit napperon destiné au verre d'eau de Pamela pour la remercier du sauvetage.

En se couchant ce soir-là, elles mirent la dame à la crinoline et la reine Solange côte à côte sur la table de chevet, vaillantes survivantes d'une rencontre avec l'ennemi.

Juin 1918

L'anniversaire de Teddy. Né sous le signe du Cancer. Signe énigmatique, disait Sylvie tout en pensant que ces histoires étaient des « balivernes ». « Haut comme trois pommes, mais déjà quatre bougies », dit Bridget, ce qui était peut-être un genre de plaisanterie.

Sylvie et Mrs Glover préparaient un petit goûter, une « surprise ». Sylvie aimait tous ses enfants. Un peu moins Maurice peut-être, mais Teddy à la folie.

Teddy ne savait même pas que c'était son anniversaire car depuis plusieurs jours on leur avait rigoureusement interdit d'en parler. Ursula avait du mal à croire à quel point c'était difficile de garder un secret. Sylvie était experte en la matière. Elle leur dit d'emmener « l'heureux élu » pendant qu'elle s'occupait des préparatifs. Pamela se plaignit de n'avoir jamais eu droit, elle, à un goûter surprise et Sylvie dit « Bien sûr que si, c'est juste que tu ne t'en souviens plus. » Vraiment ? Pamela fronça les sourcils devant l'impossibilité de le savoir. Ursula ignorait totalement si elle avait eu droit, oui ou non, à un goûter surprise ou même à un goûter tout court. Le passé était un méli-mélo dans son esprit et non la ligne droite qu'il était pour Pamela.

Bridget dit « Allez, nous allons tous partir en promenade » et Sylvie renchérit « Oui, pourquoi ne pas porter de la confiture à Mrs Dodds ? » Manches retroussées, foulard sur la tête, Sylvie avait passé toute la journée précédente à aider Mrs Glover à faire des confitures, à amener à ébullition des bassines en cuivre remplies de framboises du jardin avec le sucre économisé sur leurs rations. « C'est comme travailler dans une fabrique de munitions », avait dit Sylvie en remplissant pot après pot de confiture bouillante avec un entonnoir. « On en est loin », avait marmonné Mrs Glover.

Le jardin avait donné une récolte exceptionnelle, Sylvie avait lu des livres sur la culture des fruits et déclaré qu'elle était à présent une jardinière émérite. Mrs Glover avait dit d'un air sombre que les fruits rouges étaient faciles, qu'elle attende d'avoir essayé de faire pousser des choux-fleurs. Pour les gros travaux de jardinage, Sylvie employait Clarence Dodds, autrefois copain de Sam Wellington, la vieille botte. Avant la guerre, Clarence était aide jardinier au manoir voisin d'Ettringham Hall. Réformé, il portait à présent un masque de fer sur une moitié de la figure et disait qu'il voulait travailler chez un ferblantier. Ursula était tombée sur lui alors qu'il préparait une plate-bande de carottes et avait poussé un petit cri impoli en découvrant son visage. Le masque avait un œil grand ouvert peint en bleu pour faire pendant à celui qui lui restait. « Y a de quoi effrayer les chevaux, hein ? » avait-il dit avant de sourire. Elle aurait préféré qu'il s'en dispense car sa bouche n'était pas couverte par le masque. Ses lèvres étaient plissées et étranges comme si elles avaient été cousues après coup, après sa naissance.

« Je suis un des chanceux, lui dit-il. Tir d'artillerie, ça ne pardonne pas. » Ursula ne trouvait pas qu'il avait eu beaucoup de chance.

Les carottes avaient à peine montré le bout de leurs fanes duveteuses que Bridget se mit à sortir avec Clarence. Le temps que Sylvie déterre les premières pommes de terre King Edwards, Bridget et Clarence étaient fiancés et comme Clarence n'avait pas les moyens de lui offrir une bague, Sylvie donna à Bridget une bague jonc sertie de gemmes qu'elle avait « depuis toujours » et ne portait jamais. « Ce n'est qu'une babiole au fond, ça ne vaut pas grand-chose » dit-elle bien que Hugh la lui eût achetée dans New Bond Street après la naissance de Pamela et n'eût pas regardé à la dépense.

La photo de Sam Wellington fut remisée au fond d'une vieille caisse en bois dans l'appentis. « Je peux pas la garder, expliqua Bridget d'un ton plaintif à Mrs Glover, mais je peux guère la jeter non plus, hein ?

— Vous pourriez l'enterrer », suggéra Mrs Glover, mais l'idée donna le frisson à Bridget. « Ça fait magie noire. »

*

Elles se mirent en route pour le domicile de Mrs Dodds, chargées de confiture et d'un magnifique bouquet de pois de senteur bordeaux que Sylvie était très fière d'avoir réussi à faire pousser. « La variété s'appelle "Senator" au cas où Mrs Dodds poserait la question, dit-elle à Bridget.

— Y a pas de danger », fit Bridget.

Maurice n'était pas avec elles, bien sûr. Il était parti sur son vélo après le petit déjeuner, en emportant un pique-nique dans son sac à dos, et avait disparu pour passer la journée avec des amis. Ursula et Pamela s'intéressaient très peu à la vie de Maurice et il ne s'intéressait pas du tout à la leur. Teddy était un tout autre genre de frère, loyal et affectueux comme un chien et chouchouté en conséquence.

La mère de Clarence était toujours employée au manoir « à titre semi-féodal » d'après Sylvie, et avait un cottage dans le domaine, une antique chaumine exiguë qui sentait l'eau croupie et le vieux plâtre. Le plafond s'effritait à cause de l'humidité. Bosun était mort l'année précédente après avoir subi un outrage similaire (la pyodémodécie) et était enterré sous un rosier Bourbon que Sylvie avait commandé spécialement pour marquer sa tombe. « C'est un "Louise Odier" dit-elle. Au cas où ça vous intéresserait de le savoir. » Ils avaient un autre chien, une femelle croisée lévrier colley, un chiot noir frétillant du nom de Trixie qui aurait aussi bien pu s'appeler Ennuis parce que Sylvie riait toujours et disait « Aïe, voilà les ennuis qui arrivent » dès qu'elle l'apercevait. Pamela avait vu Mrs Glover flanquer à Trixie un coup bien ajusté de son pied chaussé d'un gros brodequin et Sylvie avait dû lui « dire deux mots ». Bridget ne voulait pas emmener Trixie chez Mrs Dodds, car, disait-elle, elle n'aurait pas fini d'en entendre parler. « Elle ne croit pas aux chiens, expliqua-t-elle.

— Les chiens ne sont guère un article de foi », dit Sylvie.

Clarence les accueillit au portail du domaine. Le manoir lui-même était à des kilomètres, au bout d'une longue avenue d'ormes. Les Daunt vivaient là depuis des siècles et faisaient de temps à autre une apparition pour inaugurer des fêtes et des ventes de charité et honorer brièvement de leur présence la soirée de Noël qui avait lieu chaque année à la salle des fêtes. Ils possédaient leur propre chapelle et on ne les voyait donc jamais à l'église, même si on ne les voyait plus du tout désormais car ils avaient perdu trois fils coup sur coup à la guerre et s'étaient plus ou moins retirés du monde.

Il était impossible de ne pas fixer du regard le masque de fer de Clarence (« cuivre galvanisé » les corrigeait-il). Ils vivaient dans la terreur qu'il le retire. L'enlevait-il le soir au coucher ? Si Bridget l'épousait, verrait-elle l'horreur qui se dissimulait dessous ? « C'est pas tant ce qui s'y trouve, avaient-ils entendu Bridget expliquer à Mrs Glover, que ce qui s'y trouve pas. »

Mrs Dodds (« Old Mother Dodds » l'appelait Bridget, comme un personnage de comptine) fit du thé pour les adultes, thé que Bridget qualifia par la suite « de pipi de rossignol ». Bridget aimait le thé « assez fort pour que la petite cuiller tienne debout dans la tasse toute seule ». Mrs Dodds leur donna du lait crémeux et encore tiède de la laiterie du manoir, puisé avec une louche dans un grand broc émaillé. Ursula eut un haut-le-cœur. « Notre généreuse bienfaitrice », maugréa Mrs Dodds à Clarence quand elles lui remirent la confiture et les pois de senteur et il lui dit

« *Maman* » sur le ton de la remontrance. Mrs Dodds passa les fleurs à Bridget qui garda les pois de senteur à la main comme une jeune mariée jusqu'à ce que Mrs Dodds lui dise « Mets-les dans l'eau, espèce d'idiote. »

*

« Du gâteau ? » demanda la mère de Clarence qui leur distribua au compte-gouttes de fines tranches de pain d'épice qui semblait aussi humide que sa chaumière. « C'est agréable de voir des enfants », fit Mrs Dodds en regardant Teddy comme s'il était un oiseau rare. Teddy était un petit garçon robuste et n'eut pas l'appétit coupé par son lait et son pain d'épice. Il avait une moustache de lait que Pamela essuya avec son mouchoir. Ursula soupçonnait Mrs Dodds de ne pas vraiment aimer voir des enfants, en fait elle la suspectait de partager l'avis de Mrs Glover en la matière. Sauf en ce qui concernait Teddy, bien sûr. Tout le monde aimait Teddy. Même Maurice. A l'occasion.

Mrs Dodds examina la bague jonc qui ornait depuis peu la main de Bridget, tira le doigt de Bridget à elle comme si elle tirait sur un bréchet pour faire un vœu. « Des rubis et des diamants, dit-elle. Très chic.

— De minuscules pierres, dit Bridget sur la défensive. Ce n'est qu'une babiole au fond. »

Les filles aidèrent Bridget à faire la vaisselle du thé et laissèrent Teddy se débrouiller tout seul avec Mrs Dodds. Elles la lavèrent dans l'arrière-cuisine, dans une grande pierre d'évier équipée d'une pompe au lieu d'un robinet. Bridget expliqua que lorsqu'elle était petite dans le « comté de Kilkenny », ils devaient aller chercher l'eau au puits. Elle arrangea joliment les pois de senteur dans un vieux pot de marmelade Dundee et le laissa sur l'égouttoir en bois. Une fois la vaisselle essuyée avec un des fins torchons élimés de Mrs Dodds (humide, évidemment), Clarence leur demanda si ça leur dirait de marcher jusqu'au manoir pour voir le jardin clos. « Tu devrais arrêter

73

d'aller là-bas, mon garçon, lui dit Mrs Dodds, ça te fait du mal, c'est tout ce que tu y gagnes. »

*

Ils entrèrent par une vieille porte en bois ménagée dans le mur. La porte était dure et Bridget poussa un petit cri quand Clarence l'ouvrit d'un coup d'épaule. Ursula s'attendait à quelque chose de merveilleux – à des fontaines étincelantes, des terrasses, des statues, des avenues, des tonnelles et des parterres fleuris s'étendant à perte de vue – mais ce n'était qu'un champ envahi de ronces et de chardons.

« Oui, c'est la jungle, dit Clarence. C'était le potager, douze jardiniers travaillaient au manoir avant guerre. » Seuls les rosiers qui grimpaient à l'assaut des murs prospéraient encore ainsi que les arbres fruitiers du verger qui croulaient sous les fruits. Les prunes pourrissaient sur les branches. Des guêpes surexcitées se précipitaient partout. « Ils n'ont pas cueilli cette année, dit Clarence. Trois fils morts dans cette foutue guerre. Je suppose qu'ils n'avaient pas très envie de tarte aux prunes.

— Tss, fit Bridget. Parle correctement. »

Il y avait une serre qui avait perdu presque toutes ses vitres et ils apercevaient à l'intérieur des pêchers et des abricotiers rabougris. « Foutue honte », dit Clarence, et Bridget claqua de nouveau la langue et dit « Pas devant les enfants », exactement comme Sylvie. « Tout est à l'abandon, dit Clarence qui l'ignora délibérément. C'est à en pleurer.

— Tu pourrais retrouver ton travail au manoir, dit Bridget. Je suis sûre qu'ils ne demanderaient pas mieux que de te reprendre. C'est pas comme si tu ne pouvais pas travailler tout aussi bien avec... » Elle hésita et esquissa vaguement un geste en direction du visage de Clarence.

« Je ne veux pas revenir ici, dit-il d'un ton bourru. Le temps où j'étais le domestique d'un riche aristo est fini. Je regrette le jardin, pas ma vie. Le jardin était un objet de beauté.

74

— Nous pourrions avoir notre jardinet, suggéra Bridget. Ou un jardin ouvrier. » Bridget semblait passer beaucoup de temps à essayer de remonter le moral de Clarence. Elle s'entraînait en prévision de la vie maritale, supposa Ursula.

« Oui, pourquoi pas ? » dit Clarence d'un ton sombre. Il ramassa une petite pomme aigre qui était tombée précocement et la lança en l'air de toutes ses forces comme un joueur de cricket. Elle atterrit sur la serre et fracassa une des rares vitres restantes. « Merde », dit Clarence et Bridget fit mine de le gifler et siffla « Les enfants ! ».

(« Un objet de beauté[8], répéta avec plaisir Pamela ce soir-là, tandis qu'elles se débarbouillaient avec le lourd pain de savon au crésol avant d'aller au lit. Clarence est un poète. »)

Alors qu'elles regagnaient la maison en traînant les pieds, Ursula avait encore dans les narines le parfum des pois de senteur laissés dans la cuisine de Mrs Dodds. Ça semblait un horrible gâchis de les abandonner là où ils n'étaient pas appréciés. Ursula avait alors complètement oublié le goûter d'anniversaire et fut presque aussi surprise que Teddy de trouver le vestibule de la maison décoré de drapeaux et de fanions et Sylvie radieuse, tenant un paquet-cadeau qui était indubitablement un petit aéroplane.

« Surprise », dit-elle.

11 novembre 1918

« C'est une saison si mélancolique », dit Sylvie à la cantonade.

Une couche épaisse de feuilles mortes jonchait encore la pelouse. L'été était redevenu un rêve. Ursula commençait à avoir l'impression que chaque été en était un. Les dernières feuilles tombaient et le gros hêtre était presque dénudé. L'armistice semblait déprimer Sylvie plus encore que la guerre. (« Tous ces pauvres garçons, partis pour toujours. La paix ne les ramènera pas. »)

Ils n'avaient pas classe à cause de la grande victoire et on les avait envoyés jouer dehors sous le crachin matinal. Ils avaient de nouveaux voisins, Major et Mrs Shawcross, et passèrent une bonne partie de la matinée humide à regarder par les trous de la haie de houx pour apercevoir les filles Shawcross. Il n'y avait pas d'autres filles de leur âge dans le voisinage. Les Cole n'avaient que des garçons. Ce n'étaient pas des brutes comme Maurice, ils avaient des manières agréables et n'étaient jamais horribles envers Ursula et Pamela.

« Je crois qu'elles jouent à cache-cache », dit Pamela de retour du front Shawcross. Ursula tenta de jeter un coup d'œil à travers la haie et eut le visage égratigné par le houx malveillant. « Je crois qu'elles ont le même âge que nous, dit Pamela. Il y a même une petite pour toi, Teddy. » Teddy haussa les sourcils et dit « Ah. » Teddy aimait bien les filles. Les filles aimaient bien Teddy. « Oh, attendez, en voici une autre, signala Pamela. Elles se multiplient.

— Plus grande ou plus petite ? demanda Ursula.

— Plus petite. C'est plus un bébé. Elle est dans les bras d'une autre. » Toutes ces filles, Ursula commençait à s'y perdre.

« Cinq ! dit Pamela en retenant son souffle et apparemment arrivée à un total définitif. Cinq filles. »

Trixie avait alors réussi à se faufiler sous la haie et elles entendirent les petits cris excités qui saluèrent son apparition de l'autre côté.

« Dites donc, fit Pamela en élevant la voix, est-ce qu'on pourrait ravoir notre chienne ? »

*

Le déjeuner consistait en « crapauds dans le trou » (des saucisses bouillies recouvertes de pâte à crêpes) suivis d'une « reine des desserts » (une génoise à la confiture couronnée de meringue). « Où êtes-vous allés ? demanda Sylvie. Ursula, tu as des brindilles dans les cheveux. On dirait une païenne.

— C'est du houx, dit Pamela. On est allés chez les voisins. On a fait connaissance avec les filles Shawcross. Elles sont cinq.

— Je sais. » Sylvie les compta sur ses doigts. « Winnie, Gertie, Millie, Nancy et...

— Beatrice, compléta Pamela.

— On vous avait invités à y aller ? s'enquit Mrs Glover, très à cheval sur les convenances.

— On a trouvé un trou dans la haie, dit Pamela.

— C'est par là que ces fichus renards s'introduisent », grommela Mrs Glover, ils viennent du bosquet » et Sylvie fronça les sourcils devant le langage de Mrs Glover, mais ne dit rien, car l'humeur était officiellement à la fête. Bridget, Mrs Glover et elle « arrosaient la paix » au sherry. Ni Sylvie ni Mrs Glover ne semblaient avoir grand appétit pour les réjouissances. Hugh et Izzie étaient toujours au front et Sylvie disait qu'elle ne croirait Hugh hors de danger que lorsqu'elle le verrait franchir le seuil de la maison. Izzie avait conduit une ambulance pendant toute la durée de la guerre, mais personne n'arrivait à y croire. George

Glover était en « rééducation » dans une maison de santé quelque part dans les Cotswolds. Mrs Glover était allée lui rendre visite, mais n'était guère disposée à parler de ce qu'elle avait trouvé là-bas, sauf pour dire que George n'était plus vraiment lui-même. « Je crois qu'ils sont tous dans ce cas », fit Sylvie. Ursula tenta d'imaginer qu'elle n'était plus Ursula, mais s'avoua vaincue par l'impossibilité de la tâche.

Deux filles de la Women's Land Army[9] avaient remplacé George à la ferme. C'étaient deux grands chevaux originaires du Northamptonshire et Sylvie disait que si elle avait su qu'on autoriserait des femmes à travailler avec Samson et Nelson, elle aurait posé sa candidature. Les filles étaient venues prendre le thé plusieurs fois, s'étaient assises dans la cuisine avec leurs bandes molletières boueuses sous les yeux dégoûtés de Mrs Glover.

*

Bridget était chapeautée et prête à partir quand Clarence apparut timidement à la porte de derrière, marmonnant un bonjour à Sylvie et à Mrs Glover. « L'heureux couple » comme Mrs Glover les appelait sans le moindre soupçon d'approbation prenait le train pour monter à Londres fêter la victoire. Cette perspective faisait tourner la tête de Bridget. « Vous êtes sûre et certaine que vous ne voulez pas venir avec nous, Mrs Glover ? Je parie qu'on va faire une bringue de tous les diables. » Mrs Glover roula des yeux de vache mécontente. Elle « évitait les foules » en raison de l'épidémie de grippe espagnole. Un de ses neveux s'était écroulé dans la rue, en parfaite santé au petit déjeuner, « mort à midi ». Sylvie disait qu'il ne fallait pas avoir peur de la grippe. « La vie doit continuer », disait-elle.

Après le départ de Bridget et Clarence pour la gare, Mrs Glover et Sylvie s'assirent à la table de la cuisine et burent un autre sherry. « Une bringue de tous les diables, en effet », dit Mrs Glover. Lorsque Teddy, talonné par une Trixie impatiente, apparut et annonça qu'il mourait de faim : « Avait-on oublié le déjeuner ? », la meringue couronnant « la reine des desserts » était retombée et entièrement brûlée. Dernière victime de la guerre.

*

Elles avaient vainement essayé de rester éveillées jusqu'au retour de Bridget, s'étaient endormies sur leur livre. Pamela était captivée par *Au retour du vent du nord* tandis qu'Ursula lisait *Le Vent dans les saules* sans en perdre une miette. Elle avait une affection particulière pour Taupe. Pour une raison mystérieuse, elle lisait et écrivait lentement (« C'est en forgeant qu'on devient forgeron, ma chérie ») et préférait que Pamela lui fasse la lecture à haute voix. Elles aimaient toutes les deux les contes de fées et avaient tous les recueils d'Andrew Lang, les douze couleurs, achetés par Hugh pour les anniversaires et à Noël. « Des objets de beauté », disait Pamela.

Le retour bruyant de Bridget réveilla Ursula qui tira à son tour Pamela de son sommeil et elles descendirent sur la pointe des pieds au rez-de-chaussée où Bridget, pompette, et Clarence, plus sobre, les régalèrent du récit des festivités, de la « marée humaine » et de la foule enjouée s'égosillant à réclamer le roi (« On veut voir le roi ! On veut voir le roi ! » démontra avec enthousiasme Bridget) jusqu'à ce qu'il apparaisse sur le balcon de Buckingham Palace. « Et les cloches, ajouta Clarence, je n'avais jamais rien entendu de pareil. Toutes les cloches de Londres carillonnant pour la paix.

— Un objet de beauté », dit Pamela.

Dans la cohue, Bridget avait perdu son chapeau ainsi que plusieurs épingles à cheveux et le bouton du haut de son corsage. « J'ai été soulevée de terre tellement il y avait du monde » dit-elle allègrement.

« Bonté divine, quel raffut », dit Sylvie qui entra dans la cuisine, ensommeillée et ravissante dans son peignoir en dentelle, les cheveux pendant dans son dos en une grosse corde effilochée. Clarence rougit et regarda ses brodequins. Sylvie fit du chocolat pour tout le monde et écouta Bridget avec indulgence jusqu'à ce que même la nouveauté d'être debout à minuit n'arrive plus à les tenir éveillés.

« Retour à la normale demain », dit Clarence en donnant à Bridget une bise osée sur la joue avant de s'en retourner chez sa mère. C'était, somme toute, une journée qui sortait de l'ordinaire.

« Crois-tu que Mrs Glover sera fâchée que nous ne l'ayons pas réveillée ? chuchota Sylvie à Pamela en montant l'escalier.

— Furieuse », dit Pamela, et elles rirent toutes les deux comme des conspiratrices, comme des femmes.

*

Une fois rendormie, Ursula rêva de Clarence et de Bridget. Ils cherchaient le chapeau de Bridget dans un jardin envahi par la végétation. Clarence versait de vraies larmes du bon côté de sa figure tandis que sur le masque elles étaient peintes, comme des gouttes d'eau sur un tableau représentant une fenêtre.

Le lendemain matin, au réveil, Ursula était bouillante et avait mal partout, « rouge comme un homard », dit Mrs Glover amenée par Sylvie qui voulait une seconde opinion. Bridget était également alitée. « C'est guère surprenant », dit Mrs Glover qui croisa des bras désapprobateurs sous son ample et néanmoins peu appétissante poitrine. Ursula espérait n'avoir jamais à être soignée par Mrs Glover.

La respiration d'Ursula était rauque et haletante, son souffle épais dans sa poitrine. Le monde grondait et s'estompait comme le bruit de la mer dans un coquillage géant. Tout était assez agréablement brouillé. Trixie était couchée sur le lit à ses pieds tandis que Pamela lui lisait le *Livre rouge de contes de fées*, mais les mots défilaient, dépourvus de sens. Le visage de Pamela surgissait et disparaissait. Sylvie vint et essaya de lui faire boire du bouillon de viande, mais Ursula eut l'impression d'avoir le gosier trop petit et recracha tout sur les draps et les couvertures.

On entendit un crissement de pneus sur le gravier et Sylvie dit à Pamela « Ça doit être le Dr Fellowes » avant de se lever rapidement en ajoutant « Reste avec Ursula, Pammy, mais ne laisse pas entrer Teddy, veux-tu ? »

*

La maison était plus silencieuse que d'habitude. Comme Sylvie ne revenait pas, Pamela dit « Je vais chercher maman. Je n'en ai pas pour longtemps. » Ursula entendit des murmures et des cris quelque part dans la maison, mais ils ne voulaient rien dire.

Elle dormait d'un étrange sommeil agité quand le Dr Fellowes apparut soudain à son chevet. Sylvie s'assit de l'autre côté du lit et tint la main d'Ursula en disant « Elle a la peau lilas. Comme Bridget. » Une peau lilas, ça paraissait plutôt joli, comme le *Livre lilas de contes de fées*. La voix de Sylvie semblait bizarre, étranglée et paniquée, comme la fois où elle avait vu le petit télégraphiste remonter l'allée, mais ce n'était qu'un télégramme d'Izzie souhaitant un bon anniversaire à Teddy. (« Quel manque d'égards », avait dit Sylvie.)

*

Ursula n'arrivait pas à respirer, mais sentait le parfum de sa mère et entendait sa voix murmurer doucement à son oreille, on aurait dit le bourdonnement d'une abeille un jour d'été. Elle était trop fatiguée pour ouvrir les yeux. Elle entendit le bruissement de la jupe de sa mère lorsqu'elle se leva, puis le bruit d'une fenêtre qu'on ouvrait. « J'essaie de te donner un peu d'air », dit Sylvie qui regagna le chevet d'Ursula et la serra contre son corsage en seersucker tout propre aux senteurs rassurantes d'amidon et de rose. La fragrance boisée d'un feu de jardin entra par la fenêtre dans la petite mansarde. Le claquement des sabots d'un cheval suivi du crépitement de boulets parvint à l'oreille d'Ursula : le charbonnier vidait ses sacs dans la remise à charbon. La vie continuait. Un objet de beauté.

Un souffle d'air, c'est tout ce qu'il lui fallait, mais il ne vint pas. Les ténèbres s'abattirent vite, d'abord ennemies, puis amies.

LA NEIGE

11 février 1910

Une grosse femme aux avant-bras de chauffeur de locomotive réveilla le Dr Fellowes en posant bruyamment une tasse et une soucoupe sur le chevet pot de chambre et en ouvrant brutalement les rideaux bien qu'il fît encore noir dehors. Il lui fallut un moment pour se souvenir qu'il était dans la chambre d'amis glaciale de Fox Corner et que la femme plutôt intimidante était la cuisinière des Todd. Le Dr Fellowes fouilla les archives poussiéreuses de son cerveau pour retrouver le nom qui lui était revenu facilement quelques heures plus tôt.

« C'est Mrs Glover, fit-elle comme si elle lisait dans ses pensées.

— En effet. La dame aux excellents pickles. » Il avait l'impression d'avoir la tête pleine de paille[10]. Désagréablement conscience de ne porter qu'un caleçon long sous les minces couvertures. La cheminée de la chambre, nota-t-il, était froide et vide.

« On a besoin de vous, dit Mrs Glover. Il y a eu un accident.

— Un accident ? répéta le Dr Fellowes. Il est arrivé quelque chose au bébé ?

— Un fermier piétiné par un taureau. »

L'ARMISTICE

12 novembre 1918

Ursula se réveilla en sursaut. Il faisait noir dans la chambre, mais elle entendait des bruits venus d'en bas. Une porte qui se fermait, des petits rires et des pas traînants. Elle distingua le gloussement aigu qui était le rire caractéristique de Bridget et la note grave et grondante d'une voix d'homme. Bridget et Clarence étaient rentrés de Londres.

La première idée d'Ursula fut de se tirer du lit et de secouer Pamela pour descendre demander à Bridget si elle avait bien fait la bringue, mais quelque chose l'arrêta. Alors qu'elle écoutait l'obscurité dans son lit, elle fut submergée par une vague d'horreur, une terreur affreuse comme si quelque chose de vraiment traître était sur le point d'arriver. Le sentiment qu'elle avait éprouvé en suivant Pamela dans la mer lors de leur vacances en Cornouailles, juste avant la guerre. Elles avaient été sauvées par un inconnu. Après cet incident, Sylvie avait veillé à ce qu'ils aillent tous aux bains municipaux suivre des cours de natation donnés par un ex-major de la guerre des Boers qui leur aboyait ses ordres jusqu'à ce que la peur les empêche de couler. Sylvie racontait souvent la quasi-noyade comme s'il s'agissait d'une équipée tordante (« L'héroïque Mr Winton ! ») alors qu'en fait Ursula se rappelait sa terreur comme si c'était hier.

Pamela marmonna quelque chose dans son sommeil et Ursula lui dit « Chut. » Pamela ne devait pas se réveiller. Elles ne devaient pas descendre au rez-de-chaussée. Ne devaient pas voir Bridget. Ursula ignorait pourquoi, d'où provenait cette hantise abominable, mais elle mit sa tête sous les couvertures pour se cacher de ce qui se trouvait à l'extérieur. Elle espérait que c'était à l'extérieur et non à l'intérieur d'elle. Elle allait faire mine de dormir, se dit-elle, mais en quelques minutes la réalité frappa.

*

Le matin venu, ils mangèrent dans la cuisine car Bridget ne se sentant pas bien était restée au lit. « C'est guère surprenant, dit Mrs Glover sans la moindre compassion en distribuant le porridge au compte-gouttes. Je n'ose pas imaginer à quelle heure elle est rentrée, elle ne devait pas marcher très droit. »

Sylvie redescendit avec un plateau intact. « Je crois que Bridget n'est pas bien, Mrs Glover, dit-elle.

— Elle a trop bu », se moqua Mrs Glover en cassant des œufs comme si elle les punissait. Ursula toussa et Sylvie lui lança un regard incisif. « Je crois que nous devrions appeler le Dr Fellowes, dit Sylvie à Mrs Glover.

— Pour Bridget ? fit Mrs Glover. Cette fille a une santé de fer. Le Dr Fellowes va vous envoyer promener quand il constatera qu'elle sent l'alcool.

— *Mrs Glover*, dit Sylvie sur le ton qu'elle employait quand elle avait quelque chose de très sérieux à dire et voulait s'assurer qu'on l'écoutait. *(Ne laissez pas de traces de boue dans la maison, ne soyez jamais méchants avec les autres enfants, même s'ils vous provoquent.)* Je crois *vraiment* que Bridget est malade. » Mrs Glover parut soudain comprendre.

« Pouvez-vous vous occuper des enfants ? fit Sylvie. Je vais téléphoner au Dr Fellowes, puis je vais monter et rester auprès de Bridget.

— Les enfants ne vont pas à l'école ? demanda Mrs Glover.

— Si, bien sûr, dit Sylvie. Quoique peut-être pas. Non... si. Devraient-ils y aller ? » Anxieuse, indécise, elle hésitait dans l'embrasure de la porte tandis que Mrs Glover attendait avec une patience surprenante de sa part que Sylvie parvienne à une conclusion.

« Je crois que nous allons les garder à la maison pour aujourd'hui, finit par dire Sylvie. Classes surpeuplées etc. » Elle respira à fond et contempla le plafond. « Mais gardez-les en bas, pour l'instant. » Pamela haussa les sourcils en regardant Ursula. Ursula fit de même bien qu'elle ne fût pas certaine de savoir ce qu'elles essayaient de se communiquer. Un sentiment d'horreur principalement, à l'idée d'être confiés à la garde de Mrs Glover.

Ils durent rester assis à la table de cuisine pour qu'elle puisse « les avoir à l'œil », puis malgré leurs protestations véhémentes, elle les obligea à sortir leurs cahiers et à travailler – du calcul pour Pamela, des lettres pour Teddy *(Q comme quille, R comme rainette)* et Ursula dut s'exercer à améliorer son écriture « atroce ». Ursula trouvait extrêmement injuste que quelqu'un qui se contentait de griffonner des listes de commissions *(graisse de rognon, noir de fourneau, côtelettes de mouton et magnésie de Dinneford)* prononce un jugement sur ses pleins et déliés laborieux.

Pendant ce temps, Mrs Glover s'affairait à préparer une langue de veau, à retirer les cartilages et les os et à la rouler avant de la pousser dans le presse-viande, activité somme toute plus fascinante que de recopier *Le vif zéphyr jubile sur les kumquats du clown gracieux* ou encore *Mon pauvre zébu ankylosé choque deux fois ton wagon jaune.* « Je détesterais l'avoir comme maîtresse d'école », marmonna Pamela qui se débattait avec ses chiffres.

Ils furent tous distraits par l'arrivée du garçon boucher qui actionna bruyamment la sonnette de sa bicyclette pour s'annoncer. C'était un garçon de quatorze ans du nom de Fred Smith que les filles et Maurice admiraient énormément. Les filles manifestaient leur ardeur en l'appelant « Freddy » tandis que Maurice l'appelait « Smithy » en signe d'approbation amicale. Pamela avait une fois déclaré que Maurice en pinçait pour Fred et Mrs Glover qui avait surpris la remarque lui avait donné en passant un coup sur les jambes avec son fouet à battre les blancs d'œufs. Pamela qui n'avait aucune idée de la raison pour laquelle elle était punie fut très contrariée. Fred Smith s'adressait aux filles avec déférence en leur donnant du « miss » et à Maurice en disant « master Todd » même s'il ne s'intéressait pas du tout à eux. Pour Mrs Glover, il était « Young Fred » et pour Sylvie « le garçon boucher », quelquefois « le gentil garçon boucher » pour le différencier du précédent, Leonard Ash, « un voyou sournois » d'après Mrs Glover qui l'avait pris en train de voler des œufs dans le poulailler. Leonard Ash était mort à la bataille de la Somme après s'être engagé en mentant sur son âge et Mrs Glover disait qu'il avait eu ce qui lui pendait au nez, ce qui était, semblait-il, une sorte de justice plutôt expéditive.

Fred tendit un paquet blanc à Mrs Glover et dit « Vos tripes », puis déposa le long corps doux d'un lièvre sur le plan de travail en bois. « Faisandé pendant cinq jours. Vous m'en direz des nouvelles, Mrs Glover » et même Mrs Glover, peu portée aux compliments dans le meilleur des cas, reconnut la qualité supérieure du lièvre en ouvrant la boîte de biscuits et en laissant Fred choisir le plus gros rocher dans ses entrailles d'ordinaire fermées comme une huître.

Sa langue en sécurité dans le presse-viande, Mrs Glover entreprit séance tenante de dépouiller le lièvre, processus affligeant quoique captivant à regarder, et c'est seulement une fois la pauvre bête dépiautée, nue et brillante qu'on s'aperçut de l'absence de Teddy.

« Allez le chercher, dit Mrs Glover à Ursula. Et vous aurez tous droit à un verre de lait et à un rocher, même si Dieu sait que vous n'avez rien fait pour le mériter. »

Teddy aimait beaucoup jouer à cache-cache et comme il ne répondait pas à ses appels, Ursula regarda dans ses cachettes favorites, derrière les rideaux du salon, sous la table de la salle à manger, et ne le trouvant nulle part, commença à monter l'escalier pour explorer les chambres.

La cloche de la porte d'entrée retentit avec fracas dans son dos. Au détour de l'escalier, elle vit Sylvie apparaître dans le vestibule et ouvrir au Dr Fellowes. Comme sa mère n'était pas surgie par magie, Ursula supposa qu'elle avait dû descendre par l'escalier de service. Le Dr Fellowes et Sylvie se lancèrent dans un conciliabule intense au sujet de Bridget, vraisemblablement, mais Ursula ne distinguait aucune de leurs paroles.

Teddy n'était pas dans la chambre de Sylvie (ils avaient depuis belle lurette cessé de la considérer comme la chambre parentale). Ni dans celle de Maurice, aux proportions très généreuses pour quelqu'un qui passait plus de la moitié de son existence dans un pensionnat. Ni dans les deux chambres d'appoint ni dans la chambrette de Teddy qui était presque entièrement occupée par son petit train. Ni dans la salle de bain ni dans le placard à linge, ni non plus – son tour favori – immobile comme un cadavre sous le gros édredon de Sylvie.

« Il y a des gâteaux en bas, Teddy », offrit-elle aux pièces vides. La promesse de gâteaux, vraie ou non, suffisait normalement à faire jaillir Teddy de sa cachette.

Ursula entreprit de grimper l'étroit et sombre escalier de bois qui menait aux mansardes et n'avait pas plus tôt mis le pied sur la première marche qu'elle sentit soudain la peur lui nouer les tripes. Elle n'avait aucune idée d'où ça venait ni pourquoi.

« Teddy, Teddy, où es-tu ? » Ursula tenta d'élever la voix, mais les mots sortaient chuchotés.

Il n'était pas dans la chambre qu'elle partageait avec Pamela, ni dans la vieille pièce de Mrs Glover. Ni dans le débarras, l'ex-nursery qui abritait aujourd'hui coffres et malles, caisses de vieux vêtements et de vieux jouets. Seule la chambre de Bridget n'avait pas été explorée.

La porte était entrouverte et Ursula dut se forcer pour se diriger vers elle. Il y avait quelque chose de terrible derrière cette porte entrebâillée. Elle n'avait pas envie de le voir, mais savait qu'il le fallait.

« Teddy ! » s'écria-t-elle, submergée par le soulagement en l'apercevant. Teddy était assis sur le lit de Bridget avec son aéroplane sur le genou. « Je t'ai cherché partout » dit Ursula. Trixie était couchée sur le plancher à côté du lit et bondit d'enthousiasme en la voyant.

« Je me suis dit que Bridget se sentirait peut-être mieux » dit Teddy en caressant son avion. Teddy croyait beaucoup aux vertus curatives des petits trains et des petits aéroplanes. (Quand il serait grand, il serait pilote, leur affirmait-il.) « Je crois que Bridget dort, mais elle a les yeux ouverts », ajouta-t-il.

C'était exact. Grands ouverts, ils fixaient le plafond sans le voir. Il y avait un film bleu aqueux sur ces yeux perturbants et sa peau avait une étrange nuance lilas. Violet de cobalt dans la boîte d'aquarelles Winsor and Newton d'Ursula. Elle voyait le bout de la langue de Bridget qui sortait de sa bouche et eut momentanément la vision de Mrs Glover poussant la langue de veau dans le presse-viande.

Ursula n'avait jamais vu de cadavre, mais comprit sans l'ombre d'un doute que Bridget était morte. « Descends du lit, Teddy », dit-elle prudemment comme si son frère était un animal de la forêt sur le point de se sauver. Elle se mit à trembler de tous ses membres. Ce n'était pas seulement le fait que Bridget était morte, même si c'était une terrible nouvelle, mais il y avait quelque chose de plus périlleux dans cette chambre. Les murs nus, le fin dessus-de-lit en jacquard sur le châlit métallique, la brosse et le peigne émaillés sur la coiffeuse, la carpette en lirette prirent soudain des proportions extrêmement menaçantes comme s'ils n'étaient pas vraiment les objets qu'ils semblaient être. Ursula entendit Sylvie et le Dr Fellowes dans l'escalier. Le ton de Sylvie était pressant, celui du médecin moins préoccupé.

Sylvie entra et souffla « Oh, mon Dieu » en les voyant dans la chambre de Bridget. Elle enleva Teddy du lit en un tournemain, puis attrapa le bras d'Ursula pour la faire sortir dans le couloir. Trixie, la queue frétillante d'excitation, bondit derrière eux. « Allez dans ta chambre, dit Sylvie. Non, dans celle de Teddy. Non, allez dans la mienne. *Tout de suite* », dit-elle d'une voix folle d'inquiétude, et pas du tout comme la Sylvie à laquelle ils étaient habitués. Sylvie retourna dans la chambre de Bridget et ferma la porte d'un air décidé. Ils n'entendaient que des échanges murmurés entre Sylvie et le Dr Fellowes et pour finir Ursula dit « Allez, viens » à Teddy et le prit par la main. Il se laissa conduire docilement dans l'escalier jusqu'à la chambre de leur mère. « Tu as parlé de gâteau ? » fit-il.

« La peau de Teddy est de la même couleur que celle de Bridget », dit Sylvie, l'estomac noué par la terreur. Elle savait à quoi elle avait affaire. Ursula était simplement pâle, même si ses paupières closes étaient sombres et si sa peau luisait d'un étrange éclat maladif.

« Cyanose héliotrope, dit le Dr Fellowes en prenant le pouls de Teddy. Vous voyez ces taches acajou sur ses joues ? C'est la souche la plus virulente, j'en ai peur.

— Arrêtez, s'il vous plaît, arrêtez, siffla Sylvie. Ne me faites pas cours comme si j'étais étudiante en médecine. Je suis leur *mère*. » Elle détesta alors le Dr Fellowes de tout son cœur. Bridget gisait sur son lit au dernier étage, encore tiède mais morte comme le marbre d'une pierre tombale. « La grippe espagnole, continua inexorablement le Dr Fellowes. Votre bonne était dans la foule hier à Londres – des conditions parfaites pour que l'infection se répande. Ça peut vous emporter en un clin d'œil.

— Mais pas lui, dit farouchement Sylvie en serrant la main de Teddy. Pas mes enfants », rectifia-t-elle en tendant la main pour caresser le front brûlant d'Ursula.

Pamela hésitait dans l'embrasure de la porte et Sylvie la chassa. Pamela se mit à pleurer, mais Sylvie ne supportait pas les larmes. Pas maintenant, pas face à la mort.

« Il doit bien y avoir quelque chose que je puisse faire, dit-elle au Dr Fellowes.

— Vous pouvez prier.

— Prier ? »

Sylvie ne croyait pas en Dieu. Elle considérait la déité biblique comme un personnage absurde et vengeur (Tiffin etc.) qui n'avait pas plus de réalité que Zeus ou le grand dieu Pan. Elle allait cependant consciencieusement à l'église tous les dimanches et évitait d'alarmer Hugh avec ses idées hérétiques. Nécessité fait loi etc. Elle priait à présent, avec une conviction désespérée, mais sans foi, et soupçonnait que ça revenait exactement au même.

Quand une sorte d'écume pâle et sanguinolente comme un crachat de coucou sortit des narines de Teddy, Sylvie émit un cri d'animal blessé. Mrs Glover et Pamela écoutaient de l'autre côté de la porte et, dans un rare moment d'unité, se serrèrent les mains. Sylvie s'empara brusquement de Teddy et l'étreignit sur sa poitrine en poussant un hurlement de douleur.

Grand Dieu, songea le Dr Fellowes, cette femme exprimait sa peine comme une sauvage.

*

Ils transpirèrent ensemble dans les draps enchevêtrés du lit de Sylvie. Teddy était étendu les bras en croix sur les oreillers. Ursula voulait le tenir contre elle, mais elle avait trop chaud et serrait donc une de ses chevilles à la place comme si elle essayait de l'empêcher de se sauver. Ursula avait l'impression d'avoir les poumons remplis de crème anglaise qu'elle s'imaginait épaisse, jaune et sucrée.

A la tombée de la nuit, Teddy était parti. Ursula sut à quel moment il mourut, elle le sentit au fond d'elle. Elle entendit juste un gémissement malheureux de la part de Sylvie, puis quelqu'un souleva Teddy et bien que ce ne fût qu'un petit garçon, c'était comme si quelque chose de lourd avait quitté son côté et Ursula resta seule dans le lit. Elle entendait le bruit affreux des sanglots étranglés de Sylvie, on aurait dit qu'on l'avait amputée d'un membre à la hache.

Chaque respiration faisait pression sur la crème anglaise de ses poumons. Le monde s'estompait et elle commença à éprouver un sentiment d'attente grisant, comme si c'était Noël ou son anniversaire, puis la chauve-souris noire de la nuit approcha et l'enveloppa de ses ailes. Un dernier souffle, puis plus rien. Elle tendit la main vers Teddy, oubliant qu'il n'était plus là.

Les ténèbres s'abattirent.

LA NEIGE

11 février 1910

Sylvie alluma une bougie. Obscurité hivernale, cinq heures du matin d'après la pendulette dorée sur le manteau de cheminée. La pendulette, anglaise (« Préférable à une française » lui avait appris Lottie, sa mère) était un des cadeaux de mariage de ses parents. Quand les créanciers étaient passés après la mort du portraitiste mondain, sa veuve avait caché la pendulette sous ses jupes, déplorant la disparition des crinolines. Lottie parut sonner le quart, ce qui déconcerta les créanciers. Par bonheur, ils n'étaient pas dans la pièce quand elle carillonna l'heure.

Le nouveau bébé dormait dans son berceau. Un vers de Coleridge revint tout à coup à l'esprit de Sylvie : *Mon Tout Petit qui dors à mon côté dans ton berceau*[11]. Quel était le titre du poème ?

Le feu mourait dans l'âtre, seule une flamme minuscule dansait sur les morceaux de charbon. Le bébé se mit à vagir et Sylvie se tira précautionneusement du lit. L'accouchement était une chose brutale. Si on l'avait chargée de concevoir la race humaine, elle s'y serait prise tout autrement. (Un rayon de lumière dorée dans l'oreille pour la conception peut-être et un sas de la bonne taille situé dans un endroit pudique pour la sortie, neuf mois plus tard.) Elle quitta la chaleur de son lit et récupéra Ursula dans son berceau. Puis soudain, elle crut entendre le doux hennissement d'un cheval briser le silence ouaté de la neige et éprouva dans l'âme une petite sensation de plaisir électrisante devant ce bruit inattendu. Elle porta Ursula à la fenêtre et ouvrit un des lourds rideaux pour regarder dehors. La neige avait effacé tout ce qui lui était familier, le monde extérieur était emmitouflé dans un châle blanc. Et là, en contrebas, se trouvait la vision fantastique de George Glover remontant l'allée hivernale en chevauchant à cru un de ses grands shires (Nelson, si elle ne se trompait pas). Il était magnifique comme un héros d'autrefois. Sylvie referma le rideau et décida que les tribulations de la nuit lui avaient probablement affecté le cerveau et donné des hallucinations.

Elle prit Ursula avec elle dans son lit et le bébé chercha son mamelon. Les enfants devaient être élevés au sein, croyait Sylvie. L'idée de biberons et de tétines en caoutchouc lui semblait en quelque sorte contre nature, mais ça ne signifiait pas pour autant qu'elle n'avait pas l'impression d'être une vache qu'on trait. Déconcerté par la nouveauté, le bébé était lent et pataugeait. Dans combien de temps était le petit déjeuner ? se demanda Sylvie.

L'ARMISTICE

11 novembre 1918

Chère Bridget, j'ai fermé et verrouillé les portes. Il y a un gang de cambrioleurs – ne fallait-il pas deux « ll » entre le « i » et le « o » ? Ursula mordilla le bout de son crayon jusqu'à ce qu'il se fendille. Indécise, elle barra « cambrioleurs » et écrivit « voleurs » à la place. *Il y a un gang de voleurs dans le village. Pouvez-vous, s'il vous plaît, rester chez la mère de Clarence ?* Pour faire bonne mesure, elle ajouta *j'ai aussi mal à la tête, alors ne frappez pas.* Elle signa *Mrs Todd.* Puis elle attendit qu'il n'y ait plus personne dans la cuisine et sortit pour punaiser le mot à la porte de derrière.

« Qu'est-ce que vous faites ici ? » demanda Mrs Glover rentrant à l'intérieur. Ursula sursauta, Mrs Glover se déplaçait sans bruit comme un chat.

« Rien, répondit Ursula. Je regardais si Bridget n'était pas déjà de retour.

— Seigneur, dit Mrs Glover, elle rentrera par le dernier train, pas avant des heures. Et maintenant disparaissez, vous devriez être au lit depuis longtemps. C'est une vraie pétaudière ici. »

Ursula ignorait la signification du mot, mais ça semblait être un endroit où il faisait bon vivre.

*

Le lendemain matin, il n'y avait pas de Bridget à la maison. Ni, plus curieux, aucun signe de Pamela. Ursula fut envahie d'un soulagement aussi inexplicable que la panique qui l'avait poussée à écrire le mot, la veille au soir.

« Il y avait un mot stupide sur la porte, hier soir, une farce, dit Sylvie. Bridget a trouvé porte close. Tu sais, ça ressemble étonnamment à ton écriture, Ursula, peux-tu me fournir une explication ?

— Non, fit vigoureusement Ursula.

— J'ai envoyé Pamela chercher Bridget chez Mrs Dodds, dit Sylvie.

— Tu as envoyé *Pamela* ? répéta Ursula horrifiée.

— Oui, Pamela.

— Pamela est avec *Bridget*.

— Oui, dit Sylvie. Bridget. Qu'est-ce qui te prend ? »

Ursula sortit de la maison en courant. Elle entendit Sylvie crier après elle, mais ne s'arrêta pas. Elle n'avait jamais couru aussi vite en huit ans d'existence, pas même quand Maurice la poursuivait pour lui infliger des tortures indiennes. Elle courut sur le sentier en direction du cottage de Mrs Dodds, en pataugeant dans la boue si bien que lorsqu'elle aperçut Pamela et Bridget, elle était crottée de la tête aux pieds.

« Qu'est-ce qu'il y a ? demanda Pamela d'une voix angoissée. C'est Papa ? » Bridget se signa. Ursula se jeta au cou de Pamela et fondit en larmes.

« Mais qu'y a-t-il ? Dis-le-moi, dit Pamela, gagnée par la terreur.

— Je ne sais pas, sanglota Ursula. Je me faisais un sang d'encre pour toi.

— Quelle bécasse, lui dit affectueusement Pamela en la serrant dans ses bras.

— J'ai un peu mal à la tête, dit Bridget. Rentrons à la maison. »

*

Les ténèbres ne tardèrent pas à s'abattre une fois de plus.

LA NEIGE

11 février 1910

« Un miracle, d'après le Dr Fellowes », dit Bridget à Mrs Glover tandis qu'elles buvaient leur thé matinal à la santé du nouveau bébé. En ce qui concernait Mrs Glover, les miracles existaient dans les pages de la Bible et non dans le carnage d'une naissance. « Elle s'arrêtera peut-être à trois, dit-elle.

— Et pourquoi donc alors qu'elle a de si beaux enfants bien portants et qu'il y a assez d'argent dans la maison pour satisfaire tous leurs désirs ? » fit Bridget.

Ignorant délibérément l'argument, Mrs Glover se leva de table avec effort et dit « C'est pas tout ça, faut que je m'occupe du petit déjeuner de Mrs Todd. » Elle prit une jatte de rognons mis à tremper dans du lait au cellier et entreprit d'enlever la membrane blanche et grasse qui ressemblait à la coiffe d'un nouveau-né. Bridget jeta un coup d'œil au lait blanc marbré de rouge et eut mal au cœur, ce qui n'était pas son genre.

Le Dr Fellowes avait déjà pris son petit déjeuner — bacon, boudin noir, pain et œufs frits — et était parti. Des hommes du village avaient essayé de désenneiger son automobile et, la tentative ayant échoué, quelqu'un courut chercher George qui arriva à la rescousse sur un de ses gros shires. L'image de saint Georges traversa brièvement l'esprit de Mrs Glover avant de s'éclipser en vitesse parce que trop fantasque. Au prix de difficultés non négligeables, le Dr Fellowes fut hissé derrière le fils de

Mrs Glover, et ils s'étaient tous les deux éloignés en labourant la neige au lieu de la terre.

Un fermier avait été piétiné par un taureau, mais était encore en vie. Le père de Mrs Glover, employé de laiterie, avait été tué par une vache. Mrs Glover, jeune mais vaillante et n'ayant pas encore fait la connaissance de Mr Glover, était tombée sur son père qui gisait mort dans l'étable. Elle revoyait encore le sang sur la paille et l'air surpris de la vache, Maisie, la préférée de son père.

Bridget se réchauffa les mains sur la théière et Mrs Glover dit « Bon, je ferais mieux de m'occuper de mes rognons. Trouve-moi une fleur pour le plateau de Mrs Todd.

— Une fleur ? demanda Bridget, perplexe en regardant la neige par la fenêtre. Par ce temps ? »

L'ARMISTICE

11 novembre 1918

« Oh, Clarence, dit Sylvie en ouvrant la porte de derrière. Bridget a eu un petit accident, je le crains. Elle a trébuché et elle est tombée sur le pas de la porte. Ce n'est qu'une cheville foulée, je pense, mais je doute qu'elle soit capable de se rendre à Londres pour les cérémonies. »

Assise près du fourneau dans le fauteuil de Mrs Glover, un grand Windsor à haut dossier, Bridget sirotait de l'eau-de-vie. Sa cheville reposait sur un tabouret et elle savourait le côté dramatique de son histoire.

« Ma foi, j'arrivais à la porte de la cuisine. Je venais d'étendre la lessive quoique je me demande bien pourquoi j'ai pris cette peine vu qu'il s'est remis à pleuvoir, quand j'ai soudain senti des mains me pousser dans le dos. Et vlà que me suis retrouvée les quatre fers en l'air à souffrir le martyre. Des petites mains, ajouta-t-elle. Comme celles d'un petit enfant fantôme.

— Oh, vraiment, dit Sylvie. Il n'y a pas de fantômes dans cette maison, enfant ou autre. Tu as vu quelque chose, Ursula ? Tu étais dans le jardin, non ?

— Oh, cette sotte a juste trébuché, fit Mrs Glover. Vous savez comme elle est empotée. De toute façon, poursuivit-elle avec une certaine satisfaction, voilà qui met un terme à votre bringue à tout casser à Londres.

« — Pas question, dit vaillamment Bridget, Je ne raterai cette journée pour rien au monde. Allez, viens, Clarence. Donne-moi ton bras. Je peux *clopiner*. »

*

Les ténèbres etc.

LA NEIGE

11 février 1910

« Avant que vous posiez la question, c'est "Ursula", dit Mrs Glover en balançant des cuillerées de porridge dans les bols de Maurice et Pamela assis à la grande table en bois de la cuisine.

— Ursula, dit Bridget sur un ton approbateur. C'est un bon prénom. Le perce-neige lui a fait plaisir ? »

L'ARMISTICE

11 novembre 1918

Tout était d'une certaine manière familier. « C'est ce qu'on appelle le déjà-vu, dit Sylvie. C'est une illusion de l'esprit. L'esprit est un mystère insondable. » Ursula était certaine de se rappeler avoir été dans son landau sous le hêtre. « Non, dit Sylvie, personne ne peut se souvenir d'un âge aussi tendre » et pourtant Ursula se rappelait les feuilles, semblables à de grandes mains vertes, s'agitant dans la brise, et le lièvre argent accroché à la capote tournant et s'enroulant devant sa figure. Sylvie soupira. « Tu as vraiment une imagination très vive, Ursula. » Ursula ne savait pas si c'était un compliment ou non, mais il était indéniable qu'elle avait du mal à distinguer ce qui était réel de ce qui ne l'était pas. Sans parler de la terrible peur – la terreur épouvantable – qui l'habitait. Son sombre paysage intérieur. « N'y pense plus, lui répliqua Sylvie avec brusquerie quand Ursula tenta de lui expliquer. Pense à des choses gaies. »

Parfois, aussi, elle savait d'avance ce que quelqu'un allait dire ou quel événement banal allait se produire – si une assiette allait tomber ou une pomme passer à travers la vitre d'une serre, comme si c'était arrivé maintes fois auparavant. Des mots et des expressions faisaient écho à d'autres, des inconnus avaient l'air de vieilles connaissances.

« Tout le monde se sent bizarre de temps à autre, disait Sylvie. Souviens-toi, ma chérie – pense à des choses gaies. »

Bridget prêtait une oreille plus attentive, déclarait qu'Ursula « avait le don de double vue ». Il y avait des seuils entre ce monde et l'autre, disait-elle, mais seules certaines personnes pouvaient les franchir. Ursula n'avait pas très envie d'être l'une d'elles.

Le matin du précédent Noël, Sylvie avait remis à Ursula une boîte joliment empaquetée et enrubannée au contenu tout à fait invisible en disant « Joyeux Noël, ma chérie » et Ursula s'était exclamée « Oh, chic, une dînette » et avait eu immédiatement des ennuis, soupçonnée d'avoir regardé les cadeaux en catimini.

« Jamais de la vie », soutint-elle mordicus à Bridget plus tard dans la cuisine où cette dernière tentait de fixer des petites couronnes de papier blanc aux pattes de l'oie de Noël. (L'oie lui rappelait un homme du village, un tout jeune gars en fait, qui avait perdu ses deux pieds à Cambrai.) « Je n'ai pas regardé, j'ai su, c'est tout.

— Ah, je sais, dit Bridget. Vous êtes dotée du sixième sens, pardi. »

Mrs Glover qui se débattait avec le pudding signifia sa désapprobation par un grognement. Cinq sens, c'était déjà trop, selon elle, alors un sixième…

*

Ils étaient condamnés à passer la matinée dans le jardin. « La fête de la victoire, tu parles », dit Pamela tandis qu'ils s'abritaient de la bruine sous le hêtre. Seule Trixie s'en donnait à cœur joie. Elle adorait le jardin, surtout à cause du nombre de lapins qui malgré tous les efforts des renards continuaient à profiter des avantages du potager. George Glover avait donné deux lapereaux à Ursula et Pamela avant la guerre. Ursula avait convaincu Pamela de les garder à l'intérieur de la maison et elles les avaient cachés dans la penderie de leur chambre et nourris avec un compte-gouttes trouvé dans l'armoire à pharmacie jusqu'au jour où ils avaient bondi de la penderie et fichu une peur bleue à Bridget.

« Me voici placée devant le fait accompli, dit Sylvie quand on lui présenta les lapins. Mais vous ne pouvez pas les garder dans la maison. Vous allez devoir demander à Old Tom de leur construire un clapier. »

Il y avait évidemment beau temps que les lapins s'étaient échappés et joyeusement multipliés. Old Tom avait mis du poison et des pièges, sans grand résultat. (« Bonté divine, s'exclama Sylvie un matin en voyant les lapins petit déjeuner tout heureux sur la pelouse. On se croirait en Australie. ») Maurice, qui apprenait à tirer dans le cadre de la préparation militaire de son école, avait passé toutes ses dernières grandes vacances à tirer sur eux au jugé depuis la fenêtre de sa chambre avec le vieux Westley Richards dont Hugh se servait pour chasser le gibier à plume. Pamela était tellement en colère contre son frère qu'elle mit dans son lit de la poudre à gratter volée dans ses affaires (il passait sa vie dans les magasins de farces et attrapes). Ursula fut immédiatement accusée et Pamela dut avouer, bien qu'Ursula fût toute prête à encaisser. Pamela était ainsi – toujours très à cheval sur l'équité.

Ils entendirent des voix dans le jardin d'à côté – ils avaient de nouveaux voisins dont ils n'avaient pas encore fait la connaissance, les Shawcross – et Pamela dit « Venez, allons voir si nous pouvons les apercevoir. Je me demande comment elles s'appellent. »

Winnie, Gertie, Millie, Nancy et le bébé Bea, songea Ursula qui tint cependant sa langue. Elle devenait aussi experte à garder les secrets que Sylvie.

*

Bridget serra son épingle à chapeau entre ses dents et leva les bras pour arranger son bibi. Elle y avait cousu un petit bouquet de violettes en papier pour fêter la victoire. Elle se tenait en haut des marches et fredonnait *K-K Katy*. Elle pensait à Clarence. Lorsqu'ils seraient mariés (« au printemps », avait-il dit même si c'était « avant Noël » il n'y a pas si longtemps) elle quitterait Fox Corner. Elle aurait sa petite maison à elle, ses bébés à elle.

*

Les escaliers étaient des endroits dangereux, selon Sylvie. Les gens y mouraient. Sylvie leur interdisait toujours de jouer en haut des marches.

Ursula avança à pas de velours sur le chemin du couloir. Inspira sans bruit puis, les deux mains devant elle comme pour tenter d'arrêter un train, elle se jeta sur la chute de reins de Bridget. Bridget tourna brusquement la tête, la bouche et les yeux écarquillés d'horreur à la vue d'Ursula. Elle valdingua, dégringola les marches en agitant désespérément bras et jambes. Ursula réussit de justesse à ne pas la suivre.

C'est en forgeant qu'on devient forgeron.

*

« Le bras est cassé, j'en ai peur, dit le Dr Fellowes. Vous avez ramassé un sacré gadin.

— Elle a toujours été empotée, dit Mrs Glover.

— *Quelqu'un* m'a poussée », dit Bridget. Une grande ecchymose s'épanouissait sur son front, elle tenait à la main son chapeau aux violettes écrasées.

« Quelqu'un ? répéta Sylvie. Qui donc ? Qui vous pousserait dans l'escalier, Bridget ? » Et d'examiner les visages autour d'elle. « Teddy ? » Teddy mit une main devant sa bouche comme pour empêcher les mots de s'en échapper. Sylvie se tourna vers Pamela. « Pamela ?

— Moi ? » fit Pamela en pressant pieusement ses deux mains indignées sur son cœur comme une martyre. Sylvie regarda Bridget qui indiqua Ursula d'un petit signe de tête.

« Ursula ? » dit Sylvie, les sourcils froncés. Ursula regardait fixement devant elle, tel un objecteur de conscience sur le point d'être fusillé. « Ursula, dit sévèrement Sylvie, qu'as-tu à dire de tout ça ? »

Ursula avait fait quelque chose de méchant, elle avait poussé Bridget dans l'escalier. Bridget aurait pu mourir et elle aurait été, elle, une criminelle. Tout ce qu'elle savait, c'était qu'elle *devait* le faire. Le grand sentiment de terreur l'avait submergée et ç'avait été plus fort qu'elle.

Elle sortit de la cuisine en courant et se réfugia dans une des cachettes de Teddy, le placard situé sous l'escalier. Au bout d'un moment, la porte s'ouvrit, Teddy entra sans bruit et s'assit par terre à côté d'elle. « Je ne crois pas que tu aies poussé Bridget, dit-il en glissant sa petite main chaude dans celle de sa sœur.

— Merci. C'est pourtant ce que j'ai fait.

— Je t'aime quand même. »

Elle ne serait peut-être jamais sortie de ce placard, mais la cloche de la porte d'entrée retentit et il y eut soudain un grand branle-bas dans le vestibule. Teddy ouvrit la porte du placard pour voir ce qui se passait. Il rentra la tête et déclara « Maman est en train d'embrasser un homme. Elle pleure et lui aussi. » Ursula passa la tête dehors pour être témoin du phénomène. Elle se tourna abasourdie vers Teddy. « Je crois que ça pourrait être papa », dit-elle.

LA PAIX

Février 1947

Ursula traversa prudemment la rue. Le revêtement était traître – gondolé et froissé par des crêtes et des crevasses de verglas. Les trottoirs étaient encore plus périlleux, des massifs de neige bien tassée, ou, pire, des toboggans lissés par les enfants du voisinage qui n'avaient rien de mieux à faire que s'amuser parce que les écoles étaient fermées. Oh, mon Dieu, songea Ursula, comme je suis devenue mesquine. Maudite guerre. Maudite paix.

Lorsqu'elle introduisit sa clé dans la serrure de la porte donnant sur la rue, elle était épuisée. Faire les courses ne lui avait encore jamais semblé un tel défi, même aux pires heures du Blitz. La peau de son visage était à vif à cause des morsures du vent et ses orteils étaient engourdis par le froid. La température ne dépassait pas les moins dix-sept degrés depuis des semaines, était descendue plus bas encore qu'en 41. Ursula s'imagina à une date ultérieure essayant de se rappeler ce froid glacial et comprit que ce serait impossible. C'était si *physique*, on s'attendait à voir ses os voler en éclats, sa peau se craqueler. Hier, elle avait remarqué dans la rue deux hommes qui tentaient apparemment d'ouvrir une bouche d'égout au lance-flammes. Peut-être qu'à l'avenir il n'y aurait plus ni dégel ni chaleur, peut-être que c'était le début d'une nouvelle période glaciaire. D'abord le feu, puis la glace.

Ce n'était pas plus mal que la guerre lui ait fait perdre le goût de la mode. Elle avait empilé dans l'ordre un tricot de peau à manches courtes, un autre à manches longues, un pull à manches longues, un cardigan et son vieux manteau d'hiver miteux, acheté neuf chez Peter Robinson, deux ans avant la guerre. Sans parler évidemment des habituels sous-vêtements ternes, d'une épaisse jupe en tweed, de bas en laine grise, de gants *et* de moufles, d'une écharpe, d'un chapeau et des vieilles bottes fourrées de sa mère. Plaignez l'homme soudain pris de l'envie de lui faire subir les derniers outrages. « Ça risque pas de nous arriver, hein ? » disait Enid Barker, une des secrétaires, devant la fontaine à thé, source de réconfort et remède à bien des maux. Enid avait auditionné pour le rôle de la jeune Londonienne courageuse aux alentours de 1940 et le jouait avec brio depuis cette date. Ursula se réprimanda de nourrir à son endroit des pensées moins charitables. Enid était une brave fille. Elle tapait les tableaux comme personne, art qu'Ursula n'avait jamais tout à fait réussi à maîtriser à l'école de secrétariat. Elle avait suivi des cours de sténodactylo, des années auparavant – tout ce qui se situait avant guerre semblait de l'histoire ancienne (la sienne). Elle s'était montrée étonnamment compétente. Mr Carver, le directeur de l'école, avait laissé entendre que sa sténo était assez bonne pour qu'elle suive une formation de greffière à l'Old Bailey, la cour d'assises de Londres. Ç'aurait été une vie très différente, meilleure peut-être. Bien sûr, il n'y avait aucun moyen de savoir ce genre de chose.

Elle gravit péniblement l'escalier non éclairé jusqu'à son appartement. Elle vivait seule à présent. Millie avait épousé un officier de l'armée de l'air américain et s'était installée dans l'Etat de New York (« Moi ? Epouse de guerre ! Qui l'eût cru ? »). Une fine couche de suie et de gras recouvrait les murs de la cage d'escalier. C'était un vieux bâtiment, à Soho qui plus est (« Nécessité fait loi », entendit-elle dire la voix de sa mère). La voisine du dessus recevait beaucoup de visiteurs masculins et Ursula s'était habituée aux grincements des ressorts du lit et aux bruits bizarres qui traversaient le plafond. Elle était aimable cependant, toujours prête à vous saluer joyeusement et ne ratait jamais son tour de balayer les marches.

D'une grisaille dickensienne dès le départ, le bâtiment était maintenant encore plus à l'abandon et délabré. Mais tout Londres avait l'air misérable. Crasseux et cafardeux. Elle se rappela Miss Woolf disant ne pas croire que le « pauvre vieux Londres » redeviendrait propre un jour. (« Tout est si terriblement *miteux*. ») Elle avait peut-être raison.

« On ne croirait jamais que nous avons gagné la guerre », dit Jimmy quand il vint la voir dans ses vêtements américains luisants et brillants de promesses. Elle pardonna volontiers à son petit frère sa vivacité très Nouveau Monde : il avait eu une guerre difficile. N'était-ce pas le cas de tout le monde ? « Une guerre longue et difficile », avait promis Churchill. Comme il avait vu juste.

Le meublé était un cantonnement provisoire. Elle avait l'argent pour quelque chose de mieux, mais la vérité, c'était qu'elle s'en fichait un peu. Une seule pièce, une fenêtre au-dessus de l'évier, un geyser d'eau chaude, des W-C communs au bout du couloir. Ursula regrettait encore le vieil appartement de Kensington qu'elle avait partagé avec Millie. Une bombe était tombée dessus durant le grand raid aérien de mai 41. Ursula avait pensé à Bessie Smith chantant *comme un renard sans terrier*, mais avait en fait réintégré les lieux quelques semaines, vécu sans toit. C'était glacial, mais elle était bonne campeuse. Elle avait appris à l'être avec la Bund Deutscher Mädel, bien que ce ne fût pas une chose dont on pouvait se vanter en cette période sombre.

Mais une charmante surprise l'attendait. Un cadeau de Pammy — une caisse remplie de pommes de terre, de poireaux, d'oignons, d'un énorme chou frisé vert émeraude (un objet de beauté) et couronnant le tout une demi-douzaine d'œufs nichés dans du coton à l'intérieur d'un vieux chapeau mou de Hugh. De jolis œufs brun moucheté, précieux comme des gemmes non polies, auxquels de minuscules plumes adhéraient encore çà et là. *De Fox Corner, affectueusement*, disait l'étiquette attachée à la caisse. C'était comme recevoir un colis de la Croix-Rouge. Comment diable était-elle arrivée à Soho ? Les trains ne roulaient pas et

Pamela était presque à tous les coups bloquée par la neige. Ce qui était encore plus étonnant, c'était que sa sœur ait réussi à déterrer cette récolte hivernale quand *la terre était dure comme fer*[12].

En ouvrant la porte, elle trouva un bout de papier par terre. Elle dut chausser ses lunettes pour le lire. C'était un mot de Bea Shawcross. *Je suis passée mais tu n'étais pas là. Je repasserai. Bises. Bea.* Ursula fut désolée d'avoir raté la visite de Bea, ç'aurait été une façon plus agréable de passer le samedi après-midi que d'errer dans le West End dévasté. La simple vue d'un chou lui remontait énormément le moral. Mais voilà que ce chou — de façon inopinée comme c'est la règle dans ces cas-là — fit resurgir le souvenir inopportun du petit paquet dans la cave d'Argyll Road et elle se remit à broyer du noir. Elle avait vraiment le moral en dents de scie en ce moment. Franchement, se réprimanda-t-elle, secoue-toi, pour l'amour du ciel.

L'intérieur de l'appartement semblait encore plus froid. Elle avait attrapé des engelures, hideuses et douloureuses. Même ses oreilles étaient gelées. Elle regrettait de ne pas avoir des protège-oreilles ou une cagoule, comme les passe-montagnes en laine grise que Teddy et Jimmy portaient pour aller à l'école. Il y avait un vers dans *La Veille de la Sainte-Agnès*, que disait-il déjà ? Quelque chose à propos des gisants de pierre dans l'église *sous leur coiffe et leur cotte de mailles glaciales.* Elle avait froid chaque fois qu'elle le récitait. Ursula avait appris les quarante-deux strophes du poème par cœur à l'école, exploit qu'elle aurait été probablement incapable de réitérer à présent, et puis quel était l'intérêt si elle n'était même pas fichue de se rappeler un seul vers en entier ? Elle eut soudain la nostalgie du manteau de fourrure de Sylvie, un vison un peu mité, réconfortant comme un gros animal amical qui appartenait à présent à Pamela. Sylvie avait choisi de mourir le 8 mai 1945. Pendant que dans toute la Grande-Bretagne les autres femmes raclaient leurs fonds de garde-manger pour organiser des thés et dansaient dans les rues, Sylvie s'était allongée sur le lit qui avait été celui de Teddy enfant et avait avalé un flacon de somnifères. Pas de mot, mais son intention et son mobile étaient des plus clairs pour la famille qu'elle laissait derrière elle. Il y avait eu une horrible collation à Fox Corner après ses obsèques. Pamela avait dit que c'était la solution du lâche, mais Ursula n'en était pas si certaine. Cela démontrait à son avis une clarté de vue plutôt admirable. Sylvie était une victime de guerre de plus, une statistique de plus.

« Tu sais, dit Pamela, j'avais l'habitude de me disputer avec elle parce qu'elle prétendait que le monde avait empiré à cause de la science qui consistait à inventer de nouvelles façons de tuer les gens. Mais je me demande maintenant si elle n'avait pas raison. » C'était, bien sûr, avant Hiroshima.

Ursula alluma le radiateur à gaz, un petit appareil assez pitoyable qui avait l'air de remonter au tournant du siècle, et introduisit des pièces dans le compteur. Le bruit courait qu'on allait bientôt manquer de pennies et de shillings. Ursula se demandait pourquoi on ne pouvait pas fondre les pièces d'artillerie. Transformer les canons en socs de charrue etc.

Elle vida la caisse de Pammy, étala son contenu sur le petit plan de travail en bois comme une nature morte du pauvre. Les légumes étaient terreux et il n'y avait pas grand espoir de pouvoir les laver car les canalisations d'eau étaient gelées, y compris dans le petit chauffe-eau Ascot, quoique la pression du gaz fût si faible qu'il arrivait à peine à chauffer l'eau, de toute façon. *L'eau comme une pierre*[13]. Au fond de la caisse, elle trouva une demi-bouteille de whisky. Bonne vieille Pammy, toujours attentionnée.

Elle puisa de l'eau dans le seau rempli à la colonne d'alimentation de la rue et la mit à chauffer dans une casserole sur le réchaud à gaz en se disant qu'elle pourrait se faire un œuf à la coque, même si ça prendrait un temps fou car il n'y avait qu'un vague ruché bleu autour du brûleur. On les avait avertis de se montrer vigilants avec le gaz – au cas où il reviendrait quand la veilleuse était éteinte.

Serait-ce si terrible d'être gazée ? s'interrogea Ursula. *Gazée*. Elle songea à Auschwitz. A Treblinka. Jimmy avait été commando et à la fin de la guerre on l'avait affecté un peu par hasard selon lui (bien que tout ce qui concernait Jimmy fût toujours un peu dû au hasard) au régiment antichar qui avait libéré Bergen-Belsen. Ursula avait insisté pour qu'il lui raconte ce qu'il y avait trouvé. Il avait rechigné et lui avait probablement caché le pire, mais il était nécessaire de savoir. On devait témoigner. (Elle entendit la voix de Miss Woolf dans sa tête : *Il faudra nous souvenir de ces gens quand nous serons en sécurité dans l'avenir.*)

Le bilan des pertes avait été son travail durant la guerre, le flot interminable de chiffres représentant les victimes des raids aériens et des bombes passait sur son bureau pour être collationné et enregistré. Ils lui avaient paru écrasants, mais les chiffres plus grands — les six millions de morts, les cinquante millions de morts, les infinités innombrables d'âmes[14] — appartenaient au royaume de l'incompréhensible.

Ursula était allée chercher de l'eau la veille. Ils — qu'y avait-il derrière ce « ils » ? Au bout de six ans de guerre, tout le monde s'était habitué à suivre *leurs* ordres, quel peuple obéissant que les Anglais — *ils* avaient installé une colonne d'alimentation dans la rue voisine et Ursula avait rempli une bouilloire et un seau au robinet. La femme qui la précédait dans la queue était d'une merveilleuse élégance dans un enviable manteau de zibeline gris argent qui lui arrivait aux chevilles et pourtant elle attendait patiemment dans le froid glacial avec ses seaux. Elle n'avait pas l'air à sa place à Soho, mais qui connaissait son histoire ?

Les femmes au puits. Ursula croyait se rappeler que Jésus avait eu un échange assez incisif avec une femme au puits. Une femme de Samarie — pas de nom, évidemment. Elle avait eu cinq maris et vivait avec un homme qui n'était pas son époux, mais la Bible du roi Jacques ne disait jamais ce qui était arrivé aux cinq précédents. Elle avait peut-être empoisonné le puits.

Ursula se souvint de Bridget leur disant que dans sa jeunesse en Irlande elle devait aller chercher l'eau au puits tous les jours. On appelait ça le progrès. Avec quelle rapidité la civilisation pouvait se dissoudre en ses éléments plus laids. Regardez les Allemands, le plus cultivé et le plus courtois des peuples, et pourtant... Auschwitz, Treblinka, Bergen-Belsen. Avec le même concours de circonstances, ç'aurait très bien pu être les Anglais, mais voilà encore une chose qu'on ne pouvait pas dire. Miss Woolf le croyait, elle disait...

« Dites donc, fit la femme en zibeline, interrompant le cours de ses pensées. Comment expliquez-vous que mon eau soit complètement gelée alors que celle-ci ne l'est pas ? » Elle avait un accent de la haute.

« Je ne sais pas, fit Ursula. Je ne sais rien. » La femme rit et dit « Oh, j'ai la même impression, croyez-moi » et Ursula songea que c'était peut-être quelqu'un qu'elle aimerait avoir pour amie, mais une femme derrière elle dit « Dépêche-toi, ma jolie » et la dame à la zibeline souleva ses seaux avec la poigne d'une femme de la Land Army, et dit : « Bon, faut que j'y aille, salut la compagnie. »

*

Elle alluma la TSF. La transmission du Third Programme avait été suspendue pendant toute la durée de la guerre. La guerre contre les éléments. Il fallait s'estimer heureux si on arrivait à écouter le Home Service ou le Light Programme, il y avait tellement de coupures d'électricité. Elle avait besoin de bruit, de sons familiers. Jimmy lui avait donné son vieux phono avant de partir, le sien ayant disparu dans le bombardement ainsi, hélas, que la plupart de ses disques. Elle avait réussi à en sauver deux ou trois, miraculeusement intacts, et en plaça un sur le plateau. « I'd Rather Be Dead And Buried In My Grave[15] » chanta Bessie Smith. Ursula rit. « Drôlement joyeux », dit-elle tout haut. Elle écouta gratter et siffler le vieux 78 tours. Etait-ce ce qu'elle ressentait ?

Elle jeta un coup d'œil à la pendulette dorée de Sylvie. Elle l'avait rapportée chez elle après les obsèques. Seulement quatre heures de l'après-midi. Grands dieux, comme les journées s'écoulaient lentement. Elle entendit une série de bips et éteignit la radio pour ne pas entendre le bulletin d'information. A quoi bon ?

Elle avait passé l'après-midi à lécher les vitrines d'Oxford Street et de Regent Street pour faire quelque chose – en réalité, c'était juste pour sortir de son meublé monacal. Tous les magasins étaient sombres et lugubres. Des lampes à pétrole chez Swan & Edgar, des bougies chez Selfridges – les visages aux traits tirés et indistincts des gens semblaient sortir d'une peinture de Goya. Il n'y avait rien à acheter, du moins rien de tentant et si quelque chose lui faisait envie, une jolie paire de bottillons bordés de fourrure à l'air confortable par exemple, ça coûtait les yeux de la tête (quinze guinées !). Vraiment déprimant. « Pire que la guerre », disait Miss Fawcett au travail. Elle partait pour se marier, elles s'étaient cotisées pour le cadeau de mariage, un vase pas très inspirant, mais Ursula voulait lui offrir quelque chose de plus personnel, de plus original, et manquant d'idée avait espéré que les grands magasins du West End auraient peut-être l'objet recherché. Ce n'était pas le cas.

Elle était allée dans un Lyon's boire une tasse de thé pâle, du pipi de rossignol, aurait dit Bridget. Et manger un petit pain aux raisins spartiate qui ne contenait que deux raisins secs et durs de surcroît, agrémenté d'une malheureuse lichette de margarine, et essaya de se persuader qu'elle dégustait une merveilleuse pâtisserie – un succulent *Cremeschnitte* ou une tranche de *Dobostorte*. Côté sucreries, les Allemands ne devaient pas être très gâtés en ce moment, supposa-t-elle.

Elle murmura *Schwarzwälder Kirschtorte*, un peu fort par mégarde (c'était un nom si extraordinaire, un gâteau si extraordinaire), et attira l'attention d'une femme à une table voisine, qui ingérait stoïquement un gros chou nappé d'un glaçage. « Réfugiée, ma belle ? demanda-t-elle, surprenant Ursula par son ton compatissant.

— En quelque sorte », répondit Ursula.

*

116

En attendant que l'eau bouille pour son œuf à la coque – elle n'était encore que tiédasse – elle fouilla dans ses livres, jamais déballés depuis le déménagement. Elle trouva le Dante, cadeau d'Izzie, au cuir rouge joliment repoussé, mais aux pages toutes marquées de rousseurs, un exemplaire de John Donne (son poète préféré), *La Terre vaine* (édition originale rare dérobée à Izzie), les œuvres complètes de Shakespeare, ses poètes métaphysiques bien-aimés et pour finir, tout au fond du carton, un Keats abîmé reçu en prix avec une inscription disant : *A Ursula Todd, pour son bon travail*. Ça conviendrait aussi pour une épitaphe, songea-t-elle. Elle feuilleta les pages rarement tournées jusqu'à ce qu'elle trouve *La Veille de la Sainte-Agnès*.

Ah, quel froid glacial !
Le hibou, malgré toutes ses plumes, était transi ;
Le lièvre boitait tout tremblant dans l'herbe gelée,
Et silencieux était le troupeau dans son parc laineux.

Elle lut la strophe à voix haute et les mots la firent frissonner. Elle devrait lire quelque chose qui la réchauffe, Keats et ses abeilles – *Car l'été a gorgé leurs moites alvéoles*. Keats aurait dû mourir sur le sol anglais. Assoupi dans un jardin anglais par un après-midi d'été. Comme Hugh.

Elle mangea son œuf en lisant le *Times* de la veille, donné par Mr Hobbs du service courrier quand il avait fini de le lire, petit rituel quotidien qu'ils avaient instauré. Le format récemment réduit du journal le rendait d'une certaine manière ridicule comme si les nouvelles qu'il contenait étaient moins importantes. Bien qu'au fond ce fût le cas, non ?

*

Des flocons de neige aux airs de cendres grises et savonneuses tombaient dehors. Elle pensa à la famille des Cole en Pologne – s'élevant au-dessus d'Auschwitz comme un nuage volcanique, encerclant la Terre et voilant le soleil. Aujourd'hui encore, après tout ce que les gens avaient appris sur les camps etc., l'antisémitisme continuait à sévir. « Youpin », avait-elle entendu dire hier, et quand Miss Andrews avait refusé de contribuer au cadeau de mariage de Miss Fawcett, Enid Barker avait plaisanté et dit « Quelle juive » comme si c'était une insulte des plus anodines.

Le bureau était un endroit ennuyeux et plutôt survolté en ce moment : la fatigue, probablement, due au froid et au manque de bonne nourriture. Le travail était fastidieux, une interminable compilation et permutation de statistiques à classer dans les archives quelque part — afin que les historiens de l'avenir puissent s'y plonger, supposait-elle. Ils étaient encore « en train de trier et de remettre leur maison en ordre », aurait dit Maurice, comme si les victimes de guerre étaient du fouillis à ranger et à oublier. La défense passive était dissoute depuis plus d'un an et demi, mais Ursula était encore engluée dans les menus détails de la bureaucratie. Les moulins de Dieu (ou du gouvernement) broyaient bien le grain très finement et lentement[16].

*

L'œuf était délicieux, on aurait dit qu'il avait été pondu le matin même. Elle trouva une vieille carte postale représentant le pavillon de Brighton (achetée lors d'une excursion avec Crighton) et jamais envoyée, griffonna un remerciement à Pammy — *Merveilleux ! Comme un colis de la Croix-Rouge* — et la posa sur le manteau de cheminée à côté de la pendulette de Sylvie. Et aussi de la photo de Teddy. Teddy avec son équipage de Halifax, prise par un après-midi ensoleillé. Ils se prélassaient dans un assortiment de vieux fauteuils. Jeunes à jamais. Le chien, Lucky, se tenait fier comme une petite figure de proue sur le genou de Teddy. Comme ce serait réconfortant d'avoir encore Lucky. Elle avait placé la médaille de Teddy sur le verre de la photo encadrée. Ursula aussi s'était vu décerner une médaille, mais elle ne signifiait rien pour elle.

Elle posterait la carte avec le courrier demain après-midi. Elle mettrait un temps fou à arriver à Fox Corner.

Cinq heures. Elle emporta son assiette à l'évier pour l'ajouter au reste de la vaisselle sale. La cendre grise était devenue un blizzard dans le ciel sombre et elle voulut fermer le mince rideau de coton pour essayer de la faire disparaître. La tringle plia dangereusement et elle renonça de peur de tout faire dégringoler. La fenêtre était vieille et fermait mal, laissait entrer un courant d'air glacial.

L'électricité fut coupée et elle tâtonna pour trouver la bougie sur le manteau de cheminée. Les choses pouvaient-elles empirer ? Ursula emporta la bougie et la bouteille de whisky dans son lit, se mit sous les couvertures sans quitter son manteau. Elle était si fatiguée.

La flamme du petit radiateur à gaz trembla d'une façon alarmante. Serait-ce si catastrophique ? *Oh, cesser d'être – sans souffrir – à Minuit*[17]. Il y avait pire. Auschwitz, Treblinka. Le Halifax de Teddy descendant en flammes. La seule façon d'arrêter les larmes était de continuer à boire du whisky. Bonne vieille Pammy. La flamme du radiateur vacilla et s'éteignit. La veilleuse aussi. Elle se demanda quand le gaz reviendrait. Si l'odeur la réveillerait, si elle se lèverait pour rallumer la veilleuse. Elle n'avait pas prévu de mourir comme un renard gelé dans son terrier. Pammy verrait la carte postale, saurait que son geste avait été apprécié. Ursula ferma les yeux. Elle avait l'impression d'être éveillée depuis plus de cent ans. Elle était vraiment au bout du rouleau, au bout du rouleau.

Les ténèbres commencèrent à s'abattre.

LA NEIGE

11 février 1910

Chaude, laiteuse et nouvelle, l'odeur était un chant de sirène pour Queenie. A strictement parler, Queenie était la chatte de Mrs Glover, bien qu'elle fût distante et inconsciente d'appartenir à qui que ce soit. Enorme chatte écaille de tortue, elle était arrivée dans un sac de voyage en tapisserie avec Mrs Glover et avait élu domicile dans son fauteuil Windsor personnel, modèle réduit de celui de Mrs Glover, à côté du gros fourneau. Avoir son fauteuil ne l'empêchait pas de laisser des poils sur tous les autres sièges de la maison, y compris sur les lits. Hugh, qui n'aimait guère les chats, se plaignait sans cesse de la manière mystérieuse dont cette « bête galeuse » réussissait à déposer des poils sur ses costumes.

Plus malveillante que la plupart des chats, elle avait une façon de vous flanquer des coups de patte comme un lièvre belliqueux si on s'approchait d'elle. Bridget, qui n'aimait pas beaucoup les chats non plus, la déclarait possédée du démon.

D'où venait cette nouvelle odeur délicieuse ? Queenie monta à pas de velours dans la grande chambre à coucher. Les braises d'un feu de cheminée chauffaient la pièce. C'était un bon endroit, une épaisse courtepointe moelleuse sur le lit et les douces respirations de corps endormis. Et là-bas – un parfait petit lit de la taille d'un chat, déjà chauffé par un parfait petit coussin de la taille d'un chat. Soudain ramenée à sa vie de chaton, Queenie pétrit la chair tendre avec ses pattes. Elle

121

s'installa plus confortablement, émit un ronronnement de bonheur grave et profond.

*

Des aiguilles pointues labourant sa peau tendre l'éveillèrent. La douleur était une nouveauté malvenue. Mais voilà que soudain elle était étouffée, sa bouche remplie de quelque chose qui l'obstruait, la suffoquait. Plus elle essayait de respirer, moins c'était possible. Elle était clouée, impuissante, privée d'air. Tombait, tombait, comme un oiseau abattu.

Queenie avait ronronné jusqu'à sombrer dans un oubli agréable quand elle fut tirée du sommeil par un cri perçant, empoignée et jetée à l'autre bout de la chambre. Grondant et crachant, elle prit la porte, sentant que la bataille était perdue d'avance.

*

Rien. Flasque et silencieuse, la petite cage thoracique ne bougeait plus. Le cœur de Sylvie cognait comme si un poing dans sa poitrine voulait s'en échapper. Le danger était si grand ! On aurait dit un terrible frisson, une vague qui la balayait.

Elle plaça d'instinct sa bouche sur le visage du bébé, couvrit la petite bouche et le petit nez. Insuffla doucement. Encore. Et encore.

Et le bébé revint à la vie. C'était aussi simple que ça. (« Je suis sûr que c'était une coïncidence, dit le Dr Fellowes en apprenant le miracle médical. Il paraît fort improbable qu'on puisse ranimer quelqu'un avec cette méthode. »)

*

Bridget regagna la cuisine après avoir porté du bouillon de viande à l'étage et fit un rapport fidèle à Mrs Glover : « Mrs Todd

122

dit de dire à Cook – c'est vous, Mrs Glover – qu'il faut vous débarrasser de votre chatte. Qu'il vaudrait mieux la faire abattre.

— Abattre ? » fit Mrs Glover, scandalisée. La chatte qui avait retrouvé sa place habituelle près du fourneau leva la tête et regarda Bridget d'un œil torve.

« Je me contente de répéter ce qu'elle a dit.

— Il faudra me passer sur le corps avant », répondit Mrs Glover.

*

Mrs Haddock sirotait un grog d'une façon qu'elle espérait distinguée. C'était son troisième et elle commençait à prendre des couleurs. Elle était en chemin pour un accouchement quand la neige l'avait obligée à se réfugier dans le *snug*[18] du Blue Lion, du côté de Chalfont St Peter. Sauf nécessité, elle n'aurait jamais envisagé d'entrer dans ce genre d'établissement, mais il y avait une bonne flambée et la compagnie s'avérait étonnamment conviviale. Des décorations de harnais en laiton et des cruches en cuivre luisaient et étincelaient. Le *public bar*, où la boisson semblait couler à flots, était un endroit vraiment plus tapageur. On y chantait en chœur et Mrs Haddock se surprit à taper de l'orteil pour accompagner les chanteurs.

« Si vous voyiez la neige, dit le patron en se penchant sur son vaste comptoir en laiton luisant. Il se pourrait qu'on soit tous coincés ici pendant des jours.

— Des jours ?

— Vous feriez aussi bien de reprendre un petit verre de rhum. C'est pas ce soir que vous risquez de courir les routes. »

COMME UN RENARD DANS UN TERRIER

Septembre 1923

« Tu ne vois donc plus du tout le Dr Kellet ? » demanda Izzie en ouvrant d'un coup sec son étui à cigarettes émaillé et en exhibant une belle rangée de cigarettes russes à filtre doré et papier noir. « Une sèche ? » proposa-t-elle en tendant son étui. Izzie s'adressait à autrui comme si tout le monde avait le même âge qu'elle. Ce qui était à la fois séduisant et paresseux.

« J'ai treize ans », dit Ursula. Ce qui pour elle répondait aux deux questions de sa tante.

« Treize ans est un âge assez mûr de nos jours. La vie peut être très courte, tu sais », ajouta Izzie en sortant un long fume-cigarettes ébène et ivoire. Elle chercha vaguement dans le restaurant un serveur qui lui donne du feu. « Tes petites visites à Londres me manquent plutôt. Te chaperonner à Harley Street puis au Savoy pour prendre le thé. Un plaisir pour toutes les deux.

— Ça fait plus d'un an que je n'ai pas vu le Dr Kellet, dit Ursula. On me considère guérie.

— Très bien. Moi, par contre, on me considère incurable dans *la famille**. Tu es évidemment *une jeune fille bien élevée** et tu ne sauras jamais ce que c'est d'être le bouc émissaire sur lequel on fait retomber tous les péchés du monde.

— Oh, je ne sais pas. Je crois en avoir une idée. »

On était samedi midi et elles étaient chez Simpson's. « Des dames qui prennent du bon temps », dit Izzie tandis qu'on

125

découpait sous leurs yeux d'immenses tranches de bœuf saignant. La mère de Millie, Mrs Shawcross, était végétarienne et Ursula imagina son épouvante à la vue du gros quartier de bœuf. Hugh qualifiait Mrs Shawcross (Roberta) de « bohème », Mrs Glover, de folle.

Izzie se pencha vers le jeune serveur qui s'était précipité pour lui allumer sa cigarette. « Merci, chéri, murmura-t-elle en le regardant droit dans les yeux d'une façon qui le fit soudain devenir aussi rouge que la viande dans l'assiette d'Izzie. « *Le rosbif** », dit-elle à Ursula en congédiant le serveur d'un revers de main indifférent. Elle aimait parsemer sa conversation de mots français (« J'ai passé un certain temps à Paris dans ma jeunesse. Et, bien sûr, la guerre… ») « Tu parles français ?

— Enfin, nous l'étudions à l'école, fit Ursula. Mais ça ne veut pas dire que je sache le parler.

— Tu es une petite rigolote, hein ? » Izzie tira une longue bouffée sur son fume-cigarette puis mit sa bouche (incroyablement) rouge en cul-de-poule comme si elle s'apprêtait à jouer de la trompette avant d'exhaler un jet de fumée. Plusieurs hommes assis à côté se tournèrent pour la regarder, fascinés. Elle fit un clin d'œil à Ursula. « Je parie que les premiers mots de français que tu as appris étaient déjà-vu. Ma pauvre vieille. Peut-être qu'on t'a fait tomber sur la tête étant bébé. Je suppose que c'est mon cas. Allez, attaquons, j'ai l'estomac dans les talons, pas toi ? Je suis censée être au régime, mais vraiment il y a une limite à tout », dit Izzie en coupant son bœuf avec enthousiasme.

C'était une amélioration, quand elle était venue chercher Ursula à la gare de Marylebone, Izzie était verte et avait déclaré se sentir « un tantinet nauséeuse » en raison d'huîtres arrosées de rhum (« un mariage peu recommandé ») consommées après une soirée « louche » dans un club de Jermyn Street. A présent, ayant apparemment oublié les huîtres, elle mangeait comme si elle mourait de faim, tout en prétendant comme d'habitude « surveiller sa ligne ». Elle prétendait aussi être « fauchée comme les blés » et jetait néanmoins l'argent par les fenêtres. « A quoi bon vivre si on ne peut pas s'amuser un peu ? » disait-elle. (« Sa vie n'est qu'une partie de plaisir, pour ce que j'en vois », grommelait Hugh.)

S'amuser, et les plaisirs concomitants, étaient nécessaires, selon Izzie, pour adoucir le fait qu'elle avait maintenant « rejoint les rangs des travailleurs » et devait « taper comme une sourde » sur une machine à écrire pour gagner sa vie. « Juste ciel, on croirait qu'elle abat du charbon » dit Sylvie avec humeur après un rare et plutôt difficile déjeuner de famille à Fox Corner. Après le départ d'Izzie, Sylvie posa brutalement les assiettes à fruits en porcelaine de Worcester qu'elle aidait Bridget à débarrasser et dit « Tout ce qu'elle sait faire, c'est débiter des âneries, et ce, depuis qu'elle est en âge de parler.

— Ce sont des objets de famille », murmura Hugh qui récupéra les assiettes.

Izzie avait réussi à décrocher un emploi (« Dieu sait comment » disait Hugh) qui consistait à écrire une rubrique hebdomadaire intitulée *Aventures d'une célibataire moderne* sur le sujet de « la femme seule » dans un journal. « Tout le monde sait qu'il n'y a tout simplement plus assez d'hommes », dit-elle en déchirant un petit pain à la table Regency Revival de Fox Corner. (« Tu n'as pas l'air d'avoir la moindre difficulté à en trouver », maugréa Hugh.) « Les pauvres garçons sont tous morts », poursuivit Izzie qui ignora délibérément sa remarque. Le beurre fut étalé sur le pain sans considération pour le dur labeur de la vache. « On n'y peut rien, nous devons faire au mieux sans eux. La femme moderne doit se débrouiller toute seule sans la perspective du secours que représentent un foyer et une maison. Elle doit apprendre à être indépendante, sur le plan affectif, financier et, plus important encore, en *esprit*. » (« Balivernes. » Hugh, une fois de plus.) « Les hommes ne sont pas les seuls à avoir dû se sacrifier pendant la Grande Guerre. » (« Ils sont morts, toi, non, voilà la différence. » Sylvie, cette fois. Froidement.)

« Evidemment, dit Izzie, attentive à Mrs Glover qui se tenait derrière son coude avec une soupière de Windsor brune, les femmes des classes inférieures ont toujours su ce que c'était que travailler. » Mrs Glover lui lança un regard de travers et serra plus fort la louche. (« De la soupe Windsor brune, quel délice, Mrs Glover. Que mettez-vous dedans pour qu'elle ait ce goût ? Vraiment ? Comme c'est *intéressant*. ») « Nous nous dirigeons vers une société sans classes, bien sûr. » La remarque était destinée à Hugh, mais elle lui valut un grognement de dérision de la part d'une Mrs Glover nullement apaisée.

« Te voilà donc bolchevique cette semaine ? demanda Hugh.

— Nous le sommes tous, fit Izzie avec allégresse.

— Et à ma table ! » dit Hugh qui rit.

« Ce qu'elle peut être idiote, fit Sylvie une fois Izzie enfin partie pour la gare. Et maquillée avec ça ! A croire qu'elle est sur les planches. Bien sûr, dans sa tête, elle est toujours sur scène. Elle est son propre théâtre.

— Ses cheveux », dit Hugh avec regret. Il va sans dire qu'Izzie avait eu une coupe au carré avant toutes leurs autres connaissances. Hugh avait expressément interdit aux femmes de sa famille de se faire couper les cheveux. Presque aussitôt après la publication de l'édit paternel, Pamela, normalement peu portée à la rébellion, était allée en ville avec Winnie Shawcross et elles étaient revenues toutes les deux avec une coupe à la garçonne. (« C'est juste plus pratique pour le sport », expliqua Pamela toujours rationnelle.) Elle avait gardé ses lourdes tresses en guise de relique ou de trophée, c'était difficile à dire. « Mutinerie dans les rangs, hein ? » dit Hugh. Ni l'un ni l'autre n'étant du genre à ergoter, on en resta là. Les tresses reposaient désormais au fond du tiroir à lingerie de Pamela. « On ne sait jamais, elles pourraient servir », disait-elle. A quoi ? Personne dans la famille n'arrivait à l'imaginer.

Le ressentiment de Sylvie à l'égard d'Izzie allait au-delà de ses cheveux ou de son maquillage. Elle ne lui avait jamais pardonné l'abandon de son bébé. Il aurait eu treize ans aujourd'hui, le même âge qu'Ursula. « Un petit Fritz ou un petit Hans, disait-elle. Le sang de mes enfants coule dans ses veines. Mais, évidemment, la seule chose intéressante aux yeux d'Izzie, c'est Izzie.

— N'empêche qu'elle ne peut pas être totalement super-ficielle, disait Hugh. Elle a dû voir des horreurs pendant la guerre. » Comme si ce n'était pas son cas à lui.

Sylvie rejeta la tête en arrière. Peut-être y avait-il un halo de moucherons autour de ses cheveux ravissants. Elle était plutôt envieuse de la guerre d'Izzie, même du côté affreux. « C'est quand même une idiote », dit-elle, et Hugh rit et convint « Oui, c'est vrai. »

La rubrique d'Izzie semblait se résumer au journal de sa vie trépidante agrémenté d'un ou deux commentaires sociaux. La semaine précédente, son article était intitulé « Jusqu'où peuvent-ils monter ? » et concernait « le raccourcissement de l'ourlet de la femme émancipée », mais consistait principale-ment en conseils d'Izzie pour obtenir les jolies chevilles requises. *Mettez-vous sur la pointe des pieds sur la marche du bas de l'escalier et laissez vos talons retomber par-dessus bord.* Pamela s'exerça toute la semaine dans l'escalier des mansardes et déclara n'avoir remarqué aucune amélioration.

Hugh se sentait bien malgré lui obligé d'acheter le journal d'Izzie tous les vendredis et le lisait dans le train qui le ramenait à la maison, « juste pour surveiller ce qu'elle raconte » (avant de se délester de l'article incriminé sur la table du vestibule où Pamela pouvait le récupérer). Il vivait dans la hantise qu'Izzie écrive sur *lui* et sa seule consolation était qu'elle écrivait sous le pseudonyme de Delphine Fox, qui était « le nom le plus idiot » que Sylvie ait jamais entendu. « Enfin, expliqua Hugh, Delphine est son deuxième prénom et celui de sa marraine. Et Todd, un vieux mot pour désigner un renard, je suppose donc qu'il y a une certaine logique. Non que je veuille la défendre. »

« Mais c'est mon *prénom*, il figure sur mon acte de naissance, dit Izzie d'un air blessé quand on l'attaqua devant la carafe d'apéritif. Ça vient de Delphes, vous savez, l'oracle etc. C'est donc plutôt pertinent, je dirais. » (« Elle se prend pour un oracle maintenant ? dit Sylvie. Si c'est le cas, moi je suis la grande prêtresse de Toutankhamon. »)

Izzie, sous la plume de Delphine, avait déjà en plus d'une occasion mentionné ses « deux neveux ». (« De terribles polissons, l'un comme l'autre ! ») mais sans citer de noms. « Pas encore », disait Hugh d'un air sombre. Elle avait inventé quelques « anecdotes amusantes » au sujet de ces neveux visiblement fictifs. Maurice, dix-huit ans (les « robustes petits gars » d'Izzie avaient neuf et onze ans), était toujours en pension et n'avait pas passé plus de dix minutes en compagnie d'Izzie depuis dix ans. Quant à Teddy, il tendait à éviter les situations susceptibles de se transformer en anecdotes.

« Qui sont donc ces garçons ? » demanda Sylvie devant l'interprétation étonnamment capricieuse de sole Véronique de Mrs Glover. Elle avait le journal plié sur la table à côté d'elle et tapotait la rubrique d'Izzie avec l'index comme si celle-ci pouvait être imprégnée de germes. « Sont-ils censés être inspirés d'une façon ou d'une autre par Maurice et Teddy ? »

« Et Jimmy ? dit Teddy à Izzie. Pourquoi tu n'écris pas plutôt sur *lui* ? » Plein d'entrain dans son pull bleu ciel tricoté, Jimmy enfournait sa purée et n'avait pas l'air trop dérangé de ne pas être un personnage de la grande littérature. C'était un enfant de la paix, la der des der avait après tout été faite pour lui. Pourtant, une fois de plus, Sylvie se disait surprise par l'agrandissement de la famille. (« Quatre, ça paraissait faire un compte rond. ») Jadis, Sylvie ignorait par quel mystère on commençait à faire des enfants, à présent, elle semblait ne pas trop savoir comment les arrêter. (« Jimmy est un accident, je suppose, dit-elle.

— Que veux-tu. La conséquence d'une nuit d'ivresse... » fit Hugh et ils rirent tous les deux et Sylvie dit « Vraiment, Hugh. »)

L'arrivée de Jimmy avait eu pour résultat qu'Ursula s'était sentie écartée du cœur de la famille, comme un objet repoussé à l'extrémité d'une table encombrée. Un coucou, avait-elle entendu Sylvie dire à Hugh. *Ursula est un drôle de coucou.* Mais comment pouvait-on être un coucou dans son propre nid ? « Tu es bien ma mère, hein ? » demanda-t-elle à Sylvie, et Sylvie rit et dit : « Indéniablement, ma chérie. »

130

« L'originale de la famille, dit-elle au Dr Kellet.

— Il en faut toujours une », fit-il.

*

« Je t'interdis d'écrire sur mes enfants, Isobel, dit Sylvie avec feu à Izzie.

— Pour l'amour du ciel, ils sont *imaginaires*, Sylvie.

— Ne t'avise même pas d'écrire sur mes enfants imaginaires. » Elle souleva la nappe et regarda sous la table. « Qu'est-ce que tu fabriques avec tes pieds ? demanda-t-elle d'un ton irrité à Pamela assise en face d'elle.

— Je fais des cercles avec mes chevilles », répondit Pamela sans se laisser démonter par l'irascibilité de Sylvie. Pamela se montrait très effrontée à présent, mais aussi très raisonnable, cocktail qui semblait avoir le don d'agacer Sylvie. (« Tu ressembles tellement à ton père » avait-elle déclaré pas plus tard que ce matin à propos d'une différence d'opinion insignifiante. « Mais qu'y a-t-il de mal à ça ? » avait répliqué Pamela.) Pamela enleva la purée collée aux joues roses de Jimmy et poursuivit « Dans le sens des aiguilles d'une montre, puis dans l'autre. C'est le secret pour avoir de jolies chevilles, d'après Tante Izzie.

— Izzie n'est pas quelqu'un auprès de qui prendre conseil quand on a deux sous de jugeote. » (« Pardon ? » fit Izzie.) « Sans compter que tu es trop jeune pour ces histoires de jolies chevilles.

— J'ai presque le même âge que toi quand tu as épousé papa, répliqua Pamela.

— Oh, magnifique, dit Hugh, soulagé de voir Mrs Glover qui attendait de faire une entrée triomphale avec un *riz à l'impératrice** dans l'embrasure de la porte. Le fantôme d'Escoffier vous poursuit aujourd'hui, Mrs Glover. » Mrs Glover ne put s'empêcher de regarder derrière elle.

*

131

« Oh, magnifique, fit Izzie. Un "pudding du chancelier". On peut compter sur Simpson's pour retrouver ses souvenirs de nursery. Nous avions une nursery, tu sais, elle occupait tout le dernier étage de la maison.

— A Hampstead ? La maison de Grand-maman ?

— Tout juste. J'étais le bébé. Comme Jimmy. » Izzie perdit légèrement contenance comme si elle se rappelait quelque tristesse remisée aux oubliettes. La plume d'autruche de son chapeau trembla à l'unisson. Elle reprit du poil de la bête à la vue de la saucière de crème anglaise. « Tu n'as donc plus de pressentiments bizarres ? D'impression de déjà-vu etc.

— Moi ? fit Ursula. Non. De temps à autre. Beaucoup moins, je suppose. C'était avant, tu sais. C'est fini maintenant. Plus ou moins. » Etait-ce le cas ? Elle n'en était jamais certaine. Ses souvenirs ressemblaient à une cascade d'échos. Les échos pouvaient-ils cascader ? Peut-être pas. Elle avait tenté (en grande partie sans succès) d'apprendre à être précise dans son langage sous la houlette du Dr Kellet. Elle regrettait cette heure douillette (un tête-à-tête, disait-il – encore un mot français) du jeudi après-midi. Elle avait dix ans la première fois qu'elle était allée le voir et avait apprécié de s'échapper de Fox Corner, de se trouver en compagnie de quelqu'un qui lui accordait son attention exclusive. Sylvie, ou le plus souvent Bridget, la mettait dans le train et Izzie l'attendait à l'autre bout même si Sylvie et Hugh doutaient qu'Izzie soit suffisamment fiable pour qu'on lui confie un enfant. (« L'opportunisme l'emporte généralement sur la morale, ai-je remarqué, dit Izzie à Hugh. Si j'avais une enfant de dix ans, je crois que ça m'inquiéterait un peu de la laisser voyager seule. » « Mais tu *as* un enfant de dix ans, fit remarquer Hugh. Le petit Fritz. » « Ne pourrait-on pas essayer de le retrouver ? » demanda Sylvie. « Autant chercher une aiguille dans une botte de foin, dit Hugh. Les Fritz sont légion. »)

*

132

« Et donc, tu me manques assez, dit Izzie, raison pour laquelle je t'ai demandé de venir passer la journée. Pour être franche, j'ai été surprise que Sylvie accepte. Il y a toujours eu une certaine *froideur**, dirons-nous, entre ta mère et moi. On me juge évidemment folle, mauvaise et dangereuse. En tout cas, j'ai pensé que je devrais te distinguer du troupeau si je puis m'exprimer ainsi. Tu me fais un peu penser à moi. » (Etait-ce une bonne chose ? se demanda Ursula.) « Nous pourrions être très copines, toi et moi, qu'en dis-tu ? Pamela est un peu ennuyeuse, continua Izzie. Tout ce tennis et ce cyclisme, pas étonnant qu'elle ait des chevilles si robustes. *Très sportive**, j'en suis sûre, mais bon. Et la science ! Rien de rigolo là-dedans. Quant aux garçons, ce sont, eh bien... des garçons, mais toi, tu es intéressante, Ursula. Tous ces trucs bizarres dans ta tête, cette prescience. Tu es une vraie petite pythonisse. On pourrait peut-être t'installer dans une caravane de gitane, te procurer une boule de cristal, des cartes de Tarot. *Le marin phénicien noyé*[19] et tutti quanti. Tu ne vois rien concernant mon avenir, n'est-ce pas ?

— Non. »

*

« La réincarnation, lui avait dit le Dr Kellet. En as-tu déjà entendu parler ? » Ursula, âgée de dix ans, secoua la tête. Elle avait entendu parler de très peu de chose. Le Dr Kellet avait un bel appartement dans Harley Street. La pièce dans laquelle il l'avait fait entrer était lambrissée de chêne patiné par les ans avec un épais tapis à motifs rouges et bleus au sol et deux gros fauteuils en cuir flanquant un feu de charbon bien entretenu. Quant au Dr Kellet, il portait un costume trois-pièces en tweed auquel était attachée une grosse montre de gousset en or. Il sentait le clou de girofle et la pipe et avait un air pétillant comme s'il s'apprêtait à faire griller des muffins ou à lui lire une excellente histoire, mais au lieu de ça, il lui fit un large sourire et déclara « Alors comme ça, j'apprends que tu as essayé de tuer ta bonne ? » (Ah, c'est pour ça que je suis ici, se dit Ursula.)

Il lui offrit du thé qu'il prépara à l'aide d'une chose appelée samovar installée dans un coin de la pièce. « Bien que je ne sois pas russe, loin de là, je suis de Maidstone. J'ai visité Saint-Pétersbourg avant la révolution. » Il avait ceci en commun avec Izzie qu'il vous traitait en adulte, du moins en apparence, mais la ressemblance s'arrêtait là. Le thé était noir et amer et n'était buvable qu'à l'aide de tonnes de sucre et du contenu de la boîte de biscuits Marie de marque Huntley and Palmer qui se trouvait entre eux sur la petite table.

Il avait été formé à Vienne (« évidemment ») mais traçait, disait-il, sa propre voie. Il n'était le disciple de personne, bien qu'il eût étudié « auprès de tous les professeurs. Nous devons avancer lentement, disait-il. Nous frayer petit à petit un chemin dans le chaos de nos pensées. Unifier le moi divisé. » Ursula n'avait pas la moindre idée de ce qu'il voulait dire.

« La bonne ? Tu l'as poussée dans l'escalier ? » Ça semblait être une question très directe de la part de quelqu'un qui parlait d'avancer lentement et petit à petit.

« C'était un accident. » Pour elle, Bridget n'était pas « la bonne », elle était Bridget. Et c'était il y a une éternité.

« Ta mère s'inquiète pour toi. »

« Je veux juste que tu sois heureuse, ma chérie, dit Sylvie après avoir pris rendez-vous avec le Dr Kellet.

— Parce que je ne le suis pas ? fit Ursula, perplexe.

— A ton avis ? »

Ursula ne savait pas. Elle n'était pas sûre d'avoir une aune à laquelle mesurer bonheur ou malheur. Elle avait d'obscurs souvenirs d'exultation, de chutes dans l'obscurité, mais ils appartenaient au monde des ombres et des rêves toujours présent et cependant presque impossible à définir avec précision.

« Comme s'il y avait un autre monde ? fit le Dr Kellet.

— Oui. Mais c'est aussi celui-ci. »

(« Je sais qu'elle dit des choses très bizarres, mais de là à aller voir un *psychiatre* » avait dit Hugh à Sylvie. Et de froncer les sourcils. « Elle est seulement petite. Elle n'est pas *déficiente*.

— Bien sûr que non. Elle a juste besoin d'une petite réparation. »)

*

« Et, passez muscade, te voilà réparée ! Comme c'est merveilleux, fit Izzie. C'était un drôle d'oiseau, ce médecin des âmes, hein ? On expérimente le plateau de fromages – le stilton est tellement fait qu'on a l'impression qu'il bouge tout seul – ou on prend la poudre d'escampette pour aller chez moi ?

— Je n'en peux plus, dit Ursula.

— Moi aussi. Ce sera donc la poudre d'escampette. Je règle l'addition ?

— Je n'ai pas d'argent. J'ai treize ans », lui rappela Ursula.

Elles quittèrent le restaurant et Ursula eut la stupéfaction de voir Izzie parcourir nonchalamment quelques mètres sur le Strand pour s'installer au volant d'une décapotable étincelante garée plutôt négligemment devant le pub Coal Hole. « Tu as une voiture ! s'exclama Ursula.

— Epatant, hein ? Pas *vraiment* payée. Monte. C'est une Sunbeam, modèle sport. C'est cent fois mieux que de conduire une ambulance. Merveilleux par ce temps. On prend la route panoramique, le long des quais ?

— Volontiers.

— Ah, la Tamise, fit Izzie quand la rivière apparut. Les nymphes, hélas, sont toutes parties. » C'était un bel après-midi de la fin septembre, frais comme la rosée. « Londres est splendide, n'est-ce pas ? » fit Izzie. Elle conduisait comme si elle était sur le circuit de Brooklands. C'était à la fois terrifiant et grisant. Ursula supposa que si Izzie était sortie indemne de la guerre, elles réussiraient probablement à longer Victoria Embankment sans avoir d'accident.

A l'approche de Westminster Bridge, elles durent ralentir en raison d'une multitude de gens arrêtés par une manifestation de chômeurs en grande partie silencieuse. *J'ai combattu outremer*, disait une pancarte brandie bien haut. Une autre proclamait *J'ai faim et je veux travailler*. « Ils sont si dociles, dit Izzie d'un ton dédaigneux. Il n'y aura jamais de révolution dans ce pays. En tout cas plus d'autre. Nous avons coupé la tête d'un roi jadis et ça nous a tellement culpabilisés que nous essayons de nous le faire pardonner depuis. » Un homme de pauvre apparence passa à côté de la voiture et cria quelque chose d'incompréhensible bien que la signification fût claire.

« *Qu'ils mangent de la brioche**, murmura Izzie. Tu sais qu'elle n'a jamais dit ça ? Marie-Antoinette ? C'est une figure historique quelque peu calomniée. Tu ne dois jamais croire tout ce qu'on dit de quelqu'un. D'une façon générale, il s'agit en grande partie de mensonges, au mieux de demi-vérités. » Il était difficile de saisir si Izzie était royaliste ou républicaine. « Il vaut mieux ne pas trop prendre parti pour un camp ou pour un autre, en fait » disait-elle.

Big Ben égrenait solennellement trois heures lorsque la Sunbeam se fraya un chemin dans la foule. « *Si lunga tratta di gente, ch'io non avrei mai creduto che morte tanta n'avesse disfatta.* As-tu lu Dante ? Tu devrais. Il est excellent. » Comment Izzie savait-elle tant de choses ? « Oh, répondit-elle avec désinvolture. Grâce à la *finishing school*. Et j'ai passé un certain temps en Italie après la guerre. J'ai pris un amant, bien sûr. Un comte désargenté, c'est plus ou moins de rigueur quand on est là-bas. Tu es choquée ?

— Non. » Elle l'était. Pas étonnant qu'il y ait *une froideur** entre sa mère et Izzie.

*

« La réincarnation est au cœur de la philosophie bouddhiste » dit le Dr Kellet en tétant sa pipe en écume de mer. Toutes les conversations avec le Dr Kellet étaient ponctuées par cet objet,

136

soit par la gestuelle – il la pointait beaucoup en la tenant soit par l'embout soit par le fourneau sculpté d'une tête de Turc (fascinant à lui seul) – soit par le rituel consistant à la vider, la bourrer, la tasser, l'allumer etc. « As-tu entendu parler du bouddhisme ? » Non.

« Quel âge as-tu ?

— Dix ans.

— Encore toute jeune. Peut-être que tu te rappelles une vie antérieure. Bien sûr, les disciples de Bouddha ne croient pas qu'on revienne sous les traits de la *même* personne dans les *mêmes* circonstances, comme tu en as l'impression. On avance, vers le haut, vers le bas, de biais à l'occasion, je suppose. Le but est d'atteindre le nirvana. Le non-être pour ainsi dire. » A dix ans, il semblait à Ursula que le but devrait être *l'être*. « La plupart des religions anciennes, continua-t-il, adhèrent à l'idée d'une circularité – le serpent qui se mord la queue etc.

— J'ai fait ma confirmation, dit-elle dans un effort pour se montrer obligeante. A l'Eglise anglicane. »

Le Dr Kellet avait été recommandé à Sylvie par Mrs Shaw-cross via le Major Shawcross, leurs voisins immédiats. Kellet avait fait du bon travail, disait le major, avec des hommes qui avaient « besoin d'un coup de main » au retour de la guerre (le major lui-même avait eu « besoin d'un coup de main », laissait-on entendre). Le chemin d'Ursula croisait de temps en temps celui de certains autres patients. Il y avait eu une fois un jeune homme abattu qui fixait le tapis de la salle d'attente en parlant tout seul à voix basse, un autre qui tapait du pied sans cesse en cadence sur un air entendu de lui seul. La réceptionniste du Dr Kellet, Mrs Duckworth, qui était veuve de guerre et avait été infirmière durant la guerre, était toujours très gentille envers Ursula, lui offrait des pastilles de menthe et l'interrogeait sur sa famille. Un jour, un homme fit irruption dans la salle d'attente sans que la sonnette du bas ait retenti. Il avait l'air dérouté et un peu fou, mais se contenta de s'immobiliser au milieu de la pièce et de fixer Ursula comme s'il n'avait encore jamais vu d'enfant jusqu'à ce que Mrs Duckworth le conduise à une chaise, s'assoie à côté de lui, puis passe un bras autour de ses épaules et dise « Allons, allons, Billy, qu'y a-t-il ? » comme une gentille mère l'aurait fait, et Billy avait posé sa tête sur la poitrine de Mrs Duckworth et s'était mis à sangloter.

S'il arrivait à Teddy de pleurer quand il était petit, Ursula ne pouvait jamais le supporter. Ses larmes semblaient ouvrir en elle un gouffre profond, horrible et rempli de chagrin. Elle n'avait qu'un souhait : faire en sorte qu'il n'ait plus jamais envie de pleurer. L'homme dans la salle d'attente du Dr Kellet lui fit le même effet. (« La maternité fait cet effet-là tous les jours », disait Sylvie.)

Le Dr Kellet sortit de son cabinet à ce moment-là et dit « Viens, Ursula, je verrai Billy plus tard », mais quand Ursula sortit de son rendez-vous, Billy n'était plus dans la salle d'attente. « Pauvre homme », dit tristement Mrs Duckworth.

« La guerre, expliqua le Dr Kellet à Ursula, avait eu pour conséquence que les gens cherchaient une signification dans de nouvelles directions – théosophie, rose-croix, anthroposophie, spiritisme. Tout le monde a besoin de trouver un sens à son deuil. » Le Dr Kellet lui-même avait sacrifié un fils, Guy, capitaine dans le Royal West Surreys, tombé à Arras. « On doit se raccrocher à l'idée de sacrifice, Ursula. Ça peut être une vocation plus noble. » Il lui montra une photographie, non pas de son fils en uniforme, mais un simple instantané montrant un garçon en tenue blanche de cricket se tenant fièrement derrière sa batte. « Il aurait pu jouer pour le comté, dit le Dr Kellet avec tristesse. Je me plais à l'imaginer – à les imaginer tous – disputant un match de cricket interminable au ciel. Par un parfait après-midi de juin, toujours juste avant la pause thé. »

Ça semblait dommage que tous ces jeunes gens ne prennent jamais leur thé. Bosun était au ciel avec Sam Wellington, la vieille botte, et Clarence Dodds emporté à une vitesse foudroyante par la grippe espagnole, le lendemain de l'Armistice. Impossible pour Ursula d'imaginer l'un des trois jouant au cricket.

« Bien sûr, je ne crois pas en Dieu, dit le Dr Kellet. Mais je crois au ciel. Il faut bien », ajouta-t-il d'un air plutôt sombre. Ursula se demanda comment tout ça était censé la réparer.

« D'un point de vue plus scientifique, dit-il, peut-être que la partie de ton cerveau responsable de la mémoire a un petit défaut, un problème neurologique qui t'amène à croire que tu revis les mêmes expériences. Comme si quelque chose s'était coincé. » Elle ne mourait pas vraiment, ne se réincarnait pas vraiment, poursuivit-il, elle *croyait* juste que c'était le cas. Ursula ne voyait pas quelle était la différence. Etait-elle vraiment coincée ? Et si oui, où ?

« Mais on ne veut pas que ça t'amène à tuer les pauvres domestiques, n'est-ce pas ?

— Mais c'était il y a très longtemps, dit Ursula. Ce n'est pas comme si j'avais essayé de tuer quelqu'un depuis. »

« Elle a le cafard », avait déclaré Sylvie lors de leur premier rendez-vous avec le Dr Kellet, la seule fois où elle ait accompagné Ursula au cabinet d'Harley Street bien qu'elle se fût de toute évidence entretenue avec lui *sans* sa fille. Ursula se demandait vraiment ce qui avait été dit à son sujet. « Et elle a tendance à être triste et solitaire, avait continué Sylvie. Je peux comprendre ça chez un adulte…

— Vraiment ? demanda le Dr Kellet qui se pencha en avant, sa pipe en écume de mer soulignant son intérêt. Est-ce *votre* cas ?

— Ce n'est pas moi le problème », dit Sylvie avec son sourire le plus gracieux.

Suis-je un problème ? s'interrogea Ursula. De toute façon, elle ne *tuait* pas Bridget, elle la *sauvait*. Et si elle ne la sauvait pas, peut-être qu'elle la sacrifiait. Le Dr Kellet n'avait-il pas déclaré lui-même que le sacrifice était une vocation plus noble ?

« A ta place, je m'en tiendrais à des principes traditionnels, dit-il. Le destin n'est pas entre nos mains. Ce serait un fardeau très lourd pour une petite fille. » Il se leva de son fauteuil et remit une pelletée de charbon sur le feu.

« Certains philosophes bouddhistes (une branche appelée zen) disent que parfois un malheur arrive pour empêcher quelque chose de pire, dit le Dr Kellet. Mais, bien sûr, il y a certaines situations où il est impossible d'imaginer pire. » Ursula supposa qu'il pensait à Guy, *tombé à Arras*, puis privé de thé et de sandwiches au concombre pour l'éternité.

*

« Essaie ça, fit Izzie en envoyant une giclée de parfum en direction d'Ursula. Chanel numéro 5. C'est très à la mode. *Elle* est très à la mode. *Ses étranges parfums synthétiques*[20]. » Elle rit comme si elle avait fait une excellente plaisanterie et vaporisa un autre nuage invisible dans toute la salle de bain. C'était très différent des parfums floraux dont s'oignait Sylvie.

Elles étaient enfin arrivées à l'appartement d'Izzie dans Basil Street (« un *endroit** plutôt ennuyeux, mais commode pour Harrods »). La salle de bain d'Izzie était en marbre rose et noir. (« Je l'ai conçue moi-même, délicieux, non ? ») et tout en lignes tranchantes et angles durs. Ursula préférait ne pas penser à ce qui se passerait si on y glissait ou tombait.

Tout dans l'appartement avait l'air neuf et brillant. Rien à voir avec Fox Corner où le tic-tac de l'horloge de parquet semblait égrener lentement les secondes dans le vestibule et où la patine des ans luisait sur les parquets cirés. Les figurines en porcelaine de Meissen avec leurs doigts manquants et leurs orteils ébréchés, les chiens en Staffordshire aux oreilles accidentellement coupées ne ressemblaient en rien aux serre-livres en bakélite et aux cendriers en onyx de l'appartement de Basil Street. Chez Izzie, tout paraissait si flambant neuf qu'on se croyait dans un magasin. Même les livres étaient neufs : romans, volumes d'essais et de poésie sortis de la plume d'écrivains dont Ursula n'avait jamais entendu parler. « Il faut être à la page », disait Izzie.

Ursula se regarda dans le miroir de la salle de bain. Izzie se tenait derrière elle, tel Méphistophélès derrière Faust, et dit

« Mon Dieu, tu deviens très jolie » avant de la coiffer de différentes façons. « Il faut te faire couper les cheveux, dit-elle, tu devrais venir chez mon *coiffeur**. Il est vraiment épatant. Tu risques de ressembler à une laitière alors qu'à mon avis tu vas devenir une délicieuse coquine. »

*

Izzie fit le tour de la salle de bain en dansant et chantant *I wish I could shimmy like my sister Kate*. « Sais-tu danser le shimmy ? Regarde, c'est facile. » Ça ne l'était pas et elles s'écroulèrent de rire sur l'édredon en satin du lit. « Faut bien rigoler, hein ? » dit Izzie avec un atroce accent cockney. La chambre était un vrai capharnaüm : partout des vêtements, des jupons de satin, des chemises de nuit en crêpe de Chine, des bas de soie, des souliers dépareillés abandonnés sur le tapis, le tout saupoudré de poudre de riz Coty. « Tu peux faire des essayages si tu veux, dit Izzie avec insouciance. Bien que tu sois plutôt menue comparée à moi. *Jolie et petite**. » Ursula déclina l'offre, craignant un sortilège. C'était le genre de vêtements qui risquaient de vous transformer en quelqu'un d'autre.

« Que faire ? dit Izzie soudain en proie à l'ennui. Nous pourrions jouer aux cartes. Au bésigue ? » Elle alla en dansant dans le salon et trébucha en se dirigeant vers un gros objet de chrome luisant qui aurait été plus à sa place sur la passerelle d'un paquebot et qui s'avéra être un meuble bar. « Une boisson ? » Elle regarda Ursula d'un air dubitatif. « Non, ne dis rien, tu n'as que treize ans. » Elle soupira, s'alluma une cigarette et regarda l'horloge. « Il est trop tard pour une matinée, trop tôt pour la représentation du soir. On donne *London Calling !* au Duke of York's, c'est censé être très amusant. On pourrait y aller et tu rentrerais chez toi par un autre train. »

Ursula tripota les touches de la machine à écrire Royal qui se trouvait sur un bureau devant la fenêtre. « Mon métier, dit Izzie. Je pourrais peut-être te mettre dans la rubrique de cette semaine.

— Vraiment ? Qu'est-ce que tu dirais ?

— Je ne sais pas, j'inventerais, je suppose. C'est ce que font les écrivains. » Elle sortit un disque du meuble phonographe et le mit sur le plateau. « Ecoute-moi ça, dit Izzie. Tu n'as jamais rien entendu de comparable. »

C'était vrai. Ça commença par du piano, mais rien à voir avec le Chopin et le Liszt que Sylvie jouait si bien (et que Pamela martelait sans la moindre sensibilité).

« Ça s'appelle du honky-tonk, je crois », dit Izzie. Une femme commença à chanter d'une voix rauque, américaine. On avait l'impression qu'elle avait passé sa vie dans une cellule de prison. « Ida Cox, dit Izzie. C'est une négresse. Elle est extraordinaire, non ? »

Effectivement.

« Elle chante le grand malheur d'être femme », dit Izzie qui s'alluma une autre cigarette et tira très fort dessus. « Si seulement je pouvais me dégotter un type plein aux as à épouser. *De gros revenus sont la meilleure recette du bonheur, à ce que j'ai entendu dire.* Sais-tu qui a dit ça ? Non ? Eh bien, tu devrais. » Elle était soudain devenue irascible, un animal pas complètement apprivoisé. Le téléphone sonna, elle dit « Sauvée par le gong » et se lança dans une conversation animée, fébrile avec un interlocuteur invisible et inaudible. Elle mit un terme au coup de fil en disant « Ce serait bath, chéri, je te rejoins dans une demi-heure. » Et à Ursula « J'aurais bien offert de te conduire en voiture à la gare, mais je vais au Claridge et c'est à des *kilomètres* de Marylebone, après ça, je vais à une soirée à Lowndes Square, c'est donc tout simplement impossible. Tu peux prendre le métro jusqu'à Marylebone, hein ? Tu sais comment faire ? Tu prends la Piccadilly jusqu'à Piccadilly Circus, puis tu changes pour la Bakerloo jusqu'à Marylebone. Viens, je vais descendre avec toi. »

Une fois dans la rue, Izzie respira à fond comme si elle échappait à une réclusion non désirée. « Ah, le crépuscule, dit-elle. L'heure violette[21]. Merveilleux, n'est-ce pas ? » Elle embrassa Ursula sur la joue et dit « J'ai été ravie de te voir, nous devons renouveler l'expérience. Tu sauras te débrouiller à partir d'ici, hein ? *Tout droit** jusqu'à Sloane Street, tu tournes à gauche et le tour est joué, tu es à la station Knightsbridge. Salut. »

*

« L'Amor fati », dit le Dr Kellet, en as-tu entendu parler ? Ursula crut avoir entendu « L'amorphe Hattie » et fut au comble de la perplexité. Comment le Dr Kellet avait-il entendu parler de leur chatte qui de surcroît n'avait rien d'une mollassonne ? Nietzsche (« un philosophe ») expliqua-t-il, était attiré par cette notion. « Une simple acceptation de ce qui nous arrive, en ne le considérant ni comme un mal ni comme un bien.

« *Werde, der du bist*, disait-il, continua le Dr Kellet, en secouant les cendres de sa pipe dans l'âtre que quelqu'un d'autre balaierait, supposa Ursula. Sais-tu ce que ça signifie ? » Ursula se demanda combien de fillettes de dix ans le Dr Kellet avait rencontrées avant elle. « Ça signifie, deviens ce que tu es », fit-il en ajoutant des brins de tabac à l'écume. (L'être avant le non-être, supposa Ursula.) « Nietzsche a tiré ça de Pindare. Γένοι' οἷος ἐσσι μαθών etc. Tu sais le grec ? » Elle ne le suivait plus du tout à présent. « Ça signifie : Deviens tel que tu as appris à te connaître. »

Ursula crut avoir entendu « de Pinner », endroit où la vieille nanny de Hugh s'était retirée pour vivre au-dessus d'un magasin de la rue principale. Hugh y avait emmené Ursula et Teddy, un dimanche après-midi, dans sa splendide Bentley. Nanny Mills était plutôt effrayante (mais pas pour Hugh apparemment) : elle avait passé une bonne partie de son temps à tester les bonnes manières d'Ursula et à vérifier la propreté des oreilles de Teddy. Sa sœur était plus gentille et les avait gavés de sirop de sureau et de tranches de pain maison tartinées de gelée de mûres. « Comment va Isobel ? », s'enquit Nanny Mills, la bouche plissée comme un vieux pruneau. « Izzie est Izzie » répondit Hugh, ce qui, répété à toute vitesse comme Teddy le fit plus tard,

143

ressemblait au bourdonnement d'un petit essaim de guêpes. Izzie était apparemment devenue elle-même, il y a longtemps.

Il paraissait peu probable que Nietzsche ait tiré quoi que ce soit de Pinner, surtout pas ses croyances.

*

« Tu t'es bien amusée avec Izzie ? » demanda Hugh venu la chercher à la gare. La vue de Hugh en chapeau mou gris et long pardessus de laine bleu foncé avait un côté rassurant. Il l'examina pour voir s'il y avait le moindre changement visible. Elle jugea préférable de ne pas lui dire qu'elle avait pris le métro toute seule. Ç'avait été une aventure terrifiante, une nuit sombre dans la forêt, mais une aventure à laquelle, comme toute bonne héroïne, elle avait survécu. Ursula haussa les épaules. « Nous sommes allées déjeuner chez Simpson's.

— Hum, fit Hugh comme s'il essayait de déchiffrer la signification de la chose.

— Nous avons écouté chanter une négresse.

— Chez Simpson's ? fit Hugh perplexe.

— Sur le phonographe d'Izzie.

— Hum », une fois de plus. Il lui ouvrit la portière et elle s'installa sur le merveilleux siège en cuir de la Bentley presque aussi rassurant que Hugh lui-même. Sylvie considérait la voiture comme « une extravagance ruineuse ». Son prix était bel et bien stupéfiant. La guerre avait rendu Sylvie parcimonieuse : les morceaux de savon étaient gardés et bouillis pour faire la lessive, les côtés des draps étaient découpés et recousus au milieu, les chapeaux étaient rénovés. « On vivrait d'œufs et de poulets si elle n'en faisait qu'à sa tête » disait Hugh en riant. Lui, par contre, était devenu moins prudent depuis la guerre, « Peut-être pas le meilleur trait de caractère à contracter pour un banquier », disait Sylvie. « *Carpe diem* », disait Hugh et Sylvie rétorquait « Tu n'as jamais été du genre à goûter l'instant présent. Ça n'a jamais été ton genre. »

« Izzie a une auto, lança Ursula.

— Ah bon ? Je suis sûr qu'elle n'est pas aussi splendide que cette bête. » Et Hugh de tapoter affectueusement le tableau de bord de sa Bentley. Comme ils s'éloignaient de la gare, il dit tranquillement : « On ne peut pas se fier à elle.

— Qui ça ? » (Maman ? La voiture ?)

« Izzie.

— Non, tu as probablement raison, convint Ursula.

— Comment l'as-tu trouvée ?

— Oh, tu sais bien. Incorrigible. Izzie est Izzie, après tout. »

*

De retour à la maison, ils trouvèrent Teddy et Jimmy absorbés par une partie de dominos à la table du petit salon pendant que Pamela était dans la maison voisine avec Gertie Shawcross. Winnie était légèrement plus vieille que Pamela, Gertie légèrement plus jeune et Pamela partageait son temps à égalité entre les deux, mais rarement avec les deux ensemble. Ursula, très attachée à Millie, trouvait l'arrangement bizarre. Teddy aimait toutes les filles Shawcross, mais son cœur était entre les menottes de Nancy.

Sylvie était introuvable. « J'sais pas », répondit Bridget sur un ton plutôt indifférent à Hugh qui s'enquérait d'elle.

Mrs Glover leur avait laissé un ragoût de mouton des plus ordinaires au chaud dans le four. Mrs Glover ne vivait plus à Fox Corner. Elle louait une maisonnette dans le village afin de pouvoir s'occuper de George en plus d'eux. George ne sortait pratiquement jamais. Bridget l'appelait « le pauvre » et il était difficile de ne pas être d'accord avec cette description. Si le temps était beau (ou même pas spécialement beau du tout) il regardait le monde défiler devant sa porte, assis dans un grand fauteuil roulant disgracieux. Sa belle tête (« Autrefois léonine », disait Sylvie avec tristesse) tombait sur sa poitrine et un long filet de bave pendait de sa bouche. « Pauvre diable, disait Hugh. Il aurait mieux valu qu'il soit tué. »

145

Parfois l'un ou l'autre d'entre eux – ou Bridget, plus réticente – suivait Sylvie quand elle lui rendait visite dans la journée. Ça paraissait étrange qu'ils aillent le voir chez lui pendant que sa propre mère restait à Fox Corner pour s'occuper d'eux. Sylvie s'affairait à réarranger sa couverture sur ses jambes, à aller lui chercher un verre de bière, puis à lui essuyer la bouche comme elle l'aurait fait pour Jimmy.

Il y avait d'autres anciens combattants dans le voisinage, repérables à leur claudication ou à leurs moignons. Tous ces bras et jambes non réclamés perdus dans les champs des Flandres – Ursula les imaginait s'enracinant dans la boue, poussant et redevenant des hommes. Une armée en marche pour prendre sa revanche. (« Ursula a des pensées morbides », entendit-elle Sylvie dire à Hugh. Ursula écoutait beaucoup aux portes, c'était la seule façon de découvrir ce que les gens pensaient vraiment. Elle n'entendit pas la réponse de Hugh car Bridget fit irruption dans la pièce, furieuse parce que la chatte – Hattie, une des filles de Queenie, dotée du même caractère que sa mère – avait volé le saumon poché qui aurait dû figurer au menu de leur déjeuner.)

Il y avait aussi ceux qui, comme les patients de la salle d'attente du Dr Kellet, souffraient de blessures moins visibles. Un ancien combattant du village, Charles Chorley, qui avait servi dans le Royal East Kent Regiment et traversé la guerre sans une égratignure, avait, un jour de printemps 1921, poignardé sa femme et ses trois enfants dans leur sommeil, puis s'était brûlé la cervelle avec un Mauser pris à un soldat allemand qu'il avait tué à Bapaume. (« Un chantier terrible, avait déclaré le Dr Fellowes. Ces types devraient penser à ceux qui sont obligés de nettoyer derrière eux. »)

Ayant perdu Clarence, Bridget avait, bien sûr, « sa propre croix à porter ». Comme Izzie, elle s'était résignée au célibat en l'embrassant toutefois avec moins de griserie. Ils étaient tous allés aux obsèques de Clarence, même Hugh. Mrs Dodds, très maîtresse d'elle-même comme à son habitude, avait tressailli quand Sylvie avait placé une main réconfortante sur son bras, mais après qu'ils se furent éloignés d'un pas lourd du trou béant de sa tombe (pas du tout une chose de beauté) avait dit à Ursula « Une partie de lui était morte pendant la guerre. Le reste l'a juste rattrapée » et porté un doigt au coin de son œil pour y tapoter une trace d'humidité – une larme eût été un bien grand mot. Ursula ignorait pourquoi elle avait été choisie pour cette confidence, peut-être simplement parce qu'elle était la personne qui se trouvait le plus près. On n'attendait certainement pas de réponse de sa part et il n'y en eut aucune.

« Le fait que Clarence soit sorti vivant de la guerre pour mourir de maladie est, pourrait-on dire, une ironie du sort », déclara Sylvie. (« Qu'aurais-je fait si l'un de vous avait attrapé la grippe espagnole ? » disait-elle souvent.)

Ursula et Pamela avaient passé énormément de temps à se demander si Clarence avait été enterré avec ou sans son masque. (« Si c'était sans, où pouvait bien être passé le masque ? ») Elles sentaient que ce n'était pas le genre de question qu'elles pouvaient poser à Bridget. Bridget déclara avec amertume que la vieille Mrs Dodds avait enfin son fils pour elle toute seule et empêché une autre femme de le lui prendre. (« Un peu dur, peut-être », murmura Hugh.) La photo de Clarence, un double de celle prise pour sa mère avant qu'il ne marche vers sa destinée, avait à présent rejoint celle de Sam Wellington dans l'appentis. « Les rangs interminables des morts, dit Sylvie sur le ton de la colère. Tout le monde veut les oublier.

— C'est certainement mon cas », fit Hugh.

*

Sylvie revint à temps pour la charlotte aux pommes de Mrs Glover. C'étaient leurs propres pommes : le petit verger planté par Sylvie à la fin de la guerre commençait à donner. A Hugh qui lui demandait où elle était allée, elle parla vaguement de Gerrards Cross. Elle s'assit à la table de la salle à manger et déclara « Je n'ai pas très faim. »

Hugh croisa son regard et, indiquant Ursula d'un signe de tête, dit « Izzie ». Mode de communication d'un laconisme exquis.

Ursula s'attendait à un interrogatoire en règle, mais Sylvie se contenta de dire « Grand Dieu, j'avais complètement oublié que tu étais allée à Londres. Je suis contente de te voir revenue indemne.

— Non corrompue, fit jovialement Ursula. A propos, savez-vous qui a dit *De gros revenus sont la meilleure recette de bonheur, à ce que j'ai entendu dire* ? » Les connaissances de Sylvie, comme celles d'Izzie, étaient aléatoires et néanmoins étendues, « signe d'un savoir acquis dans les romans plutôt que grâce aux études » selon Sylvie.

« Austen, répondit promptement Sylvie. *Mansfield Park.* Elle met ces mots dans la bouche de Mary Crawford qu'elle prétend mépriser, mais franchement, je pense que la chère tante Jane y croyait assez. Pourquoi poses-tu la question ? »

Ursula haussa les épaules. « Pour rien. »

« *Jusqu'à mon arrivée à Mansfield, je n'avais pas imaginé qu'un pasteur de campagne puisse aspirer à un bosquet de broussailles, ou à aucune chose de ce genre.* Merveilleux. Je pense toujours que l'expression "bosquet de broussailles" dénote un certain type de personne.

— Nous en avons un », fit Hugh, mais Sylvie l'ignora délibérément et continua à s'adresser à Ursula. « Tu devrais vraiment lire Jane Austen. Tu as le bon âge à présent. » Sylvie semblait très gaie, humeur qui ne cadrait pas d'une certaine façon avec le mouton qui trônait toujours sur la table dans sa marmite brun terne, entouré de petites flaques blanches de graisse figée. « Franchement, dit brusquement Sylvie, dont l'humeur vira soudain à l'orage, le niveau baisse partout, même chez soi. » Hugh haussa les sourcils et avant que Sylvie ait eu le temps d'appeler Bridget, il se leva de table et remporta le ragoût à la cuisine lui-même. Leur petite bonne à tout faire, Marjorie, qui n'était plus si petite, avait récemment fichu le camp et le fardeau était retombé sur les épaules de Bridget et Mrs Glover. (« Ce n'est pas comme si nous avions la moindre exigence, dit Sylvie avec humeur après que Bridget lui eut signalé qu'elle n'avait pas eu d'augmentation depuis la fin de la guerre. Elle devrait nous être reconnaissante. »)

*

Dans son lit, cette nuit-là – Ursula et Pamela partageaient toujours la même mansarde exiguë (« une cellule de prison » selon Teddy) –, Pamela demanda « Pourquoi ne m'a-t-elle pas invitée en même temps que toi, ou même à ta place ? » Venant de Pamela, la question fut posée avec une vraie curiosité plutôt qu'avec méchanceté.

« Elle me trouve intéressante. »

Pamela rit et dit « Elle trouve que la soupe Windsor brune de Mrs Glover est *intéressante*.

— Je sais. Je ne suis pas flattée.

— C'est parce que tu es jolie et intelligente, dit Pamela tandis que moi, je suis simplement intelligente.

— Ce n'est pas vrai et tu le sais très bien, fit Ursula prenant avec feu la défense de sa sœur.

— Ça m'est égal.

— Elle dit qu'elle va me mettre dans son article de la semaine prochaine, mais je ne pense pas qu'elle le fera. »

*

Dans son récit des aventures de sa journée londonienne à Pamela, Ursula avait omis une scène dont elle avait été témoin à l'insu d'Izzie occupée à faire demi-tour devant le pub. Une femme vêtue d'un manteau de vison était sortie du Savoy au bras d'un homme plutôt élégant. La femme riait avec insouciance de quelque chose que l'homme venait de lui dire, mais lâcha son bras pour chercher son porte-monnaie dans son sac et laisser tomber une poignée de pièces dans la sébile d'un ex-soldat assis sur le trottoir. L'homme était un cul-de-jatte juché sur un chariot en bois improvisé. Ursula en avait aperçu un autre sur un engin similaire devant la gare de Marylebone. En fait, plus elle avait examiné les rues de Londres, plus elle avait vu de mutilés.

Un portier du Savoy accourut et avança sur le cul-de-jatte qui se dépêcha de filer sur le trottoir en se servant de ses mains comme de rames. La femme qui lui avait donné de l'argent fit des remontrances au portier – Ursula distinguait ses beaux traits impatients – mais l'homme élégant la prit gentiment par le coude et l'emmena vers le Strand. Ce qui était remarquable dans cette scène, ce n'était pas le contenu, c'étaient les personnages. Ursula n'avait jamais vu l'homme élégant, mais la femme agitée était – impossible de s'y tromper – Sylvie. Si elle n'avait pas reconnu sa mère, elle aurait reconnu le vison, offert par Hugh pour leur dixième anniversaire de mariage. Elle semblait bien loin de Gerrards Cross[22].

« Eh bien, fit Izzie, quand la voiture fut enfin dans le bon sens, quelle manœuvre délicate ! »

*

La semaine suivante, Ursula ne figurait effectivement pas dans la rubrique d'Izzie, même de façon fictive. Il y était question de la liberté que la femme seule pouvait tirer de la possession d'une « petite auto ». « Les joies de la route surpassent de beaucoup le fait d'être coincée dans un omnibus répugnant ou d'être suivie dans une rue sombre par un inconnu. Il est inutile de jeter des regards nerveux par-dessus son épaule quand on est au volant d'une Sunbeam. »

« Dis donc, c'est sinistre, fit Pamela. Tu crois que ça lui est arrivé ? De se faire suivre dans la rue par un inconnu ?

— Un tas de fois, je suppose. »

Ursula ne fut pas priée d'être « la copine » d'Izzie une seconde fois, en fait personne n'entendit plus parler d'elle jusqu'à la veille de Noël où elle apparut à la porte (invitée mais pas attendue) et déclara être « un peu dans le pétrin », situation qui nécessita qu'elle s'enferme avec Hugh dans la tanière pour en émerger une heure plus tard presque assagie. Elle n'avait pas apporté de cadeaux et fuma pendant tout le repas en chipotant d'un air apathique. « Revenus annuels vingt livres sterling, dit Hugh quand Bridget apporta le pudding gorgé de cognac sur la table. Dépenses annuelles, vingt livres six pence, résultat : misère.

— Oh, tais-toi, fit Izzie qui sortit de table indignée avant que Teddy ait eu le temps d'approcher l'allumette du pudding.

— Dickens », dit Sylvie à Ursula.

« *J'étais un peu dérangée**, dit Izzie à Ursula, d'un air plutôt contrit, le lendemain matin en guise d'explication. C'est bête de ma part, vraiment. Je me suis un peu embrouillée. »

Le nouvel an venu, la Sunbeam disparut et l'appartement de Basil Street fut échangé contre une adresse moins salubre à Swiss Cottage (un *endroit** encore plus ennuyeux) mais Izzie resta indéniablement Izzie.

Décembre 1923

Jimmy ayant un rhume, Pammy annonça qu'elle resterait à la maison avec lui et fabriquerait des décorations avec les capsules argentées des bouteilles de lait pendant qu'Ursula et Teddy arpentaient le sentier à la recherche de houx. Le houx abondait dans le bosquet, mais le bosquet était plus éloigné et le temps si horrible qu'ils voulaient rester le moins longtemps possible dehors. Mrs Glover, Bridget et Sylvie étaient enfermées dans la cuisine, plongées dans le drame des préparatifs du repas de Noël.

« Ne cueillez que des branches avec des baies, leur donna pour instruction Pamela lorsqu'ils quittèrent la maison. Et n'oubliez pas de rapporter aussi du gui. »

Instruits par la pénible expérience des Noëls précédents, ils partirent armés d'un sécateur et d'une paire de gants de jardinage en cuir appartenant à Sylvie. Ils avaient jeté leur dévolu sur le grand houx du champ situé à l'extrémité du sentier, la haie de houx commode du jardin ayant été remplacée après guerre par du troène plus docile. Le village s'était beaucoup étendu et leur quartier était moins sauvage et plus banlieusard. Sylvie disait qu'ils ne tarderaient pas à se retrouver cernés par des maisons. « Il faut bien que les gens habitent quelque part », disait Hugh, raisonnable. « Oui, mais pas ici », rétorquait Sylvie.

Il ventait et pleuvinait, et Ursula aurait de loin préféré rester au coin du feu dans le petit salon avec l'odeur des tartelettes aux fruits secs de Mrs Glover qui embaumaient toute la maison et annonçaient la fête à venir. Même Teddy qui voyait toujours le bon côté des choses traînait les pieds d'un air abattu, la tête rentrée dans les épaules pour affronter les éléments, robuste petit templier dans sa cagoule de laine grise tricotée. « Quel sale temps », dit-il. Seule Trixie se délectait de l'expédition, furetait dans les haies et creusait dans le fossé comme si on l'avait envoyée en mission pour déterrer un trésor. C'était une chienne bruyante, très portée à aboyer pour des raisons connues d'elle seule, de sorte que lorsqu'elle se mit à japper comme une folle, loin devant eux sur le sentier, ils n'y prêtèrent guère attention.

Le temps qu'ils la rattrapent, Trixie s'était un peu calmée. Elle se tenait en sentinelle devant sa trouvaille et Teddy dit « Un truc mort, je suppose. » Trixie avait des talents de chien truffier pour détecter les oiseaux à demi pourris et les cadavres desséchés de mammifères plus gros. « Sans doute un rat ou un campagnol », ajouta Teddy. Remarque qui fut suivie d'un « Oh » éloquent lorsqu'il découvrit la vraie nature du trésor dans le fossé.

« Je vais rester ici, dit Ursula à Teddy, et toi tu cours chercher quelqu'un à la maison », mais voyant sa petite silhouette vulnérable s'éloigner en courant sur le sentier désert et l'obscurité hivernale précoce se refermer sur lui, elle lui cria de l'attendre. Qui savait quelle terreur les guettait ? Teddy, eux tous.

*

Il y eut un moment de confusion : que faire du corps pendant la trêve des confiseurs ? Pour finir, il fut décidé de le garder dans la glacière d'Ettringham House.

Le Dr Fellowes, qui était arrivé avec un agent de police, déclara que l'enfant n'était pas morte de mort naturelle. C'était une fillette de huit ou neuf ans, elle avait ses dents définitives bien qu'on les lui ait fait sauter avant sa mort. On ne signalait pas de disparition d'enfant, selon la police, à coup sûr pas dans le coin. Il s'agissait peut-être d'une bohémienne. La supposition étonna Ursula qui croyait que les bohémiens avaient tendance à *prendre* les enfants plutôt qu'à les abandonner.

On était presque arrivé au nouvel an quand Lady Daunt accepta bien malgré elle de se séparer de la fillette. Lorsqu'ils la sortirent de la glacière, ils la trouvèrent parée comme une châsse – le corps était couvert de fleurs et de petits souvenirs, la peau lavée et les cheveux peignés et enrubannés. Outre trois fils sacrifiés à la Grande Guerre, les Daunt avaient perdu jadis une fille morte en bas âge et avoir la garde du petit cadavre avait ravivé le chagrin de Lady Daunt et lui avait égaré momentanément l'esprit. Elle voulait enterrer la fillette dans sa propriété, mais il y eut des murmures séditieux de la part des villageois qui insistèrent pour qu'elle soit inhumée dans le cimetière entourant l'église. « Pas cachée pour servir d'animal de compagnie à Lady Daunt », dit quelqu'un. Drôle d'animal de compagnie, pensa Ursula.

Ni son identité ni celle du meurtrier ne furent jamais découvertes. Les policiers interrogèrent tout le voisinage. Ils étaient venus un soir à Fox Corner et Pamela et Ursula s'étaient quasiment pendues à la rampe d'escalier pour essayer d'entendre ce qui se disait. Elles apprirent ainsi qu'on ne soupçonnait personne du village et qu'on avait fait « des horreurs » à l'enfant.

Pour finir, on l'enterra le 31 décembre, mais pas avant que le pasteur l'ait baptisée, car le sentiment général était que même si la fillette était déterminée à demeurer une énigme, elle ne devrait pas être inhumée sans avoir de nom. Personne n'avait l'air de savoir comment on en était arrivé à « Angela », mais le prénom paraissait approprié. La quasi-totalité du village assista aux obsèques et beaucoup versèrent plus de larmes sur Angela qu'ils ne l'avaient fait pour la chair de leur chair. Il y avait de la tristesse plutôt que de la peur, et Pamela et Ursula discutèrent souvent des raisons exactes pour lesquelles tous ceux qu'elles connaissaient étaient considérés comme innocents.

Lady Daunt ne fut pas la seule à être étrangement affectée par le meurtre. Sylvie fut particulièrement bouleversée, mais c'était

154

plus de la colère, semblait-il, que de la tristesse. « Ce n'est pas le fait qu'elle ait été tuée, rageait-elle, même si Dieu sait que c'est terrible en soi, c'est le fait qu'*elle ne manque à personne.* »

Teddy eut des cauchemars pendant des semaines, se glissait dans le lit d'Ursula au milieu de la nuit. Ils seraient à jamais ceux qui l'avaient trouvée, ceux qui avaient vu le petit pied sans soulier, sans socquette, meurtri et sale, dépasser des branches mortes d'un orme, le corps enseveli sous une froide courtepointe de feuilles.

11 février 1926

« Seize printemps, dit Hugh en l'embrassant affectueusement. Joyeux anniversaire, mon oursonne. Tu as tout l'avenir devant toi. » Ursula continuait à avoir le sentiment qu'une partie de son avenir était aussi derrière elle, mais avait appris à garder de telles idées pour elle. Ils auraient dû monter à Londres prendre le thé au Berkeley (c'était la mi-trimestre), mais Pamela venait de se tordre la cheville dans un match de hockey et Sylvie se remettait d'une pleurésie qui lui avait fait passer une nuit au petit hôpital (« Je suppose que j'ai hérité des poumons de ma mère », remarque que Teddy trouvait amusante chaque fois qu'il y pensait). Quant à Jimmy, il sortait tout juste d'une angine à laquelle il était prédisposé. « Ils tombent comme des mouches, dit Mrs Glover qui battait du beurre en crème avec du sucre en prévision d'un gâteau. Je me demande qui sera le prochain.

— Pourquoi aller dans un hôtel pour prendre un thé convenable de toute façon ? dit Bridget. C'est aussi bon ici.

— Meilleur », renchérit Mrs Glover. Il va sans dire que ni Bridget ni Mrs Glover n'avaient été invitées au Berkeley et qu'en fait Bridget n'avait jamais mis les pieds dans un hôtel londonien, ni d'ailleurs dans un hôtel tout court, sauf la fois à Dún Laoghaire où elle était entrée dans le Shelbourne pour admirer le hall avant d'attraper le ferry à destination de l'Angleterre « voilà une éternité ». Mrs Glover disait en revanche « très bien connaître » le Midland de Manchester où l'un de ses neveux (elle en avait, semblait-il, une réserve inépuisable) l'avait emmenée dîner avec sa sœur « en plus d'une occasion ».

Le hasard voulait que Maurice soit venu pour le week-end bien qu'il eût oublié (« si tant est qu'il l'ait jamais su », disait Pamela) que c'était l'anniversaire d'Ursula. Il était en dernière année de droit à Balliol et « plus donneur de leçons que jamais » d'après Pamela. Ses parents ne semblaient pas particulièrement l'apprécier non plus. Ursula avait surpris Hugh demandant à Sylvie « Il est bien de moi, hein ? Tu n'as pas batifolé avec ce type horriblement ennuyeux de Halifax, le propriétaire d'usine ?

— Quelle mémoire tu as », avait répondu Sylvie en riant.

Pamela avait interrompu ses révisions pour fabriquer une carte ravissante, un découpage de fleurs prises dans les magazines de Bridget, et pour confectionner une fournée de ses fameux (du moins à Fox Corner) biscuits « négrillons ». Pamela préparait l'examen d'entrée à Cambridge. « Etudiante à Girton, disait-elle, les yeux brillants, rends-toi compte. » Pamela s'apprêtait à quitter la classe de terminale de l'établissement qu'elles fréquentaient toutes les deux et Ursula était sur le point d'entrer en première. Elle était bonne en latin et en grec. Sylvie disait qu'elle n'en voyait pas l'intérêt (elle n'avait jamais étudié ces deux matières ni paru trouver que ça lui manquait). Ursula en revanche semblait plutôt attirée par les mots qui n'étaient plus que des chuchotements montant de nécropoles antiques. (« Si vous voulez dire "mort", alors dites "mort" », disait Mrs Glover d'un ton irrité.)

Egalement invitée au thé, Millie Shawcross était arrivée tôt, de bonne humeur comme à son habitude. Son cadeau était un charmant assortiment de rubans de velours pour les cheveux, achetés avec son propre argent à la mercerie de la ville. (« Tu ne pourras plus jamais te couper les cheveux », dit Hugh à Ursula avec une certaine satisfaction.)

Maurice avait amené deux amis pour le week-end, Gilbert et un Américain, Howard (« Appelez-moi Howie, comme tout le monde »), qui allaient devoir partager le lit de la chambre d'amis, détail qui semblait mettre Sylvie mal à l'aise. « Vous pouvez dormir tête-bêche, leur dit-elle. Ou l'un de vous deux peut dormir sur un lit d'enfant avec le Great Western Railway » ainsi qu'ils appelaient le train Hornby de Teddy qui occupait toute l'ancienne chambre de Mrs Glover sous les toits. Jimmy avait l'autorisation de partager ce plaisir. « C'est ton acolyte, hein ? » dit Howie à Teddy en ébouriffant les cheveux de Jimmy si vigoureusement que ce dernier en perdit l'équilibre. Le fait que Howie était américain lui donnait un certain glamour bien que ce fût Gilbert qui avait la beauté ténébreuse, plutôt exotique d'une vedette de cinéma. Son nom – Gilbert Armstrong –, son père (juge de la Haute Cour) et sa scolarité (dans le privé, à Stowe) dénotaient un pedigree anglais irréprochable, mais sa mère descendait d'une vieille famille d'aristocrates espagnols (« Des gitans », conclut Mrs Glover aux yeux de qui tous les étrangers entraient peu ou prou dans cette catégorie).

« Oh là là, chuchota Millie à Ursula, les dieux marchent parmi nous. » Et de croiser les mains sur son cœur et de les agiter comme des ailes. « Pas Maurice, dit Ursula. On l'aurait chassé de l'Olympe parce qu'il tapait sur les nerfs de tout le monde.

— La suffisance des dieux, dit Millie, quel titre de roman merveilleux. » Millie, inutile de le dire, voulait être écrivain. Ou artiste peintre, ou chanteuse, ou danseuse, ou actrice. N'importe quoi pour être le point de mire.

« De quoi papotez-vous, les gamines ? » s'enquit Maurice. Maurice était très sensible aux critiques, trop, auraient dit certains.

— De toi », fit Ursula. Les filles trouvaient bel et bien Maurice séduisant, ce qui ne cessait de surprendre les femmes de sa famille. Il avait des cheveux blonds qui paraissaient crantés au fer et une belle carrure, due à l'aviron, mais il était difficile de fermer les yeux sur son manque de charme. Gilbert, quant à lui, fit même le baisemain à Sylvie (« Oh, dit Millie, que rêver de mieux ? »). Maurice avait présenté Sylvie en disant « Ma vieille maman » et Gilbert de lancer « Vous êtes trop jeune pour être mère.

— Je sais », fit Sylvie.

158

(« Un type plutôt louche. » Tel fut le verdict de Hugh. « Un Dom Juan » dit Mrs Glover.)

Les trois jeunes gens occupaient tant de place que la maison semblait avoir soudain rétréci et Hugh et Sylvie furent soulagés quand Maurice suggéra d'aller dehors « faire le tour du propriétaire ». « Bonne idée, dit Sylvie. Allez dépenser une partie de votre surplus d'énergie. » Ils coururent tous les trois dans le jardin d'une façon plus olympique qu'olympienne et commencèrent à taper avec enthousiasme dans un ballon que Maurice avait trouvé dans le placard du vestibule. (« Il est à moi, en fait », dit Teddy en ne s'adressant à personne en particulier.) « Ils vont massacrer la pelouse », dit Hugh en les entendant hurler comme des vandales tout en piétinant l'herbe avec leurs richelieus boueux.

« Oh, fit Izzie quand elle arriva et aperçut le trio athlétique par la fenêtre, ils sont superbes, dites-moi. Je peux en avoir un ? »

*

Emmitouflée de la tête aux pieds dans un manteau de renard, Izzie déclara : « J'ai apporté des cadeaux – annonce superflue car elle croulait sous un assortiment de paquets enveloppés de papier coûteux – pour ma nièce préférée. » Ursula jeta un coup d'œil à Pamela et eut un haussement d'épaules contrit. Pamela leva les yeux au ciel. Ursula n'avait pas vu Izzie depuis des mois, pas depuis la fois où Hugh et elle étaient allés en coup de vent dans la Bentley à Swiss Cottage déposer une caisse remplie de légumes, produits du potager de Fox Corner, généreux à la fin de l'été. (« Une courge ? fit Izzie en inspectant le contenu de la caisse. Qu'est-ce que je suis censée faire de ce truc ? »)

Avant ça, Izzie était venue passer un long week-end, mais avait plus ou moins snobé tout le monde à part Teddy qu'elle avait emmené faire de longues promenades et interrogé impitoyablement. « Je crois qu'elle l'a distingué du troupeau », dit Ursula à Pamela. « Pourquoi donc ? dit Pamela. Pour le manger ? »

Questionné (de près par Sylvie), Teddy fut bien en peine de dire ce qui lui avait valu cette attention particulière. « Elle m'a seulement demandé ce que je faisais, comment ça allait à l'école, interrogé sur mes violons d'Ingres, ce que j'aimais manger. Mes amis. Des trucs comme ça.

— Peut-être qu'elle veut l'adopter, dit Hugh à Sylvie. Ou le vendre. Je suis sûr que Ted atteindrait un bon prix. » Et Sylvie d'un ton féroce : « Je t'interdis de dire des choses pareilles, même pour plaisanter. » Mais Izzie laissa tomber Teddy aussi rapidement qu'elle l'avait choisi et ils n'y avaient plus repensé.

*

Le premier cadeau qu'Ursula déballa était un disque de Bessie Smith qu'Izzie mit immédiatement sur le phonographe, plus habitué à Elgar ou à l'opérette préférée de Hugh, *Le Mikado*. « Le St Louis Blues, dit Izzie pour leur gouverne. Ecoutez-moi ce cornet à pistons ! Ursula aime cette musique. » (« Ah bon ? demanda Hugh à Ursula. Je n'en avais pas la moindre idée. ») Vint ensuite une ravissante édition en cuir rouge repoussé de Dante en anglais. Suivie d'une liseuse en satin et dentelle de chez Liberty – « qui comme tu le sais, est un magasin dont ta mère raffole. » Sylvie jugea le cadeau « beaucoup trop femme, Ursula porte du pilou pilou ». Ce fut ensuite une bouteille de Shalimar (« nouveauté de Guerlain, divin ») qui reçut un verdict similaire de la part de Sylvie.

« Dit celle qui s'est mariée au berceau, fit Izzie.

— J'avais dix-huit ans, pas seize, répliqua Sylvie d'un air pincé. Un jour, nous devrons parler de ce que tu as trouvé le moyen de faire, toi, à seize ans, Isobel.

— Quoi donc ? fit Pamela avec empressement.

— *Il n'avait pas d'importance** », dit dédaigneusement Izzie. Et enfin, pour couronner le tout, une bouteille de champagne. (« Alors là, il n'en est pas question, elle est beaucoup trop jeune pour ça ! »)

160

« Il vaudrait mieux la mettre à rafraîchir dans de la glace », dit Izzie en la tendant à Bridget.

Hugh, perplexe, foudroya Izzie du regard. « As-tu volé tout ça ? » demanda-t-il.

*

« Hé, de la musique nègre », dit Howie quand les trois garçons rentrèrent, encombrant le salon et sentant vaguement le feu de jardin et autre chose de moins définissable (« Essence de fauve », murmura Izzie en reniflant). C'était la troisième fois que le disque de Bessie Smith tournait sur le phono et Hugh dit « Au bout d'un moment, on commence à apprécier ». Howie exécuta un genre de danse bizarre, vaguement barbare, sur la musique, puis chuchota quelque chose à l'oreille de Gilbert. Ce dernier eut un rire plutôt gras pour quelqu'un qui avait du sang bleu quoique étranger dans les veines, et Sylvie, qui frappa dans ses mains, dit « Les garçons, que diriez-vous d'un peu de terrine de crevettes ? » et les emmena manu militari dans la salle à manger, remarquant, trop tard, les traces sales qu'ils avaient laissées dans la maison.

« Ils n'ont pas fait la guerre, dit Hugh, comme si ça expliquait leurs empreintes boueuses.

— Ce qui est une bonne chose, répliqua fermement Sylvie. Quand bien même ils se révéleraient décevants. »

*

« Et maintenant, dit Izzie une fois le gâteau découpé et distribué, j'ai un dernier cadeau...

— Pour l'amour du ciel, Izzie, l'interrompit Hugh, incapable de se contenir plus longtemps. Qui paie tout ça ? Tu n'as pas d'argent, tu croules sous les dettes. Tu avais promis d'apprendre à être économe.

— *Je vous en prie* », dit Sylvie. Toute discussion d'argent (même celui d'Izzie) devant des personnes étrangères à la famille la remplissait d'une sainte horreur. Un nuage sombre passa soudain sur son cœur. C'était Tiffin, elle le savait.

« C'est moi qui paie, fit Izzie, sur un ton très solennel. Et ce n'est pas un cadeau pour Ursula, mais pour Teddy.

— Pour moi ? » fit Teddy qui tressaillit de se voir ainsi poussé sur le devant de la scène. Il était en train de se dire que le gâteau était drôlement bon, de supputer ses chances d'en avoir une seconde part et n'avait aucune envie de se retrouver sous les feux de la rampe.

« Oui, toi, mon chéri », dit Izzie. Teddy eut un mouvement de recul visible devant le cadeau et Izzie lorsque cette dernière posa le présent sur la table devant lui. « Allez, l'encouragea Izzie, ouvre-le. Ça ne va pas exploser. » (Mais si.)

Timidement, Teddy enleva le papier de prix. Déballé, le cadeau s'avéra être exactement ce qu'il avait l'air d'être, emballé : un livre. Ursula, assise en face, tenta de déchiffrer le titre à l'envers. *Les Aventures de…*

« *Les Aventures d'Auguste*, lut Teddy à haute voix, de Delphie Fox. » (« Delphie ? » fit Hugh, dubitatif.)

« Pourquoi tout est-il toujours une "aventure" avec toi ? dit Sylvie avec humeur.

— Parce que la vie est une aventure, bien sûr.

— Je dirais que ça ressemble plus à une course d'endurance, fit Sylvie. Ou à une course d'obstacles.

— Oh, ma chérie, dit Hugh soudain plein de sollicitude, ce n'est tout de même pas à ce point-là ?

— Quoi qu'il en soit, dit Izzie, revenons-en au cadeau de Teddy. »

La couverture était en carton vert épais, les lettres et les dessins de l'illustration, dorés – elle montrait un garçon ayant à peu près l'âge de Teddy coiffé d'une casquette d'écolier. Il était armé d'un lance-pierre et accompagné d'un petit terrier blanc, un westie ébouriffé. Le garçon était dépenaillé et avait une expression farouche. « Je te présente Auguste, dit Izzie à Teddy. Qu'en penses-tu ? Je me suis inspirée de toi.

— De moi ? fit Teddy horrifié. Mais je ne ressemble pas à ça. Et c'est même pas le bon chien. »

*

Quelque chose de stupéfiant. « Je ramène quelqu'un en ville ? demanda Izzie d'un air désinvolte.

— Ne me dis pas que tu as une autre auto, gémit Hugh.

— Je l'ai garée en bas de l'allée pour ne pas t'agacer », susurra Izzie. Ils allèrent en groupe inspecter la voiture, Pamela, toujours sur des béquilles, clopinant à la traîne. « Les pauvres, les estropiés, les aveugles et les boiteux », dit-elle à Millie et Millie rit et dit « Pour une scientifique, tu connais bien tes évangiles.

— Il vaut mieux connaître son ennemi », répondit Pamela.

Il faisait froid et personne n'avait pensé à mettre un manteau. « Mais franchement plutôt doux pour cette période de l'année, dit Sylvie. Ce n'est pas comme le jour où tu es née, Ursula. Bonté divine, je n'avais jamais vu autant de neige.

— Je sais », dit Ursula. La neige du jour de sa naissance était légendaire dans la famille. Elle avait entendu l'histoire si souvent qu'elle croyait pouvoir s'en souvenir.

« Ce n'est qu'une Austin, dit Izzie. Une bonne routière. Quatre portes pourtant – mais rien à voir avec le prix astronomique d'une *Bentley*, juste ciel, c'est quasiment un véhicule pour la populace, comparé au luxe que tu t'es offert, Hugh. » « Achetée à crédit, sans aucun doute », fit Hugh. « Pas du tout, payée rubis sur l'ongle. J'ai un *éditeur*, j'ai de *l'argent*, Hugh. Tu n'as plus besoin de te faire de souci pour moi. »

Pendant que tout le monde (à l'exception de Hugh et Sylvie) admirait le véhicule rouge cerise, Millie dit « Il faut que j'y aille, j'ai un spectacle de danse, ce soir. Merci beaucoup pour ce thé délicieux, Mrs Todd.

— Allez, je te raccompagne », dit Ursula.

Alors qu'elle rentrait par le raccourci maintes fois emprunté au fond du jardin, Ursula fit une rencontre inattendue – c'était ça qui était stupéfiant, pas l'Austin à quatre portes – et faillit trébucher sur Howie qui fouillait les buissons à quatre pattes. « Je cherche le ballon, dit-il en s'excusant. Il appartenait à ton petit frère. Je crois qu'on l'a perdu dans le... » – il s'assit sur ses talons et jeta un regard circulaire et impuissant aux épines-vinettes et aux buddleias – « ... bosquet de broussailles, compléta Ursula. Nous y aspirons.

— Hein ? » dit-il en se relevant d'un seul coup et en la dominant soudain de la tête et des épaules. Il avait l'air de pratiquer la boxe. En fait, il avait une ecchymose sous l'œil. Fred Smith, qui était jadis garçon boucher, mais travaillait à présent aux chemins de fer, était boxeur. Maurice avait emmené deux ou trois de ses copains encourager Fred lors d'un combat amateur dans l'East End. La soirée avait apparemment dégénéré en une rixe avinée. Howie sentait la lotion capillaire – l'odeur de Hugh – et avait un côté brillant, neuf, comme la monnaie qui vient d'être frappée.

« Tu l'as trouvé ? demanda-t-elle. Le ballon ? » Sa voix lui parut aiguë. Elle avait cru que Gilbert était le plus beau des deux, mais face à la force bien découplée et sans complication de Howie (on aurait dit un gros animal), elle se sentait cruche.

« Quel âge as-tu ? demanda-t-il.

— Seize ans. C'est mon anniversaire. Tu as mangé du gâteau. » Il était clair qu'elle n'était pas la seule cruche.

« Hou-i, dit-il, sorte de mot ambigu (très proche de son prénom, remarqua-t-elle) bien qu'il parût signaler un certain étonnement comme si arriver à l'âge de seize ans était une prouesse. Tu trembles, ajouta-t-il.

— Il fait un froid de canard.

— Je peux te réchauffer », puis – stupéfiant – il la prit par les épaules, l'attira contre lui et – manœuvre qui nécessita qu'il se penche pas mal – pressa ses grosses lèvres sur les siennes. « Baiser » semblait un vocable trop raffiné pour décrire ce que faisait Howie. Il poussa son énorme langue, on aurait dit celle d'un bœuf, contre la herse de ses dents et elle fut sidérée de découvrir qu'il attendait qu'elle ouvre la bouche et laisse entrer ladite langue. Elle allait suffoquer à tous les coups. Le presse-viande de Mrs Glover lui vint malencontreusement à l'esprit.

Ursula se demandait ce qu'elle devait faire – la lotion capillaire et le manque d'oxygène lui donnaient le tournis – lorsqu'ils entendirent Maurice crier « Howie ! On part sans toi, mon vieux ! » La bouche d'Ursula fut libérée et, sans un mot pour elle, Howie hurla « J'arrive ! » si fort qu'elle en eut mal aux tympans. Puis il la lâcha et partit en piétinant bruyamment les buissons, laissant Ursula reprendre son souffle.

Elle regagna la maison hébétée. Tout le monde était encore dans l'allée, bien qu'elle eût l'impression qu'il s'était écoulé des heures, mais il ne s'agissait que de minutes en réalité, comme dans les meilleurs contes de fées. Dans la salle à manger, Hattie léchait délicatement les reliefs du gâteau. *Les Aventures d'Auguste*, sur la table, étaient tachées de sucre glace. Le cœur d'Ursula palpitait encore sous le choc des avances de Howie. Etre embrassée le jour de ses seize ans, et d'une façon si imprévue, semblait un exploit considérable. Elle était certainement en train de passer sous l'arc de triomphe menant à sa vie de femme. Si seulement ç'avait été Benjamin Cole, ç'eût été parfait.

Teddy apparut. Il en avait vraiment plein le dos et dit « Ils ont perdu mon ballon.

— Je sais », dit Ursula.

Il ouvrit le livre à la page de titre sur laquelle Izzie avait inscrit d'une écriture extravagante : *A mon neveu, Teddy. Mon cher Auguste à moi.*

« N'importe quoi », dit Teddy, la mine renfrognée. Ursula prit une coupe de champagne à moitié pleine et au bord décoré de rouge à lèvres écarlate, en versa la moitié dans une coupe à gelée qu'elle tendit à Teddy. « A la tienne », dit-elle. Ils trinquèrent et burent leur coupe jusqu'à la lie.

« Joyeux anniversaire », dit Teddy.

Mai 1926

Au début du mois, Pamela qui avait abandonné les béquilles et s'était remise au tennis apprit qu'elle avait raté l'examen d'entrée à Cambridge. « J'ai paniqué, dit-elle. J'ai vu des questions que je ne connaissais pas, mes nerfs ont craqué et je me suis plantée. J'aurais dû bûcher plus ou garder mon calme, réfléchir à fond et je m'en serais probablement bien tirée.

— Il y a d'autres universités si tu es si déterminée à devenir un bas-bleu », dit Sylvie. Elle ne l'aurait jamais avoué, mais Sylvie trouvait les études universitaires inutiles pour les filles. « Après tout, la vocation la plus noble de la femme est d'être une mère et une épouse.

— Tu préférerais me voir trimer devant un fourneau plutôt qu'au-dessus d'un bec Bunsen ?

— Qu'est-ce que la science a fait pour le monde à part trouver de meilleures façons de tuer les gens ? répondit Sylvie.

— C'est vraiment dommage, ce refus de Cambridge, dit Hugh. Maurice est parti pour obtenir une mention très bien à sa licence et c'est un parfait imbécile. » Pour consoler Pamela, il lui acheta un superbe vélo Raleigh de type hollandais et Teddy demanda ce qu'il aurait, *lui*, s'il ratait un examen. Hugh rit et dit « Attention, tu parles comme Auguste.

— Oh, non, pas ça », fit Ted mortifié à la moindre mention du livre. *Les Aventures d'Auguste*, au grand dam de tout le monde mais surtout de Teddy, avaient un succès retentissant. Elles se

166

vendaient « comme des petits pains » et en étaient à la troisième réimpression selon Izzie qui avait touché « un gros chèque de droits d'auteur » et emménagé dans un appartement d'Ovington Square. Elle avait aussi donné une interview à un journal dans laquelle elle mentionnait son « prototype », sa « charmante fripouille de neveu ».

« Mais pas mon *nom* », disait Teddy qui se cramponnait à cet espoir. Pour se faire pardonner, Izzie lui fit cadeau d'un nouveau chien. Trixie était morte quelques semaines plus tôt et Teddy était inconsolable. Le nouveau chien était un westie, comme le chien d'Auguste – race qu'aucun d'entre eux n'aurait choisie. Izzie l'avait déjà baptisé – Jock[23], naturellement, le nom était gravé sur la plaque d'identité de son collier de prix.

Sylvie suggéra de l'appeler plutôt Pilot (« Comme le chien de Charlotte Brontë », dit-elle à Ursula). (« Un jour, dit Ursula à Pamela, notre mère ne communiquera plus avec moi qu'en citant les grands écrivains du passé » et Pamela répliqua « A mon avis, c'est sans doute déjà le cas. »)

Le petit chien s'était déjà habitué à son nom et il semblait injuste de lui embrouiller les idées, il resta donc Jock et avec le temps ils finirent par l'aimer plus que tous leurs autres chiens malgré sa provenance agaçante.

*

Maurice débarqua un samedi matin accompagné cette fois seulement de Howie, aucun signe de Gilbert qui avait été renvoyé de l'université pour « indiscrétion ». Quand Pamela demanda « Quelle indiscrétion ? », Sylvie répondit que la définition même d'une indiscrétion voulait qu'on n'en reparle pas par la suite.

Ursula avait pensé très souvent à Howie depuis leur dernière rencontre. Ce n'était pas tant le Howard physique – le pantalon très ample, la chemise à col mou, les cheveux brillantinés – mais le fait qu'il avait eu la prévenance d'essayer de retrouver le ballon de Teddy. Sa gentillesse modifiait l'extraordinaire et alarmante *altérité* de sa personne qui était triple – grande, masculine et américaine. Malgré ses sentiments ambivalents, elle ne put s'empêcher d'éprouver un petit frisson en le voyant bondir sans effort de sa décapotable, garée devant la porte d'entrée de Fox Corner.

« Hé », dit-il en l'apercevant et elle se rendit compte que son galant imaginaire ne connaissait même pas son prénom.

Sylvie et Bridget s'empressèrent de faire apparaître un pot de café et une assiette de scones. « Nous ne restons pas », annonça Maurice à Sylvie qui dit « Dieu merci. Je n'ai pas de quoi nourrir deux jeunes malabars comme vous.

— Nous allons à Londres donner un coup de main pour la grève », fit Maurice. Hugh exprima sa surprise. Il ne s'était pas rendu compte que les idées politiques de Maurice le mettaient dans le camp des travailleurs et Maurice se dit à son tour surpris que son père puisse imaginer une seule seconde que ce soit le cas. Ils allaient à Londres conduire des bus et des trains et faire le nécessaire « pour que le pays continue à fonctionner ».

« Je ne savais pas que tu savais conduire un train, Maurice, dit Teddy qui trouvait soudain son frère intéressant.

— Enfin, je mettrai le charbon, fit Maurice avec humeur, ça ne peut pas être bien sorcier.

— On appelle ça un chauffeur, dit Pamela, et c'est un emploi très qualifié. Demande à ton ami Smithy. » Pour on ne sait quelle raison, la remarque mit Maurice encore plus en rogne.

« Vous essayez de consolider une civilisation à l'agonie, dit Hugh sur le ton qu'il aurait employé pour parler du temps qu'il faisait. Ça ne sert à rien. »

Ursula quitta la pièce à ce moment-là car s'il y avait bien une chose qu'elle trouvait plus *assommante* que penser à la politique, c'était d'en entendre parler.

Puis. Quelque chose de stupéfiant. Une fois de plus. Elle montait en sautillant l'escalier de service pour aller chercher quelque chose dans la mansarde, quelque chose d'innocent – un livre, un mouchoir, par la suite elle ne se rappellerait jamais quoi – lorsqu'elle faillit valdinguer en bas des marches à cause de Howie qui descendait. « Je cherchais le petit coin, dit-il.

— Nous n'en avons qu'un, dit Ursula, et ce n'est pas en haut de cet... » – mais avant d'avoir pu terminer sa phrase, elle se retrouva désagréablement aplatie contre le vieux papier à fleurs qui datait de la construction de la maison. « Jolie fille », dit-il. Son haleine sentait la menthe. Et voilà qu'elle subissait de nouveau les assauts du gigantesque Howie. Mais cette fois-ci, ce n'était pas sa langue qui essayait de se fourrer dans sa bouche, mais quelque chose d'indiciblement plus intime.

Elle tenta de dire quelque chose, mais avant qu'elle ait pu émettre le moindre son, il plaqua une main sur sa bouche, sur la moitié de son visage en fait, sourit jusqu'aux oreilles et dit « Chut » comme s'ils étaient des complices dans un jeu. De son autre main, il tripatouilla ses vêtements et elle protesta en poussant un cri aigu. Puis il se mit à donner des coups de tête contre elle, comme les bouvillons contre la barrière du pré. Elle essaya de se débattre, mais il faisait deux fois sa taille, trois fois même, et elle eut l'impression d'être une souris dans la gueule de Hattie.

Elle essaya de voir ce qu'il fabriquait, mais il était si collé contre elle que tout ce qu'elle apercevait, c'était sa grosse mâchoire carrée et un début de barbe, indécelable de loin. Ursula avait vu ses frères nus, savait ce qu'ils avaient entre les jambes – des coques ridées, un petit robinet – pas grand-chose à voir apparemment avec cet engin douloureux mû par un piston qui l'éperonnait comme une arme de guerre. Une brèche s'ouvrit en elle. L'arc qui menait à sa vie de femme ne lui parut plus aussi triomphal, simplement brutal et complètement indifférent.

Puis Howie poussa un grand mugissement, plus bovin qu'oxfordien, se rajusta et lui adressa un grand sourire jusqu'aux oreilles. « Ah, les Anglaises », dit-en en secouant la tête et en riant. Il agita un doigt presque désapprobateur, comme si c'était elle qui avait manigancé la chose dégoûtante qui venait de se produire et ajouta : « Tu es vraiment incroyable ! » Il rit une fois de plus et dévala les marches trois par trois, comme si sa descente avait été à peine interrompue par leur étrange rendez-vous galant.

Ursula regarda fixement le papier peint. Elle n'avait encore jamais remarqué que les fleurs étaient des glycines, la fleur qui poussait sur la voûte du porche derrière la maison. Ça devait être ce qu'on appelait « déflorer » dans la littérature, songea-t-elle. Le mot lui avait toujours paru joli.

Quand elle retourna au rez-de-chaussée une demi-heure plus tard — une demi-heure de pensées et d'émotions considérablement plus intenses que la normale pour un samedi matin — Sylvie et Hugh étaient sur le pas de la porte en train d'agiter dûment la main pour dire au revoir à la voiture de Howie qui disparaissait.

« Dieu merci, ils ne sont pas restés, dit Sylvie. Je ne crois pas que j'aurais pu supporter les fanfaronnades de Maurice.

— Des imbéciles, dit allègrement Hugh. Ça va ? s'enquit-il en apercevant Ursula dans le vestibule.

— Oui », répondit-elle. Toute autre réponse aurait été trop abominable.

*

Mettre l'incident sous clé fut plus facile qu'Ursula ne l'avait prévu. Après tout, Sylvie n'avait-elle pas dit que la définition d'une indiscrétion était qu'on n'en reparlait plus par la suite ? Ursula imagina un placard dans son esprit, un meuble d'angle en pitchpin tout simple. Howie et l'escalier de service furent rangés sur l'étagère du haut et la clé fut tournée à double tour dans la serrure.

Une fille devrait bien se garder de se faire coincer dans un escalier de service — ou un bosquet de broussailles — comme une héroïne de roman de quatre sous, le genre que Bridget affectionnait tant. Mais qui aurait soupçonné que la réalité serait aussi sordide, aussi sanglante ? Il avait dû sentir quelque chose en elle, quelque chose de lascif, dont elle n'avait même pas conscience.

Avant de mettre l'incident sous clé, elle l'avait passé au peigne fin, essayé de voir en quoi elle était coupable. Il devait y avoir quelque chose de gravé sur sa peau, son visage, que certaines personnes étaient capables de déchiffrer et d'autres pas. Izzie l'avait vu. Quelque chose de mauvais vient par ici[24]. Ce quelque chose de mauvais, c'était elle.

L'été se déploya. Pamela se vit offrir une place à Leeds pour étudier la chimie et se dit contente parce que les gens seraient « plus francs du collier » dans une université moins prestigieuse et pas aussi snobs. Elle faisait beaucoup de tennis avec Gertie, beaucoup de doubles mixtes en championnat avec Daniel Cole et son frère Simon et autorisait souvent Ursula à lui emprunter sa bicyclette pour de longues virées avec Millie au cours desquelles elles dévalaient les collines en roue libre en poussant des cris aigus. Parfois Ursula flânait avec Teddy et Jimmy tandis que Jock courait en rond autour d'eux. Ni Teddy ni Jimmy ne semblaient éprouver le besoin de cacher leur vie à leurs sœurs comme Maurice l'avait fait.

Pamela et Ursula emmenèrent plusieurs fois Teddy et Jimmy à Londres pour la journée, au Natural History Museum, au British Museum, au jardin botanique de Kew, mais ne signalèrent jamais leur présence à Izzie. Elle avait de nouveau déménagé pour s'installer dans une grande maison de Holland Park (« un *endroit** plutôt artistique »). Un jour qu'ils flânaient à Piccadilly, ils aperçurent une pile des *Aventures d'Auguste* à la devanture d'une librairie, accompagnée d'une photo de l'auteur – Miss Delphie Fox, prise par Mr Cecil Beaton – sur laquelle Izzie avait l'air d'une vedette de cinéma ou d'une beauté mondaine. « Oh, bon Dieu », s'exclama Teddy et, bien que faisant office de parent, Pamela ne le corrigea pas.

*

Il y eut une fois de plus une fête dans le parc d'Ettringham Hall. Les Daunt étaient partis, au bout de mille ans, Lady Daunt

171

ne s'étant jamais remise du meurtre de la petite Angela, et le manoir appartenait désormais à un homme plutôt mystérieux, un certain Mr Lambert que certains supposaient belge, d'autres écossais, mais avec lequel personne n'avait eu une conversation assez longue pour découvrir ses origines. Le bruit courait qu'il avait fait fortune pendant la guerre, mais tout le monde le disait timide et d'un abord difficile. Il y avait aussi des bals dans la salle des fêtes tous les vendredis soir. Fred Smith fit son apparition à l'un d'eux, récuré de sa suie quotidienne, et invita tour à tour Pamela, Ursula et les trois aînées des Shawcross à danser. Il y avait un phonographe, pas d'orchestre, et on ne dansait que des danses démodées, pas de charleston ni de black bottom et c'était agréable de valser en toute sécurité dans les bras de Fred Smith qui se révéla être étonnamment bon danseur. Ursula se dit que ce serait plutôt agréable d'avoir pour galant quelqu'un comme Fred, bien qu'à l'évidence Sylvie ne l'eût jamais toléré. (« Un *cheminot* ? »)

Dès qu'elle se mit à penser à Fred de cette façon, la porte du placard s'ouvrit d'un seul coup et toute la scène abominable de l'escalier de service en jaillit.

« Doucement, dit Fred Smith, vous êtes verte, miss Todd » et Ursula dut incriminer la chaleur et insister pour aller prendre un peu l'air toute seule. En fait, elle se sentait très nauséeuse, ces derniers temps. Sylvie attribuait la chose à un rhume des foins.

Maurice avait obtenu la mention très bien attendue (« Comment ? » se demandait Pamela perplexe) et vint flemmarder quelques semaines à Fox Corner avant d'intégrer un cabinet de Lincoln's Inn pour un stage d'avocat. Howie était apparemment retourné chez « les siens » dans leur résidence d'été de Long Island Sound. Maurice semblait un peu vexé de ne pas avoir été invité à se joindre à eux.

« Qu'est-ce qui t'arrive ? demanda Maurice à Ursula un après-midi qu'il était vautré dans une chaise longue sur la pelouse en train de lire *Punch* et d'enfourner d'un seul coup la quasi-totalité d'une tranche de gâteau à la marmelade de Mrs Glover.

« — Comment ça, qu'est-ce qui m'arrive ?

— On dirait une poulinière.

— Une poulinière ? » Ses robes d'été commençaient à la boudiner, c'était vrai, même ses mains et ses pieds paraissaient plus dodus. « Les rondeurs de l'adolescence, ma chérie, disait Sylvie, même moi, j'y ai eu droit. Moins de gâteau et davantage de tennis, voilà le remède.

— Tu n'as vraiment pas l'air dans ton assiette, lui dit Pamela. Qu'est-ce qui ne va pas ?

— Je ne sais pas, dit Ursula.

Puis elle s'avisa d'une chose vraiment terrible, si abominable, si honteuse, si *irréparable* qu'elle sentit quelque chose prendre feu et brûler à l'intérieur d'elle. Elle dénicha *Enseignement de la reproduction destiné aux jeunes enfants et aux jeunes filles* du Dr Beatrice Webb, que Sylvie gardait en principe sous clé dans un coffre de sa chambre, mais le coffre n'était jamais fermé car Sylvie en avait perdu la clé depuis longtemps. La reproduction semblait être le cadet des soucis de l'auteur. Elle conseillait de distraire les jeunes filles en leur donnant beaucoup de « pain maison, de cake, de porridge, de desserts et d'eau froide aspergée régulièrement sur les parties ». Ce n'était à l'évidence d'aucun secours. Ursula frémit au souvenir des « parties » de Howie et de la façon infâme dont elles étaient entrées en conjonction avec les siennes. Etait-ce ce que Sylvie et Hugh faisaient ? Elle n'arrivait pas à imaginer sa mère tolérant pareille ignominie.

Elle consulta subrepticement l'encyclopédie médicale de Mrs Shawcross. Les Shawcross étaient en vacances dans le Norfolk, mais leur bonne ne trouva rien de bizarre à ce qu'Ursula apparaisse à la porte de derrière et lui dise qu'elle était venue jeter un coup d'œil à un livre.

L'encyclopédie expliquait la mécanique de « l'acte sexuel » qui semblait ne prendre place que « dans le cadre aimant du lit conjugal » et non dans l'escalier de service quand on montait chercher un mouchoir, un livre. L'encyclopédie énumérait aussi les conséquences si on ne réussissait pas à récupérer ce fameux mouchoir, ce fameux livre – l'absence de règles, les vomissements, la prise de poids. Il fallait neuf mois apparemment. Et le mois de juillet était bien entamé. Sous peu, elle devrait se glisser à nouveau dans sa robe d'uniforme bleu marine et attraper le bus pour se rendre à l'école tous les matins avec Millie.

Ursula commença à faire de longues promenades solitaires. Millie n'était pas là pour recueillir ses confidences (se serait-elle confiée à elle de toute façon ?) et Pamela avait fichu le camp dans le Devon avec sa troupe d'éclaireuses. Ursula n'avait jamais mordu au scoutisme, maintenant elle le regrettait plutôt – ça lui aurait peut-être donné la présence d'esprit nécessaire pour s'occuper de Howie. Une éclaireuse aurait récupéré ce fichu mouchoir, ce fichu livre sans se laisser retarder en chemin.

« Il y a quelque chose qui ne va pas, ma chérie ? » demanda Sylvie alors qu'elles reprisaient des bas de concert. Les enfants de Sylvie ne captaient vraiment son attention que pris isolément. Ensemble, ils formaient un troupeau encombrant, séparément, ils avaient une personnalité.

Ursula imagina ce qu'elle pourrait dire. *Tu te souviens de l'ami de Maurice, Howie ? Il semblerait que je sois la mère de son enfant.* Elle lança un coup d'œil à Sylvie qui croisait et recroisait sereinement son aiguillée de laine sur la chaussette de Teddy trouée à l'orteil. Elle n'avait pas l'air d'une femme qui avait eu ses parties intimes percées. (Un « vagin » apparemment, d'après l'encyclopédie de Mrs Shawcross – mot qui n'avait jamais été prononcé chez les Todd.)

« Non, rien du tout, fit Ursula. Je vais bien. Parfaitement bien. »

*

Cet après-midi-là, elle alla à la gare et s'assit sur un banc du quai et envisagea de se jeter sous les roues de l'express lorsqu'il traverserait la gare en trombe, mais le train suivant s'avéra être à destination de Londres et s'arrêta lentement devant elle en soufflant d'une façon qui semblait si familière qu'elle eut envie

174

de pleurer. Elle repéra Fred Smith descendant de la cabine, en salopette graisseuse et le visage noirci par la poussière de charbon. L'apercevant, il s'approcha et dit « Quelle coïncidence, vous prenez le train ?

— Je n'ai pas de billet, dit Ursula.

— Qu'à cela ne tienne, fit Fred, un clin d'œil entendu de ma part et le contrôleur veillera à ce qu'une amie à moi ne manque de rien. » Etait-elle une amie de Fred Smith ? C'était réconfortant de le penser. Bien sûr, s'il était au courant de son état il ne serait plus un ami. Personne ne le serait.

« Oui, d'accord, merci », dit-elle. Ne pas avoir de billet paraissait un si *petit* problème.

Elle regarda Fred regrimper dans sa cabine. Le chef de gare remonta le quai en claquant les portières avec une irrévocabilité suggérant qu'elles ne se rouvriraient jamais. De la vapeur jaillit de la cheminée et Fred Smith passa la tête à la fenêtre de la cabine pour dire « Grouillez-vous, miss Todd, vous allez rester en rade sinon » et elle monta docilement en voiture.

Le sifflet du chef de gare retentit, d'abord un coup bref suivi d'un autre plus long et le train s'ébranla lentement. Ursula était assise sur la peluche chaude d'une banquette et envisagea l'avenir. Elle pourrait se fondre dans la masse des autres filles perdues qui pleuraient misère dans les rues de Londres. Se pelotonner sur un banc de parc et mourir de froid au cours de la nuit, sauf qu'on était au cœur de l'été et que ça ne risquait pas d'arriver. Ou se jeter dans la Tamise et se laisser emporter doucement par la marée, au-delà de Wapping, de Rotherhithe, de Greenwich jusqu'à Tilbury et à la mer. Quelle serait la perplexité de sa famille si son corps noyé était repêché au large. Elle se figura Sylvie fronçant les sourcils devant son raccommodage. *Mais elle est seulement partie en promenade, elle a dit qu'elle allait cueillir des framboises sauvages sur le sentier.* Ursula pensa à la jatte en porcelaine blanche qu'elle avait abandonnée dans la haie, avec l'intention de la récupérer au retour. Elle était à moitié remplie de petits fruits aigres et ses doigts étaient encore tachés de rouge.

*

Elle passa l'après-midi à marcher dans les grands parcs de Londres, St James's et Green Park, le palais de Buckingham, puis Hyde Park et Kensington Gardens. La distance que l'on pouvait parcourir sans quasiment mettre le pied sur un trottoir ni traverser une rue était extraordinaire. Elle n'avait pas d'argent sur elle, évidemment – erreur ridicule, elle s'en apercevait à présent –, et ne put même pas s'offrir une tasse de thé à Kensington. Ici, pas de Fred Smith pour « veiller à ce qu'elle ne manque de rien ». Elle avait chaud, était fatiguée, poussiéreuse et aussi assoiffée que l'herbe de Hyde Park.

Pouvait-on boire l'eau de la Serpentine ? La première épouse de Shelley s'était noyée ici, mais Ursula supposait que par une belle journée comme aujourd'hui – des tas de gens profitaient du soleil – il serait quasiment impossible d'empêcher qu'un autre Mr Winton ne saute dans le lac pour la sauver.

Elle savait où elle allait, évidemment. C'était inévitable d'une certaine façon.

*

« Grand Dieu, que t'est-il arrivé ? demanda Izzie en ouvrant sa porte en grand d'un geste théâtral comme si elle s'attendait à quelqu'un de plus intéressant. Tu fais peur à voir.

— J'ai marché tout l'après-midi, dit Ursula. Je n'ai pas d'argent, ajouta-t-elle. Et je crois que je vais avoir un bébé.

— Tu ferais mieux d'entrer dans ce cas », dit Izzie.

*

A présent, elle était assise sur une chaise inconfortable dans une grande demeure de Belgravia, dans ce qui avait dû être jadis la salle à manger. Ne servant plus désormais que de salle d'attente, elle était quelconque. La nature morte hollandaise

176

accrochée au-dessus de la cheminée et le vase de chrysanthèmes à l'air poussiéreux posé sur une table à abattants ne fournissaient aucun indice sur ce qui pouvait se passer ailleurs dans la maison. Il était difficile d'établir un lien entre l'un de ces éléments et l'odieux rendez-vous avec Howie dans l'escalier de service. Qui aurait cru que glisser d'une vie dans une autre pouvait être aussi facile ? Ursula se demanda ce que le Dr Kellet aurait pensé de sa situation.

Après son arrivée inattendue à Melbury Road, Izzie l'avait mise au lit dans sa chambre d'amis et Ursula avait sangloté sous le dessus-de-lit en satin brillant, essayant de ne pas entendre les mensonges cousus de fil blanc d'Izzie au téléphone du vestibule – *Je sais bien ! Elle a sonné à ma porte, ce petit chou... elle avait envie de me voir... d'aller dans les musées etc. Au théâtre, rien d'osé... Arrête de jouer les harpies, Hugh...* Ce n'était pas plus mal qu'Izzie soit tombée sur Hugh car Sylvie l'aurait envoyée promener. Résultat, elle avait l'autorisation de rester quelques jours pour *les musées etc.*

Après le coup de fil, Izzie entra dans la chambre avec un plateau.

« Du cognac et des toasts beurrés, dit-elle. C'est tout ce que j'ai pu préparer dans un délai aussi court, je le crains. Tu es si bête, soupira-t-elle. Il y a des moyens, tu sais, des choses qu'on peut faire, mieux vaut prévenir que guérir etc. » Ursula n'avait pas la moindre idée de ce que voulait dire Izzie.

« Il faut t'en débarrasser, poursuivit Izzie. On est bien d'accord là-dessus, n'est-ce pas ? » Question qui obtint un « oui » venu du cœur de la part d'Ursula.

*

Une femme en uniforme d'infirmière ouvrit la porte de la salle d'attente de Belgravia et jeta un regard à l'intérieur. Son uniforme était si amidonné qu'il aurait pu tenir debout tout seul.

« Par ici » dit-elle avec raideur sans s'adresser nommément à Ursula. Ursula la suivit avec la docilité de l'agneau qu'on mène à l'abattoir.

Plus efficace que compatissante, Izzie l'avait déposée en voiture (« Bonne chance ») et promis de revenir « plus tard ». Ursula ignorait totalement ce qui allait se passer entre le « Bonne chance » d'Izzie et son « plus tard », mais présumait que ce serait désagréable. Un sirop au goût infect ou un haricot rempli de grosses pilules peut-être. A coup sûr, un bon savon au sujet de sa moralité et de sa réputation. Elle s'en fichait presque du moment qu'elle pouvait revenir en arrière. Quelle taille avait le bébé ? se demandait-elle. Ses brèves recherches dans l'encyclopédie des Shawcross ne lui avaient donné que de rares indices. Elle supposait qu'il sortirait avec un certain nombre de difficultés, serait emmitouflé dans un châle avant d'être mis dans un berceau et soigné attentivement jusqu'à ce qu'il soit prêt à être donné à un gentil couple qui rêvait autant d'avoir un bébé qu'Ursula rêvait de ne pas en avoir. Elle pourrait ensuite prendre le train du retour, marcherait dans Church Lane, récupérerait la jatte en porcelaine blanche avec sa récolte de framboises avant de regagner Fox Corner comme si rien ne s'était passé en dehors des *musées etc.*

*

C'était une pièce comme n'importe quelle autre au fond. Il y avait des rideaux drapés et ornés de pampilles aux hautes fenêtres. Ils devaient appartenir à la vie antérieure de la demeure, de même que la cheminée de marbre qui contenait à présent un radiateur à gaz et sur le manteau de laquelle trônait une horloge à cadran tout simple et à gros chiffres. Le lino vert et la table d'opération au milieu de la pièce étaient tout aussi incongrus. Il régnait la même odeur que dans le laboratoire de chimie de son établissement scolaire. Un chariot présentait l'assortiment brutal d'instruments métalliques brillants étalés sur un linge blanc. Ursula s'interrogea sur leur destination. Ils semblaient plus relever de la boucherie que des bébés. Il n'y avait aucune trace de berceau nulle part. Son cœur se mit à palpiter.

Un homme plus âgé que Hugh en longue blouse blanche de médecin entra précipitamment dans la pièce comme s'il ne faisait que passer et ordonna à Ursula de monter sur la table d'opération et de mettre les pieds « dans les étriers ».

« Etriers ? » répéta Ursula. Qu'est-ce que les chevaux venaient faire là-dedans ? La requête la déconcerta jusqu'à ce que l'infirmière amidonnée la pousse et lui accroche les pieds. « Je vais être opérée ? protesta Ursula. Mais je ne suis pas malade. » L'infirmière lui plaça un masque sur le visage. « Comptez de dix jusqu'à un », fit-elle. « Pourquoi ? » tenta de demander Ursula, mais le mot s'était à peine esquissé dans son cerveau que la pièce et tout son contenu disparaissaient.

L'instant d'après, elle était sur le siège passager de l'Austin d'Izzie en train de regarder hébétée par le pare-brise.

« Tu te porteras comme un charme en moins de deux, dit Izzie. Ne t'inquiète pas, ils t'ont droguée. Tu vas te sentir toute chose un petit moment. » Comment Izzie en savait-elle autant sur cette procédure épouvantable ?

De retour à Melbury Road, Izzie l'aida à se mettre au lit et elle dormit à poings fermés sous le dessus-de-lit en satin brillant de la chambre d'appoint. Il faisait sombre dehors quand Izzie entra avec un plateau. « Soupe à la queue de bœuf, dit-elle allègrement. J'ai ouvert une boîte de conserve. » Izzie sentait l'alcool, quelque chose de sucré et d'écœurant, et sous son maquillage et ses allures joviales, elle avait l'air épuisée. Ursula supposa qu'elle devait être un terrible fardeau pour sa tante. Elle se redressa avec peine. L'odeur de l'alcool et de la queue de bœuf, c'en fut trop pour Ursula qui vomit en éclaboussant le satin brillant.

« Oh, mon Dieu, fit Izzie en plaquant sa main sur sa bouche. Je ne suis vraiment pas faite pour ce genre de chose.

— Qu'est devenu le bébé ? demanda Ursula.

— Quoi ?

— Qu'est devenu le bébé ? répéta Ursula. Ils l'ont donné à quelqu'un de gentil ? »

*

Elle se réveilla dans la nuit, vomit à nouveau et se rendormit sans nettoyer ni appeler Izzie. Le lendemain matin, au réveil, elle avait trop chaud. Beaucoup trop. Son cœur cognait dans sa poitrine et elle éprouvait les plus grandes difficultés à respirer. Elle essaya de se lever mais avait la tête qui tournait et les jambes en coton. Après, tout devint flou. Izzie avait dû appeler Hugh parce qu'elle sentit une main fraîche sur son front moite et quand elle ouvrit les yeux, il lui adressa un sourire rassurant. Il était assis sur le lit, toujours en pardessus. Elle vomit dessus.

« Nous allons te conduire à l'hôpital, dit-il, sans se laisser perturber par son pardessus souillé. Tu as une petite infection. » Quelque part à l'arrière-plan, Izzie protestait véhémentement. « Je vais être poursuivie », siffla-t-elle à Hugh et Hugh répliqua : « Parfait, j'espère qu'ils te mettront en prison et qu'ils jetteront la clé. » Il prit Ursula dans ses bras et dit « Ça ira plus vite de prendre la Bentley, je crois. » Ursula se sentit en apesanteur comme si elle allait se mettre à flotter. L'instant d'après, elle était dans une immense salle d'hôpital et Sylvie était à son chevet, les traits tirés et la mine épouvantable. « Comment as-tu pu ? » dit-elle. Ursula fut contente de voir tomber le soir et Hugh prendre le relais de sa mère.

C'était Hugh qui était avec elle quand la chauve-souris noire arriva. La main de la nuit lui fut tendue et Ursula se leva pour aller à sa rencontre. Elle était soulagée, presque contente, elle sentait le monde brillant, lumineux hors d'atteinte, l'endroit où tous les mystères seraient révélés. Amie veloutée, l'obscurité l'enveloppa. Il y avait de la neige dans l'air, fine comme du talc, glaciale comme le vent d'est sur une peau de bébé – mais Ursula retomba sur son lit d'hôpital, sa main avait été rejetée.

Une barre oblique de lumière brillante tombait sur le vert pâle du couvre-lit de l'hôpital. Hugh était endormi, le visage flasque et fatigué. Il était assis dans une drôle de position sur une chaise près du lit. Une de ses jambes de pantalon était légèrement remontée et Ursula apercevait une chaussette en fil d'Ecosse gris tire-bouchonnée et la peau lisse du tibia de son père. Il avait été jadis comme Teddy et un jour Teddy serait comme lui. Le garçonnet dans l'homme, l'homme dans le garçonnet. Elle eut envie de pleurer.

Hugh ouvrit les yeux, sourit faiblement et dit : « Bonjour, mon oursonne. Content de te revoir parmi nous. »

Août 1926

Le stylo devrait être tenu avec légèreté et de manière à permettre d'écrire les signes sténographiques avec aisance. Le poignet ne doit absolument pas reposer sur le bloc-notes ou le bureau.

Le reste de l'été fut misérable. Assise sous les pommiers du verger, elle essaya de lire un manuel de sténographie selon la méthode Pitman. Il avait été décidé qu'elle prendrait des cours de sténodactylo plutôt que de terminer ses études secondaires. « Je ne peux pas y retourner, disait-elle. C'est tout simplement impossible. »

Difficile d'échapper au froid que Sylvie jetait chaque fois qu'elle entrait dans une pièce et y découvrait Ursula. Bridget et Mrs Glover étaient toutes les deux perplexes quant aux raisons pour lesquelles la « maladie grave » contractée par Ursula lors de son séjour londonien chez sa tante avait rendu Sylvie si distante envers sa fille alors qu'elles se seraient attendues à l'inverse. Izzie était évidemment bannie à jamais. *Persona non grata ad vitam aeternam.* Personne ne connaissait la vérité sur ce qui s'était passé à Londres hormis Pamela qui avait tiré petit à petit les vers du nez à Ursula.

« Mais il t'a prise de *force*, rageait-elle, comment peux-tu penser que c'est de ta faute ?

— Mais les conséquences… » murmurait Ursula.

Sylvie rejetait toute la responsabilité sur elle, bien sûr. « Tu as jeté ton bonnet par-dessus les moulins, avec ta réputation et la bonne opinion que tout le monde avait de toi.

— Mais personne n'est au courant.

— Moi, si.

— On croirait entendre un personnage d'un des romans de Bridget » dit Hugh à Sylvie. Hugh avait-il lu un des romans de Bridget ? Ça semblait peu probable. « En fait, dit Hugh, on croirait assez entendre ma mère. » (« Ça paraît affreux maintenant, disait Pamela, mais tout finit par passer. »)

Même Millie fut bernée par les mensonges d'Ursula. « Septicémie ! fit-elle. Quel drame. L'hôpital était-il abominable ? Nancy dit que Teddy lui a raconté que tu avais failli mourir. Je suis sûre qu'il ne m'arrivera jamais rien d'aussi palpitant. »

Il y avait vraiment un monde entre mourir et manquer de mourir. Toute une vie, en fait. Ursula avait le sentiment de n'avoir que faire de cette vie à laquelle on l'avait ramenée. « J'aimerais revoir le Dr Kellet, dit-elle à Sylvie.

— Il a pris sa retraite, je crois », fit Sylvie avec indifférence.

*

Ursula avait gardé les cheveux longs, surtout pour faire plaisir à Hugh, mais se les fit couper un jour qu'elle accompagnait Millie à Beaconsfield. C'était un acte de pénitence qui lui donnait assez l'impression d'être une martyre ou une nonne. Elle vivrait le reste de sa vie quelque part entre les deux, supposait-elle.

Hugh parut plus surpris qu'attristé. Une coupe de cheveux était une transgression anodine comparée à Belgravia, supposait-elle. « Juste ciel », dit-il quand elle s'attabla devant des côtelettes de veau *à la russe** peu appétissantes. (« On dirait de la pâtée pour les chiens », dit Jimmy bien qu'il eût un appétit d'ogre et eût volontiers dévoré le dîner de Jock.)

« Tu as l'air d'une tout autre personne, fit Hugh.

— Ça ne peut être qu'une bonne chose, non ? fit Ursula.

— J'aimais bien l'ancienne Ursula, dit Teddy.

— Il semblerait bien que tu sois le seul », maugréa Ursula. Sylvie émit un son qui ne réussit pas à se transformer en mot et Hugh dit à Ursula « Oh, allez, je crois que tu es… »

Mais elle ne découvrit jamais ce que Hugh pensait d'elle car les coups bruyants du heurtoir de la porte d'entrée annoncèrent l'arrivée d'un major Shawcross plutôt angoissé qui demanda si Nancy était chez eux. « Désolé d'interrompre votre dîner, dit-il en restant dans l'embrasure de la porte de la salle à manger.

— Elle n'est pas là », dit Hugh bien que l'absence de Nancy fût évidente.

Le major Shawcross regarda leurs côtelettes en fronçant les sourcils. « Elle est allée ramasser des feuilles sur la petite route. Pour son album. Tu sais comment elle est. » Cette dernière remarque s'adressait à Teddy, l'âme sœur de Nancy. Nancy adorait la nature, passait son temps à ramasser brindilles et pommes de pin, coquillages, pierres et os comme les totems d'une religion ancienne. « Une enfant de la nature » l'appelait Mrs Shawcross. (« Comme si c'était une bonne chose », disait Sylvie.)

« Elle voulait des feuilles de chêne, dit le major Shawcross. Nous n'avons pas de chêne dans notre jardin. »

Il y eut une brève discussion sur la disparition du chêne anglais suivie d'un silence pensif. Le major Shawcross se racla la gorge. « Elle est partie depuis environ une heure, d'après Roberta. J'ai remonté et redescendu la petite route en criant son nom. Je ne vois pas où elle pourrait être. Winnie et Millie sont parties à sa recherche aussi. » Le major Shawcross commençait à se sentir mal. Sylvie lui versa un verre d'eau et le lui tendit. « Asseyez-vous », dit-elle. Il ne le fit pas. Il pensait de toute évidence à Angela, songea Ursula.

« A mon avis, elle aura trouvé quelque chose d'intéressant, fit Hugh, un nid ou la chatte d'une ferme avec ses petits. Vous savez comment elle est. » Ils étaient tous désormais parfaitement d'accord sur le fait qu'ils savaient comment était Nancy.

Le major Shawcross prit une cuiller sur la table de la salle à manger et la fixa d'un air absent. « Elle a raté le dîner.

— Je vais venir vous aider à la chercher », dit Teddy qui bondit de table. Il savait également comment était Nancy, savait qu'elle ne ratait jamais le dîner.

« Moi aussi, dit Hugh en donnant au major Shawcross une tape encourageante dans le dos et en abandonnant ses côtelettes de veau.

— J'y vais aussi ? demanda Ursula.

— Non, dit Sylvie. Ni Jimmy. Restez ici, nous allons regarder dans les jardins. »

*

Pas de glacière cette fois-ci. La morgue d'un hôpital pour Nancy. Son corps était encore tiède et souple quand ils le retrouvèrent au fond d'une vieille auge vide. « Violentée, dit Hugh à Sylvie alors qu'Ursula espionnait derrière la porte du petit salon. Deux fillettes en trois ans, il ne peut pas s'agir d'une coïncidence, n'est-ce pas ? Etranglée comme Angela avant elle.

— Un monstre vit parmi nous », dit Sylvie.

C'est le major Shawcross qui l'avait trouvée. « Dieu merci, ça n'a pas été le pauvre vieux Teddy, cette fois-ci, dit Hugh. Il n'aurait pas pu le supporter. » Teddy ne put le supporter quand même. Il parla à peine pendant des semaines. On lui avait arraché l'âme, dit-il quand il prit enfin la parole. « Le temps guérit toutes les blessures, dit Sylvie. Même les pires.

— Tu crois que c'est vrai ? » demanda Ursula qui pensait au papier peint à motif de glycine, à la salle d'attente de Belgravia et, sans même prendre la peine de mentir, Sylvie répondit « Enfin, pas toujours. »

Ils entendirent Mrs Shawcross hurler pendant toute la nuit. Son visage ne revint jamais à la normale et le Dr Fellowes expliqua qu'elle avait eu une « petite attaque ».

« Pauvre, pauvre femme, dit Hugh.

— Elle ne sait jamais où sont ses filles, dit Sylvie. Elle leur laisse faire les quatre cents coups. Elle paie à présent le prix de sa négligence.

— Oh, Sylvie, dit Hugh avec tristesse. Tu es vraiment sans cœur. »

*

Pamela partit pour Leeds. Hugh la conduisit dans la Bentley. Trop grande pour le coffre de la voiture, sa malle dut être expédiée par voie ferrée. « Assez grande pour y cacher un corps », dit Pamela. Elle allait dans une résidence universitaire et avait déjà été informée qu'elle devrait partager une petite chambre avec une fille prénommée Barbara, originaire de Macclesfield. « Ça sera exactement comme à la maison, lui dit Teddy pour l'encourager, sauf qu'Ursula sera quelqu'un d'autre.

— Ce qui veut dire que ça n'aura *strictement* rien à voir avec la maison », fit Pamela. Elle se cramponna à Ursula un peu trop fort avant de monter en voiture à côté de Hugh.

« Il me tarde d'être partie, dit Pamela à Ursula lors de leur dernière nuit, mais je me sens coupable de te laisser. »

*

Personne ne remit en question la décision d'Ursula lorsqu'elle ne reprit pas ses études secondaires à la rentrée. Millie était trop chagrinée par la mort de Nancy pour se soucier de quoi que ce soit d'autre.

Tous les matins, Ursula prenait le train pour High Wycombe afin de se rendre dans une école de secrétariat privée. « Ecole » était un bien grand mot pour désigner deux salles, une arrière-cuisine froide et un placard à balais encore plus froid contenant les W-C, le tout situé au-dessus d'un marchand de primeurs de la rue principale. L'école était dirigée par un certain Mr Carver dont les deux grandes passions étaient l'espéranto et la méthode Pitman, la seconde plus utile que le premier. Ursula aimait bien la sténo, ça ressemblait à un code secret assorti de tout un vocabulaire nouveau – aspirées, petits crochets, consonnes composées, contractions spéciales, diminution de moitié, doublement –, langage qui n'était ni celui des morts ni celui des vivants mais des étrangement

186

inertes. Il y avait quelque chose d'apaisant à écouter Mr Carver psalmodier d'une voix monotone des listes de mots – *itérer, itération, réitérer, réitération, prince, princeps, princesse, princier, princière, princièrement*...

Les autres filles du cours étaient toutes très agréables et amicales – des optimistes à l'esprit pratique qui n'oubliaient jamais d'apporter leur bloc sténo et leur règle et qui n'avaient jamais moins de deux couleurs d'encre dans leur cartable.

A l'heure du déjeuner quand il faisait mauvais, elles restaient à l'intérieur pour partager leur casse-croûte et repriser des bas au milieu des rangées de machines à écrire. Elles avaient passé l'été à faire de la randonnée, de la natation, du camping et Ursula se demandait si elles pouvaient deviner rien qu'en la regardant combien son été à elle avait été différent. « Belgravia » était devenu son abréviation personnelle pour ce qui s'était passé. (« Un avortement, disait Pamela. Un avortement illégal. » Pamela n'avait jamais été du genre à mâcher ses mots. Ursula aurait souhaité de tout cœur qu'il en soit autrement.) Elle enviait la vie ordinaire de ses camarades. (Izzie mépriserait cordialement une telle idée.) Elle avait, semblait-il, laissé passer à jamais sa chance d'être ordinaire.

Et si elle s'était jetée sous le train express ou était morte après Belgravia, ou même, si elle se contentait d'ouvrir sa fenêtre de chambre et de se jeter dans le vide, tête la première ? Serait-elle vraiment capable de revenir et de recommencer ? Ou est-ce que tout ça, c'était dans sa tête comme tout le monde le lui répétait et comme elle devait le croire ? Si c'était le cas, ces idées n'étaient-elles pas réelles aussi ? Et s'il n'y avait pas de réalité démontrable ? Et s'il n'y avait rien au-delà de l'esprit ? Les philosophes s'étaient « attaqués » au problème depuis longtemps. Le Dr Kellet lui avait dit avec une certaine lassitude que c'était une des premières questions qu'ils avaient abordée, il était donc vraiment inutile qu'elle se tracasse à ce sujet. Mais tout de même, par sa nature même, chacun ne recommençait-il pas chaque fois à se débattre avec le dilemme ?

(« Laisse tomber la dactylo, lui écrivit de Leeds Pamela, tu devrais étudier la philosophie à l'université, tu as l'esprit à ça. Comme un terrier rongeant un os terriblement fastidieux. »)

Elle s'était finalement mise en quête du Dr Kellet et avait trouvé son cabinet occupé par une femme aux cheveux et à la monture de lunette acier qui l'informa que le Dr Kellet avait effectivement pris sa retraite, souhaitait-elle prendre rendez-vous avec elle ? Non, dit Ursula. C'était la première fois qu'elle retournait à Londres depuis Belgravia et elle eut une crise de panique dans le métro en revenant de Harley Street, dut sortir en courant de la station Marylebone, haletante. Un vendeur de journaux demanda « Ça va, miss ? » et elle répondit oui, oui, très bien, merci.

*

Mr Carver aimait effleurer les épaules des filles (« mes filles »), caresser l'angora d'un boléro ou la laine d'agneau d'un pull-over comme s'il s'agissait d'animaux chéris.

Le matin, elles pratiquaient la dactylo sur les grosses Under-wood. Parfois, Mr Carter les faisait taper les yeux bandés car c'était, prétendait-il, la seule façon de les empêcher de regarder le clavier et de perdre de la vitesse. Porter un bandeau donnait à Ursula l'impression d'être un soldat sur le point d'être fusillé pour désertion. En ces occasions, elle entendait souvent Mr Carver émettre des bruits bizarres, des sifflements et des grognements étouffés, mais préférait ne pas jeter de coup d'œil furtif pour voir ce qu'il pouvait bien fabriquer.

L'après-midi, elles faisaient de la sténo – des exercices de dictée soporifiques qui comprenaient toutes les sortes possibles de lettres commerciales. *Cher-Monsieur, j'ai-soumis votre lettre-au conseil-d'administration lors de sa réunion d'hier mais après concertation il-s'est vu obligé de repousser plus-ample discussion de-la-question à la prochaine-réunion qui-se-tiendra le-dernier mardi...* Le contenu de ces lettres était assommant au possible

188

et contrastait étrangement avec l'encre qui coulait furieusement sur leur bloc tandis qu'elles tentaient de suivre le rythme.

Un après-midi qu'il leur dictait *Nous-craignons qu'il-n'y-ait-aucun espoir de succès pour-ceux-qui s'élèvent contre-la nomination,* Mr Carver passa derrière Ursula et lui toucha gentiment la nuque qui n'était plus protégée par ses cheveux longs. Un frisson la parcourut de la tête aux pieds. Elle fixa le clavier de son Underwood. Y avait-il quelque chose en elle qui attirait ce genre d'attention ? N'était-elle pas une fille bien ?

Juin 1932

Pamela avait choisi un brocart blanc pour elle et du satin jaune pour ses demoiselles d'honneur. Le jaune était plutôt acide et donnait à toutes ces demoiselles un teint légèrement brouillé. Elles étaient quatre – Ursula, Winnie Shawcross (préférée à Gertie) et les deux plus jeunes sœurs de Harold. Harold venait d'une grande famille tapageuse d'Old Kent Road que Sylvie considérait comme « inférieure ». Que Harold soit médecin ne semblait pas être une circonstance atténuante. (Sylvie avait une curieuse aversion pour le corps médical.) « Je croyais que ta famille était quelque peu déclassée, non ? » dit Hugh à Sylvie. Il aimait bien son futur gendre, le trouvait « rafraîchissant ». Il aimait bien aussi la mère de Harold, Olive. « Elle dit ce qu'elle pense, fit-il à Sylvie. Et elle pense ce qu'elle dit. A la différence de certaines personnes. »

« J'ai trouvé le modèle joli sur le catalogue de patrons, dit Pamela d'un air dubitatif au troisième et dernier essayage d'Ursula dans la pièce de devant d'une couturière de Neasden[25], qui plus est. La robe coupée dans le biais la serrait au niveau du ventre.

« Vous avez grossi depuis le dernier essayage, lui dit la couturière.

— Ah bon ?

— Oui », dit Pamela. Ursula songea à la dernière fois qu'elle avait pris du poids. Belgravia. Ce n'était certainement pas la raison, cette fois-ci. Elle était juchée sur une chaise et la couturière

190

tournait autour d'elle, une pelote à épingles fixée au poignet. « Tu as quand même l'air jolie, ajouta Pamela.

— Je reste assise toute la journée au travail, dit Ursula. Je devrais marcher davantage, je suppose. » C'était si facile d'être paresseuse. Elle vivait seule, mais personne n'était au courant. Hilda, la fille avec qui elle était censée partager l'appartement – un dernier étage à Bayswater –, était partie mais continuait, Dieu merci, à payer le loyer. Hilda vivait à Ealing dans un « vrai petit palais des plaisirs » avec un homme prénommé Ernest dont la femme refusait de lui accorder le divorce et Hilda devait faire croire à ses parents qu'elle était toujours à Bayswater en train de mener une vie de célibataire vertueuse. Les parents de Hilda allaient débarquer sans prévenir, ce n'était qu'une question de temps, supposait Ursula, et elle devrait raconter un mensonge, ou plusieurs, pour expliquer l'absence de leur fille. Hugh et Sylvie auraient été horrifiés d'apprendre qu'Ursula vivait seule à Londres.

« Bayswater ? dit Sylvie d'un air dubitatif quand Ursula annonça qu'elle quittait Fox Corner. Est-ce bien nécessaire ? » Hugh et Sylvie avaient donné leur approbation à l'appartement et par la même occasion à Hilda qui s'était bien tirée de l'interrogatoire en règle de Sylvie. Il n'empêche que Sylvie trouva que l'appartement et Hilda laissaient quelque peu à désirer.

C'était « Ernest d'Ealing » comme Ursula l'appelait toujours dans sa tête qui payait le loyer (« une femme entretenue », s'esclaffait Hilda) mais Hilda venait en personne tous les quinze jours prendre son courrier et remettre l'argent du loyer. « Je peux trouver quelqu'un d'autre avec qui partager, offrit Ursula tout en détestant l'idée.

— Attendons un peu de voir comment ça marche pour moi, dit Hilda. C'est ce qui est formidable quand on vit dans le péché, on peut toujours partir.

— C'est aussi le cas d'Ernest (d'Ealing).

— J'ai vingt et un ans et lui quarante-deux, il n'est pas près de partir, fais-moi confiance. »

191

Le départ de Hilda avait été un soulagement. Ursula pouvait flemmarder toute la soirée en robe de chambre et bigoudis, manger des oranges et des chocolats en écoutant la TSF. Non que Hilda eût trouvé à redire à tout ça, bien au contraire, mais Sylvie avait inculqué dès son plus jeune âge à Ursula un sens des convenances dont il lui était difficile de s'affranchir.

Au bout de deux ou trois semaines de vie seule, Ursula fut frappée de constater qu'elle n'avait quasiment pas d'amis et qu'elle ne se souciait apparemment jamais assez des rares qu'elle avait pour rester en relation avec eux. Millie était devenue comédienne et était presque tout le temps en tournée avec sa troupe. Elle envoyait de temps à autre une carte postale d'un endroit où elle n'aurait probablement jamais mis les pieds autrement – Stafford, Gateshead, Grantham – et dessinait des caricatures amusantes d'elle-même dans divers rôles (« Moi en Juliette, quelle rigolade ! »). Leur amitié n'avait pas vraiment survécu à la mort de Nancy. Folle de chagrin, la famille Shawcross s'était repliée sur elle-même et quand Millie finit par reprendre goût à la vie, elle découvrit qu'Ursula n'avait plus goût à rien. Ursula regrettait souvent de ne pas pouvoir expliquer Belgravia à Millie, mais ne voulait pas risquer de perdre ce qui restait de leur fragile attachement.

Ursula travaillait pour une grosse société d'importation et souvent lorsqu'elle écoutait les filles de son bureau bavarder de ce qu'elles avaient fait et avec qui, elle se demandait comment diable elles rencontraient tous ces Gordon, Charlie, Dick, Mildred, Eileen et Vera – bande joyeuse et remuante avec laquelle elles fréquentaient les théâtres de variétés et les cinémas, patinaient, nageaient dans les piscines en plein air et les « bains publics », allaient en voiture dans la forêt d'Epping et au bord de la mer à Eastbourne. Ursula ne faisait rien de tout ça.

Ursula avait un besoin maladif de solitude, mais détestait être isolée, contradiction absolument insurmontable. Au bureau, on la regardait comme à part, comme si elle était plus âgée, avait un poste plus élevé ou plus d'ancienneté, ce qui n'était pas le cas. Parfois, l'une ou l'autre lui demandait : « Tu veux sortir avec nous après le travail ? » Ça partait d'un bon sentiment, mais c'était ressenti comme de la charité, ce qui était probablement le cas. Elle déclinait toujours l'invitation. Elle soupçonnait, non, elle savait qu'elles parlaient d'elle dans son dos, rien de méchant, juste de la curiosité au fond. Elles s'imaginaient qu'elle leur cachait un sombre secret. *Il y a anguille sous roche.* Et *il n'est pire eau que l'eau qui dort.* Elles auraient été déçues de savoir qu'elle ne cachait rien, que même les clichés étaient plus intéressants que la vie qu'elle menait. Pas plus d'anguille que d'eau dormante (dans le passé peut-être, mais pas actuellement). A moins d'inclure la boisson. Ce qu'elles feraient sans doute.

Le travail était une corvée – une série interminable de connaissements, de formulaires de douane et de bilans. Les denrées elles-mêmes – rhum, cacao, sucre – et leurs provenances exotiques semblaient en contradiction avec l'ennui quotidien du bureau. Elle était un petit rouage dans la grande machine de l'Empire. « Il n'y a aucun mal à être un rouage, disait Maurice qui était lui-même une huile au ministère de l'Intérieur. Le monde a besoin de rouages. » Elle ne voulait pas être un rouage, mais Belgravia semblait avoir réduit à néant tout projet plus ambitieux.

Ursula savait comment elle s'était mise à boire. Rien de spectaculaire, de la manière la plus insignifiante et la plus quotidienne qui soit, à l'occasion d'un *bœuf bourguignon** prévu pour Pamela venue passer un week-end, quelques mois plus tôt. Elle travaillait toujours dans un labo de Glasgow et voulait faire des courses pour son mariage. Harold n'avait pas encore déménagé non plus, il devait prendre son poste au Royal London Hospital dans quelques semaines. « Nous passerons un week-end agréable, rien que toutes les deux, avait dit Pamela.

— Hilda n'est pas là, mentit sans difficulté Ursula. Elle est allée voir sa mère à Hastings pour le week-end. » Il n'y avait aucune raison de ne pas dire la vérité à Pamela sur son arrangement avec Hilda. Pamela avait toujours été la seule personne avec laquelle elle pouvait se montrer franche, mais quelque chose la retint.

« Formidable, dit Pamela. Je traînerai le matelas de Hilda dans ta chambre et ce sera comme au bon vieux temps. »

*

« As-tu hâte d'être mariée ? » demanda Ursula une fois qu'elles furent au lit. Ce n'était pas du tout comme au bon vieux temps.

« Bien sûr, pourquoi me marier, sinon ? L'idée du mariage me plaît. Il y a là quelque chose de lisse, de rond et de solide.

— Comme un galet ? fit Ursula.

— Comme une symphonie. Enfin, plutôt comme un duo, je suppose.

— Ce lyrisme ne te ressemble pas.

— J'aime ce qu'il y a entre nos parents, dit simplement Pamela.

— Ah bon ? » Ça faisait un moment que Pamela n'avait pas passé un certain temps en compagnie de Hugh et Sylvie. Peut-être ignorait-elle ce qu'il y avait entre eux désormais. De la dissonance plutôt que de l'harmonie.

« As-tu rencontré quelqu'un ? demanda Pamela.

— Non. Personne.

— Pas encore », dit Pamela de son ton le plus encourageant.

*

Le *bœuf bourguignon** avait naturellement nécessité du bourgogne et à l'heure du déjeuner Ursula avait fait un saut chez le marchand de vin devant lequel elle passait chaque jour pour se rendre à son travail dans la City. C'était un magasin ancien : les boiseries intérieures paraissaient s'être imprégnées de vin au fil des siècles et les bouteilles sombres avec leurs belles étiquettes semblaient promettre quelque chose qui allait au-delà de leur contenu. Le marchand lui choisit une bouteille, certains

194

utilisaient du vin de qualité inférieure pour la cuisine, expliqua-t-il, mais on devrait réserver l'usage de la qualité inférieure au vinaigre. Il était lui-même acerbe et plutôt impérieux. Il entoura la bouteille des tendres soins dus à un bébé, l'enveloppa amoureusement dans du papier de soie et la passa à Ursula pour qu'elle la place délicatement dans son panier à provisions tressé où elle resta à l'abri des regards de ses collègues tout l'après-midi de peur qu'elles ne la soupçonnent de picoler en douce.

Le bourgogne fut acheté avant le bœuf et le soir venu Ursula se dit qu'elle allait ouvrir le vin et en goûter un verre vu les éloges qu'en avait faits le marchand. Bien sûr, elle avait déjà bu de l'alcool, n'avait après tout jamais fait vœu d'abstinence, mais elle n'avait jamais bu seule. Jamais débouché une coûteuse bouteille de bourgogne pour remplir un verre rien que pour elle (robe de chambre, bigoudis, chaleur douillette du radiateur à gaz). C'était comme se plonger dans un bon bain chaud par une nuit froide, le vin profond et moelleux fut soudain extrêmement réconfortant. C'était la *coupe pleine du Sud brûlant*[26] chantée par Keats, non ? L'abattement coutumier d'Ursula parut se dissiper un peu et elle se versa donc un second verre. Lorsqu'elle se leva, elle eut un léger tournis et rit d'elle-même. « Pompette », dit-elle à la cantonade et se demanda si elle ne devrait pas se procurer un chien. Elle aurait quelqu'un à qui parler. Un chien comme Jock l'accueillerait chaque jour avec un optimisme joyeux et peut-être qu'une partie de cet optimisme déteindrait sur elle. Jock était parti à présent, d'une crise cardiaque, avait dit le véto. « Il avait un petit cœur si solide », avait déclaré Teddy qui avait lui-même le cœur brisé. Jock avait été remplacé par un whippet à l'œil triste qui paraissait trop fragile pour mener la vie mouvementée d'un chien.

Ursula rinça son verre, reboucha la bouteille – il lui restait amplement de quoi mitonner le bœuf demain – et gagna son lit d'un pas chancelant.

Elle s'écroula et c'est la sonnerie du réveil qui la tira du sommeil, ce qui la changeait de ses nuits d'ordinaire agitées.

Boire et fermer les yeux sur le monde. Keats avait raison. Elle se rendit compte qu'elle ne pourrait jamais s'occuper d'un chien.

Le lendemain au bureau, l'ennui mortel d'un après-midi entier passé à remplir des registres de comptabilité fut égayé par la perspective de la demi-bouteille qui l'attendait sur le plan de travail de sa cuisine. Après tout, elle pourrait acheter une autre bouteille pour le bœuf.

*

« Il se laisse boire, hein ? dit le marchand de vin en la voyant réapparaître deux jours plus tard.

— Non, non, dit-elle en riant, ce n'est pas encore fait. Je me suis avisée qu'il me faudrait une bouteille aussi bonne pour accompagner le plat. » Elle se rendit compte qu'elle ne pourrait pas revenir ici, dans ce charmant magasin : il y avait une limite au nombre de bœufs bourguignons qu'il était possible de cuisiner.

Pour Pamela, Ursula prépara un sobre hachis Parmentier suivi de pommes au four accompagnées de crème anglaise. « Je t'ai apporté un cadeau d'Ecosse », dit Pamela qui sortit une bouteille de whisky pur malt.

*

Une fois le whisky bu, elle trouva un autre marchand de vin, qui traitait ses marchandises avec moins de vénération. « Pour un bœuf bourguignon », dit-elle, bien qu'il fût totalement indifférent à la destination de la bouteille. « Je vais en prendre deux en fait. J'ai beaucoup d'invités. » Deux bouteilles de Guinness au pub du coin, « Pour mon frère, dit-elle, il a débarqué à l'improviste. » Teddy n'avait pas encore dix-huit ans, elle doutait qu'il boive. Deux ou trois jours plus tard, rebelote. « Encore votre frère, miss ? » dit le tenancier du pub. Il lui fit un clin d'œil et elle rougit.

196

Un restaurant italien de Soho devant lequel elle « passait par hasard » lui vendit volontiers deux bouteilles de chianti sans poser de questions. « Du sherry au tonneau » – elle pouvait emporter une cruche à la coopérative du bout de la rue et on la lui remplissait (« Pour ma mère »). Du rhum acheté dans des pubs situés loin de son appartement (« Pour mon père »). Elle était comme une scientifique expérimentant les diverses sortes d'alcool, mais elle savait ce qu'elle préférait, la première bouteille d'Hippocrène empourprée[27], le vin rouge sang. Elle complotait de s'en faire livrer une caisse (« pour une fête familiale »).

Elle faisait partie de ceux qui boivent en cachette. C'était un acte privé, intime et solitaire. L'idée même d'un verre lui faisait battre le cœur de peur et d'anticipation. Malheureusement, entre les lois réglementant la vente d'alcool et l'horreur de l'humiliation, une jeune femme de Bayswater pouvait éprouver des difficultés considérables à ravitailler sa dépendance. C'était plus facile pour les riches, Izzie avait un compte quelque part, probablement chez Harrods qui lui livrait simplement la marchandise à domicile.

Elle avait trempé un doigt de pied dans les eaux du Léthé et voilà qu'elle se noyait, était passée en quelques semaines de la sobriété à l'ivrognerie. C'était à la fois honteux et une façon d'annihiler la honte. Chaque matin, elle se réveillait en se disant, pas ce soir, je ne boirai pas ce soir, et chaque après-midi, l'envie d'alcool montait en elle à l'idée de rentrer chez elle à la fin de la journée et d'être accueillie par l'oubli. Elle avait lu des comptes rendus sensationnels sur les fumeries d'opium de Limehouse et se demandait s'ils étaient vrais. L'opium semblait préférable au bourgogne pour éclipser la douleur de l'existence. Izzie pourrait sans doute lui fournir l'adresse d'une fumerie d'opium chinoise, « J'ai tiré sur le bambou », avait-elle signalé allègrement, mais ce n'était pas vraiment le genre de chose qu'Ursula estimait pouvoir demander. L'opium ne la conduirait peut-être pas au nirvana (elle s'avérait être une élève douée du Dr Kellet, tout compte fait), il pourrait la mener à un nouveau Belgravia.

Izzie était autorisée à rentrer au bercail pour certaines occasions (« Seulement pour les mariages et les enterrements, avait dit Sylvie. Pas les baptêmes »). Elle avait été invitée au mariage de Pamela, mais s'était excusée au grand soulagement de Sylvie. « Week-end à Berlin », avait-elle dit. Elle connaissait quelqu'un qui allait l'emmener là-bas dans son avion *(palpitant)*. Ursula rendait de temps à autre visite à Izzie. Elles avaient en commun l'horreur de Belgravia, souvenir qui les unirait à tout jamais même si le sujet était tabou.

Au lieu de les honorer de sa présence, Izzie envoya un cadeau de mariage, un coffret de fourchettes à dessert en argent, présent qui amusa Pamela. « Quelle banalité, dit-elle à Ursula. Elle nous surprendra toujours. »

« Presque fini, dit la couturière de Neasden, la bouche pleine d'épingles.

— Je suppose que je m'empâte un peu, dit Ursula en regardant dans la glace le satin jaune qui peinait à contenir son bedon. Je devrais peut-être adhérer à la Ligue féminine de la santé et de la beauté. »

*

Sobre comme un chameau, elle trébucha en rentrant du bureau. C'était une soirée misérable de novembre, humide et sombre, quelques mois après le mariage de Pamela, et elle n'avait simplement pas vu la dalle du trottoir dont le bord avait été légèrement soulevé par une racine d'arbre. Elle avait les mains pleines – des livres de bibliothèque et de l'épicerie, tous acquis en vitesse à l'heure du déjeuner – et son instinct la poussa à sauvegarder l'épicerie et les livres plutôt que sa personne. Résultat : elle s'affala tête la première sur le trottoir et c'est son nez qui écopa.

La douleur l'assomma, elle n'avait encore jamais rien ressenti d'approchant. Elle s'agenouilla et serra les bras autour d'elle, ses courses et ses livres à présent éparpillés sur le trottoir mouillé.

Elle s'entendit gémir – entonner une mélopée funèbre – et ne put rien faire pour l'interrompre.

« Ça par exemple, dit une voix d'homme, ç'a dû être terrible. Laissez-moi vous aider. Votre jolie écharpe pêche est tout éclaboussée de sang. Elle est pêche ou saumon ?

— Pêche », murmura Ursula, polie malgré la douleur. Elle n'avait jamais prêté grande attention au cache-nez en mohair qu'elle portait autour du cou. Il semblait y avoir beaucoup de sang. Elle sentait tout son visage enfler et avait l'odeur du sang, épais et rouillé, dans les narines, mais la douleur avait diminué d'un ou deux degrés.

L'homme n'était pas mal de sa personne, pas très grand, mais il avait des cheveux blond-roux, des yeux bleus et une peau propre et lisse, tendue sur de belles pommettes. Il l'aida à se relever. Sa main était ferme et sèche. « Je m'appelle Derek, Derek Oliphant, dit-il.

— Elephant ?

— Oliphant. »

Trois mois plus tard, ils étaient mariés.

*

La famille de Derek était originaire de Barnet et aussi peu remarquable aux yeux de Sylvie que celle de Harold avant lui. Là résidait bien sûr l'essentiel de son attrait pour Ursula. Il enseignait l'histoire à Blackwood, dans une école privée de garçons sans grand prestige (« Les enfants de commerçants aspirant à s'élever », dit Sylvie avec dédain), et fit sa cour à Ursula en l'invitant à des concerts au Wigmore Hall et à des promenades sur Primrose Hill. Ils faisaient de longues randonnées à bicyclette qui se terminaient dans des pubs agréables de la grande banlieue, une demi-pinte de bière légère pour lui, une limonade pour elle.

Elle s'était bel et bien cassé le nez. (« Oh, pauvre de toi, écrivit Pamela. Tu avais un si joli nez. ») Avant de l'escorter à l'hôpital, Derek l'avait conduite dans un pub voisin pour qu'elle se nettoie un peu. « Laissez-moi vous apporter un cognac », dit-il quand elle fut assise et elle protesta « Non, non, je vais bien, je me contenterai d'un verre d'eau. Je n'ai pas l'habitude de boire » alors que la veille au soir elle avait perdu connaissance sur le parquet de sa chambre à Bayswater grâce à une bouteille de gin volée chez Izzie. Elle n'avait aucun scrupule à voler Izzie. Izzie lui avait tant pris. Belgravia etc.

Ursula arrêta de boire presque aussi subitement qu'elle avait commencé. Elle avait un vide intérieur, supposait-elle, qui avait été creusé à Belgravia. Elle avait essayé de le remplir d'alcool, mais à présent il était comblé par ses sentiments pour Derek. Quels étaient ces sentiments ? Surtout du soulagement à l'idée que quelqu'un veuille bien s'occuper d'elle, quelqu'un qui ignorait tout de son passé honteux. « Je suis amoureuse », écrivit-elle d'une façon un peu délirante à Pamela. « Hourra », lui répondit cette dernière.

« Il arrive qu'on confonde gratitude et amour », dit Sylvie.

*

La mère de Derek vivait toujours à Barnet, mais son père était mort de même qu'une sœur plus jeune. « Un accident horrible, dit Derek. Elle est tombée dans le feu quand elle avait quatre ans. » Sylvie avait toujours été très exigeante en matière de pare-étincelles. Derek expliqua qu'il avait failli se noyer enfant après qu'Ursula lui eut raconté l'incident des Cornouailles. C'était une des rares aventures de sa vie où elle avait le sentiment d'avoir joué un rôle presque entièrement innocent. Et Derek ? Une forte marée, un canot retourné, une nage héroïque jusqu'au rivage. Pas besoin d'un Mr Winton. « Je me suis sauvé tout seul », dit-il.

« Il n'est donc pas *tout à fait* ordinaire », dit Hilda en offrant une cigarette à Ursula. Elle hésita avant de décliner : elle ne se sentait pas prête pour une nouvelle dépendance. Elle était en train d'emballer toutes ses possessions. Elle mourait d'impatience de laisser Bayswater derrière elle. Derek habitait une chambre meublée à Holborn, mais était en train de conclure l'achat d'une maison.

« J'ai écrit au propriétaire, à propos, fit Hilda. Je lui ai annoncé qu'on partait toutes les deux. Je t'ai dit que la femme d'Ernie lui accordait le divorce ? » Elle bâilla. « Il m'a fait sa demande. Je me suis dit que je pourrais accepter. Nous allons être toutes les deux des femmes respectables. Je pourrai aller te rendre visite... où ça déjà ?

— Wealdstone. »

*

Les invités du mariage civil se limitèrent, selon les vœux de Derek, à sa mère et à Hugh et Sylvie. Pamela fut déconcertée de ne pas être de la noce. « On ne voulait pas attendre, expliqua Ursula. Et Derek ne voulait pas de tralala.

— Et toi, tu n'en veux pas ? demanda Pamela. N'est-ce pas là l'intérêt du mariage ? »

Non, elle ne voulait pas de tralala. Elle allait appartenir à quelqu'un, être enfin en sécurité, c'est tout ce qui comptait. Etre une jeune mariée n'était rien, être une épouse était tout. « Nous voulions que tout soit simple », dit-elle fermement. (« Et bon marché, de toute évidence », fit Izzie. Un autre coffret de banales fourchettes à dessert en argent fut expédié.)

« Il a l'air d'un type assez agréable, fit Hugh à ce qui tint lieu de réception – un repas de trois plats dans un restaurant proche du bureau d'état civil.

— Oui, convint Ursula. Très agréable.

— C'est quand même une noce un peu biscornue, mon oursonne, fit Hugh. Rien à voir avec le mariage de Pammy, hein ? La moitié d'Old Kent Road y a assisté. Le pauvre Ted a été très contrarié de ne pas être invité. Enfin, du moment que tu es heureuse, c'est le principal », ajouta-t-il sur un ton encourageant.

201

Ursula portait un tailleur gris perle pour la cérémonie. Sylvie avait fourni à tout le monde des roses de serre à porter à la boutonnière, achetées chez un fleuriste. « Ce ne sont pas mes roses, hélas, dit-elle à Mrs Oliphant. Gloire des Mousseux, si ça vous intéresse.

— Très jolies, j'en suis sûre », fit Mrs Oliphant sur un ton qui ne semblait guère élogieux.

« Qui se marie à la hâte se repent à loisir, murmura Sylvie en ne s'adressant à personne en particulier avant de porter un sobre toast au sherry en l'honneur des jeunes mariés.

— C'est ton cas ? demanda gentiment Hugh. Tu t'en repens ? » Sylvie fit mine de ne pas avoir entendu. Elle était d'une humeur particulièrement dissonante. « C'est le retour d'âge, je crois, le changement de vie, chuchota Hugh, embarrassé, à Ursula.

— Changement de vie pour moi aussi », lui répondit-elle dans un murmure. Hugh lui serra la main et dit : « Je reconnais bien là ma fille. »

*

« Derek est-il au courant que tu n'es plus intacte ? » demanda Sylvie lorsqu'elle se trouva seule avec Ursula aux toilettes. Assises sur des petits tabourets capitonnés devant le miroir, elles se remettaient du rouge à lèvres. N'ayant pas de rouge à lèvres à retoucher, Mrs Oliphant était restée à table.

« Intacte ? » fit écho Ursula en dévisageant Sylvie dans la glace. Qu'est-ce que ça signifiait ? Qu'elle avait un défaut ? Ou qu'elle était cassée ?

« Je veux parler de ton pucelage, dit Sylvie. De la défloration, ajouta-t-elle d'un ton impatient devant l'expression déroutée d'Ursula. Pour quelqu'un qui est loin d'être innocente, tu me parais d'une naïveté remarquable. »

Sylvie m'aimait dans le temps, songea Ursula. Mais c'était fini. « Intacte » répéta une fois de plus Ursula. Elle n'avait même jamais envisagé la question. « Comment le verra-t-il ?

— Au sang, évidemment », dit Sylvie avec une certaine irritation.

Ursula repensa au papier peint à motif de glycine. La défloration. Elle ignorait qu'il y avait un lien. Elle avait cru que le sang venait d'une blessure, pas de la perte de sa virginité.

« Enfin, il ne s'en apercevra peut-être pas, soupira Sylvie. Je suis sûre qu'il ne sera pas le premier mari trompé lors de sa nuit de noces. »

*

« Nouvelles peintures de guerre ? » dit Hugh avec un sourire décontracté quand elles regagnèrent la table. Ted avait hérité de son sourire. Derek et Mrs Oliphant avaient la même façon de froncer les sourcils. Ursula se demanda à quoi avait ressemblé Mr Oliphant. On le mentionnait rarement.

« Vanité, ton nom est femme », fit Derek avec une jovialité qui semblait forcée. Il n'était pas aussi à l'aise en société qu'Ursula l'avait d'abord cru. C'était un nouveau lien entre eux et elle lui sourit. Elle épousait un inconnu, s'aperçut-elle. (« C'est le cas de tout le monde », disait Hugh.)

« En fait, la citation exacte est *Fragilité, ton nom est femme*, dit aimablement Sylvie. Hamlet. Pour on ne sait quelle raison, beaucoup de gens la déforment. »

Une ombre passa sur le visage de Derek, mais il s'en tira par une boutade : « Je m'incline devant la supériorité de vos connaissances, Mrs Todd. »

*

Leur nouvelle maison de Wealdstone avait été choisie pour son emplacement, relativement proche de l'école où Derek enseignait. Il avait hérité d'« une très petite somme » provenant des investissements de son père rarement mentionné. C'était une maison mitoyenne « saine » de Masons Avenue, à colombages

203

de style Tudor, à fenêtres à petits carreaux et dont la porte d'entrée était ornée d'un vitrail représentant un galion toutes voiles dehors, bien que Wealdstone parût bien loin de tout océan. La maison avait tout le confort moderne ainsi que des magasins à proximité, un médecin, un dentiste et un parc où les enfants pouvaient jouer, en fait tout ce qu'une jeune femme (et mère « très bientôt », selon Derek) pouvait souhaiter.

Ursula se voyait prendre son petit déjeuner avec Derek le matin avant de lui faire signe de la main quand il partirait travailler, se voyait pousser leurs enfants dans un landau, puis une poussette puis une balançoire, leur donner le bain le soir et leur lire des histoires avant qu'ils ne s'endorment dans leur jolie chambre à coucher. Le soir, Derek et elle écouteraient la TSF, assis paisiblement dans le salon. Il pourrait travailler sur le manuel scolaire qu'il était en train d'écrire : « Des Plantagenêt aux Tudor ». (« Mince alors, dit Hilda. Ça a l'air palpitant. ») Wealdstone était loin de Belgravia. Dieu merci.

Les pièces dans lesquelles se déroulerait cette vie conjugale restèrent le fruit de son imagination jusqu'à son retour de voyage de noces car Derek avait acheté et meublé la maison sans qu'elle l'ait jamais vue.

« C'est un peu bizarre, tu ne trouves pas ? » dit Pamela. « Non, répondit Ursula. C'est un cadeau-surprise. Le cadeau de mariage qu'il m'offre. »

Quand Derek la prit dans ses bras pour lui faire enfin franchir le seuil de Wealdstone (un porche à tuiles rouges qui n'aurait eu ni l'approbation de Sylvie ni celle de William Morris), Ursula ne put s'empêcher d'éprouver une certaine déception. La maison s'avéra plus chichement meublée et surannée que celle de son imagination et avait un côté terne qu'elle attribua au fait qu'aucune femme n'avait pris part à sa décoration. Elle fut donc surprise lorsque Derek dit « Maman m'a aidé. » Mais il y avait, bien sûr, le même genre d'atmosphère oppressante à Barnet où une certaine grisaille adhérait à la personne de Mrs Oliphant, la douairière.

204

*

Sylvie avait passé sa lune de miel à Deauville, Pamela passa la sienne à randonner en Suisse, mais Ursula commença sa vie de femme mariée par une semaine plutôt humide à Worthing.

Elle épousa un homme (« Un type assez agréable ») et se réveilla à côté d'un autre, qui était tendu comme un ressort et remonté comme la pendulette de Sylvie.

Il changea presque immédiatement : le soupirant plein de sollicitude se transforma en époux désenchanté comme si la lune de miel était une transition, un rite de passage attendu. Ursula mit la chose sur le compte du temps qui était affreux. La propriétaire de la pension de famille où ils étaient descendus attendait d'eux qu'ils vident les lieux entre le petit déjeuner et le dîner à six heures du soir et ils passaient donc de longues journées à s'abriter dans des cafés ou au musée, ou à lutter contre le vent sur la jetée. Leurs soirées à jouer au whist avec d'autres clients (moins abattus) avant de se retirer dans leur chambre glaciale. Derek était un piètre joueur, à plus d'un titre, et ils perdaient la plupart des parties. Il semblait presque délibérément mal interpréter les tentatives d'Ursula pour lui indiquer son jeu.

« Pourquoi as-tu attaqué à l'atout ? » lui demanda-t-elle plus tard – avec une curiosité sincère – tandis qu'ils se dévêtaient fort convenablement dans la chambre. « Parce que tu trouves ces idioties importantes ? » répliqua-t-il avec un air de si profond mépris qu'elle jugea préférable à l'avenir d'éviter tout jeu avec Derek.

La première nuit, le sang ou son absence passa inaperçu, au grand soulagement d'Ursula. « Je crois que tu devrais savoir que je ne manque pas d'expérience, annonça plutôt pompeusement Derek lorsqu'ils se mirent ensemble au lit, la première fois. Je pense que c'est le devoir d'un mari de connaître un peu le monde. Comment peut-il sinon protéger la pureté de sa femme ? » L'argument parut spécieux aux oreilles d'Ursula, mais elle n'était guère à même de le contester.

Tous les matins, Derek se levait de bonne heure et faisait une série de pompes impitoyables comme s'il était dans une caserne plutôt qu'en voyage de noces. « *Mens sana in corpora sana* », disait-il. Mieux valait ne pas le corriger. Il était fier de son latin ainsi que de ses vagues notions de grec ancien. Sa mère avait économisé sur tout pour qu'il fasse de bonnes études, « Rien ne m'est tombé tout cuit dans le bec, à la différence de certains. » Ursula était plutôt bonne en latin et aussi en grec, mais jugea préférable de ne pas pavoiser. C'était une autre Ursula, bien sûr. Une Ursula différente qui n'avait pas été marquée à vie par Belgravia.

Pour Derek, les rapports conjugaux ne différaient guère de ses tractions matinales et son visage allait jusqu'à afficher la même expression de douleur et d'effort. Ursula aurait pu faire partie du matelas, elle semblait être le cadet de ses soucis. Mais à qui pouvait-elle le comparer ? A Howie ? Elle regrettait à présent de ne pas avoir questionné Hilda sur ce qui se passait dans son « palais des plaisirs » d'Ealing. Elle songea à Izzie flirtant sans retenue et à la chaude affection qui existait entre Pamela et Harold. Tout cela paraissait indiquer le divertissement, voire le bonheur pur et simple. « A quoi bon vivre si on ne peut pas s'amuser ? » répétait souvent Izzie. Ursula sentit qu'il allait y avoir une pénurie d'amusements à Wealdstone.

*

Aussi monotone qu'ait été son travail, ce n'était rien comparé à l'entretien d'une maison, jour après jour. Elle avait l'impression d'être une bête de somme. Tout devait être continuellement lavé, frotté, épousseté, ciré et balayé, sans parler du repassage, du pliage, de l'accrochage, du rangement. Les *ajustements*. Derek aimait que tout soit droit : les angles comme les lignes. Les serviettes de toilette, les torchons, les tapis avaient constamment besoin d'être alignés et réalignés. (De même qu'Ursula, apparemment.) Mais c'était son travail, c'était l'alignement et le réalignement du mariage lui-même, n'est-ce pas ? Ursula ne pouvait cependant s'empêcher d'avoir l'impression d'être tout le temps en sursis avec mise à l'épreuve.

Il était plus facile de capituler que de combattre la foi aveugle de Derek dans l'ordre. (« Une place pour chaque chose et chaque chose à sa place. ») La vaisselle devait être récurée à fond, les couverts astiqués et rangés bien droit dans les tiroirs – les couteaux alignés comme des soldats à l'exercice, les cuillers bien emboîtées les unes dans les autres. Une ménagère doit vouer le plus vigilant des cultes à l'autel des Lares et des Pénates, disait-il. « Autel » devrait être remplacé par « foyer », songeait-elle, vu le temps qu'elle passait à balayer les âtres et à secouer le mâchefer de la chaudière.

Derek était exigeant pour le rangement. Impossible de penser, disait-il, si les choses n'étaient pas à leur place ou étaient de travers. « A maison bien ordonnée, esprit bien ordonné », répétait-il. Il était assez friand d'aphorismes, découvrait Ursula. Il était assurément incapable de travailler à « Des Plantagenêt aux Tudor » dans le genre de pagaille qu'Ursula semblait semer par le simple fait d'entrer dans une pièce. Ils avaient besoin de l'argent de son manuel – son premier – que William Collins devait publier et il réquisitionna à cet effet la salle à manger exiguë (table, desserte etc.) située à l'arrière de la maison pour en faire son « bureau ». Résultat : Ursula se retrouva exclue de la compagnie de Derek la plupart des soirées afin qu'il puisse écrire. Quand il y en a pour un, il y en a pour deux, disait-il, et pourtant ils avaient à peine de quoi régler leurs factures à cause des lacunes d'Ursula en matière d'économie domestique, elle pourrait donc au moins lui fiche un peu la paix pour qu'il essaie de gagner de quoi mettre du beurre dans les épinards. Et non, merci, il ne voulait pas de son aide pour taper le manuscrit.

Les vieilles habitudes d'Ursula semblaient à présent d'un laisser-aller consternant, même à ses propres yeux. A Bayswater, il lui arrivait souvent de ne pas faire son lit ni la vaisselle. Elle se contentait de pain beurré au petit déjeuner et ne voyait aucun mal à dîner d'un œuf à la coque. La vie de femme mariée était plus exigeante. Le petit déjeuner devait être complet à l'anglaise et prêt en temps et en heure le matin. Derek ne pouvait pas être en retard à l'école et considérait son petit déjeuner, une litanie de porridge, d'œufs et de toasts, comme une communion solennelle (et solitaire). Les œufs étaient servis brouillés le lundi, frits le mardi, à la coque le mercredi, pochés le jeudi et le vendredi il y avait, quel frisson, un hareng. Le week-end, Derek aimait bien avoir du bacon, de la saucisse et du boudin noir pour accompagner ses œufs. Les œufs ne venaient pas d'un magasin, mais d'une petite exploitation agricole située à presque cinq kilomètres et Ursula devait s'y rendre à pied chaque semaine car Derek avait vendu leurs bicyclettes lors de l'emménagement à Wealdstone « par mesure d'économie ».

Le dîner était un autre genre de cauchemar car elle devait trouver constamment de nouveaux plats à cuisiner. La vie était une ronde interminable de côtelettes, de biftecks, de tourtes, de ragoûts et de rôtis sans parler des desserts que Derek s'attendait à trouver chaque jour sur sa table et sous des formes très variées. *Je passe ma vie dans les livres de cuisine !* écrivait-elle avec une fausse allégresse à Sylvie, bien qu'elle fût loin de ressentir de la joie à se plonger tous les jours dans leurs pages exigeantes. Elle éprouva un nouveau respect pour Mrs Glover. Evidemment, Mrs Glover bénéficiait d'une grande cuisine, d'un budget substantiel et d'une batterie de cuisine complète tandis que la cuisine de Wealdstone avait un équipement plutôt dérisoire et que l'argent dont disposait Ursula ne semblait jamais lui permettre de finir la semaine de sorte qu'elle était continuellement réprimandée pour dépassement de budget.

L'argent ne l'avait jamais beaucoup préoccupée à Bayswater : si elle se trouvait à court, elle mangeait moins et marchait au lieu de prendre le métro. Si elle avait vraiment besoin d'un complément, elle pouvait toujours se rabattre sur Hugh et Sylvie, mais elle ne se voyait guère courant leur demander de l'argent maintenant qu'elle avait un mari. Derek aurait été mortifié de cette atteinte à sa virilité.

Au bout de plusieurs mois d'asservissement à des corvées interminables, Ursula se dit qu'elle allait devenir folle si elle ne se trouvait pas une distraction pour alléger ses longues journées. Il y avait un club de tennis devant lequel elle passait chaque jour pour aller faire les courses. Tout ce qu'elle en apercevait, c'étaient le haut filet qui s'élevait derrière une palissade en bois et une porte verte dans un mur en crépi blanc côté rue, mais elle entendait les *poc !* et *tzong !* familiers et attirants de l'été et, un beau jour, elle frappa à la porte verte et demanda si elle pouvait s'inscrire.

« Je me suis inscrite au club de tennis du coin, annonça-t-elle à Derek, le soir même.

— Tu ne m'as rien demandé.

— Je ne savais pas que tu faisais du tennis.

— Je n'en fais pas, dit-il. Je voulais dire que tu ne m'as pas demandé la permission.

— J'ignorais qu'il fallait la demander. » Quelque chose assombrit le visage de Derek, le même nuage qu'elle avait vu passer brièvement le jour de leur mariage quand Sylvie avait corrigé son Shakespeare. Cette fois-ci, le nuage mit plus longtemps à passer et parut le changer d'une façon indéfinissable, comme si quelque chose s'était racorni à l'intérieur de lui.

« Bon, c'est possible ? » demanda-t-elle en se disant qu'il vaudrait mieux se montrer docile et avoir la paix. Pammy aurait-elle posé une telle question à Harold ? Harold se serait-il jamais attendu à pareille question ? Ursula n'en était pas certaine. Elle se rendit compte qu'elle ne savait rien du mariage. Et, bien sûr, l'alliance de Hugh et Sylvie restait une énigme non résolue.

Elle se demanda quelle objection Derek pourrait avoir à ce qu'elle fasse du tennis. Il parut avoir le même débat intérieur et finit par concéder à regret : « Je suppose que oui. Du moment que tu as encore le temps de tout faire à la maison. » Au beau milieu du dîner – côtelettes d'agneau en ragoût et purée de pommes de terre – il se leva brusquement de table, prit son assiette et la lança à l'autre bout de la pièce, puis sortit sans un mot. Il ne revint qu'au moment où Ursula se préparait à se coucher. Il avait toujours la gueule de travers et lui lança un bref « Bonne nuit » qui faillit l'étrangler lorsqu'ils se mirent au lit.

En pleine nuit, elle fut réveillée lorsqu'il lui grimpa dessus et la pénétra sans un mot. Elle repensa aux glycines.

La gueule de travers (« cet air » comme elle l'appelait) faisait désormais des apparitions régulières et Ursula était surprise par tout le mal qu'elle se donnait pour la faire disparaître. Mais c'était désespérant, une fois qu'il était de mauvais poil, elle lui tapait sur les nerfs quoi qu'elle fasse ou dise, en fait ses efforts pour le calmer semblaient plutôt envenimer la situation.

*

Il fut décidé de rendre visite à Mrs Oliphant à Barnet, pour la première fois depuis le mariage. Ils étaient passés brièvement – prendre un thé accompagné d'un scone rassis – afin d'annoncer leurs fiançailles, mais n'étaient jamais revenus.

Cette fois-ci, Mrs Oliphant leur offrit une salade flasque au jambon et de menus propos. Elle avait « mis de côté » plusieurs bricoles à réparer pour Derek et il disparut, outils en main, laissant ses femmes débarrasser la table. Une fois la vaisselle terminée, Ursula proposa « Je fais une tasse de thé ? » et Mrs Oliphant dit « Si vous voulez » sans grand enthousiasme.

Elles étaient assises d'un air gêné dans le salon à siroter leur thé. Une photo encadrée était accrochée au mur, un portrait de studio montrant Mrs Oliphant et son nouveau mari, l'air collet monté dans leur tenue de mariage 1900. « Très joli, dit Ursula. Avez-vous des photos de Derek petit ? Ou de sa sœur ? ajouta-t-elle car il ne semblait pas juste d'exclure la fille de l'histoire familiale au simple motif qu'elle était morte.

210

« Sa sœur ? fit Mrs Oliphant en fronçant les sourcils. Quelle sœur ?

— Sa sœur qui est morte, dit Ursula.

— Morte ? fit Mrs Oliphant d'un air interloqué.

— Votre fille, dit Ursula. Elle est tombée dans le feu », ajouta-t-elle en se sentant bête, car ce n'était guère un détail qu'on risquait d'oublier. Elle se demanda si Mrs Oliphant n'était pas un peu simplette. Mrs Oliphant, quant à elle, avait l'air désorientée comme si elle essayait de se remémorer cette enfant perdue. « Je n'ai jamais eu que Derek, conclut-elle fermement.

— Bon, de toute façon, fit Ursula, comme si la question était insignifiante et pouvait être balayée à la légère, vous devez venir nous rendre visite à Wealdstone. Maintenant que nous voilà installés. Nous sommes très reconnaissants, vous savez, pour l'argent laissé par Mr Oliphant.

— L'argent laissé ?

— Des actions, je crois, dans son testament », fit Ursula. Peut-être Mrs Oliphant n'avait-elle pas été impliquée dans l'homologation.

« Quel testament ? Il n'a laissé que des dettes en partant. Il n'est pas mort, ajouta-t-elle comme si c'était Ursula la simplette. Il vit à Margate. »

Quels autres mensonges et demi-vérités y avait-il ? s'interrogea Ursula. Derek avait-il vraiment failli se noyer plus jeune ?

« Se noyer ?

— Il est tombé d'un canot et a nagé jusqu'au rivage ?

— Qu'est-ce qui a bien pu vous donner une idée pareille ?

— De quoi papotez-vous donc toutes les deux ? » demanda Derek qui apparut dans l'embrasure de la porte et les fit sursauter.

*

« Tu as perdu du poids, dit Pamela.

— Je suppose que oui. Je fais du tennis. » Comme il donnait à sa vie un aspect normal. Elle fréquentait le club avec obstination, c'était son seul exutoire à l'atmosphère oppressante de Masons Avenue, même si elle avait droit à des interrogatoires constants sur le sujet. Tous les soirs en rentrant à la maison, Derek lui demandait si elle était allée au tennis alors qu'elle n'en faisait que deux après-midi par semaine. Il la questionnait toujours sur sa partenaire, une femme de dentiste prénommée Phyllis. Derek semblait mépriser Phyllis sans l'avoir jamais rencontrée.

Pamela avait fait le long trajet depuis Finchley. « De toute évidence, c'était le seul moyen de te voir. Tu dois aimer la vie de femme mariée. Ou Wealdstone, ajouta-t-elle en riant. Maman dit que tu la décommandes. » Ursula décommandait tout le monde depuis son mariage, repoussait les offres de Hugh de « passer » prendre une tasse de thé et Sylvie qui laissait entendre qu'elle devrait peut-être inviter ses parents au déjeuner dominical. Jimmy était en pension, Teddy en première année à Oxford, mais lui écrivait de longues lettres charmantes et Maurice, bien sûr, n'avait aucune envie de rendre visite à qui que ce soit dans sa famille.

« Je suis sûre que maman ne s'inquiète pas trop de me rendre visite. Wealdstone etc. Ce n'est pas son style. »

Elles rirent toutes les deux. Ursula avait quasiment oublié quel bien ça faisait de rire. Elle sentit des larmes lui monter aux yeux et dut se détourner, s'affairer à préparer le thé. « C'est si agréable de te voir, Pammy.

— Tu sais que tu es toujours la bienvenue à Finchley. Tu devrais faire installer le téléphone, comme ça on pourrait se parler tout le temps. » Derek trouvait que le téléphone était un luxe extravagant, mais Ursula le soupçonnait de ne pas vouloir qu'elle parle à qui que ce soit. Elle ne pouvait guère formuler ses soupçons (à qui – à Phyllis ? Au laitier ?) car les gens la prendraient pour une folle. Ursula avait attendu la visite de Pamela comme on attend l'arrivée des vacances, avec la même impatience. Le lundi, elle avait dit à Derek « Pamela vient mercredi après-midi » et il avait dit « Ah bon ? » Il semblait indifférent et elle fut soulagée de ne pas voir apparaître sa gueule de travers.

Dès qu'elles eurent fini de boire leur thé, Ursula se dépêcha de débarrasser, de laver, d'essuyer et de remettre la vaisselle à sa place.

« Mince alors, dit Pamela, depuis quand es-tu devenue une petite *Hausfrau* aussi ordonnée ?

— A maison bien ordonnée, esprit bien ordonné, répondit Ursula.

— L'ordre est très surfait, dit Pamela. Quelque chose ne va pas ? Tu as l'air affreusement déprimée.

— C'est la mauvaise période du mois, fit Ursula.

— Quelle poisse. Je vais être libérée de ce problème pendant quelques mois. Devine.

— Tu vas avoir un bébé. Oh, quelle nouvelle merveilleuse !

— N'est-ce pas ? Maman va de nouveau être grand-mère. » (Maurice avait déjà amorcé la génération suivante.) « Tu crois que ça lui fera plaisir ?

— Qui sait ? Elle est plutôt imprévisible ces temps-ci. »

*

« La visite de ta sœur s'est bien passée ? s'enquit Derek en rentrant le soir.

— Très bien. Elle va avoir un bébé.

— Ah bon ? »

*

Le lendemain matin, son œuf poché ne fut pas « à la hauteur ». Même Ursula dut avouer que l'œuf qu'elle présenta à Derek pour son petit déjeuner n'était pas beau à voir : on aurait dit une méduse mal en point échouée sur un toast pour y mourir. Un sourire narquois apparut sur le visage de Derek, une expression qui semblait indiquer un certain triomphe à l'idée d'avoir trouvé quelque chose à redire. Un nouvel air. Pire que le précédent.

« Tu as l'intention de me faire manger ça ? » demanda-t-il.

213

Plusieurs réponses traversèrent l'esprit d'Ursula, mais elle les rejeta toutes au motif qu'elles étaient provocatrices. Elle se contenta de proposer : « Je peux t'en faire un autre.

— Tu sais, dit-il, je suis obligé de trimer, de faire un métier que je méprise juste pour subvenir à tes besoins. T'as pas à te casser la nénette, ta stupide petite tête, pour quoi que ce soit, hein ? Tu ne fais rien de toute la journée – oh, non, pardonne-moi, dit-il sur un ton sarcastique, j'oubliais que tu faisais du tennis – et t'es même pas fichue de faire cuire un œuf. »

Ursula ne s'était pas aperçue qu'il méprisait son métier. Il se plaignait énormément de la conduite de ses quatrièmes et ne cessait de répéter que le directeur n'appréciait pas son dur labeur à sa juste valeur, mais elle n'avait jamais imaginé qu'il *détestait* l'enseignement. Il était proche des larmes et elle se sentit subitement et inopinément désolée pour lui et dit « Je vais en pocher un autre.

— Laisse tomber. » Elle s'attendait à ce que l'œuf finisse contre un mur. Derek était enclin à jeter la nourriture depuis son adhésion au club de tennis, mais il lui flanqua du plat de la main une énorme claque à la tempe, qui l'envoya valdinguer contre la cuisinière, puis à terre où elle resta à genoux comme si elle était en prière. La douleur, plus que le geste, l'avait prise au dépourvu.

Derek se tint au-dessus d'elle avec l'assiette contenant l'œuf incriminé. Elle crut un moment qu'il allait la lui fracasser sur le crâne, mais il se borna à faire glisser l'œuf sur sa tête. Puis il sortit à grandes enjambées de la cuisine et, une minute plus tard, elle entendit claquer la porte d'entrée. L'œuf glissa de ses cheveux sur son visage puis à terre où il creva et s'étala tranquillement en une éclaboussure jaune. Elle se remit tant bien que mal debout et alla chercher une lavette.

*

Cet épisode parut ouvrir une vanne en Derek. Elle enfreignait des règles dont elle ignorait l'existence – trop de charbon dans le feu, trop de papier hygiénique utilisé, une lumière restée accidentellement allumée. Les reçus et les factures étaient tous passés au peigne fin, la dépense du moindre penny devait être justifiée et il ne lui restait jamais le moindre argent.

Il se montrait capable des plus incroyables diatribes au sujet des détails les plus insignifiants, et une fois lancé, semblait incapable de s'arrêter. Il ne décolérait pas. *Elle* le mettait tout le temps en colère. Chaque soir, il exigeait un compte rendu rigoureux de sa journée. Combien de livres avait-elle rendus et empruntés à la bibliothèque ? Que lui avait dit le boucher ? Quelqu'un était-il passé à la maison ? Elle renonça au tennis. C'était plus facile.

Il ne recommença pas à la frapper, mais sa violence semblait bouillonner sous la surface, volcan en sommeil qu'Ursula avait malencontreusement réveillé. Il la prenait sans cesse à contre-pied de sorte qu'elle n'avait jamais un moment pour dissiper le brouillard de son esprit. Son existence même semblait exaspérer Derek. La vie devait-elle être vécue comme une éternelle punition ? (Pourquoi pas ? Ne le méritait-elle pas ?)

Elle se mit à vivre dans une sorte de malaise étrange comme si sa tête était complètement embrumée. Comme on fait son lit, on se couche, supposait-elle. C'était peut-être une autre version de l'*amor fati* du Dr Kellet. Que dirait-il de sa situation présente ? Et surtout, que dirait-il du caractère spécial de Derek ?

*

Elle devait assister aux compétitions sportives de Blackwood. C'était un grand événement du calendrier scolaire et les épouses du corps enseignant étaient censées être présentes. Derek lui avait donné de l'argent pour s'acheter un chapeau neuf et dit : « Débrouille-toi pour avoir l'air chic. »

Elle alla dans un magasin du coin qui vendait de l'habillement pour femmes et enfants et s'appelait *A la Mode* (bien qu'il ne le fût pas vraiment). C'était ici qu'elle achetait ses bas et ses dessous. Elle ne s'était pas offert de nouveaux vêtements depuis son mariage. Elle ne se souciait pas suffisamment de son apparence pour quémander l'argent nécessaire à Derek.

C'était une boutique sans éclat située dans une rangée de magasins sans éclat – un salon de coiffure, un poissonnier, un marchand de fruits et légumes, un bureau de poste. Elle n'avait ni le cœur ni le goût (ni le budget) pour se donner la peine d'aller en ville dans un grand magasin londonien chic (que dirait Derek de pareille expédition ?). Quand elle travaillait à Londres, avant le grand tournant qu'avait été son mariage, elle passait beaucoup de temps chez Selfridges et Peter Robinson. A présent, ces endroits semblaient aussi lointains que des pays étrangers.

L'étalage était protégé du soleil par un film d'un jaune orangé, une sorte d'épaisse cellophane qui lui rappela l'emballage des bouteilles de Lucozade et rendait tout ce qui se trouvait en vitrine complètement indésirable.

*

Ce n'était pas un très beau chapeau, mais elle supposa qu'il ferait l'affaire. Elle s'examina à contrecœur dans le grand miroir à trois faces qui allait du sol au plafond. En triptyque, elle avait l'air trois fois pire que dans sa glace de salle de bain (la seule de toute la maison qu'elle ne pouvait éviter). Elle ne se reconnaissait plus. Elle avait pris le mauvais chemin, ouvert la mauvaise porte et était incapable de revenir sur ses pas.

Soudain, horreur, elle laissa échapper un gémissement qui lui fit peur, manifestation pitoyable de l'abattement le plus profond. La propriétaire du magasin accourut de derrière son comptoir et dit « Allons, ma chère, ne vous mettez pas dans des états pareils. C'est la mauvaise période du mois, hein ? » Elle la fit asseoir et lui offrit une tasse de thé avec un biscuit et Ursula ne sut comment exprimer sa gratitude pour cette simple gentillesse.

*

Pour se rendre à l'école de Derek, il fallait descendre à la gare suivante et parcourir une courte distance à pied dans une rue paisible. Ursula se joignit au flot de parents qui franchissait les portes de Blackwood. C'était excitant – et un tantinet terrifiant – de se trouver soudain au milieu d'une cohue. Elle était mariée depuis moins de six mois, mais avait oublié ce que c'était d'être dans une foule.

Ursula n'était encore jamais venue à l'école et fut surprise par sa brique rouge ordinaire et ses bordures d'herbacées sans imagination, rien à voir avec l'établissement vénérable fréquenté par les hommes de la famille Todd. Teddy puis Jimmy avaient marché sur les traces de Maurice et été pensionnaires dans la vieille école de Hugh, un charmant bâtiment de pierre gris tendre, beau comme un collège d'Oxford. (« Brutal à l'intérieur » cependant, selon Teddy.) Le parc était magnifique et même Sylvie admirait la profusion de fleurs dans les parterres. « Les plantations sont plutôt romantiques », disait-elle. Rien de tel à l'école de Derek où l'accent était mis sur les terrains de sport. Les garçons de Blackwood n'étaient pas particulièrement doués pour les études, d'après Derek en tout cas, et on les occupait avec une kyrielle de matches de rugby et de cricket. Encore des esprits sains dans des corps sains. Derek avait-il l'esprit sain ?

Il était trop tard pour l'interroger sur sa sœur et son père, ce serait l'éruption volcanique de Krakatoa, suspectait Ursula. Pourquoi aller inventer des choses pareilles ? Le Dr Kellet le saurait.

Des tréteaux offrant des rafraîchissements pour les parents et le personnel étaient installés à une extrémité du terrain de sport. Du thé, des sandwiches et de fines tranches de cake tout sec. Ursula s'attarda près de la fontaine à thé en cherchant Derek du regard. Il lui avait dit qu'il n'aurait guère le temps de lui parler car on avait besoin de lui pour « donner un coup de main » et quand elle finit par le repérer à l'autre bout du terrain de sport, il transportait avec zèle une brassée de grands cerceaux dont la destination lui parut mystérieuse.

217

Tous ceux qui étaient rassemblés autour des tréteaux semblaient se connaître, en particulier les épouses de professeurs, et Ursula s'avisa qu'il devait y avoir beaucoup plus d'événements de ce type à Blackwood que Derek ne le mentionnait.

Deux professeurs principaux aux airs de chauves-souris dans leur toge s'arrêtèrent à la table où on servait le thé et elle entendit le nom « Oliphant ». Ursula s'approcha le plus discrètement possible et feignit une profonde fascination pour la mousse de crabe de son sandwich.

« Le jeune Oliphant a de nouveau des ennuis, ai-je entendu dire.

— Ah bon ?

— Il a frappé un élève, je crois.

— Rien de mal à ça. Je les frappe tout le temps.

— Mais cette fois-ci, ça tourne apparemment au vinaigre. Les parents menacent d'aller à la police.

— Il n'a jamais eu d'autorité sur ses élèves. Comme prof, c'est une calamité, de toute évidence. »

Leurs assiettes à présent pleines de cake, les deux hommes commencèrent à s'éloigner avec Ursula dans leur sillage.

« Il est endetté jusqu'au cou, tu sais.

— Il se fera peut-être un peu d'argent avec son livre. »

Et de rire tous les deux de bon cœur comme si la plaisanterie était excellente.

« Sa femme est là aujourd'hui, d'après ce que j'ai compris.

— Ah bon ? Il vaudrait mieux prendre garde. J'ai entendu dire qu'elle était très instable. » Excellente plaisanterie aussi, apparemment. Soudain, un coup de pistolet signalant le début de la course d'obstacles fit sursauter Ursula. Elle laissa les professeurs partir sans se presser. Elle avait perdu le goût d'épier les conversations.

Elle aperçut Derek qui se dirigeait à grandes enjambées vers elle, les cerceaux à présent remplacés par des javelots encombrants. Il cria à deux garçons de venir l'aider et ils s'exécutèrent docilement au petit trot. En passant devant Ursula, l'un d'eux dit à mi-voix en ricanant « Oui, Mr Elephant, on vient, Mr Elephant ». Derek laissa tomber les javelots dans l'herbe où ils s'entrechoquèrent bruyamment et ordonna aux garçons : « Portez-les à l'autre bout du terrain, allez, dépêchez-vous. » Il s'approcha d'Ursula et lui fit une bise sur la joue en disant « Bonjour, ma chérie. » Elle éclata de rire, ce fut plus fort qu'elle. C'était la chose la plus gentille qu'il lui ait dite depuis des semaines et elle ne lui était pas destinée, mais s'adressait aux épouses de professeur qui se tenaient tout près.

« Il y a quelque chose de drôle ? » demanda-t-il en examinant son visage trop longtemps à son goût. Elle devina qu'il bouillait intérieurement. Elle fit non avec la tête. Elle avait peur de se mettre à hurler, sentait son propre volcan bouillonner, prêt à exploser. Elle supposa qu'elle était hystérique. *Instable.*

« Je dois m'occuper du saut en hauteur des grandes classes, dit Derek en fronçant les sourcils. Je te rejoins bientôt. » Il s'éloigna, le front toujours plissé, et elle se remit à rire.

« Mrs Oliphant ? Vous êtes bien Mrs Oliphant, n'est-ce pas ? » Les deux épouses de professeur lui sautèrent dessus, telles des lionnes sentant une proie blessée.

*

Elle rentra seule chez elle car Derek devait surveiller l'étude du soir et dînerait à l'école. Elle se prépara un dîner de bric et de broc – des harengs frits accompagnés de pommes de terre froides – et eut soudain envie d'une bonne bouteille de vin rouge. En fait, de vider bouteille sur bouteille jusqu'à ce que mort s'ensuive. Elle gratta les arêtes de hareng dans la poubelle. *Oh, cesser d'être – sans souffrir – à Minuit*[28]. Tout plutôt que cette vie ridicule.

Derek était un objet de plaisanterie, pour les garçons, pour les professeurs. *Mr Elephant.* Elle se doutait que ses quatrièmes indisciplinés le rendaient fou de rage. Et son livre, qu'en était-il de son livre ?

Ursula ne s'occupait jamais beaucoup du « bureau » de Derek. Elle ne s'était jamais beaucoup intéressée aux Plantagenêt ni d'ailleurs aux Tudor. Elle avait reçu la consigne stricte de ne déplacer aucun de ses papiers ni de ses livres quand elle époussetait et astiquait la salle à manger (ainsi qu'elle se plaisait toujours à l'appeler) mais s'en fichait de toute façon, jetait à peine un œil aux progrès de sa grande œuvre.

Il avait travaillé fébrilement dernièrement, la table était couverte d'un fatras de notes et de bouts de papier. Il s'agissait de phrases et d'idées décousues – *la croyance plutôt amusante bien que quelque peu primitive – planta genista, le genêt commun nous donne le nom Angevin – venus du diable, et ils iraient au diable.* Il n'y avait pas trace d'un manuscrit, juste des corrections et des corrections de corrections, le même paragraphe remanié à maintes reprises avec de minuscules modifications à chaque fois, et des pages et des pages de brouillon écrites dans des cahiers de papier réglé dont la couverture portait les armoiries et la devise de Blackwood (*posse ad esse* – « de la possibilité à la réalité »). Pas étonnant qu'il n'ait pas voulu qu'elle tape son manuscrit. Elle s'aperçut qu'elle avait épousé un Casaubon[29].

Toute la vie de Derek était une invention. Dès les premières paroles qu'il lui avait adressées (*Ça par exemple, ç'a dû être terrible. Laissez-moi vous aider*), il mentait. Qu'attendait-il d'elle ? Quelqu'un de plus faible que lui ? Une épouse, la mère de ses enfants, quelqu'un qui tienne sa maison, tous les signes extérieurs de *la vie quotidienne** sans rien du chaos sous-jacent. Elle l'avait épousé pour être à l'abri du chaos. Il l'avait épousée, elle le comprenait à présent, pour la même raison. Ils étaient les deux dernières personnes sur terre à pouvoir protéger quelqu'un du chaos.

Ursula fouilla les tiroirs de la desserte et trouva un paquet de lettres dont celle du dessus portait l'en-tête de William Collins and Sons, Co. Ltd qui avait « le regret » de rejeter son idée de manuel « concernant une période historique déjà trop abondamment traitée ». Il y avait des lettres similaires d'autres éditeurs de manuels scolaires et, pire, des impayés et des derniers rappels menaçants. Une lettre particulièrement dure exigeait le remboursement immédiat d'un emprunt apparemment souscrit pour acheter la maison. C'était le genre de lettre revêche qu'on lui dictait à l'école de secrétariat *Cher Monsieur, Il a été porté à ma connaissance…*

Elle entendit la porte d'entrée s'ouvrir et son cœur fit un bond. Derek apparut sur le seuil de la salle à manger, tel un intrus patibulaire dans un roman de Bridget. « Qu'est-ce que tu fabriques ? »

Elle brandit la lettre de William Collins et dit : « Tu es un menteur invétéré. Pourquoi m'as-tu épousée ? Pourquoi nous as-tu rendus tous les deux si malheureux ? » L'expression de son visage. Cet air. Elle cherchait à se faire tuer, mais n'était-ce pas plus facile que de le faire soi-même ? Elle s'en fichait, elle n'avait plus la force de se battre.

Ursula attendait le premier coup, mais fut prise néanmoins au dépourvu : le poing de Derek s'écrasa au milieu de sa figure comme s'il voulait la réduire en bouillie.

*

Elle dormit, à moins qu'elle ne se soit évanouie, sur le sol de la cuisine et se réveilla un peu avant six heures. Elle avait la nausée, la tête qui tournait, mal partout, le corps lourd comme du plomb. Elle mourait de soif, mais n'osait pas ouvrir le robinet de peur de réveiller Derek. Elle se remit debout en s'accrochant d'abord à une chaise, puis à la table. Elle trouva ses chaussures et se glissa dans le vestibule où elle prit son manteau et un foulard à la patère. Le portefeuille de Derek se trouvait dans sa poche de veste et elle prit un billet de dix shillings, plus que suffisant pour le billet de train et ensuite un taxi. Elle se sentait épuisée rien qu'à l'idée du pénible voyage qui l'attendait – elle n'était même pas certaine d'avoir la force d'aller à pied jusqu'à la gare d'Harrow & Wealdstone.

Elle enfila son manteau et tira son foulard sur son visage en évitant le miroir du portemanteau. Le spectacle serait trop horrible. Elle laissa la porte d'entrée entrebâillée de peur que sa fermeture ne réveille Derek. Elle songea à la Nora d'Ibsen claquant la porte derrière elle. Nora n'aurait pas eu un faible pour les gestes dramatiques si elle avait essayé d'échapper aux griffes de Derek Oliphant.

Ce fut la plus longue marche de sa vie. Son cœur battait si vite qu'elle croyait qu'il allait lâcher. Elle s'attendait à tout moment à entendre Derek accourir dans son dos et hurler son nom. Au guichet de la gare, elle dut marmonner « Euston » entre des dents cassées et ensanglantées. Le guichetier lui jeta un regard avant de détourner rapidement les yeux en voyant son piteux état. Ursula supposa qu'il n'avait encore jamais eu à s'occuper d'une voyageuse qui paraissait avoir été impliquée dans un combat à mains nues.

Elle dut attendre pendant dix minutes angoissantes le premier train de la journée dans la salle d'attente réservée aux dames, mais put au moins boire de l'eau et nettoyer une partie du sang qui avait séché sur son visage.

Dans le compartiment, elle s'assit tête baissée en se cachant le visage avec la main. Les hommes en costume et chapeau melon l'ignorèrent délibérément. Alors qu'elle attendait que le train s'ébranle, elle risqua un regard sur le quai et eut l'immense soulagement de constater qu'il n'y avait toujours aucune trace de Derek. Avec un peu de chance, il n'avait pas encore remarqué sa disparition, était encore en train de faire ses pompes dans la chambre et présumait qu'elle lui préparait son petit déjeuner dans la cuisine. Vendredi, jour du hareng. Le hareng était toujours sur l'étagère du cellier, enveloppé dans du papier journal. Derek serait furieux.

Lorsqu'elle descendit du train à Euston, ses jambes faillirent se dérober sous elle. Les gens l'évitaient soigneusement et elle s'inquiéta : et si le chauffeur de taxi refusait la course ? Mais il la prit quand elle lui montra l'argent. Ils traversèrent en silence un Londres rincé par la pluie nocturne et dont les bâtiments de pierre étincelaient aux premiers rayons du soleil ; la douce aurore embrumée avait des roses et des bleus opalescents. Elle avait oublié à quel point elle aimait Londres. Elle reprit courage. Elle avait pris une décision et maintenant elle avait très envie de vivre.

Le chauffeur de taxi l'aida à descendre. « Vous êtes sûre de l'adresse, miss ? » dit-il en jetant un regard dubitatif à la grande maison de brique rouge de Melbury Road. Elle hocha la tête sans un mot.

*

C'était une destination inévitable.

Elle sonna et la porte d'entrée s'ouvrit. La main d'Izzie horrifiée vola à sa bouche à la vue de son visage. « Oh, mon Dieu. Qu'est-ce qui t'est donc arrivé ?

— Mon mari a essayé de me tuer.

— Tu ferais mieux d'entrer dans ce cas », fit Izzie.

*

Les ecchymoses s'atténuèrent, très lentement. « Cicatrices de guerre », dit Izzie.

Le dentiste d'Izzie répara les dents d'Ursula et elle eut un moment le bras droit en écharpe. Son nez avait été cassé une seconde fois et ses pommettes et sa mâchoire étaient fêlées. Elle avait un défaut, n'était plus *intacte*. D'un autre côté, elle avait le sentiment d'avoir été purgée. Le passé ne pesait plus si lourd sur le présent. Elle envoya un message à Fox Corner disant qu'elle était partie pour l'été, « des vacances itinérantes dans les Highlands avec Derek ». Elle était presque certaine que Derek ne contacterait pas Fox Corner. Il devait panser ses blessures quelque part. A Barnet, peut-être. Il n'avait pas la moindre idée de l'endroit où vivait Izzie, Dieu merci.

Izzie se montra étonnamment compatissante. « Reste aussi longtemps que tu voudras, dit-elle. Je suis perdue toute seule dans cette grande maison, ça me changera. Dieu sait que j'ai amplement de quoi subvenir à tes besoins. Prends ton temps, ajouta-t-elle. Pas de précipitation. Tu n'as que vingt-trois ans pour l'amour du ciel. » Ursula ne savait pas ce qui était le plus surprenant – l'hospitalité sincère d'Izzie ou le fait qu'elle connaissait son âge. Peut-être Belgravia avait-il aussi changé Izzie.

Ursula était seule un soir quand Teddy se présenta à la porte. « Tu es difficile à trouver », dit-il en la serrant bien fort dans ses bras. Le cœur d'Ursula bondit de plaisir. Pour on ne sait quelle raison, Teddy semblait toujours plus réel que les autres gens. Il était bronzé et robuste car il passait ses vacances d'été à travailler à la ferme du manoir. Il avait annoncé récemment qu'il voulait devenir agriculteur. « Je veux récupérer l'argent que j'ai dépensé pour tes études, dit Sylvie – mais avec le sourire, car Teddy était son préféré.

— Je crois que c'était *mon* argent », fit Hugh. (Hugh avait-il un chouchou ? « Toi, je pense », disait Pamela.)

« Qu'est-ce qui est arrivé à ta figure ? lui demanda Teddy.

— Un petit accident, tu aurais dû la voir avant, dit-elle en riant.

— Tu n'es pas dans les Highlands.

— Ça n'en a pas l'air, hein ?

— Tu l'as donc quitté ?

— Oui.

— Bien. » Comme Hugh, Teddy n'était pas enclin aux longs discours. « Où est notre étourdie de tante ?

— Sortie s'étourdir. A l'Embassy Club, je crois. » Ils burent du champagne d'Izzie pour fêter la liberté retrouvée d'Ursula.

« Tu seras, je pense, déshonorée aux yeux de maman, dit Teddy.

— Ne t'inquiète pas, je crois que c'est déjà fait. »

*

Ils préparèrent ensemble une omelette et une salade de tomates et mangèrent avec leur assiette sur les genoux en écoutant Ambrose et son orchestre à la TSF. Le repas terminé, Teddy s'alluma une cigarette. « Tu es si adulte à présent », dit Ursula en riant. « J'ai des muscles », fit-il en gonflant ses biceps comme un hercule de foire. Il étudiait l'anglais à Oxford et disait que cesser de penser et « travailler la terre » était un soulagement. Il écrivait aussi de la poésie. Ayant pour thème la terre et non les « sentiments ». Le cœur de Teddy avait été fêlé par la mort de Nancy et il était selon lui impossible de réparer parfaitement les fêlures. « Très Henry James, non ? » fit-il d'un air contrit. (Ursula songea à elle-même.)

Un Teddy endeuillé gardait ses blessures à l'intérieur, une cicatrice sur le cœur d'où la petite Nancy Shawcross avait été arrachée. « C'est comme si tu entrais dans une pièce et que ta vie soit finie, mais tu continues à vivre, dit-il.

— Oui. Je crois comprendre », fit Ursula.

*

Ursula s'assoupit, la tête sur l'épaule de Teddy. Elle était encore terriblement fatiguée. (« Le sommeil guérit bien des maux », disait Izzie en lui apportant son petit déjeuner sur un plateau tous les matins.)

Finalement, Teddy soupira, s'étira et dit : « Je suppose que je devrais rentrer à Fox Corner. Qu'est-ce que je raconte ? Que je t'ai vue ? Ou que tu es toujours dans les brumes écossaises ? » Il emporta leurs assiettes à la cuisine. « Je vais ranger pendant que tu réfléchis. »

Quand la sonnette retentit, Ursula présuma que c'était Izzie. Depuis qu'Ursula vivait à Melbury Road, Izzie oubliait souvent ses clés. « Mais tu es toujours là, ma chérie », disait-elle quand Ursula devait se tirer du lit à trois heures du matin pour lui ouvrir.

Ce n'était pas Izzie, c'était Derek. Elle fut si surprise qu'elle en perdit momentanément l'usage de la parole. Elle l'avait laissé si fermement derrière elle que dans sa tête il avait cessé d'exister. Sa place n'était pas à Holland Park, mais plutôt dans un recoin sombre de son imagination.

Il lui tordit le bras derrière le dos et l'entraîna sans ménagement dans le couloir jusqu'au salon. Il jeta un coup d'œil à la table basse, un meuble lourd et sculpté de style oriental. Apercevant les flûtes à champagne vides restées sur la table basse et le gros cendrier en onyx contenant les mégots de Teddy, il siffla : « Qui était ici avec toi ? » Il était blême de rage. « Avec qui forniquais-tu ?

— Forniquais ? » fit Ursula, surprise par le mot. Tellement biblique. Teddy entra dans la pièce, un torchon négligemment jeté sur l'épaule. « De quoi s'agit-il ? demanda-t-il avant d'ajouter : Lâchez-la !

— C'est lui ? demanda Derek à Ursula. C'est l'homme avec qui tu te prostitues à Londres ? » et, sans attendre de réponse, il lui claqua la tête sur la table basse et elle s'affaissa. La douleur fut terrible et empira plutôt que de diminuer, comme si sa tête était prise dans un étau qui se resserrait sans cesse. Derek souleva le lourd cendrier d'onyx très haut comme s'il s'agissait d'un calice, indifférent aux mégots qui pleuvaient sur le tapis. Ursula savait que son cerveau ne fonctionnait plus correctement car elle aurait pu se recroqueviller de terreur, mais tout ce qui lui vint à l'esprit, c'est que ça ressemblait assez à l'incident de l'œuf poché et que la vie était vraiment bête. Teddy hurla quelque chose à Derek et Derek lui jeta le cendrier à la tête au lieu d'ouvrir le crâne d'Ursula avec. Ursula ne vit pas si le cendrier atteignit Teddy parce que Derek l'attrapa par les cheveux, lui souleva la tête et la lui cogna à nouveau sur la table basse. Un éclair passa devant ses yeux, mais la douleur commença à s'estomper.

Incapable de bouger, elle glissa sur le tapis. Elle avait tellement de sang dans les yeux qu'elle y voyait à peine. La seconde fois que sa tête avait heurté la table, elle avait senti céder quelque chose, l'instinct de vie peut-être. A la danse maladroite ponctuée de piétinements et de grognements, elle comprit que Derek et

Teddy se battaient. Au moins Teddy était-il encore debout et ne gisait pas inconscient, mais elle ne voulait pas qu'il se batte, elle voulait qu'il se sauve, qu'il se mette à l'abri du danger. Ça ne la gênait pas de mourir, vraiment pas, du moment que Teddy était en lieu sûr. Elle essaya de dire quelque chose, mais n'émit qu'un son guttural dénué de sens. Elle était frigorifiée et épuisée. Elle se souvint d'avoir ressenti la même chose à l'hôpital après Belgravia. Hugh était là, il s'était cramponné à sa main et l'avait maintenue en vie.

On entendait toujours l'orchestre d'Ambrose à la TSF, il accompagnait Sam Browne qui chantait *The Sun Has Got His Hat*. C'était une chanson amusante pour quitter cette vie. Inattendue.

La chauve-souris noire venait la chercher. Ursula ne voulait pas partir. Tout doucement, l'obscurité l'enveloppa. *La mort apaisante*[30]. Il faisait si froid. Il va neiger cette nuit bien que ce ne soit pas encore l'hiver, songea-t-elle. Il neigeait déjà, des flocons froids qui fondaient sur sa peau comme du savon. Ursula tendit une main à Teddy pour qu'il la tienne, mais cette fois, rien ne put arrêter sa chute dans la nuit noire.

11 février 1926

« Aïe ! Pourquoi t'as fait ça ? hurla Howie en se frottant la joue dans laquelle Ursula venait de lui donner un coup de poing qui n'avait absolument rien de distingué.

« T'as un sacré crochet du droit pour une petite fille » continua-t-il, presque admiratif. Il esquissa un autre geste pour l'attraper qu'elle évita d'un bond avec l'agilité d'un chat. Ce faisant, elle repéra le ballon de Teddy caché dans les profondeurs d'un cotonéaster. Un coup de pied bien ajusté atteignit le tibia de Howie et lui donna le temps d'arracher le ballon à l'arbuste récalcitrant.

« Je voulais juste un baiser, protesta Howie sur un ton ridiculement blessé. C'est pas comme si j'essayais de te *violer* ou je ne sais quoi. » Le mot brutal flotta dans l'air glacial. Ursula aurait pu, aurait dû rougir en l'entendant, mais elle ne fut pas désarçonnée. Elle subodora que c'était ce que les garçons comme Howie faisaient aux filles comme elle. Toutes les filles, surtout celles qui fêtaient leur seizième anniversaire, devaient être sur leurs gardes en traversant le bois sombre et sauvage. Ou, dans le cas présent, le bosquet de broussailles situé au fond du jardin de Fox Corner. Howie la récompensa par une expression quelque peu penaude.

« Howie ! entendirent-ils Maurice crier. On part sans toi, mon vieux !

— Tu ferais mieux d'y aller » dit Ursula. Petit triomphe pour sa féminité toute neuve.

*

« J'ai trouvé ton ballon, dit-elle à Teddy.

— Parfait, fit Teddy. Merci. On se reprend une part de ton gâteau d'anniversaire ? »

Août 1926

Il se tenait devant un miroir long, appliqué au mur entre les deux fenêtres, et contemplait son image de très beau et très jeune homme, ni grand ni petit, le cheveu bleuté comme un plumage de merle*.

Elle parvenait à peine à garder les yeux ouverts pour lire. Le temps merveilleusement chaud s'écoulait comme de la mélasse et il n'y avait rien d'autre à faire chaque jour que de lire des livres et d'entreprendre de longues promenades – surtout dans le vain espoir de tomber par hasard sur Benjamin Cole, ou n'importe lequel des fils Cole d'ailleurs, qui étaient tous devenus de beaux bruns ténébreux. « Ils pourraient passer pour des Italiens », disait Sylvie. Mais pourquoi voudraient-ils se faire passer pour autre chose qu'eux-mêmes ?

« Tu sais, dit Sylvie en la découvrant allongée à demi assoupie sous les pommiers, à côté de *Chéri* abandonné dans l'herbe tiède, les longues journées paresseuses comme celle-ci ne reviendront jamais dans ta vie. Tu crois que si, mais non.

— A moins que je ne devienne incroyablement riche, fit Ursula. Je pourrais alors être oisive à longueur de journée.

— Peut-être, dit Sylvie, peu disposée à renoncer à la dysphorie qui était récemment devenue chez elle une seconde nature. Mais l'été prendrait quand même fin un jour. » Elle se laissa tomber dans l'herbe près d'Ursula. Les travaux du jardin avaient fait ressortir ses taches de rousseur. Sylvie se levait toujours avec le soleil. Ursula aurait volontiers dormi toute la journée. Sylvie feuilleta négligemment le Colette et dit « Tu devrais tirer meilleur parti de ton français.

— Je pourrais vivre à Paris.

— Je n'irais pas jusque-là, dit Sylvie.

— Tu crois que je devrais m'inscrire à l'université après mes études secondaires ?

— Oh, franchement, ma chérie, quel intérêt ? Ça ne t'apprendra pas à être une épouse et une mère.

— Et si je ne voulais pas être épouse et mère ? »

Sylvie s'esclaffa. « Allons, tu dis des sottises pour me provoquer. » Elle caressa la joue d'Ursula. « Tu as toujours été une petite rigolote. Il y a du thé sur la pelouse, dit-elle en se relevant à contrecœur. Et du gâteau. Et aussi Izzie, malheureusement. »

*

« Ma chérie, dit Izzie en voyant Ursula traverser la pelouse dans sa direction. Tu as drôlement grandi depuis la dernière fois que je t'ai vue. Tu es une femme à présent, et si jolie !

— Pas tout à fait, dit Sylvie. Nous discutions justement de son avenir.

— Ah bon ? fit Ursula. Je croyais qu'on discutait de mon français. J'ai besoin de parfaire mon éducation, dit-elle à Izzie.

— Comme tu es sérieuse, fit Izzie. A seize ans, tu devrais être éperdument amoureuse d'un garçon peu recommandable. » C'est le cas, songea Ursula, je suis amoureuse de Benjamin Cole. Elle supposait que ce n'était pas un bon parti. (« Un juif ? » entendait-elle d'ici Sylvie dire. Ou un catholique, ou un mineur de fond – ou tout étranger –, un vendeur, un employé, un palefrenier, un conducteur de tram, un enseignant. Les mauvais partis étaient légion.)

« Tu l'étais, toi ? demanda Ursula à Izzie.

— Quoi donc ? fit Izzie, perplexe.

— Amoureuse à seize ans ?

231

— Oh, follement.

— Et toi ? demanda Ursula à Sylvie.

— Juste ciel, non, dit Sylvie.

— Mais *à dix-sept*, tu devais l'être, fit Izzie à Sylvie.

— Ah bon ?

— Quand tu as rencontré Hugh, évidemment.

— Evidemment. »

Izzie se pencha vers Ursula et murmura avec des airs de conspiratrice « Je me suis enfuie quand j'avais à peu près ton âge.

— N'importe quoi, dit Sylvie à Ursula. Elle n'a rien fait de tel. Ah, voici Bridget avec le plateau de thé. » Sylvie se tourna vers Izzie. « Ta visite a-t-elle une raison particulière ou es-tu simplement venue pour m'agacer ?

— Je passais dans le coin, je me suis dit que j'allais faire un saut. Je voulais te demander quelque chose.

— Oh là là, fit Sylvie d'un air las.

— Je songeais… fit Izzie.

— Oh là là.

— Veux-tu bien arrêter de répéter ça, Sylvie. »

Ursula versa le thé et coupa le gâteau. Elle sentit qu'une bataille se préparait. Izzie fut réduite temporairement au silence par une bouchée de gâteau. Mrs Glover avait fait des gâteaux de Savoie plus aériens dans le passé.

« Comme je disais – Izzie avala avec difficulté – je songeais – ne dis rien, Sylvie. *Les Aventures d'Auguste* ont toujours un succès *extravagant*, j'écris un nouveau volume tous les six mois. C'est vraiment de la folie. J'ai la maison de Holland Park, de l'argent, mais, bien sûr, pas de mari. Ni d'enfant.

— Ah bon ? dit Sylvie. Tu en es sûre ? »

Izzie ignora délibérément la remarque. « Personne avec qui partager ma bonne fortune. J'ai donc réfléchi, pourquoi ne pas adopter Jimmy ?

— Pardon ? »

*

« Elle est incroyable », siffla Sylvie à Hugh. Izzie était toujours dehors sur la pelouse, en train de distraire Jimmy en lui faisant la lecture d'un manuscrit en cours exhumé de son immense sac et intitulé « Auguste va à la plage ».

« Pourquoi elle ne veut pas m'adopter ? dit Teddy. Après tout, c'est moi qui suis censé être Auguste.

— Tu as envie d'être adopté par Izzie ? demanda Hugh, perplexe.

— Seigneur non, fit Teddy.

— Personne n'est adopté, lança Sylvie d'un ton furieux. Va lui dire deux mots, Hugh. »

*

Ursula alla chercher une pomme dans la cuisine et trouva Mrs Glover martelant des tranches de veau avec un attendrisseur. « Je m'imagine que ce sont des têtes de Boche, dit-elle.

— Vraiment ?

— Ceux qui ont envoyé le gaz qui a bousillé les poumons de mon pauvre George.

— Qu'y a-t-il au menu du dîner ? Je meurs de faim. » Ursula était devenue plutôt sans cœur s'agissant des poumons de George Glover, elle en avait tellement entendu parler qu'ils semblaient avoir une vie personnelle, un peu comme ceux de la mère de Sylvie qui semblaient avoir plus de caractère que leur propriétaire.

« Des côtelettes de veau à la russe, répondit Mrs Glover, en retournant la viande et en se remettant à la pilonner. Les Russkofs ne valent pas mieux, notez bien. » Ursula demanda si Mrs Glover avait déjà rencontré des étrangers.

« Ma foi, il y a beaucoup de juifs à Manchester, répondit Mrs Glover.

— Vous en avez rencontré ?

— Rencontré ? Pourquoi je les rencontrerais ?

— Les juifs ne sont pourtant pas nécessairement des étrangers, non ? Nos voisins, les Cole, sont juifs.

« — Ne dites pas de bêtises, fit Mrs Glover, ils sont anglais comme vous et moi. » Mrs Glover avait une certaine affection pour les fils Cole en raison de leurs excellentes manières. Ursula se demanda s'il valait la peine de discuter. Elle prit une pomme et Mrs Glover reprit son pilonnage.

Ursula mangea sa pomme sur un banc dans un coin retiré du jardin, une des cachettes préférées de Sylvie. Les mots « côtelettes de veau à la russe » traversèrent languissamment son cerveau. Puis, soudain, elle se leva, le cœur battant la chamade, en proie à une terreur subite et familière bien qu'oubliée depuis longtemps. Qu'est-ce qui avait bien pu déclencher cet effroi ? Il cadrait si mal avec le jardin paisible, la chaleur de la fin d'après-midi sur son visage, Hattie, la chatte, faisant paresseusement sa toilette sur le sentier ensoleillé.

Il n'y avait pas de terribles présages de catastrophe, rien pour suggérer que quelque chose ne tournait pas rond dans le monde, mais Ursula jeta néanmoins son trognon de pomme dans les buissons et fuit le jardin, franchit le portillon et s'engagea en courant sur le sentier, les vieux démons essayant de lui mordre les talons. Hattie interrompit sa toilette et regarda d'un air dédaigneux le portillon osciller sur ses gonds.

C'était peut-être une catastrophe ferroviaire, devrait-elle arracher ses jupons pour faire signe au mécanicien comme les filles de *The Railway Children*[31] ? Non, lorsqu'elle arriva à la gare, le train de 17 h 30 à destination de Londres s'arrêtait tranquillement le long du quai dans les mains sûres de Fred Smith et de son mécanicien.

« Miss Todd ? fit-il en portant un doigt à la visière de sa casquette de chauffeur. Tout va bien ? Vous avez l'air inquiète.

— Je vais bien, Fred, merci. » Elle était juste dans un état de terreur mortelle, pas de quoi se faire des cheveux. Fred Smith donnait l'impression de n'avoir jamais connu un seul moment de terreur mortelle.

*

Elle reprit la petite route, toujours transie d'une peur sans nom. A mi-chemin, elle rencontra Nancy Shawcross et dit « Salut, qu'est-ce que tu fabriques ? » et Nancy répondit « Oh je cherche juste des choses pour mon cahier d'histoire naturelle. J'ai quelques feuilles de chêne et quelques bébés glands minuscules. »

La peur commença à se retirer du corps d'Ursula et elle dit : « Viens, je te raccompagne. »

Comme elles approchaient du pré où paissaient des vaches laitières, un homme escalada la barrière à claire-voie et atterrit lourdement dans le cerfeuil sauvage. Il porta un doigt à sa casquette et marmonna « Soir, miss » à l'adresse d'Ursula avant de prendre la direction de la gare. Il boitait, ce qui lui donnait une démarche plutôt comique, à la Charlie Chaplin. Encore un ancien combattant peut-être, se dit Ursula.

« Qui c'était ? demanda Nancy.

— Aucune idée, fit Ursula. Oh, regarde, là, sur la chaussée, cet insecte mort. C'est un "diable". Ça ira pour ton cahier ? »

A LOVELY DAY TOMORROW[32]

2 septembre 1939

« Maurice dit que ce sera fini dans quelques mois. » Pamela posa son assiette sur le dôme joliment proportionné qui renfermait son prochain bébé. Elle espérait que ce serait une fille.

« Tu vas continuer jusqu'à ce que tu en aies pondu une, c'est ça ? dit Ursula.

— Jusqu'aux calendes grecques, convint joyeusement Pamela. Je disais donc qu'à ma *très* grande surprise nous avons été invités. Pour le déjeuner dominical dans le Surrey, le grand tralala. Philip et Hazel, leurs enfants plutôt étranges…

— Je crois ne les avoir vus que deux fois.

— Plus souvent sans doute, c'est juste que tu ne les as pas remarqués. Maurice nous avait invités pour que les "cousins apprennent à mieux se connaître" mais ils n'ont pas du tout plu aux garçons. Philip et Hazel n'ont aucune idée de ce que *jouer* veut dire. Et leur mère Edwina sacrifie au culte du rosbif et de la tarte aux pommes. Elle est l'esclave de Maurice. On pourrait même parler de martyre dans son cas, car c'est une chrétienne *jusqu'au-boutiste* compte tenu du fait qu'elle est anglicane.

— Je détesterais être mariée à Maurice, je ne sais pas comment elle fait pour le supporter.

— Elle lui est reconnaissante, je pense. Il lui a donné le Surrey. Un court de tennis, des amis ministres et du rosbif à gogo. Ils *reçoivent* énormément – tout le gratin. Certaines femmes seraient prêtes à souffrir pour ça. Même à supporter Maurice.

— Je pense qu'il met sa tolérance chrétienne à rude épreuve.

— Et il met aussi à rude épreuve les convictions d'Harold en général. Il s'est bagarré avec Maurice au sujet de la Sécurité sociale avant de ferrailler avec Edwina à propos de la prédestination.

— Je la croyais anglicane.

— Je sais. Mais elle n'a aucune logique. Elle est d'une stupidité remarquable, c'est, je suppose, la raison pour laquelle Maurice l'a épousée. A ton avis, pourquoi Maurice dit-il que la guerre ne durera que quelques mois ? S'agit-il seulement d'un bluff officiel ? Devons-nous croire tout ce qu'il dit ? Devons-nous croire une seule de ses paroles ?

— D'une manière générale, non, fit Ursula. Mais c'est un grand manitou au ministère de l'Intérieur, il *devrait* donc savoir, je suppose. A la Sécurité intérieure, nouveau ministère depuis cette semaine.

— Toi aussi ? demanda Pamela.

— Oui, moi aussi. La défense passive dépend à présent de la Sécurité intérieure, nous sommes encore tous en train de nous habituer à l'idée d'être adultes. »

Après avoir quitté l'école à dix-huit ans, Ursula n'était pas allée à Paris ni, comme l'y exhortaient certains de ses professeurs, à Oxford ou Cambridge afin d'y faire une licence de langues, mortes ou vivantes. En fait, elle s'était contentée d'aller à High Wycombe dans une petite école de secrétariat. Elle avait hâte de *faire son chemin* et d'être indépendante plutôt que cloîtrée dans une autre institution. « *Le char ailé du temps*[33] et caetera qui s'ensuit, dit-elle à ses parents.

— Nous *faisons tous notre chemin*, d'une façon ou d'une autre, observa Sylvie. Et nous finissons tous au même endroit. La façon dont nous y arrivons importe peu, selon moi. »

Pour Ursula, la *façon* d'y arriver paraissait être la grande question, mais il ne servait à rien d'argumenter avec Sylvie les jours où elle avait sombré dans la mélancolie. « Je pourrai obtenir un emploi intéressant, fit Ursula, balayant les objections parentales, dans la presse ou peut-être une maison d'édition. » Elle s'imaginait une atmosphère bohème, des hommes en veste de tweed et cravate, des femmes fumant d'une manière sophistiquée devant leur machine à écrire Royal.

« Bravo », déclara Izzie à Ursula devant un thé plutôt chic au Dorchester, auquel elle avait invité Ursula et Pamela (« Elle doit vouloir quelque chose », avait dit Pamela).

« Qui a envie d'être un bas-bleu ennuyeux ? dit Izzie.

— Moi », fit Pamela.

Il s'avéra qu'Izzie avait bel et bien une idée derrière la tête. Auguste remportait un tel succès que l'éditeur lui avait demandé d'écrire « quelque chose de similaire » pour les filles. « Mais pas des livres ayant pour héroïne une *polissonne*, dit-elle. Il n'en est apparemment pas question. Ils veulent une fonceuse, du type capitaine de hockey sur gazon. Beaucoup de farces et d'égratignures, mais quelqu'un qui rentre toujours dans le rang, rien qui fasse peur dans les chaumières. » Elle se tourna vers Pamela et susurra : « J'ai donc pensé à toi, ma chère. »

*

L'école de secrétariat était dirigée par un certain Mr Carver, grand adepte de Pitman et de l'espéranto, qui essayait de faire taper ses « filles » les yeux bandés. Soupçonnant anguille sous roche, Ursula mena une révolte des « filles » de Mr Carver. « Quelle rebelle tu es », lui dit l'une d'elles – Monica – d'un air admiratif. « Pas vraiment, tu sais, fit Ursula. J'ai juste la tête sur les épaules. »

Et c'était vrai. Elle était devenue une fille sensée.

*

A l'école de Mr Carver, Ursula avait révélé des aptitudes surprenantes pour la dactylographie et la sténographie, même si les hommes qui lui firent passer un entretien pour son poste au ministère de l'Intérieur, hommes qu'elle ne reverrait jamais, croyaient manifestement que ses compétences en grec et latin lui seraient, allez savoir pourquoi, plus utiles pour ouvrir et fermer les tiroirs de classeurs et effectuer des recherches interminables dans un océan de dossiers chamois. Ce n'était pas tout à fait le « travail intéressant » qu'elle avait envisagé, mais il retenait son attention et pendant les dix années suivantes, elle gravit les échelons lentement, à la manière restreinte des femmes. (« Un jour, une femme sera Premier ministre, dit Pamela. Peut-être même de notre vivant. ») A présent, Ursula avait de jeunes employés sous ses ordres pour aller lui dénicher les dossiers chamois. C'était un progrès, supposait-elle. Depuis 1936, elle travaillait dans le service de la Défense passive.

« Tu n'as donc pas entendu de rumeurs, dit Pamela.

— Je suis une humble squaw, je n'entends que ça.

— Maurice ne peut pas dire ce qu'il fait, maugréa Pamela. Il lui a été impossible de parler de ce qui se passe dans « l'enceinte sacrée ». Il a en fait utilisé cette expression – enceinte sacrée. On croirait qu'il a signé le formulaire du secret défense avec son sang et donné son âme en garantie.

— Oh, nous sommes tous obligés de le faire, dit Ursula, en reprenant du gâteau. C'est de rigueur, tu sais. Personnellement, je soupçonne Maurice de se contenter de *compter* les choses.

— D'un air très content de lui. Il va adorer la guerre, beaucoup de pouvoir et aucun danger personnel.

— *Un tas* de choses à compter. » Elles rirent toutes les deux. Ursula s'avisa qu'elles avaient l'air très joyeuses pour des femmes à deux doigts d'un horrible conflit. Elles étaient dans le jardin de la maison de Pamela à Finchley, un samedi après-midi, devant un thé servi sur une table en bambou à pieds grêles. Elles mangeaient du gâteau aux amandes parsemé de copeaux de chocolat, vieille recette de Mrs Glover léguée sur un morceau de papier maculé d'empreintes de doigts gras. Par endroits, le papier avait la transparence d'une vitre sale.

240

« Profites-en, dit Pamela, il n'y aura bientôt plus de gâteau, à mon avis. » Et d'en donner un morceau à Heidi, une chienne bâtarde qui ne payait pas de mine, rescapée du refuge de Battersea. « Savais-tu que les gens abattent leurs animaux domestiques par milliers ?

— C'est horrible.

— Comme s'ils ne faisaient pas partie de la *famille*, dit Pamela en frottant le sommet de la tête de Heidi. Elle est beaucoup plus agréable que les garçons. Plus sage aussi.

— Comment étaient tes évacués ?

— Sales. » Malgré son état, Pamela avait passé une bonne partie de sa matinée à organiser le départ des évacués à Ealing Broadway pendant qu'Olive, sa belle-mère, s'occupait des garçons.

« Tu serais tellement plus utile à l'effort de guerre que quelqu'un comme Maurice, dit Ursula. Si ça ne tenait qu'à moi, je te nommerais Premier ministre. Tu t'en tirerais beaucoup mieux que Chamberlain.

— C'est vrai. » Pamela posa sa petite assiette et prit son tricot – quelque chose de rose à motif de dentelle. « Si c'est un garçon, je me contenterai de *faire comme si* c'était une fille.

— Mais tu vas partir, non ? demanda Ursula. Tu ne vas pas garder les garçons à Londres ? Tu pourrais aller t'installer à Fox Corner. Je ne pense pas que les Allemands prendront la peine de bombarder notre vallon endormi.

— Pour me retrouver avec maman ? Seigneur, non. J'ai une amie de l'université, Jeanette, une fille de pasteur, non que ce détail soit pertinent, je suppose. Elle va s'installer avec ses deux garçons dans un cottage qui appartenait à sa grand-mère dans le Yorkshire, Hutton-le-Hole, un patelin minuscule, et m'a suggéré de me joindre à elle avec les trois enfants. » Pamela avait donné naissance coup sur coup à Nigel, Andrew et Christopher. Elle s'était mise à la maternité avec enthousiasme. « Ça plaira aussi à Heidi. L'endroit a l'air très primitif, il n'y a ni électricité ni eau courante. Ce sera merveilleux pour les garçons, ils pourront courir comme des sauvages. C'est dur d'être un sauvage à Finchley.

— Je pense que certains y arrivent », dit Ursula.

*

« Comment va "l'homme" ? demanda Pamela. "L'Homme de l'Amirauté".

— Tu peux l'appeler par son nom, dit Ursula en époussetant des miettes de gâteau de sa jupe. Les gueules-de-loup n'ont pas d'oreilles.

— On ne sait jamais par les temps qui courent. A-t-il dit quelque chose, lui ? »

Ursula voyait Crighton – « L'Homme de l'Amirauté » – depuis un an maintenant (elle datait la chose de Munich). Ils s'étaient rencontrés à une réunion interministérielle. De quinze ans son aîné, il était plutôt fringant avec un air vaguement carnassier à peine contrebalancé par son mariage à une femme industrieuse (Moira) et leur couvée de trois filles, toutes scolarisées dans le privé. « Je ne les quitterai jamais quoi qu'il arrive, lui déclara-t-il après leurs premiers ébats dans le confort plutôt sommaire de son "refuge en cas d'urgence".

— Mais je ne te demande rien de tel » fit Ursula tout en pensant qu'il eût peut-être été préférable qu'il fasse cette déclaration d'intention en prélude à l'acte plutôt qu'en guise de coda.

« Le refuge » (elle ne devait pas être la première femme à en découvrir l'intérieur sur l'invitation de Crighton) était un appartement fourni par l'Amirauté pour les soirs où Crighton préférait rester en ville plutôt que d'affronter « le périple » qui l'attendait pour retrouver Moira et les filles à Wargrave. Le refuge n'était pas réservé à son usage exclusif et quand il n'était pas disponible, Crighton « crapahutait » jusqu'à l'appartement d'Ursula sur Argyll Road où ils passaient de longues soirées dans son petit lit (il avait envers les espaces confinés l'attitude pragmatique d'un marin) ou sur son canapé, à s'adonner aux

« plaisirs de la chair », comme il disait, avant de « se traîner »
jusque dans le Berkshire. Tout voyage sur la terre ferme, ne serait-
ce que deux stations de métro, avait la qualité d'une expédition
pour Crighton. C'était un marin dans l'âme, supposait Ursula,
et il aurait préféré regagner le domicile conjugal en yole plutôt
que d'emprunter la voie de terre. Ils avaient bel et bien pris
une fois un petit bateau pour aller sur une île de la Tamise,
Monkey Island, pique-niquer au bord de la rivière. « Comme
un couple normal » avait-il dit d'un air contrit.

« Si ce n'est pas de l'amour, qu'est-ce que c'est donc ? demanda
Pamela.

— Je *l'aime bien*.

— J'aime bien l'homme qui me livre mon épicerie, dit
Pamela. Mais je ne partage pas mon lit avec lui.

— Eh bien, je peux t'assurer qu'il est beaucoup plus qu'un
fournisseur pour moi. » Elles se disputaient presque. « Et ce n'est
pas un blanc-bec, continua-t-elle pour sa défense. C'est une vraie
personne, il est complet, c'est un homme… accompli. Tu vois ?

— Un homme accompli avec une famille », dit Pamela, un
peu grognon. Elle eut l'air interrogateur et dit « Mais ton cœur
ne bat-il pas un peu plus vite à sa vue ?

— Oui, peut-être, concéda généreusement Ursula, esquivant
le débat, doutant d'être jamais capable d'expliquer les subtilités
de l'adultère à Pamela. Qui eût cru que tu serais la romantique
de la famille ?

— Oh, non, je crois que c'est Teddy, dit Pamela. Je me
plais simplement à croire qu'il y a des écrous et des boulons qui
assurent la cohésion de notre société – surtout maintenant – et
que le mariage en fait partie.

— Rien de romantique dans les écrous et les boulons.

— Je t'admire vraiment, dit Pamela. D'être toi-même. De ne
pas suivre le troupeau etc. Je veux juste que tu ne souffres pas.

— Moi aussi, crois-moi. Pouce ?

— Pouce », accepta volontiers Pamela. Et d'ajouter en
riant : « Ma vie serait si ennuyeuse sans tes rapports salaces en

provenance du front. Que d'excitation par procuration je tire de ta vie amoureuse – ou quel que soit le qualificatif que tu préfères. »

Il n'y avait rien eu de salace dans leur excursion à Monkey Island : installés chastement sur une couverture écossaise, ils avaient mangé du poulet froid et bu du vin rouge tiède. « *Hippocrène empourprée* », avait dit Ursula et Crighton de rire et de dire « Ça m'a tout l'air d'être de la littérature. Je n'ai pas une once de poésie en moi. Tu devrais le savoir.

— Oui. »

Le problème avec Crighton, c'est qu'il semblait toujours ne révéler qu'une partie de sa personnalité. Elle avait entendu quelqu'un au bureau l'appeler « le Sphinx » et il affichait en effet un air réticent qui suggérait des profondeurs inexplorées et des secrets refoulés – quelque blessure enfantine, quelque magnifique obsession. Son moi énigmatique, songea-t-elle en écalant un œuf dur et en le trempant dans un petit tortillon de papier contenant du sel. Qui avait préparé ce pique-nique ? Tout de même pas Crighton ? Ni Moira, à Dieu ne plaise !

La nature clandestine de leur relation le remplissait d'un certain remords. Ursula avait apporté un peu de piquant dans ce qui était devenu une vie plutôt fastidieuse, expliqua-t-il. Il avait pris part à la bataille du Jütland avec Jellicoe, il avait « vu beaucoup de choses » et à présent il n'était plus qu'un « bureaucrate ». Il avait des fourmis dans les jambes.

« Je sens que tu vas me faire une déclaration d'amour ou m'annoncer que tout est fini », dit Ursula. Il y avait des fruits – des pêches lovées dans du papier de soie.

« C'est un équilibre difficile, fit-il avec un sourire contrit. Je vacille. » Ursula rit, le mot ne convenait guère à Crighton.

Il s'embarqua dans une histoire à propos de Moira, concernant la vie qu'elle menait au village, son besoin de travailler en comité, et l'esprit d'Ursula s'égara : elle était plus intéressée par la découverte d'une tarte à la confiture de framboises et aux amandes, apparemment surgie comme par enchantement d'une cuisine cachée dans les profondeurs de l'Amirauté. (« On s'occupe bien de nous », dit-il. Comme Maurice, songea-t-elle. Les privilèges des hommes détenant le pouvoir, inaccessibles à ceux qui étaient noyés dans un océan de dossiers chamois.)

Si les collègues femmes plus âgées d'Ursula avaient eu vent de la liaison, il y aurait eu une ruée sur les sels, surtout si elles avaient appris avec qui elle batifolait à l'Amirauté (Crighton avait un poste plutôt élevé). Ursula s'entendait très bien à garder les secrets.

« Votre réputation de discrétion vous a précédée, miss Todd, avait dit Crighton quand on la lui avait présentée.

— Bonté divine, avait répondu Ursula, ça me fait paraître si ennuyeuse.

— Fascinante, plutôt. Je soupçonne que vous feriez une bonne espionne. »

*

« Comment allait Maurice ? Personnellement ? s'enquit Ursula.

— Maurice va très bien "personnellement" en ceci qu'il est semblable à lui-même et ne changera jamais.

— Je ne suis jamais invitée au déjeuner dominical dans le Surrey.

— Estime-toi heureuse.

— En fait, je ne le vois presque pas. On ne croirait jamais que nous travaillons dans le même ministère. Il arpente les couloirs clairs et spacieux du pouvoir...

— L'enceinte sacrée.

— L'enceinte sacrée. Et moi, je cours de tous côtés dans un bunker.

— Ah bon ? Dans un bunker ?

— Enfin, c'est à la surface. A South Kensington, tu vois – en face du musée de géologie. Pas Maurice, il préfère son bureau de Whitehall à notre Centre de crise. »

245

Quand à l'origine elle avait postulé pour un emploi au ministère de l'Intérieur, Ursula s'attendait plus ou moins à ce que Maurice glisse un mot en sa faveur, mais il s'était déchaîné contre le népotisme : « La femme de César doit être au-dessus de tout soupçon etc. » « Dans cette comparaison tirée par les cheveux, je suppose que Maurice est César et non la femme de César ? fit Pamela.

— Oh, ne me mets pas cette idée dans la tête, dit Ursula en riant. Maurice en femme, imagine un peu.

— Ah, mais en *matrone romaine*. Voilà qui lui conviendrait mieux. Comment s'appelait la mère de Coriolan ?

— Volumnia.

— Ah, je sais ce que je voulais te dire – Maurice avait invité un ami à déjeuner, dit Pamela. Ce grand Américain avec qui il a étudié à Oxford. Tu te souviens ?

— Oui ! » Ursula avait du mal à se rappeler son prénom. « Oh, flûte, comment s'appelait-il déjà... quelque chose d'américain. Il a essayé de m'embrasser le jour de mes seize ans.

— Le porc ! fit Pamela en riant. Tu ne l'as jamais dit.

— Ce n'est guère ce qu'on souhaite pour un premier baiser. Ça tenait plus du tacle de rugby. Il était un peu butor sur les bords. » Ursula éclata de rire. « Je crois que j'ai blessé son orgueil – ou peut-être plus que ça.

— Howie, dit Pamela. Sauf que maintenant c'est Howard – Howard S. Landsdowne III pour lui donner son titre complet, à ce qu'il paraît.

— Howie, rêva Ursula. J'avais complètement oublié. Que fait-il à présent ?

— Quelque chose dans la diplomatie. Il est encore plus cachottier que Maurice. Il travaille à l'ambassade, Kennedy est un dieu à ses yeux. Je crois que Howie admire assez le vieil Adolf.

— Maurice aussi probablement, s'il n'était pas si *étranger*. Je l'ai vu une fois à un meeting de chemises noires.

— Maurice ? Jamais de la vie ! Peut-être qu'il espionnait, je peux l'imaginer en agent provocateur. Qu'est-ce que tu fichais, toi, là-bas ?

— Oh, tu sais bien, de l'espionnage, comme Maurice. Non, c'était juste le hasard.

— Tant de révélations surprenantes pour une théière. Y en a-t-il d'autres en réserve ? Je refais du thé ? »

Ursula rit. « Non, je crois que c'est tout. »

Pamela soupira. « C'est affreux, non ? »

— Quoi donc ? Tu veux parler de Harold ?

— Pauvre homme, je suppose qu'il devra rester ici. Ils ne peuvent pas vraiment mobiliser les médecins hospitaliers. Ils auront besoin d'eux si nous sommes bombardés et gazés. C'est ce qui nous attend à tous les coups, tu le sais, hein ?

— Oui, bien sûr, dit Ursula avec la même désinvolture que si elles avaient parlé du temps qu'il faisait.

— Quelle perspective horrible. » Pamela soupira une fois de plus, abandonna ses aiguilles à tricoter et s'étira. « C'est une journée si magnifique. Il est difficile de croire que c'est probablement la dernière journée ordinaire que nous aurons avant longtemps. »

Ursula devait prendre ses congés annuels, lundi. Elle avait prévu une semaine d'excursions paisibles d'une journée – à Eastbourne et Hastings, ou peut-être de pousser jusqu'à Bath ou Winchester – mais avec la déclaration de guerre imminente, aller où que ce soit paraissait impossible. Elle se sentit soudain sans énergie à l'idée de ce que l'avenir pouvait réserver. Elle avait passé la matinée dans Kensington High Street à faire des réserves – des piles pour sa torche, une nouvelle bouillotte, des bougies, des allumettes, des quantités industrielles de papier noir ainsi que des haricots et des pommes de terre en conserve, du café emballé sous vide. Elle s'était aussi acheté des vêtements, une robe de bonne qualité en laine pour huit livres, une veste en velours vert pour six, des bas et une paire de jolis richelieus en cuir fauve qui avaient l'air faits pour durer. Elle était fière d'avoir résisté à une robe de crêpe de Chine jaune imprimée de petites hirondelles noires. « Mon manteau d'hiver n'a que deux ans, dit-elle à Pamela, il me fera la guerre, tout de même ?

— Bonté divine, j'espère bien.

— Tout est si épouvantable.

— Je sais bien, dit Pamela en recoupant du gâteau. C'est infâme. Ça me met vraiment en *rogne*. Entrer en guerre est de la folie. Reprends donc du gâteau, veux-tu. Tu ferais mieux d'en profiter pendant que les garçons sont encore chez Olive. Ils vont rentrer et tout boulotter comme des sauterelles. Dieu seul sait comment nous allons nous débrouiller avec le rationnement.

— Tu seras à la campagne – tu pourras faire pousser des légumes. Elever des poulets. Un cochon. Tu t'en tireras. » Ursula se sentait malheureuse à l'idée que Pamela parte.

« Tu devrais venir.

— Je devrais rester, j'en ai peur.

— Oh, tiens, voici Harold », dit Pamela quand Harold apparut avec un gros bouquet de dahlias enveloppé dans du papier journal humide. Elle fit mine de se lever et il l'embrassa sur la joue en disant : « Reste assise. » Il embrassa aussi Ursula et offrit les dahlias à Pamela.

« Une fille les vendait à un coin de rue, à Whitechapel, expliqua-t-il. Très *Pygmalion*. Elle a dit qu'ils venaient du jardin ouvrier de son grand-père. » Crighton avait une fois offert des roses à Ursula, mais elles n'avaient pas tardé à piquer du nez et à se faner. Elle envia à Pamela ses fleurs robustes de jardin ouvrier.

« Enfin, bref, dit Harold après s'être versé une tasse de thé tiède, nous évacuons déjà les patients en état d'être transférés. Ils vont déclarer la guerre demain, c'est certain. Dans la matinée. C'est sans doute calculé pour que la nation puisse s'agenouiller dans les églises et prier Dieu pour la délivrance.

— Oh, oui, la guerre est toujours si *chrétienne*, n'est-ce pas ? dit Pamela d'un ton sarcastique. Surtout quand on est anglais. J'ai plusieurs amis en Allemagne, dit-elle à Ursula. Des gens bien.

— Je sais.

— Sont-ils l'ennemi à présent ?

— Ne te fâche pas, Pammy, dit Harold. Pourquoi c'est si calme, qu'est-ce que tu as fait des garçons ?

— Je les ai vendus, dit Pamela, ragaillardie. Trois pour le prix de deux.

— Tu ferais mieux de dormir ici, Ursula, dit gentiment Harold. Tu ne devrais pas rester seule demain. Ce sera une journée abominable. Ordre de la faculté.

— Merci, dit Ursula. Mais j'ai déjà des projets.

— Tant mieux pour toi, dit Pamela en ramassant son tricot. Nous ne devons pas nous conduire comme si c'était la fin du monde.

— Même si c'est le cas ? » fit Ursula. Elle regrettait à présent de ne pas avoir acheté la robe en crêpe de Chine jaune.

Novembre 1940

Elle était allongée sur le dos dans une flaque d'eau, ce qui ne la tracassa pas outre mesure au début. Le pire, c'était la puanteur. Un mélange de différentes choses, dont aucune n'augurait rien de bon, et Ursula essaya d'en identifier les composantes. L'odeur fétide du gaz (à usage domestique) pour commencer, les remugles nauséabonds des égouts ensuite. Ajouté à cela, il y avait un cocktail complexe d'humidité, de vieux plâtre et de poussière de brique, le tout mêlé à des vestiges d'habitation humaine – papier peint, vêtements, livres, nourriture – et à une odeur aigre, étrangère, d'explosif. En bref, l'essence d'une maison morte.

C'était comme si elle gisait au fond d'un puits profond. A travers un voile de poussière flou comme le brouillard, elle distinguait un carré de ciel noir et la rognure d'ongle de la lune qu'elle se rappelait avoir remarquée plus tôt dans la soirée en regardant par la fenêtre. Ça semblait faire une éternité.

La fenêtre elle-même, ou du moins son châssis, était toujours là, pas du tout où il aurait dû se trouver. C'était indubitablement sa fenêtre, elle reconnaissait les rideaux, réduits à des lambeaux calcinés voletant au vent. Ils étaient – avaient été – en épais brocart jacquard que Sylvie l'avait aidée à choisir chez John Lewis. L'appartement d'Argyll Road était loué meublé, mais Sylvie avait déclaré que les rideaux et les tapis étaient « minables au possible » et lui avait avancé l'argent pour qu'elle s'en achète des neufs quand elle avait emménagé.

250

A l'époque, Millie lui avait suggéré de venir s'installer à Phillimore Gardens avec elle. Millie continuait à jouer les ingénues et disait qu'elle envisageait de passer directement de Juliette à la Nourrice. « Ce serait amusant de partager un meublé », mais Ursula n'était pas persuadée d'avoir les mêmes conceptions de l'amusement que Millie. Elle se sentait souvent plutôt terne et sobre comparée à l'éclat de Millie. Une fauvette des haies tenant compagnie à un martin-pêcheur. Millie brillait parfois d'un éclat un tantinet trop vif.

C'était juste après Munich, Ursula s'était déjà embarquée dans sa liaison avec Crighton et il lui avait semblé plus pratique de vivre seule. Avec le recul, elle se rendait compte qu'elle s'était adaptée aux besoins de Crighton beaucoup plus que lui aux siens, comme si Moira et les filles l'emportaient en quelque sorte sur sa propre existence.

Pense à Millie, se dit-elle, pense aux rideaux, pense à Crighton s'il le faut. A tout sauf à ta situation présente. Ne pense surtout pas au gaz. Il semblait particulièrement important de chasser le gaz de son esprit.

Après leurs achats de rideaux et de tapis, Sylvie et Ursula avaient pris le thé au restaurant de John Lewis, servi par une serveuse sombrement efficace. « Je suis toujours si contente de ne pas avoir à me mettre dans la peau d'autrui, murmura Sylvie.

— Tu excelles à être toi-même, dit Ursula, consciente que la remarque n'était pas nécessairement élogieuse.

— C'est que j'ai des années de pratique. »

C'était un thé délicieux, comme on ne pouvait plus en prendre dans les grands magasins. Puis John Lewis avait été détruit, n'était plus qu'un crâne noirci et édenté. (« Quelle horreur », avait écrit Sylvie, plus émue qu'elle n'avait paru l'être par les affreux raids aériens sur l'East End.) Le magasin rouvrit quelques jours plus tard, « l'esprit du Blitz » disait-on, mais au fond y avait-il une alternative ?

Sylvie était de bonne humeur ce jour-là, les rideaux ainsi que la stupidité des gens qui croyaient que le petit bout de papier ridicule de Chamberlain avait la moindre signification les avaient rapprochées.

*

C'était très silencieux et Ursula se demanda si elle n'avait pas les tympans crevés. Comment avait-elle atterri là ? Elle avait le souvenir d'avoir regardé par la fenêtre d'Argyll Road – celle qui était maintenant si éloignée – et d'avoir vu la faucille de la lune. Et avant ça, elle était assise sur son canapé en train de coudre, de retourner le col d'un corsage, avec la TSF réglée sur une station allemande à ondes courtes. Elle prenait des cours du soir *(Connais ton ennemi)* mais avait des difficultés à distinguer le moindre mot hormis, de temps à autre, un vocable violent *(Luftangriffe, Verluste*[34]*)*. Désespérée par son manque de compétence, elle avait éteint le poste et mis Ma Rainey sur le phonographe. Avant son départ pour l'Amérique, Izzie lui avait légué ses disques, une collection impressionnante de chanteuses de blues américaines. « Je n'écoute plus ces trucs, avait-elle déclaré. C'est très passé. L'avenir réside dans quelque chose d'un peu plus soigné. » La maison d'Izzie à Holland Park était désormais fermée, tout était recouvert de housses. Elle avait épousé un dramaturge célèbre et ils avaient fichu le camp en Californie cet été. (« Des lâches, l'un comme l'autre, dit Sylvie.

— Oh, je ne sais pas, dit Hugh. Je suis sûr que si je pouvais rester jusqu'à la fin de la guerre à Hollywood, je le ferais. »)

« Vous écoutez de la musique intéressante, lança Mrs Appleyard à Ursula un jour qu'elles se croisaient dans l'escalier. Le mur qui séparait leurs appartements avait l'épaisseur du papier à cigarette et Ursula dit « Pardon, je ne voulais pas vous déranger », même si elle aurait pu ajouter qu'elle entendait le bébé de Mrs Appleyard brailler jour et nuit comme un putois et que c'était *très* perturbant. Âgé de quatre mois, le bébé était costaud pour son âge, grassouillet et rougeaud comme s'il avait sucé tout le sang de sa mère.

252

Mrs Appleyard – le bébé endormi comme un poids mort dans ses bras, la tête sur son épaule – agita une main dédaigneuse et dit : « Ne vous tracassez pas, ça ne me dérange pas. » Mrs Appleyard était une Européenne de l'Est lugubre, un genre de réfugiée, bien que son anglais fût précis. Mr Appleyard avait disparu quelques mois plus tôt, parti à l'armée peut-être, mais Ursula n'avait pas posé la question car il était clair et (audible) que le mariage n'était pas heureux. Mrs Appleyard était enceinte quand son mari était parti et, pour autant qu'Ursula le sache (ou l'ait entendu), il n'était jamais revenu faire connaissance avec son nourrisson braillard.

Mrs Appleyard avait dû être jolie, mais devenait chaque jour plus mince et plus triste de sorte que seul le fardeau (très) substantiel du bébé et de ses besoins semblait continuer à l'ancrer dans la vie quotidienne.

Dans la salle de bain qu'elles partageaient au premier, il y avait en permanence un seau émaillé dans lequel trempaient les couches nauséabondes du bébé qui seraient ensuite bouillies dans une casserole sur le réchaud à deux plaques de Mrs Appleyard. Sur la plaque voisine bouillait d'ordinaire une casserole de chou et, résultat peut-être de cette double ébullition, Mrs Appleyard avait toujours un vague parfum de vieux légumes et de lessive humide. Ursula le reconnaissait, c'était l'odeur de la pauvreté.

Les demoiselles Nesbit, nichées au dernier étage, se tracassaient beaucoup pour Mrs Appleyard et le bébé, comme les vieilles filles ont tendance à le faire. Les deux Nesbit, Lavinia et Ruth, des femmes menues, vivaient dans les mansardes (« sous les toits, comme les hirondelles », gazouillaient-elles). Elles auraient très bien pu être jumelles vu leur étonnante ressemblance, et Ursula devait toujours se creuser la cervelle pour se rappeler qui était qui.

Retraitées depuis longtemps – elles avaient toutes les deux été téléphonistes chez Harrods – elles étaient frugales, leur seul luxe étant une impressionnante collection de bijoux fantaisie achetés essentiellement à Woolworths à l'heure du déjeuner durant leurs « années d'activité ». Leur appartement avait une odeur très différente de celui de Mrs Appleyard, eau de lavande et cire Mansion House – le parfum des vieilles dames. Ursula faisait parfois les courses pour les Nesbit et Mrs Appleyard. Cette dernière l'attendait toujours à sa porte avec le montant exact de la somme due (elle connaissait le prix de tout) et un « merci » poli, mais les Nesbit essayaient éternellement d'attirer Ursula chez elles avec du thé pâlot et des biscuits rassis.

En dessous, au deuxième étage, habitaient Mr Fish (« un drôle de spécimen », s'accordaient-ils tous à dire) dont l'appartement sentait (de façon appropriée) le haddock qu'il faisait bouillir dans du lait pour son dîner, et à côté de lui, la distante Miss Hartnell (dont l'appartement ne sentait rien du tout) qui était gouvernante à l'hôtel Hyde Park et plutôt sévère, comme si rien ne pouvait espérer répondre à ses critères. Elle donnait à Ursula la nette impression de ne pas être à la hauteur.

« Déboires amoureux, je crois », chuchota en guise de circonstances atténuantes Ruth Nesbit à Ursula en plaquant sa main à l'ossature d'oiseau sur sa poitrine comme si son cœur frêle s'apprêtait à déserter le navire pour s'attacher à un individu peu recommandable. N'ayant jamais souffert des rigueurs de l'amour, les deux demoiselles Nesbit étaient extrêmement sentimentales. Miss Hartnell avait plus l'air du genre à infliger des déboires qu'à les subir.

« J'ai aussi quelques disques, fit Mrs Appleyard avec le sérieux d'une conspiratrice. Mais pas de phono hélas. » Le « hélas » de Mrs Appleyard semblait empreint de toute la tragédie d'un continent brisé. Il pouvait à peine supporter le poids qu'on lui demandait de charrier.

« Oh, n'hésitez surtout pas à venir les écouter sur le mien », dit Ursula tout en espérant que sa voisine opprimée n'accepterait pas son offre. Elle se demanda quel genre de musique possédait Mrs Appleyard. Il paraissait impossible que ce soit quelque chose de très joyeux.

« Du Brahms, dit Mrs Appleyard en réponse à la question non formulée. Et du Mahler. » Le bébé gigota comme s'il était

254

perturbé à la perspective de Mahler. Chaque fois qu'Ursula croisait Mrs Appleyard dans l'escalier ou sur le palier, le bébé était endormi. C'était comme s'il y avait eu deux bébés, celui qui pleurait à l'intérieur de l'appartement et celui qui dormait à l'extérieur.

« Ça ne vous dérange pas de me tenir Emil un moment, le temps de trouver mes clés ? demanda Mrs Appleyard en lui tendant l'encombrant enfant sans attendre de réponse.

— Emil », murmura Ursula. Elle n'avait pas pensé que le bébé avait un prénom. Comme d'habitude, Emil était équipé pour un hiver polaire : il disparaissait sous des couches, une culotte de caoutchouc, une barboteuse et toutes sortes de vêtements tricotés et enrubannés. Ursula avait l'habitude des bébés, Pamela et elle s'étaient occupées de Teddy et Jimmy avec l'enthousiasme qu'elles manifestaient pour chiots, chatons et lapereaux, et elle était l'image même de la tata gâteau avec les garçons de Pamela, mais le bébé de Mrs Appleyard était d'un genre moins attendrissant. Les bébés Todd sentaient bon le lait, le talc et le grand air auquel leurs vêtements avaient séché tandis qu'Emil avait un léger fumet de gibier.

Mrs Appleyard farfouilla dans son vaste sac à main abîmé, article qui donnait l'impression d'avoir lui aussi traversé toute l'Europe en provenance d'un pays lointain (dont Ursula, manifestement, ne savait rien). Avec un immense soupir, Mrs Appleyard trouva enfin ses clés tout au fond. Sentant peut-être l'écurie, le bébé se tortilla dans les bras d'Ursula comme s'il se préparait à la transition et ouvrit les yeux. Il avait l'air plutôt mal embouché.

« Merci, miss Todd, dit Mrs Appleyard en récupérant le bébé. Ça m'a fait plaisir de vous parler.

— Ursula. Appelez-moi Ursula, je vous en prie. »

Mrs Appleyard hésita avant de dire, presque timidement, Eryka. E-r-y-k-a. » Elles étaient voisines de palier depuis un an, mais c'était la première fois qu'elles étaient aussi intimes.

La porte était à peine fermée que le bébé entama ses beuglements habituels. « Est-ce qu'elle lui enfonce des épingles ? »

255

écrivait Pamela. Pamela donnait naissance à des bébés placides. « Ils n'ont tendance à devenir sauvages qu'à l'âge de deux ans », disait-elle. Elle avait accouché d'un autre garçon, Gerald, juste avant Noël. « Tu auras plus de chance la prochaine fois », dit Ursula en la voyant. Elle était montée dans le nord pour découvrir le nouveau bébé, long voyage difficile dont elle avait passé la plus grande partie dans la cabine du chef de train, le convoi étant bondé de soldats en route pour leur camp d'entraînement. Elle avait subi un déluge d'insinuations à caractère sexuel, amusantes au début, mais fastidieuses au final. « Ce ne sont pas vraiment de nobles et parfaits chevaliers », dit-elle quand elle arriva enfin, la dernière partie du périple s'étant effectuée dans une carriole tirée par un âne comme si le temps avait glissé dans un autre siècle et même un autre pays.

La pauvre Pammy en avait plein le dos de la drôle de guerre et d'être enfermée avec autant de petits garçons : « J'ai l'impression d'être infirmière dans une école de garçons. » Sans compter Jeanette qui s'était révélée « un peu flemmarde » (ainsi que râleuse et ronfleuse par-dessus le marché). « On attend mieux de la part d'une fille de pasteur, écrivait Pamela, même si Dieu seul sait pourquoi. » Elle était revenue dare-dare à Finchley au printemps, mais depuis le début des raids nocturnes, s'était retirée avec sa couvée à Fox Corner pour « la durée de la guerre », malgré ses nombreux doutes au sujet d'une cohabitation avec Sylvie. Harold, à présent à St Thomas's Hospital, travaillait en première ligne. Le logement des infirmières avait été bombardé une quinzaine de jours auparavant et cinq d'entre elles avaient été tuées. « Chaque nuit est un enfer », signalait Harold. Ralph faisait le même constat sur les lieux bombardés.

Ralph ! Bien sûr, Ralph. Ursula l'avait quasiment oublié. Il était aussi à Argyll Road. Etait-il présent lors de l'explosion de la bombe ? Ursula s'efforça de tourner la tête pour regarder autour d'elle, comme si elle allait le découvrir parmi les décombres. Personne, elle était seule. Seule et prisonnière d'une cage de poutres et de chevrons déchiquetés, la poussière retombant autour d'elle, dans sa bouche, ses narines, ses yeux. Non, Ralph était déjà parti quand les sirènes avaient retenti.

L'Homme de l'Amirauté ne couchait plus avec Ursula. La déclaration de guerre avait fait monter aux joues de son amant le rouge de la culpabilité. Ils devaient mettre un terme à leur liaison, déclara-t-il. Les activités martiales primaient apparemment sur les tentations de la chair – comme si elle était Cléopâtre s'apprêtant à détruire par amour l'Antoine qu'il était. Le monde était, semblait-il, devenu assez excitant pour qu'on n'aille pas y ajouter les périls « de l'entretien d'une maîtresse ». « Suis-je une maîtresse ? » dit Ursula. Elle ne se voyait pas comme une femme adultère arborant la lettre écarlate, marque d'infamie qui convenait à une femme plus leste, tout de même.

L'équilibre avait changé. Crighton avait vacillé. Et apparemment basculé. « Très bien, avait-elle répondu d'une voix égale. Si c'est ce que tu veux. » C'est à ce moment-là qu'elle avait commencé à subodorer qu'il n'y avait pas en réalité un autre Crighton plus fascinant caché derrière la façade énigmatique. Il n'était pas si impénétrable, tout compte fait. Crighton était Crighton – Moira, les filles, le Jütland, quoique pas nécessairement dans cet ordre.

Bien que la rupture ait eu lieu à son initiative, Crighton était affligé. Pas elle ? « Tu es très calme », dit-il.

Mais elle n'avait jamais été « amoureuse » de lui, expliqua-t-elle. « Et j'espère que nous pourrons rester amis.

— Je crains que ce ne soit pas possible », dit Crighton qui avait déjà la nostalgie de ce qui était désormais de l'histoire ancienne.

Elle avait néanmoins passé la journée suivante à pleurer comme il se doit la perte de son amant. Ce qu'elle éprouvait pour Crighton allait au-delà du sentiment nonchalant que Pamela avait cru voir. Puis elle sécha ses larmes, se lava les cheveux et se mit au lit avec des toasts tartinés de Bovril[35] et une bouteille de château-haut-brion 1929 chapardée dans l'excellente cave qu'Izzie avait laissée négligemment à Melbury Road. Ursula avait les clés de la maison. « N'hésite surtout pas à te servir », avait dit Izzie. Elle ne s'en privait pas.

Quel dommage pourtant, songeait Ursula, de ne plus avoir de rendez-vous galants avec Crighton. La guerre facilitait les écarts de conduite. Le black-out était un paravent parfait pour les liaisons clandestines, et les perturbations causées par les bombardements – quand ils finirent par commencer – lui auraient fourni des tas d'excuses pour ne pas être à Wargrave avec Moira et les filles.

A la place, Ursula avait entamé une relation sans faux-semblant avec un étudiant de son cours d'allemand. Après le premier cours *(Guten Tag. Mein Name ist Ralph. Ich bin dreißig Jahre alt)* ils s'étaient tous les deux retirés dans un café de Southampton Row, désormais presque invisible derrière un mur de sacs de sable. Il s'avéra que Ralph travaillait dans le même bâtiment qu'elle, sur les cartes des dégâts causés par les bombardements.

C'est seulement après le cours – qui avait lieu dans une pièce étouffante, située au troisième étage d'un immeuble de Bloomsbury – qu'Ursula remarqua que Ralph boitait. Blessé à Dunkerque, dit-il, avant qu'elle ait pu poser la question. Une balle dans la jambe alors qu'il attendait dans l'eau de monter sur une des petites embarcations qui faisaient la navette entre la côte et les plus gros navires. Il avait été hissé à bord par un pêcheur de Folkestone qui avait été touché au cou quelques minutes plus tard. « Voilà, dit-il à Ursula, comme ça nous n'aurons plus à en reparler.

— Non, je suppose, fit Ursula. Mais quelle horreur. » Elle avait vu les actualités, bien sûr. « On avait de mauvaises cartes mais on les a bien jouées », avait dit Crighton. Ursula était tombée sur lui à Whitehall, peu de temps après l'évacuation des troupes. Elle lui manquait, avait-il avoué. (Il recommençait à vaciller, se dit-elle.) Ursula s'était montrée résolument non-chalante, avait déclaré avoir des rapports à porter au bureau du

Cabinet de guerre et serré ses dossiers chamois sur sa poitrine comme pour s'en faire une cuirasse. Il lui avait manqué aussi. Il semblait important de ne rien en laisser paraître.

« Tu assures la liaison avec le Cabinet de guerre ? fit Crighton plutôt impressionné.

— Juste avec une assistante d'un sous-secrétaire. En fait, même pas une assistante, juste une autre "fille" comme moi. »

La conversation avait assez duré, décida-t-elle. Il la regardait d'un air qui lui donnait envie de sentir à nouveau l'étreinte de ses bras. « Faut que j'y aille, lança-t-elle jovialement, on est en guerre, tu sais. »

*

Ralph était de Bexhill, gentiment sardonique, de gauche, utopiste. (« Tous les socialistes ne sont-ils pas utopistes ? » disait Pamela.) Ralph n'avait rien à voir avec Crighton qui avec le recul semblait un peu trop influent.

« Courtisée par un Rouge ? » demanda Maurice en la croisant dans l'enceinte sacrée. Elle eut le sentiment que la rencontre n'était pas le fruit du hasard. « Ça pourrait faire mauvais effet si quelqu'un l'apprenait.

— Ce n'est quand même pas un communiste encarté.

— N'empêche, dit Maurice, enfin, il aura au moins le mérite de ne pas livrer les positions des cuirassés sur l'oreiller. »

Qu'est-ce que ça signifiait ? Maurice était-il au courant pour Crighton ?

« Ta vie privée ne l'est plus, pas quand le pays est en guerre, dit-il d'un air dégoûté. Et pourquoi, à propos, apprends-tu l'allemand ? En prévision de l'invasion ? Tu te prépares à accueillir l'ennemi ?

— Je croyais que tu m'accusais d'être communiste, pas fasciste », répondit Ursula, fâchée. (« Quel imbécile, dit Pamela. Il est terrifié par tout ce qui pourrait ternir son image. Non que je le défende. Le ciel m'en préserve. »)

De sa position au fond du puits, Ursula voyait que la majeure partie du mur trop mince qui séparait son appartement de celui de Mrs Appleyard avait disparu. A travers les lames de plancher brisées et les poutres fracassées, elle apercevait une robe qui pendait mollement sur un cintre accroché à une cimaise. C'était la cimaise du salon des Miller au rez-de-chaussée. Ursula reconnut le papier peint à fleurs : des roses jaunâtres trop épanouies. Elle avait vu Lavinia Nesbit porter cette robe ce soir même : elle était d'un vert soupe aux pois (et tout aussi molle). A présent, elle était d'une nuance poussière de bombe et descendue d'un étage. A quelques mètres de sa tête, Ursula apercevait sa bouilloire personnelle, une grosse chose brune qui faisait double emploi à Fox Corner. Elle la reconnut à la grosse ficelle enroulée autour de la poignée par Mrs Glover. Tout était au mauvais endroit, y compris elle.

Oui, Ralph était venu à Argyll Road. Ils avaient mangé du pain et du fromage accompagnés d'une bouteille de bière. Puis elle avait fait les mots croisés, ceux du *Telegraph* de la veille. Récemment, Ursula avait été forcée de s'acheter une paire de lunettes pour voir de près, plutôt disgracieuses. Ce n'est qu'après les avoir rapportées chez elle qu'elle se rendit compte qu'elles étaient quasiment identiques à celles d'une des demoiselles Nesbit. Etait-ce sa destinée aussi ? se demandat-elle en contemplant son reflet binoclard dans le trumeau. Finirait-elle également vieille fille ? *La cible préférée des moqueries enfantines*[36]. Pouvait-on être une vieille fille si on avait porté la lettre écarlate ? Hier, une enveloppe était apparue mystérieusement sur son bureau pendant qu'elle déjeunait à la va-vite d'un sandwich dans St James's Park. Reconnaissant l'écriture de Crighton (penchée, étonnamment jolie), elle la déchira en petits morceaux et la jeta à la poubelle sans la lire. Plus tard, tandis que ses subordonnés étaient rassemblés comme une volée de pigeons autour du chariot de thé, elle avait récupéré les fragments et reconstitué le mot.

J'ai égaré mon étui à cigarettes en or. Tu sais de quoi je parle — mon père me l'a donné après le Jütland. Tu ne l'aurais pas trouvé par hasard ?
Bien à toi, C.

Mais Crighton n'avait jamais été à elle. Bien au contraire. Il appartenait à Moira. (Ou peut-être à l'Amirauté.) Elle remit les morceaux de papier dans la poubelle. L'étui à cigarettes était dans son sac. Elle l'avait trouvé sous son lit quelques jours après le départ de Crighton.

« A quoi penses-tu ? dit Ralph.

— A rien de bien intéressant, crois-moi. »

Ralph était allongé à côté d'elle, la tête sur l'accoudoir du canapé, ses pieds en chaussettes sur ses genoux. Bien que donnant l'impression d'être endormi, il murmurait une réponse chaque fois qu'elle lui lançait une définition. « *Si Roland avait écouté Olivier, ils n'auraient pas été décimés ?* "Paladins", non ? fit-elle. Qu'en penses-tu ? »

La veille, il lui était arrivé une chose bizarre. Elle était dans le métro, elle n'aimait pas le métro, avant les bombardements, elle circulait partout en bicyclette, mais c'était difficile avec tout ce verre et ces gravats. Elle s'était attelée aux mots croisés du *Telegraph*, essayant de faire comme si elle n'était pas sous terre. La plupart des gens s'y sentaient plus en sécurité, mais Ursula n'aimait pas les espaces confinés. Deux ou trois jours plus tôt seulement, il y avait eu un incident : une bombe était tombée sur une entrée de métro, la déflagration s'était propagée dans les tunnels et le résultat était épouvantable. Elle n'était pas sûre que les journaux en aient parlé, ces choses-là étaient si désastreuses pour le moral.

Son voisin de métro s'était soudain penché vers elle — elle avait eu un mouvement de recul — et désignant d'un signe de tête sa grille à demi remplie, avait lancé : « Vous vous débrouillez bien.

Puis-je vous donner ma carte ? Passez à mon bureau, si vous voulez. Je recrute des filles intelligentes. » Je le crois volontiers, se dit-elle. Il était descendu à Green Park en soulevant son chapeau pour prendre congé d'elle. La carte de visite portait une adresse à Whitehall, mais elle l'avait jetée.

Ralph secoua son paquet de cigarettes pour en faire sortir deux qu'il alluma. Il lui en tendit une et dit : « Tu es futée, hein ?

— Oui, très. C'est la raison pour laquelle je suis à l'Intelligence Service et toi à la salle des cartes.

— Ha, ha, futée et drôle. »

Il régnait entre eux une confiance décontractée, comme s'ils étaient plus copains qu'amants. Ils respectaient la personnalité de l'autre et avaient peu d'exigences. Le fait qu'ils travaillaient tous les deux au Centre de crise facilitait les choses. Il y avait un tas de choses qu'ils n'avaient jamais besoin de s'expliquer.

Il lui effleura le dos de la main et dit « Comment vas-tu ? » et elle répondit « Très bien, merci. » Ses mains étaient restées celles de l'architecte qu'il avait été avant la déclaration de guerre, elles n'avaient pas souffert de la bataille. Il était loin des combats, topographe au Royal Engineers où il étudiait des cartes, des photos etc. et ne s'attendait pas à redevenir un combattant barbotant dans de l'eau de mer sale, huileuse, ensanglantée, à se faire canarder de tous les côtés. (Car il en avait, malgré tout, reparlé un peu.)

Il pourrait sortir quelque chose de bon de tous ces affreux bombardements, disait-il. Il avait foi en l'avenir (à la différence de Hugh ou Crighton). « Toutes ces masures », disait-il. Woolwich, Silvertown, Lambeth et Limehouse étaient en train d'être détruits et devraient être reconstruits après la guerre. C'était l'occasion de bâtir des logis propres et modernes dotés de tout le confort — une communauté de verre, d'acier et d'air dans le ciel à la place des taudis victoriens. « Une sorte de San Gimignano du futur. »

Ursula n'était pas convaincue par cette vision de tours ultramodernes, si ça ne tenait qu'à elle, elle reconstruirait l'avenir sous forme de cités-jardins, de maisonnettes confortables avec un jardinet. « Quelle vieille conservatrice tu es », lui disait-il affectueusement.

Pourtant c'était aussi un amoureux du vieux Londres (Quel architecte ne le serait pas ?) – il aimait les églises de Christopher Wren, les demeures majestueuses et les bâtiments publics élégants : « Les Pierres de Londres », disait-il. Une ou deux nuits par semaine, il participait à la vigile nocturne de St Paul's, des hommes prêts à escalader la charpente « si nécessaire » pour protéger la magnifique cathédrale du feu. L'endroit était une véritable souricière en cas d'incendie, disait-il – des vieilles poutres, du plomb partout, des toits plats, une multitude d'escaliers et de recoins sombres et oubliés. Il avait répondu à une annonce parue dans la revue du Royal Institute of British Architects demandant des architectes volontaires pour devenir guetteurs car ils « comprendraient les plans etc. ». « Il faudrait peut-être se montrer très agile », disait Ralph, et Ursula se demandait comment il ferait avec sa claudication. Elle avait des visions de Ralph cerné par les flammes dans tous ces escaliers et ces recoins sombres. C'était, semblait-il, une vigile conviviale – ils jouaient aux échecs et avaient de longues conversations au sujet de la philosophie et de la religion. Ça devait très bien convenir à Ralph, supposait-elle.

Voilà seulement quelques semaines, ils avaient regardé pétrifiés par l'horreur Holland House partir en flammes. Ils étaient allés faire une razzia dans la cave de Melbury Road. « Pourquoi ne pas habiter chez moi ? avait lancé Izzie avant de s'embarquer pour l'Amérique. Tu pourrais être ma gardienne. Tu seras en sécurité ici. Ça m'étonnerait beaucoup que les Allemands aient envie de bombarder Holland Park. » Ursula s'était dit qu'Izzie surestimait peut-être quelque peu la précision des bombardements de la Luftwaffe. Et si la maison était un endroit si sûr, pourquoi Izzie prenait-elle ses jambes à son cou ?

« Non, merci », avait-elle répondu. La bâtisse était trop vaste et trop vide. Elle avait cependant emporté la clé et farfouillait de temps à autre dans la maison pour y trouver des choses utiles. Il y avait encore dans les placards des conserves qu'Ursula gardait pour une urgence de dernière minute et, évidemment, la cave à vins bien remplie.

Ils inspectaient les casiers à bouteilles avec une torche – l'électricité avait été coupée au départ d'Izzie – et Ursula venait de sortir un pétrus de fort belle apparence et de dire à Ralph « Tu penses que ça irait avec des pommes de terre sautées et du Spam[37] ? » quand il y eut une terrible explosion. Croyant la maison touchée, ils s'étaient jetés à plat ventre sur le sol de pierre dur et avaient mis leurs mains sur leur tête. C'était le conseil que Hugh lui avait seriné lors d'une récente visite à Fox Corner. « Toujours se protéger la tête. » Il avait fait une guerre. Elle l'oubliait parfois. Tous les grands crus avaient tremblé et frissonné dans leurs casiers et avec le recul Ursula n'osait imaginer quels dégâts ces bouteilles de château-latour et de château-yquem auraient pu causer si elles leur étaient tombées dessus, avec leurs éclats de verre semblables à des shrapnels.

Ils étaient sortis en courant et avaient regardé Holland House se transformer en brasier, les flammes dévorer toute la bâtisse et Ursula songea : Plaise à Dieu que je ne périsse pas dans un incendie. Que je meure rapidement.

*

Elle aimait énormément Ralph. Elle n'était pas tourmentée par l'amour comme certaines femmes. Avec Crighton, elle avait été sans arrêt titillée par *l'idée* de l'amour, mais avec Ralph, c'était plus simple. Une fois de plus, il ne s'agissait pas d'amour, ça ressemblait plus aux sentiments éprouvés pour un chien favori (et non, elle ne lui aurait jamais avoué une chose pareille. Certaines personnes, beaucoup de gens, ne comprenaient pas combien on pouvait s'attacher à un chien).

Ralph s'alluma une autre cigarette et Ursula dit « Harold dit que fumer est très mauvais pour la santé. Il a vu sur la table d'opération des poumons qui ressemblaient à des cheminées jamais ramonées.

— Evidemment que ce n'est pas bon pour la santé, dit Ralph en en allumant aussi une pour Ursula. Mais se faire bombarder et tirer dessus par les Allemands ne l'est pas non plus.

— Si un seul petit détail avait été changé, je parle du passé. Si Hitler était mort à la naissance, par exemple, ou s'il avait été kidnappé bébé et élevé, disons, je ne sais pas, moi, dans un foyer quaker – est-ce qu'il ne t'est pas arrivé de te demander si les choses ne seraient tout de même pas différentes ?

— Tu crois que des quakers auraient kidnappé un bébé ? demanda gentiment Ralph.

— S'ils avaient su ce qui allait se passer, pourquoi pas ?

— Mais personne ne sait ce qui va se passer. Et de toute façon, il aurait peut-être aussi mal tourné, avec ou sans quakers. Il aurait peut-être fallu le tuer au lieu de le kidnapper. En serais-tu capable ? De tuer un bébé ? Avec une arme à feu ? Ou si tu n'en avais pas, à mains nues ? De sang-froid. »

Si c'était pour sauver Teddy, songea Ursula. Pas seulement Teddy, évidemment, le reste du monde aussi. Teddy avait demandé à entrer dans la RAF, le lendemain de la déclaration de guerre. Il travaillait alors dans une petite exploitation agricole du Suffolk. Après Oxford, il avait étudié l'agronomie pendant un an et travaillé dans diverses exploitations grandes et petites d'un bout à l'autre du pays. Il voulait tout savoir avant de s'installer, disait-il. (« *Agriculteur* ? » continuait à dire Sylvie.) Teddy ne voulait pas être un de ces idéalistes du retour à la terre qui finissent avec de la boue jusqu'aux genoux, des vaches mal en point, des agneaux morts et des récoltes pourries sur pied. (Il avait apparemment travaillé dans un endroit de ce genre.)

Teddy écrivait toujours de la poésie et Hugh disait « Un agriculteur poète, hein ? Comme Virgile. Nous attendons de toi de nouvelles *Géorgiques*. » Ursula se demandait ce que Nancy ressentait à l'idée de devenir femme d'agriculteur. Elle était terriblement intelligente, effectuait des recherches sur un aspect ésotérique et déconcertant des mathématiques à Cambridge. (« Je n'y comprends rien » disait Teddy.) Et voilà que son rêve de devenir pilote était soudainement et inopinément à portée de main. Il était actuellement en sécurité au Canada, où il apprenait à voler dans une Empire Training School, envoyait des lettres vantant l'abondance de la nourriture, le temps magnifique, rendait Ursula verte de jalousie. Elle aurait voulu qu'il reste là-bas à jamais, à l'abri du danger.

*

« Comment en sommes-nous venus à parler de tuer des bébés de sang-froid ? demanda Ursula à Ralph. Remarque… » et d'indiquer d'un signe de tête le mur vrillé par les hurlements en dents de scie d'Emil. Une vraie sirène d'alerte.

Ralph rit. « Il n'est pas trop pénible ce soir. Note bien que je deviendrais marteau si mes enfants faisaient un boucan pareil. »

Ursula trouva intéressant qu'il ait dit « mes enfants » et non « nos enfants ». Etrange de penser à avoir des enfants à une époque où l'existence même de l'avenir était sujette à caution. Elle se leva un peu brusquement et dit : « Les raids ne vont pas tarder à commencer. » Au début du Blitz, ils auraient dit « Ils ne peuvent pas venir *toutes* les nuits », maintenant ils savaient que si. (« Notre vie va-t-elle éternellement ressembler à ça ? A ce pilonnage constant ? » écrivit-elle à Teddy.) Cinquante-six nuits d'affilée à présent, de sorte qu'il commençait à sembler possible que ça ne s'arrête jamais.

« Tu es comme un chien, dit Ralph. Tu as un sixième sens pour détecter les bombardiers.

— Alors tu ferais mieux de me croire et de partir. Sinon, tu vas devoir descendre au "cachot" et tu sais que ça ne te plaira pas. » La famille Miller au grand complet – Ursula avait compté au moins quatre générations – vivait au rez-de-chaussée et dans le demi-sous-sol de la maison d'Argyll Road. Ils avaient aussi accès à un niveau situé plus bas, une cave que les résidents de la maison utilisaient comme abri antiaérien. C'était un labyrinthe, un espace déplaisant à l'odeur de moisi, rempli d'araignées et de scarabées, qui paraissait horriblement surpeuplé s'ils y étaient tous rassemblés, surtout une fois que le chien des Miller, un tapis de fourrure informe du nom de Billy, avait été tiré dans l'escalier pour se joindre à contrecœur à eux. Ils devaient aussi bien sûr supporter les larmes et les lamentations d'Emil que les occupants de la cave se refilaient comme un colis indésirable dans l'espoir futile de le calmer.

Dans un effort pour rendre la cave « accueillante » (combat perdu d'avance), Mr Miller avait collé quelques reproductions de « grand art anglais » comme il disait, sur les murs protégés de sacs de sable. Ces planches en couleur – *La Charrette de foin* de Constable, *Mr et Mrs Andrews* de Gainsborough (avec leur air si suffisant) et *Les Bulles de savon* (le Millais le plus mièvre, selon Ursula) avaient tout l'air d'avoir été chapardés dans des ouvrages de référence coûteux. « De la culture », disait Mr Miller en hochant sagement la tête. Ursula se demanda ce qu'elle aurait choisi pour représenter le « grand art anglais ». Turner peut-être, le contenu barbouillé, fugace des dernières œuvres. Pas du tout du goût des Miller, soupçonnait-elle.

*

Elle avait recousu le col de son corsage. Elle avait éteint le *Sturm und Drang* de l'émission de radio et écouté à la place Ma Rainey chanter « Yonder Come the Blues » – antidote au flot de sentimentalité facile que commençait à déverser la TSF. Elle avait mangé du pain et du fromage avec Ralph, s'était essayée aux mots croisés avant de pousser Ralph vers la porte et de l'embrasser pour prendre congé. Puis elle avait éteint la lumière, écarté le panneau de black-out pour le voir s'éloigner dans Argyll Road. Malgré sa claudication (ou peut-être grâce à elle), il avait une démarche élastique comme s'il s'attendait à faire une rencontre intéressante. Elle lui rappelait Teddy.

267

Il savait qu'elle le regardait, mais ne jeta pas de regard en arrière, se contenta de la saluer silencieusement en levant un bras et fut englouti par l'obscurité. Pourtant, il y avait un peu de lumière, un croissant de lune brillant et, çà et là, quelques très pâles étoiles, comme si quelqu'un avait jeté une poignée de poussière de diamant dans le noir. La *Lune-Reine*, entourée de *toutes ses Fées étoilées*, même si elle soupçonnait Keats de parler de la pleine lune alors que celle qui surmontait Argyll Road ressemblait plus à une lune d'honneur. Elle était d'humeur poétique ce soir, mais pas très inspirée. C'était l'énormité de la guerre, songea-t-elle, on se creusait la tête pour arriver à la penser.

Bridget disait toujours que ça portait malheur de regarder la lune à travers du verre et Ursula remit le panneau en place, ferma hermétiquement les rideaux.

Ralph était désinvolte en matière de sécurité personnelle. Après Dunkerque, disait-il, il se sentait à l'épreuve d'une mort violente et subite. En temps de guerre, quand la mort vous cernait de toutes parts, la donne changeait complètement et il était impossible d'être protégé de quoi que ce soit, semblait-il à Ursula.

Comme elle l'avait prévu, les miaulements des sirènes commencèrent, suivis de près par les canons de Hyde Park entrant en action, et d'après le bruit les premières bombes tombant une fois de plus sur les docks. Poussée à l'action, elle attrapa sa torche accrochée près de la porte, ramassa son livre, gardé également tout près. C'était son « livre d'abri » : *Du côté de chez Swann*. Comme la guerre avait l'air de vouloir s'éterniser, autant en profiter pour s'embarquer dans la lecture de Proust, avait-elle décidé.

Les avions vrombirent dans le ciel puis elle entendit le redoutable sifflement d'une bombe suivi d'un formidable *baoûm* quand elle atterrit à proximité. Quelquefois, une explosion semblait beaucoup plus proche qu'elle ne l'était en réalité. (Avec quelle rapidité on acquérait des connaissances sur les sujets les plus inattendus.) Elle chercha son tailleur d'abri. Elle portait une robe plutôt légère vu la saison et il faisait horriblement froid et humide dans la cave. Le tailleur d'abri avait été acheté par Sylvie montée à Londres pour la journée, peu de temps avant le début des bombardements. Elles étaient allées flâner à Piccadilly et Sylvie, ayant repéré dans la vitrine du grand magasin Simpson's une publicité pour « des tailleurs d'abri bien coupés », avait insisté pour qu'elles entrent les essayer. Ursula ne parvenait pas à imaginer sa mère dans un abri, encore moins dans un tailleur d'abri, mais c'était visiblement un vêtement, un uniforme même, qui la séduisait. « Ce sera bien pratique pour nettoyer le poulailler », dit-elle et elle en acheta un pour elle et un pour Ursula.

La détonation énorme qui suivit avait une urgence telle qu'Ursula abandonna sa recherche du maudit tailleur et attrapa à la place la couverture en carrés de laine crochetée par Bridget. (« Je m'apprêtais à l'envoyer à la Croix-Rouge, avait écrit Bridget de son écriture ronde d'écolière, puis je me suis dit que vous pourriez en avoir davantage besoin. »

« Tu vois, j'ai un statut de réfugiée jusque dans ma famille », écrivit Ursula à Pamela.)

Elle croisa les sœurs Nesbit dans l'escalier. « Oh, oh, mauvais signe, miss Todd, gloussa Lavinia. Se croiser dans l'escalier, vous savez. »

Ursula descendait, les sœurs montaient. « Vous allez dans le mauvais sens, dit-elle plutôt inutilement.

— J'ai oublié mon tricot », répondit Lavinia. Elle portait une broche émaillée en forme de chat noir. Dont l'œil en strass clignait à la lumière. « Elle tricote un petit pantalon pour le bébé de Mrs Appleyard, expliqua Ruth. Il fait si froid dans leur appartement. » Si on continuait à empiler les tricots sur ce pauvre enfant, il n'allait pas tarder à ressembler à un mouton, se dit Ursula. Pas à un agneau. Le petit Appleyard n'avait rien d'un agneau. Il avait un prénom, Emil, se remémora-t-elle.

« Ne tardez pas, hein », fit-elle.

*

« Ohé, ohé, toute la bande est au complet[38] » dit Mr Miller lorsqu'ils entrèrent un à un dans la cave. Un assortiment hétéroclite de chaises et de literies de fortune emplissaient l'espace froid et humide. Il y avait deux vieux lits de camp de l'armée que Mr Miller avait dénichés quelque part et sur lesquels on persuadait les Nesbit de reposer leurs vieux os. En l'absence momentanée des sœurs, Billy le chien s'était installé sur l'un d'eux. Il y avait aussi un petit poêle à alcool et un autre à pétrole qui aux yeux d'Ursula étaient tous les deux des articles extraordinairement dangereux à avoir près de soi quand on vous bombardait. (Les Miller avaient l'optimisme facile face au danger.)

Tout le monde était quasiment arrivé – Mrs Appleyard et Emil, Mr Fish, le drôle de spécimen, Miss Hartnell et les Miller au grand complet. Mrs Miller se déclara inquiète de ne pas voir les Nesbit et Mr Miller se proposa d'aller leur dire de se dépêcher (« satané tricot etc. ») mais c'est alors qu'une énorme explosion ébranla la cave. Ursula sentit les fondations trembler sous ses pieds tandis que le souffle parcourait les entrailles de la terre. Obéissant aux directives de Hugh, elle se jeta à terre et mit ses mains sur sa tête, attrapant au passage le petit Miller le plus proche (« Hé, lâchez-moi ! »). Elle s'accroupit gauchement au-dessus de lui, mais il se dégagea en se tortillant.

Tout se tut.

« C'était pas chez nous » dit dédaigneusement le gamin d'un air un peu crâneur pour restaurer sa dignité masculine offensée.

Mrs Appleyard s'était aussi jetée à terre en faisant au bébé une molle carapace de son corps. Mrs Miller avait serré contre elle non pas sa progéniture, mais la vieille boîte métallique de caramels Farrah's Harrogate contenant ses économies et ses polices d'assurance.

D'une voix qui avait l'air un demi-ton plus haut que la normale, Mr Fish demanda : « C'était vraiment nous ? » Non, songea Ursula, nous serions morts, sinon. Elle se rassit sur une des chaises bancales en bois courbé fournies par Mr Miller. Elle entendait son cœur, trop bruyant. Elle se mit à frissonner et s'emmitoufla dans la couverture au crochet de Bridget.

« Nan, le gamin avait raison, fit Mr Miller, on aurait dit Essex Villas. » Mr Miller prétendait toujours savoir où atterrissaient les bombes. Chose surprenante, il se trompait rarement. Tous les Miller étaient experts dans le langage de la guerre ainsi que dans son esprit. Ils étaient tous capables d'encaisser les coups. (« Et nous sommes aussi capables de les rendre, pas vrai ? écrivait Pamela. C'est à croire que nous n'avons pas nous-mêmes du sang sur les mains. »)

« La colonne vertébrale de l'Angleterre, à n'en pas douter », avait dit Sylvie à Ursula la première (et dernière) fois qu'elle avait vu la famille. Mrs Miller avait invité Sylvie à venir prendre une tasse de thé dans sa cuisine, mais Sylvie était encore fâchée de l'état des rideaux et des tapis d'Ursula, qu'elle reprochait à Mrs Miller, l'ayant prise à tort pour la propriétaire alors qu'elle n'était qu'une simple locataire. (Elle était sourde aux explications d'Ursula.) Sylvie se conduisit comme une duchesse visitant la chaumière d'un de ses métayers. Ursula imagina Mrs Miller disant plus tard à Mr Miller : « Quelle bêcheuse, celle-là. »

Là-haut, le vacarme d'un bombardement régulier avait commencé, ils entendaient les timbales des grosses bombes, le sifflement des obus et le tonnerre d'une unité mobile d'artillerie proche. De temps à autre, les fondations de la cave étaient ébranlées par des *broum*, *boum* et *baoûm* à mesure que les bombes pilonnaient la ville. Emil hurlait, Billy le chien hurlait, deux des plus petits Miller hurlaient. Mais de façon totalement discordante, contrepoint malvenu au *Donner und Blitzen* de la Luftwaffe. Une terrible et interminable tempête. *Le désespoir derrière et la mort devant*[39].

« Mince alors, le vieux Fritz essaie vraiment de nous flanquer la trouille ce soir », dit Mr Miller en réglant calmement une lampe comme s'ils étaient tout bonnement en train de faire du camping. Il était responsable du moral des troupes dans la cave. Comme Hugh, il avait vécu les tranchées et prétendait être indifférent aux menaces de Jerry. Ils étaient tout un club, Crighton, Ralph, Mr Miller, même Hugh à avoir connu l'épreuve du feu, de la boue et de l'eau, et à avoir cru que c'était une expérience qui ne se reproduirait pas de leur vivant.

« Qu'est-ce que manigance ce vieux Fritz, hein ? dit-il pour apaiser un enfant plus petit et plus effrayé que les autres. Il essaie de me priver de mon sommeil de jouvence ? » Mr Miller parlait toujours des Allemands au singulier : il les appelait tour à tour Fritz, Jerry, Otto, Hermann, Hans ; parfois, à l'en croire, c'était Adolf en personne qui larguait ses explosifs de grande puissance à très haute altitude.

Mrs Miller (Dolly), personnification du triomphe de l'expérience sur l'espérance (à la différence de son époux) distribuait des « rafraîchissements » sous forme de thé ou de chocolat, biscuits, pain et margarine. Les Miller, famille aux mœurs accommodantes, n'étaient jamais à court de rations grâce à Renée, leur fille aînée, qui avait « des relations ». Renée, dix-huit ans, était complètement formée à tous les sens du terme et semblait être une fille de très petite vertu. Miss Hartnell disait ouvertement que Renée laissait en effet énormément à désirer, même si ça ne la gênait pas de partager sa provende. Ursula avait l'impression que l'un des plus jeunes Miller était l'enfant de Renée et non de Mrs Miller et qu'il avait été, d'une façon pragmatique, simplement absorbé dans le cercle de famille.

Les « relations » de Renée étaient ambiguës, mais quelques semaines auparavant, Ursula l'avait aperçue au bar du premier étage de l'hôtel Charing Cross sirotant délicatement un gin en compagnie d'un homme d'apparence soignée et prospère sur la figure duquel étaient écrits les mots « marché noir ».

« Voilà un type louche ou je ne m'y connais pas », s'était esclaffé Jimmy. Jimmy, le bébé conçu pour fêter la paix après la der des ders, s'apprêtait à se battre dans un autre conflit. Il avait quelques jours de permission et ils s'étaient réfugiés à l'hôtel Charing Cross pendant qu'on désamorçait une bombe sur le Strand. Ils entendaient les canons de marine montés sur des affûts à roues entre Vauxhall et Waterloo – *boum-boum-boum* – mais les servants cherchaient d'autres cibles et semblaient s'être déplacés. « Ça ne s'arrête donc jamais ?

— Apparemment pas.

— On est plus en sécurité à l'armée », dit Jimmy en riant. Il s'était engagé comme simple soldat bien que l'armée lui eût offert le grade d'officier. Il voulait être un des petits gars, disait-il. (« Mais il faut bien que quelqu'un soit officier, tout de même ? » avait lancé Hugh, perplexe. Autant que ce soit quelqu'un qui ait un peu d'intelligence. »)

Jimmy voulait l'expérience. Il voulait être écrivain, et quoi de mieux qu'une guerre pour révéler les hauts et les bas de la condition humaine ? « *Écrivain* ? disait Sylvie. Je crois qu'une méchante fée s'est penchée sur son berceau. » Elle voulait parler d'Izzie, supposa Ursula.

Passer un moment avec Jimmy lui avait fait plaisir. Il avait fière allure dans son treillis et avait ses entrées partout – des endroits olé olé de Dean Street et Archer Street, le Bœuf sur le Toit[40] d'Orange Street qui était en effet très olé olé (pour ne pas dire carrément osé), des endroits qui amenèrent Ursula à s'interroger sur son petit frère. Tout ça pour explorer la condition humaine, prétendait-il. Ils avaient beaucoup bu, fait un peu les idiots et ça changeait agréablement des heures passées recroquevillée dans la cave des Miller. « Promets-moi de ne pas mourir, dit-elle à Jimmy alors qu'ils avançaient à tâtons comme un couple d'aveugles dans Haymarket pendant qu'une autre partie de Londres était réduite à néant.

— Je ferai de mon mieux », dit Jimmy.

*

Elle avait froid. La flaque dans laquelle elle était allongée n'arrangeait rien. Il fallait qu'elle bouge. Etait-ce possible ? Apparemment pas. Depuis combien de temps gisait-elle là ? Dix minutes ? Dix ans ? Le temps s'était arrêté. Tout semblait arrêté. Seul demeurait l'affreux mélange d'odeurs. Elle était dans la cave. Elle le savait parce qu'elle apercevait *Les Bulles de savon*, toujours miraculeusement collé sur un sac de sable près de sa tête. Allait-elle mourir en contemplant cette banalité ? Puis la banalité parut soudain bienvenue lorsqu'une horrible vision fit son apparition. Un terrible fantôme, des yeux noirs dans un visage gris aux cheveux fous, l'agrippait. « Avez-vous vu mon bébé ? » dit le fantôme. Ursula mit quelques instants à comprendre qu'il ne s'agissait pas d'un fantôme. C'était Mrs Appleyard, le visage maculé de crasse, de poussière de bombe et zébré de sang et de larmes. « Avez-vous vu mon bébé ? répéta-t-elle.

— Non », chuchota Ursula, la bouche sèche d'avoir avalé toutes les saletés qui pleuvaient. Elle ferma les yeux et quand elle les rouvrit, Mrs Appleyard avait disparu. Peut-être qu'elle l'avait imaginée, qu'elle délirait. Ou alors il s'agissait vraiment du fantôme de Mrs Appleyard et elles étaient toutes les deux prisonnières de limbes désolés.

Son attention fut de nouveau attirée par la robe de Lavinia Nesbit accrochée à la cimaise des Miller. Mais ce n'était pas seulement la robe de Lavinia Nesbit. Une robe avait des manches. Pas des *bras*. Avec des *mains*. Quelque chose sur la robe fit un clin d'œil à Ursula, un petit œil de chat éclairé par le croissant de lune. Le corps sans tête ni jambes de Lavinia Nesbit pendait à la cimaise des Miller. C'était si absurde qu'un rire commença à monter en elle. Il n'éclata jamais car quelque chose bougea – une poutre, ou un pan de mur – et elle fut arrosée d'une poussière semblable à du talc. Son cœur se mit à battre de façon incontrôlable. Il lui faisait mal, bombe à retardement attendant son heure.

Pour la première fois, elle ressentit de la panique. Personne n'allait venir à son secours. Certainement pas le fantôme dérangé de Mrs Appleyard. Elle allait mourir seule dans la cave d'Argyll Road avec pour toute compagnie *Les Bulles de savon* et une Lavinia Nesbit décapitée. Si Hugh était là, ou Teddy, ou Jimmy, ou même Pamela, ils se démèneraient pour la tirer de là, pour la *sauver*. Ils auraient à cœur de le faire. Mais il n'y avait personne ici pour se soucier d'elle. Elle s'entendit miauler comme un chat blessé. Elle s'apitoya sur son sort, comme si elle était quelqu'un d'autre.

*

Mrs Miller avait déclaré « Bon, je crois que personne ne dirait non à une bonne tasse de chocolat, n'est-ce pas ? » Mr Miller se tracassait à nouveau pour les Nesbit et Ursula qui ne supportait plus l'atmosphère oppressante de la cave, dit « Je pars à leur recherche », se leva de sa chaise bancale au moment précis où un sifflement suivi d'un *pffft* annonçaient l'arrivée d'une bombe puissante. Il y eut un gigantesque coup de tonnerre, un énorme craquement lorsque le mur de l'enfer s'ouvrit soudain en laissant échapper les démons, puis une succion et une compression considérables. Ursula eut l'impression que ses entrailles, ses poumons, son cœur, son estomac, même ses globes oculaires, étaient aspirés. *Salue le jour dernier et éternel*[41]. Ça y est, songea-t-elle. Voilà comment je meurs.

*

Une voix brisa le silence, quasiment à son oreille, une voix d'homme disant : « Allons, miss, voyons un peu si je peux vous tirer de là. » Ursula apercevait son visage crasseux et transpirant comme s'il avait creusé pour l'atteindre. (Elle supposait que oui.) Elle fut surprise de le reconnaître. C'était un îlotier de la défense passive, une nouvelle recrue.

« Vous vous appelez comment, miss ? Pouvez-vous me le dire ? » Ursula marmonna son prénom, mais les sons qui sortirent de sa bouche n'étaient pas les bons. « Urry ? dit-il, dubitatif. Ça correspond à quoi ça – Mary ? Susie ? »

Elle ne voulait pas mourir dans la peau d'une Susie. Mais était-ce important ?

« Bébé, dit-elle entre ses dents.

— Bébé ? fit-il avec brusquerie. Vous avez un bébé ? » Il recula légèrement et cria quelque chose à quelqu'un d'invisible. Elle entendit d'autres voix et se rendit compte qu'il y avait foule à présent. Comme pour le confirmer, l'îlotier dit : « On est tous là pour vous sortir d'ici. Les gaziers ont coupé le gaz et on va vous évacuer en moins de deux. Ne vous inquiétez pas. Et maintenant dites-moi tout de votre bébé, Susie. Vous le teniez dans vos bras ? C'est un p'tit poupon ? » Ursula songea à Emil, lourd comme une bombe (qui le tenait quand la musique s'était arrêtée et que la maison avait explosé ?), et tenta de parler, mais se surprit à miauler une fois de plus.

Quelque chose grinça et gémit au-dessus de sa tête et l'îlotier lui attrapa la main et dit « Ça va, je suis là » et elle éprouva une immense gratitude envers lui et tous les gens qui se démenaient pour l'extraire de là. Elle se dit que Hugh serait aussi très reconnaissant. A l'idée de son père, elle se mit à pleurer et l'îlotier dit : « Allons, allons, Susie, tout va bien, on va vous sortir d'ici bientôt, comme un bigorneau de sa coquille. Vous donner une bonne tasse de thé, hé ? Qu'est-ce que vous dites de ça ? Epatant, non ? J'en ai bien envie, moi aussi. »

*

Il avait l'air de neiger, de minuscules aiguilles glaciales lui picotaient la peau. « Il fait si froid, murmura-t-elle.

— Ne vous inquiétez pas, on va vous extraire d'ici en trois coups de cuiller à pot, vous allez voir », dit l'îlotier. Il enleva tant bien que mal son pardessus et le posa sur elle. Il n'y avait pas assez d'espace pour une manœuvre aussi généreuse et il renversa quelque chose, ce qui déclencha une pluie de débris qui s'abattit sur eux.

« Oh », dit-elle à l'îlotier car elle était soudain prise de nausées violentes, mais elles passèrent et elle se sentit plus calme. Il tombait des feuilles à présent, mélangées à la poussière, la cendre et les flocons des morts et soudain elle fut recouverte d'un amas de feuilles de hêtre minces comme des pelures d'oignon. Elles sentaient le champignon, le feu de joie et quelque chose de sucré. Le pain d'épice de Mrs Glover. C'était tellement plus agréable que les égouts et le gaz.

« Allez, ma fille, dit l'îlotier. Allez Susie, ne me faites pas le coup de vous endormir. » Il lui serra la main plus fort, mais Ursula regardait quelque chose qui brillait et tournoyait au soleil. Un lapin ? Non, un lièvre. Un lièvre argent qui tournait lentement devant ses yeux. C'était fascinant. Elle n'avait jamais rien vu de plus joli.

*

Elle s'envolait d'un toit dans la nuit. Elle était dans un champ de blé sous un soleil de plomb. Cueillait des framboises sur la petite route. Jouait à cache-cache avec Teddy. *Quelle drôle de gamine*, dit quelqu'un. Ce n'était tout de même pas l'îlotier ? Puis la neige se mit à tomber. Le ciel nocturne n'était plus tout là-haut, il l'enveloppait comme une mer chaude et sombre.

Elle flottait dans le black-out. Elle essaya de dire quelque chose à l'îlotier. *Merci.* Mais ça n'avait plus d'importance. Plus rien n'avait d'importance. Les ténèbres s'étaient abattues.

A LOVELY DAY TOMORROW

2 septembre 1939

« Ne te fâche pas, Pammy, dit Harold. Pourquoi c'est si calme, qu'est-ce que tu as fait des garçons ?

— Je les ai vendus, dit Pamela, ragaillardie. Trois pour le prix de deux.

— Tu devrais dormir ici, Ursula, dit gentiment Harold. Tu ne devrais pas rester seule demain. Ce sera une journée abominable. Ordre de la faculté.

— Merci, dit Ursula. Mais j'ai déjà des projets. »

*

Elle essaya la robe en crêpe de Chine jaune, folie de veille de guerre, achetée plus tôt dans Kensington High Street. Le crêpe de Chine avait un motif de minuscules hirondelles en vol. Elle l'admira, s'admira, du moins ce qu'elle apercevait dans le miroir de sa coiffeuse puisqu'elle était obligée de monter sur son lit pour se voir en dessous de la taille.

A travers les murs en carton-pâte d'Argyll Road, Ursula entendait Mrs Appleyard se disputer en anglais avec un homme – le mystérieux Mr Appleyard, vraisemblablement – dont les allées et venues à toute heure du jour et de la nuit n'obéissaient à aucun horaire évident. Ursula ne l'avait rencontré en chair et en os qu'une seule fois, dans l'escalier, où il lui avait décoché un regard hostile et avait hâté le pas sans la saluer. C'était un homme grand et fort, rougeaud et légèrement porcin. Ursula l'imaginait derrière un comptoir de boucher ou soulevant des sacs dans une brasserie, bien que, d'après les demoiselles Nesbit, il fût en fait employé dans une compagnie d'assurances.

Mrs Appleyard par contre était mince, le teint cireux, et quand son mari était absent de l'appartement, Ursula l'entendait chanter mélancoliquement toute seule dans une langue inconnue. A l'oreille, on aurait dit un idiome d'Europe de l'Est. Comme l'espéranto de Mr Carver serait utile. (A condition que tout le monde le parle, évidemment.) Surtout maintenant avec tous ces réfugiés qui affluaient à Londres. (« Elle est tchèque, avaient fini par l'informer les Nesbit. Nous ne savions pas où se trouvait la Tchécoslovaquie, n'est-ce pas ? J'aimerais que nous l'ignorions toujours. ») Mrs Appleyard devait être aussi une sorte de réfugiée qui, cherchant un havre dans les bras d'un gentleman anglais, était tombée à la place sur le pugnace Mr Appleyard. Si jamais elle entendait Mr Appleyard battre sa femme, se dit Ursula, elle devrait frapper à leur porte pour y mettre bon ordre, mais n'avait pas la moindre idée de comment elle s'y prendrait.

La dispute chez ses voisins atteignit un paroxysme, puis sa conclusion quand la porte d'entrée des Appleyard fut claquée avec fermeté, et tout fut silencieux. On entendit Mr Appleyard, le champion des entrées et sorties tapageuses, descendre l'escalier d'un pas lourd en déversant un torrent d'injures à l'endroit des femmes et des étrangers, deux catégories auxquelles la malheureuse Mrs Appleyard se trouvait appartenir.

L'atmosphère aigre de mécontentement qui filtrait à travers les murs, accompagnée de l'odeur encore moins appétissante de chou bouilli, était vraiment très déprimante. Ursula voulait que ses réfugiées soient émouvantes et romantiques – en fuite pour sauver leur vie culturelle – et non les épouses maltraitées d'employés des assurances. Ce qui était ridicule et injuste de sa part.

Elle descendit du lit et pirouetta devant le miroir. La robe lui allait bien, décida-t-elle, elle avait gardé sa silhouette de jeune fille, même à presque trente ans. Aurait-elle un jour la corpulence de matrone de Sylvie ? Il commençait à paraître peu probable qu'elle ait un jour des enfants. Elle se souvenait d'avoir tenu dans ses bras les bébés de Pamela – et aussi Teddy et Jimmy – ; les sentiments d'amour et de terreur, le désir désespéré de protéger étaient si écrasants. Ces sentiments seraient-ils décuplés s'il s'agissait de son propre enfant ? Peut-être trop forts pour être supportables.

Devant leur thé chez John Lewis, Sylvie avait demandé : « Tu n'as jamais envie d'avoir un enfant ?

— Tu veux que je ponde comme tes poules ?

— Tu es une "femme ambitieuse", avait dit Sylvie, comme si les deux mots n'avaient pas leur place dans la même phrase. Une vieille fille », ajouta-t-elle, en pesant ses mots. Ursula se demanda pourquoi sa mère s'évertuait tant à l'agacer. « Peut-être que tu ne te marieras jamais, conclut Sylvie comme si la vie d'Ursula était pratiquement finie.

— Est-ce que ce serait une condition si déplorable ? D'être célibataire ? dit Ursula en s'attaquant à son gâteau à la crème. Jane Austen s'en est contentée. »

*

Elle passa sa robe par-dessus sa tête et alla en jupon et pieds de bas dans la petite arrière-cuisine se remplir un verre d'eau au robinet avant de se mettre en quête d'un cracker. Ordinaire de prison, se dit-elle, bon exercice pour ce qui nous attend. Depuis la tartine grillée avalée au petit déjeuner, elle n'avait rien eu d'autre à se mettre sous la dent que le gâteau de Pamela. Elle espérait se faire offrir au minimum un bon dîner par Crighton. Il lui avait demandé de le rejoindre ce soir au Savoy, ils avaient rarement rendez-vous dans des endroits aussi publics, et elle se demandait s'il allait y avoir un drame, à moins que l'ombre de la guerre soit suffisamment dramatique et qu'il désire lui en parler.

Elle savait que la guerre serait déclarée demain, même si elle avait un peu joué les innocentes avec Pammy. Crighton lui racontait toutes sortes de choses qu'il n'aurait pas dû lui dire, au motif qu'ils étaient « tous les deux habilités au secret défense ». (Elle par contre ne lui disait presque rien.) Dernièrement, il avait vacillé une fois de plus et Ursula n'était pas du tout certaine de savoir de quel côté il allait tomber, pas sûre de savoir de quel côté elle souhaitait qu'il tombe.

Il l'avait invitée à prendre un verre, demande formulée sur un papier de l'amirauté arrivé mystérieusement pendant une de ses brèves absences du bureau. Une fois de plus, Ursula se demanda qui apportait ces mots qui semblaient apparaître sur son bureau comme s'ils étaient distribués par des elfes. *Je pense que votre service pourrait faire l'objet d'une inspection*, disait le mot. Crighton aimait s'exprimer en langage codé. Ursula espérait que les cryptages de la Marine n'étaient pas aussi rudimentaires que ceux de Crighton.

Miss Fawcet, une de ses subordonnées, vit le mot bien en évidence et lui lança un regard paniqué. « Mince alors, dit-elle. C'est vrai ? On va avoir droit à une inspection ?

— C'est censé être une plaisanterie », dit Ursula consternée de se surprendre à rougir. Il y avait quelque chose qui ne ressemblait pas à Crighton dans ces messages salaces (pour ne pas dire carrément cochons) mais innocents en apparence. *Je crois qu'il y a une pénurie de crayons.* Ou *Faut-il vous réapprovisionner en encre ?* Ursula aurait souhaité qu'il apprenne la sténo ou à se montrer plus discret. Ou mieux encore, qu'il arrête complètement ce petit jeu.

Quand le portier lui ouvrit la porte du Savoy, Crighton l'attendait dans le vaste hall et au lieu de l'escorter à l'American Bar, il la conduisit vers l'escalier jusqu'à une suite située au deuxième étage. Enorme et croulant sous les oreillers, le lit semblait dominer la chambre. Oh, c'est donc la raison pour laquelle nous sommes ici, songea-t-elle.

Ayant jugé le crêpe de Chine inadapté pour l'occasion, elle avait mis sa robe en satin bleu roi – une de ses trois belles robes du soir –, décision qu'elle regrettait à présent car Crighton, s'il fallait se fier aux précédents, ne tarderait pas à la lui enlever plutôt que de lui offrir un souper fin.

Il aimait la déshabiller, aimait la regarder. « Un vrai Renoir » disait-il, malgré son maigre bagage artistique. Un Renoir valait mieux qu'un Rubens. Ou qu'un Picasso d'ailleurs. Il lui avait fait un grand cadeau : appris à se regarder nue d'un œil peu, voire pas du tout critique. Moira, apparemment, était femme à porter des chemises de nuit longues en finette et à éteindre la lumière. Il arrivait à Ursula de se demander si Crighton n'en rajoutait pas un peu. Une ou deux fois, il lui était venu à l'esprit de se rendre à Wargrave pour apercevoir l'épouse trompée et découvrir si c'était vraiment une bobonne mal fagotée. Le problème, bien sûr, avec une Moira en chair et en os (un Rubens, pas un Renoir, imaginait-elle), serait qu'Ursula éprouverait des difficultés à trahir une personne réelle plutôt qu'une énigme.

(« Mais c'est une personne réelle, dit Pamela, perplexe. L'argument est spécieux.

— Oui, j'en ai tout à fait conscience. » Cet échange avait eu lieu plus tard, au printemps, au soixantième anniversaire de Hugh, où l'atmosphère avait été plutôt aigre.)

La suite jouissait d'une vue magnifique sur la Tamise, depuis le pont de Waterloo jusqu'au Parlement et à Big Ben, à peine visible dans le crépuscule tombant. (« L'heure violette. ») C'est tout juste si elle apercevait l'Aiguille de Cléopâtre, doigt sombre pointé vers le ciel. Rien de l'éclat et du scintillement habituels de Londres. Le black-out avait déjà commencé.

« Le refuge n'était donc pas disponible ? Nous agissons au grand jour ? demanda Ursula pendant que Crighton débouchait une bouteille de champagne qui les attendait dans un seau argent perlé de gouttelettes de condensation. Nous fêtons quelque chose ?

— Nous faisons nos adieux, dit Crighton en la rejoignant à la fenêtre et en lui tendant une coupe.

— Nos adieux ? fit Ursula, perplexe. Tu m'as amenée dans un bel hôtel et tu m'offres du champagne pour me dire que tout est fini entre nous ?

« — Nos adieux à la paix, dit Crighton. Nous disons au revoir au monde tel que nous le connaissons. » Il leva sa coupe en l'honneur de Londres dans toute sa gloire crépusculaire. « Au début de la fin, dit-il sombrement. J'ai quitté Moira », ajouta-t-il, comme si l'idée lui venait après coup, comme si ce n'était rien. Ursula fut prise au dépourvu.

« Et les filles ? (Juste histoire de vérifier, songea-t-elle.)

— Toutes les quatre. La vie est trop précieuse pour être malheureux. » Ursula se demanda combien de Londoniens disaient la même chose ce soir. Dans un cadre moins salubre, peut-être. Et il y en aurait d'autres, bien sûr, qui prononceraient les mêmes mots pour rester fidèles à ce qu'ils avaient déjà, pour ne pas s'en débarrasser par caprice.

Soudainement et inopinément paniquée, Ursula lança « Je ne veux pas t'épouser. » Elle ignorait à quel point ça lui tenait à cœur avant que les mots ne lui échappent.

« Moi non plus, dit Crighton, et elle éprouva paradoxalement un sentiment de déception.

— J'ai loué un appartement à Egerton Gardens, dit-il. J'ai pensé que tu viendrais peut-être m'y rejoindre.

— Pour habiter avec toi ? Vivre dans le péché à Knightsbridge ?

— Si tu veux.

— Ça, par exemple, tu ne manques pas d'audace, dit-elle. Et ta carrière ? »

Il émit un grognement dédaigneux. C'était donc elle et non la guerre qui serait son nouveau Jütland.

« Vas-tu dire oui, Ursula ? »

Ursula regarda la Tamise par la fenêtre. La rivière était presque invisible à présent.

« Nous devrions porter un toast, dit-elle. Qu'est-ce qu'on dit dans la Marine déjà ? A la santé de nos petites chéries et de nos épouses – puissent-elles ne jamais se rencontrer ? » Elle trinqua avec Crighton et ajouta : « Je meurs de faim, on va dîner, j'espère. »

Avril 1940

Un coup de klaxon brisa le silence du dimanche matin à Knightsbridge. Le carillon des cloches d'église manquait à Ursula. Il y avait tant de choses simples qu'elle prenait pour argent comptant avant guerre. Elle aurait voulu pouvoir faire machine arrière et les apprécier à leur juste valeur.

« Pourquoi klaxonner alors que nous avons une sonnette en parfait état de marche ? » dit Crighton. Il regarda par la fenêtre. « Si c'est un jeune homme en costume trois-pièces qui se rengorge comme un paon, il est là, ajouta-t-il.

— Oui, ça m'en a tout l'air. » Ursula ne voyait pas Maurice comme quelqu'un de « jeune », ne l'avait jamais vu ainsi, mais supposait qu'il l'était aux yeux de Crighton.

C'était le soixantième anniversaire de Hugh, et Maurice avait offert à contrecœur d'emmener Ursula à Fox Corner pour les festivités. Etre enfermée dans une voiture avec Maurice serait une nouveauté et pas nécessairement une aubaine. Ils étaient rarement en tête à tête.

« Il a de l'essence ? avait dit Crighton en haussant un sourcil, mais en réalité c'était plus une constatation qu'une question.

— Il a un *chauffeur*, répondit Ursula. Je savais que Maurice tirerait le maximum de la guerre. » « Quelle guerre ? » aurait dit Pamela. Elle était « bloquée » dans le Yorkshire avec pour seule compagnie six petits garçons et Jeannette qui s'était avérée non seulement râleuse, mais sacrément fainéante. « J'attendais mieux de la fille d'un pasteur. Elle est si paresseuse, je cours toute la journée après ses garçons en plus des miens. J'en ai assez de cette plaisanterie d'évacuation, je crois que nous rentrerons bientôt. »

« Il pourrait difficilement débarquer à la maison en voiture *sans* m'amener, dit Ursula. Maurice ne voudrait pas avoir l'air de mal se conduire, même aux yeux de sa famille. Il a une *réputation* à entretenir. De plus, Edwina séjourne là-bas avec les enfants et il ramène tout le monde à Londres ce soir. » Maurice avait envoyé sa famille passer les vacances de Pâques à Fox Corner. Ursula s'était interrogée : détenait-il des informations ignorées du grand public ? La période de Pâques serait-elle particulièrement dangereuse ? Il devait y avoir tant de choses que Maurice savait et que les autres ignoraient, mais Pâques s'était déroulé sans incident et elle supposait donc qu'il s'agissait simplement de petits-enfants rendant visite à leurs grands-parents. Philip et Hazel étaient des enfants sans aucune imagination et Ursula se demandait comment ils s'entendaient avec les évacués tapageurs de Sylvie. « On va être serrés comme des sardines au retour avec Edwina et les enfants. Sans parler du chauffeur. Enfin, nécessité fait loi. »

Nouveau coup de klaxon. Ursula n'en tint aucun compte par principe. Quelle satisfaction malicieuse elle éprouverait à remorquer Crighton en grande tenue navale (toutes ces médailles, tous ces galons dorés) : il damerait le pion à Maurice à tant d'égards. « Tu pourrais m'accompagner, tu sais, lui dit-elle. Nous éviterions juste de mentionner Moira. Ou les filles.

— C'est ta maison ?

— Pardon ?

— Tu as dit « il pourrait difficilement débarquer à la maison ». Est-ce que ce n'est pas ici ? Ta maison ?

— Si, bien sûr », fit Ursula. Maurice arpentait impatiemment le trottoir et elle frappa au carreau pour attirer son attention, leva un index en articulant silencieusement « une minute ». Il la regarda en fronçant les sourcils. « C'est une façon de parler, fit-elle en se tournant à nouveau vers Crighton. On appelle toujours le domicile de ses parents "la maison".

— Ah bon ? Pas moi. »

Non, songea Ursula, pas toi. Wargrave était « la maison » pour Crighton, ne serait-ce que dans ses pensées. Et il avait raison, bien sûr, elle ne considérait pas l'appartement d'Egerton Gardens comme sa maison. C'était une étape, une halte temporaire dans un voyage interrompu par la guerre. « Nous pouvons poursuivre la discussion si tu veux, dit-elle aimablement. C'est juste que... Maurice fait les cent pas comme un petit soldat de plomb. »

Crighton rit. Il ne cherchait jamais la dispute.

« J'aimerais beaucoup me joindre à toi et rencontrer ta famille, dit-il, mais je vais à la Citadelle. » L'Amirauté construisait une forteresse souterraine, la Citadelle, sous Horse Guards Parade, et il était en train d'y transférer son bureau.

« Je te vois plus tard dans ce cas, dit Ursula. Mon équipage m'attend et Maurice piaffe d'impatience.

— Ton alliance », lui rappela Crighton et Ursula dit : « Flûte, j'ai failli oublier. » Elle s'était mise à porter une alliance quand elle n'était pas au travail pour sauver les apparences : « Les fournisseurs etc. » Le garçon laitier, la femme qui venait deux fois par semaine faire le ménage, elle ne voulait pas qu'ils la croient dans une relation illicite. (Cette timidité l'avait surprise.)

« Imagine l'avalanche de questions s'ils voyaient *ça* », fit-elle en enlevant l'alliance et en la laissant sur la table du vestibule.

Crighton lui donna un petit baiser sur la joue et dit « Amuse-toi bien.

— Ce n'est pas garanti », fit-elle.

*

« Tu ne t'es toujours pas trouvé d'homme ? demanda Izzie à Ursula. Bien sûr, dit-elle en se tournant joyeusement vers Sylvie, tu as... combien de petits-enfants maintenant, sept, huit ?

— Six. Peut-être que toi aussi, tu es grand-mère, Izzie.

— Quoi ? fit Maurice. Comment ce serait possible ?

— En tout cas, dit Izzie avec désinvolture, Ursula se sent moins obligée d'en pondre un.

— Pondre ? fit Ursula dont la fourchette d'aspic de saumon s'arrêta à mi-chemin de sa bouche.

— Tu as l'air bien partie pour finir vieille fille, dit Maurice.

— Pardon ? » La fourchette retomba dans l'assiette.

« Toujours demoiselle d'honneur...

— Une fois, dit Ursula. Je n'ai été demoiselle d'honneur qu'une seule fois, pour Pamela.

— Je vais le prendre si tu ne le manges pas, fit Jimmy en lui piquant son saumon.

— Je le voulais en fait.

— C'est encore pire alors, dit Maurice. Personne ne veut de toi comme demoiselle d'honneur, sauf ta sœur. » Et de ricaner comme un gamin. Chose agaçante, il était assis trop loin d'elle pour qu'elle puisse lui donner un coup de pied sous la table.

« Tiens-toi correctement, Maurice », murmura Edwina. Combien de déceptions quotidiennes vous infligeait-il quand on était sa femme ? s'interrogea Ursula. Il lui semblait que si on cherchait des arguments contre le mariage, l'existence de Maurice était le meilleur de tous. Bien sûr, Edwina faisait un drôle de nez à cause du *chauffeur*, qui s'était avéré être une ATS[42] plutôt séduisante en uniforme. Au grand embarras de cette dernière, (elle se prénommait Penny, mais tout le monde l'oublia immédiatement) Sylvie insista pour qu'elle vienne à leur table alors qu'elle aurait été de toute évidence plus à l'aise en restant près de la voiture ou à la cuisine avec Bridget. Coincée à l'extrémité encombrée de la table avec les évacués, elle était l'objet d'un examen minutieux et glacial de la part d'Edwina. Maurice par contre l'ignorait soigneusement. Ursula tenta d'en tirer des conclusions. Elle regrettait l'absence de Pamela qui était une excellente psychologue, encore que peut-être pas aussi bonne qu'Izzie. (« Maurice a donc fait des siennes, à ce que je vois. C'est une belle plante, note bien. Les femmes en uniforme, quel homme peut leur résister ? »)

Philip et Hazel étaient assis passivement entre leurs parents. Sylvie n'avait jamais beaucoup aimé les enfants de Maurice alors qu'elle semblait se délecter de ses évacués, Barry et Bobby (« mes deux abeilles industrieuses »), présentement en train de ramper et de pouffer de rire d'une façon plutôt hystérique sous la table Regency Revival de la salle à manger. « Pleins de malice », disait Sylvie avec indulgence. Les évacués, ainsi que tout le monde les appelait, comme s'ils étaient entièrement définis par leur statut, avaient été récurés et astiqués par Bridget et Sylvie pour avoir l'air innocents, mais rien ne pouvait déguiser leur nature espiègle. (« De vraies petites horreurs », dit Izzie avec un frisson.) Ils plaisaient bien à Ursula, ils lui rappelaient les petits Miller. S'ils avaient été des chiens, leur queue aurait frétillé en permanence.

Sylvie avait aussi maintenant deux vrais chiots, des labradors noirs nerveux qui étaient également frères. Ils s'appelaient Hector et Hamish, mais étaient connus de façon collective et indifférenciée sous le nom de « les chiens ». Les chiens et les évacués semblaient avoir contribué à un nouveau délabrement de Fox Corner. Quant à Sylvie, elle paraissait plus réconciliée avec cette guerre qu'elle ne l'avait été avec la précédente. Hugh l'était moins. On l'avait « poussé » à entraîner les volontaires pour la défense du territoire et il avait, le matin même, appris aux « dames » de la paroisse à se servir du seau-pompe.

« Est-ce bien indiqué le jour du sabbat ? s'enquit Edwina. Je suis sûre que Dieu est de notre côté, mais... » Elle ne termina pas sa phrase, incapable de défendre une position théologique bien que « chrétienne fervente », ce qui signifiait selon Pamela qu'elle administrait des claques retentissantes à ses enfants et leur servait au petit déjeuner les restes de leur goûter.

« Bien sûr que c'est indiqué, dit Maurice. En ma qualité d'organisateur de la défense civile...

— Je ne me considère pas comme "une vieille fille" pour reprendre ta si charmante expression », l'interrompit Ursula d'un ton agacé. De nouveau, elle souhaita un court instant la présence médaillée et galonnée de Crighton. Edwina serait horrifiée d'apprendre l'existence d'Egerton Gardens. (« Comment va l'amiral ? » demanda plus tard Izzie à mi-voix avec des airs de conspiratrice, car elle était évidemment au courant. Izzie savait tout et si elle ignorait un détail, elle n'avait aucune difficulté à le dénicher. Comme Ursula, elle avait un tempérament d'espionne. « Ce n'est pas un amiral, mais il va bien, merci », répondit Ursula.)

« Tu t'en sors très bien toute seule, dit Teddy à Ursula. *A tes propres yeux éclatants fiancée* etc. » Teddy avait foi en la poésie, comme si le simple fait de citer Shakespeare pouvait apaiser une situation. Le vers venait d'un sonnet ayant pour thème l'égoïsme, mais Ursula ne le signala pas car Teddy ne pensait pas à mal. Contrairement à tous les autres qui avaient l'air obnubilés par son statut de femme célibataire.

« Elle n'a que trente ans, pour l'amour du ciel », dit Izzie qui vint mettre son grain de sel. (Si seulement ils pouvaient tous se taire, songea Ursula.) « Après tout, s'entêta Izzie, j'avais plus de quarante ans quand je me suis mariée.

— Et *où* se trouve donc ton mari ? demanda Sylvie en jetant un regard autour de la table Regency Revival dont les deux abattants avaient été relevés pour les accommoder tous. Je ne crois pas l'apercevoir ici. »

Izzie avait choisi l'occasion pour débarquer (« Sans invitation, comme d'habitude », dit Sylvie) afin de complimenter Hugh. (« Sexagénaire ! Une étape décisive. ») Les autres sœurs de Hugh avaient jugé le voyage jusqu'à Fox Corner « trop éprouvant ».

« Quelle bande de mégères », dit plus tard Izzie à Ursula. Izzie était peut-être la petite dernière, mais elle n'avait jamais été la préférée. « Hugh a toujours été si bon envers elles.

— Il est toujours bon avec tout le monde, dit Ursula, surprise, alarmée même, d'avoir la larme à l'œil à l'idée de pouvoir toujours compter sur son père.

— Oh, non, je t'en prie dit Izzie en lui tendant une écume de dentelle qui passait apparemment pour un mouchoir. Tu vas me faire pleurer aussi. » Ça semblait peu probable car ça ne s'était encore jamais produit.

Izzie avait aussi choisi l'occasion pour annoncer son départ imminent pour la Californie. Son mari, le célèbre dramaturge, s'était vu offrir d'écrire des scénarios à Hollywood. « Tous les Européens vont là-bas, dit-elle.

— Ah, parce que te voilà européenne à présent ? fit Hugh.

— Ne sommes-nous pas tous des Européens ? »

*

Toute la famille était réunie, sauf Pamela pour qui le voyage était réellement trop éprouvant. Jimmy avait réussi à obtenir deux jours de permission et Teddy avait amené Nancy. A l'arrivée, elle prit Hugh de façon désarmante dans ses bras et dit « Joyeux anniversaire, Mr Todd » en lui tendant un paquet joliment emballé dans un morceau de vieux papier peint récupéré chez les Shawcross. C'était un exemplaire du *Directeur*. « C'est une édition originale, expliqua Nancy. Ted m'a dit que vous aimiez Trollope. » (Détail qu'aucun autre membre de la famille ne semblait connaître.)

« Bon vieux Ted », dit Hugh en l'embrassant sur la joue. Et à Teddy « Quel trésor tu as là. Quand vas-tu la demander en mariage ?

— Oh, fit Nancy en rougissant et riant, nous avons tout le temps devant nous.

— Je l'espère », dit sombrement Sylvie. Teddy avait terminé sa formation théorique (« Il a des ailes ! s'exclama Nancy. Comme un ange ! ») et attendait de gagner le Canada pour son stage pratique. Une fois qualifié, il reviendrait en Angleterre et intégrerait une unité d'entraînement.

Il avait plus de chances d'y être tué « que dans un vrai bombardement », disait-il. C'était vrai. Ursula connaissait une fille

291

au ministère de l'Air. (Elle connaissait des filles partout, c'était le cas de tout le monde.) Elles mangeaient leurs sandwiches ensemble à St James's Park et échangeaient des statistiques d'un air lugubre, malgré le carcan du secret défense.

« Eh bien, voilà qui est très réconfortant pour moi, dit Sylvie.

— Ouille, s'écria un des évacués sous la table. Un salopard vient de me donner un coup de pied. » Tous les regards se tournèrent instinctivement vers Maurice. Quelque chose de froid et d'humide vint fourrer son nez sous la jupe d'Ursula. Elle espérait bien que c'était un des chiens et non un des évacués. Jimmy lui pinça le bras (assez fort) et dit : « Ils n'arrêtent jamais, hein ? »

La pauvre ATS – définie par son statut comme les évacués et les chiens – semblait au bord des larmes.

« Ça va, dites-moi ? s'enquit Nancy toujours pleine de sollicitude.

— Elle est fille unique, dit Maurice d'un ton neutre. Les joies de la famille dépassent son entendement. » Cette connaissance du milieu familial de l'ATS parut déchaîner la furie d'Edwina qui serra le couteau à beurre comme si elle avait l'intention de poignarder quelqu'un – Maurice, l'ATS ou, apparemment, quiconque se trouvait à portée de main. Ursula se demanda quels dégâts pouvait infliger un couteau à beurre. Pas mal, supposa-t-elle.

Nancy bondit de table et dit à l'ATS « Venez, allons nous promener, c'est une si belle journée. Les jacinthes sauvages seront sorties dans le bois, si ça vous dit de pousser plus loin. » Elle passa son bras sous le sien et la tira quasiment hors de la salle à manger. Ursula songea à courir après elles.

« *La cour avant le mariage, un prologue très spirituel à une pièce très ennuyeuse*, dit Izzie comme si rien ne les avait interrompus. Qui a dit ça ?

— Congreve, fit Sylvie. Qu'est-ce que cette remarque vient faire ici ?

— Je disais ça comme ça, fit Izzie.

292

— Evidemment, tu es *mariée* à un dramaturge, n'est-ce pas ? Celui qu'on ne voit jamais.

— Le voyage est différent pour chacun, dit Izzie.

— Oh, je t'en prie, fit Sylvie. Epargne-nous ta fausse philosophie.

— Pour moi, le mariage, c'est la liberté, dit Izzie. Pour toi, ç'a toujours été les contrariétés de l'enfermement.

— De quoi diable parles-tu ? » fit Sylvie. (L'étonnement était partagé par le reste de la tablée.) « Tu dis de telles sottises.

— Quelle vie aurais-tu menée autrement ? continua allègrement Izzie (ou inexorablement selon le point de vue). Je crois me souvenir que tu avais dix-sept ans et que tu étais dans la mouise, la fille d'un artiste mort et en faillite. Dieu seul sait ce que tu serais devenue si Hugh n'était pas arrivé sur son destrier pour te sauver.

— Tu ne te rappelles rien, tu étais encore dans la nursery à l'époque.

— N'exagérons rien. Et bien sûr...

— Oh, ça suffit », fit Hugh d'un air las.

Bridget brisa la tension régnante (c'était souvent son rôle premier depuis le départ de Mrs Glover) en entrant dans la salle à manger, brandissant un canard rôti.

« Canard *à la surprise** », dit Jimmy, car, naturellement, ils s'attendaient tous à du poulet.

*

Nancy et l'ATS (« *Penny* » rappela Nancy à tout le monde) rentrèrent à temps pour qu'on leur tende des assiettes réchauffées. « Tu as de la chance qu'il reste du canard, dit Teddy à Nancy en lui remettant son assiette. Le pauvre volatile a été nettoyé.

— Il y a si peu à manger sur un canard, dit Izzie en s'allumant une cigarette. A peine de quoi nourrir deux personnes. Je ne sais vraiment pas à quoi tu as pensé.

— J'ai pensé que nous étions en guerre, dit Sylvie.

293

— Si j'avais su que tu avais prévu du *canard*, s'enferra Izzie, j'aurais essayé de trouver quelque chose d'un peu plus généreux. Je connais un homme qui peut se procurer n'importe quoi.

— Je n'en doute pas un seul instant », fit Sylvie.

Jimmy offrit le bréchet à Ursula et ils firent tous les deux à haute voix et sur un ton plein de sous-entendus le vœu que Hugh ait un bon anniversaire.

L'arrivée du gâteau, pâtisserie ingénieuse qui était bien sûr essentiellement à base d'œufs, entraîna un arrêt des hostilités. Bridget n'avait aucun sens de la fête et le posa sans cérémonie devant Hugh. Il la força à s'asseoir avec eux. « Je ne le ferais pas à votre place », maugréa à voix basse l'ATS dont Ursula surprit les propos.

« Vous faites partie de la famille, Bridget », dit Hugh. Personne d'autre dans la famille, songea Ursula, ne trimait de l'aube au crépuscule comme Bridget. Mrs Glover avait pris sa retraite et était allée vivre chez une de ses sœurs, déménagement provoqué par la mort soudaine mais pas inattendue de George.

Au moment précis où Hugh gonflait ses poumons de façon plutôt théâtrale vu qu'il n'y avait qu'une bougie symbolique à souffler, on entendit un grand branle-bas dans le vestibule. Un des évacués alla voir ce qui se passait et revint en courant pour annoncer qu'il s'agissait d'« une femme et d'une ribambelle de sales gamins ! »

*

« C'était comment ? demanda Crighton quand elle regagna enfin Egerton Gardens.

— Pammy est revenue – pour de bon, je pense, dit-elle en jetant son dévolu sur le temps fort de l'anniversaire. Elle avait l'air vannée. Elle est venue en train, trois petits garçons plus un nourrisson, tu imagines ? Ils ont mis des *heures*.

— Un cauchemar », compatit Crighton.

(« Pammy ! » s'était exclamé Hugh. Il semblait aux anges.

« Joyeux anniversaire, papa, dit Pamela. Pas de cadeaux, j'en ai peur, juste nous.

— C'est plus que suffisant », fit Hugh radieux.)

« *Sans compter* les valises et le chien. Elle est d'une solidité à toute épreuve. Mon voyage de retour a été un autre genre de cauchemar. Maurice, Edwina, leur progéniture sans intérêt et le *chauffeur*. Qui s'est avéré être une ATS plutôt charmante.

— Grand Dieu, dit Crighton, comment il se débrouille ? J'essaie de mettre la main sur une Wren[43] depuis des mois. » Elle rit et rôda dans la cuisine pendant qu'il préparait du chocolat pour deux. Tout en le buvant au lit, elle le régala d'anecdotes quelque peu enjolivées sur la journée (elle se sentait tenue de le divertir). Qu'est-ce qui après tout les différenciait de n'importe quel autre couple marié ? songea-t-elle. La guerre peut-être. Peut-être pas.

« Je crois que je vais devoir m'engager ou un truc de ce genre », déclara-t-elle. Elle pensa à l'ATS. « Apporter ma pierre, comme on dit. Me salir les mains. Je lis chaque jour des rapports sur des gens qui font des choses très courageuses et mes mains restent très propres.

— Tu apportes déjà ta pierre, lui dit-il.

— Comment ça ? En soutenant la marine ? »

Il rit, se laissa rouler vers elle et l'attira dans ses bras. Il fourra son nez dans son cou et, allongée là, elle s'avisa qu'il n'était pas impossible qu'elle soit heureuse. Ou en tout cas, songea-t-elle en nuançant l'idée, aussi heureuse qu'il était possible de l'être en cette vie.

« La maison », s'était-elle rendu compte lors de l'abominable voyage de retour à Londres, n'était pas Egerton Gardens, ni même Fox Corner. C'était une idée, et comme l'Arcadie, elle était perdue dans les brumes du passé.

La journée était déjà étiquetée « soixantième anniversaire de Hugh » dans sa mémoire, une fête de plus dans une liste de grandes occasions familiales. Plus tard, quand elle comprit que c'était la dernière fois qu'ils seraient tous réunis, elle regretta de ne pas y avoir prêté plus d'attention.

Elle fut réveillée le lendemain matin par Crighton qui lui apporta un plateau avec du thé et des tartines grillées. Elle devait remercier la marine de guerre plutôt que Wargrave pour son côté fée du logis.

« Merci, dit-elle en s'asseyant à grand-peine dans le lit, toujours épuisée par la journée précédente.

— Mauvaise nouvelle, j'en ai peur », dit-il en ouvrant les rideaux.

Elle pensa à Teddy et Jimmy tout en sachant que ce matin au moins ils étaient en sécurité dans leur lit à Fox Corner où ils partageaient leur chambre d'enfants qui avait été jadis celle de Maurice.

« Quoi donc ? demanda-t-elle.

— La Norvège est tombée.

— Pauvre Norvège », dit-elle, et elle but son thé brûlant à petites gorgées.

Novembre 1940

Pamela avait envoyé un colis de vêtements d'enfant devenus trop petits pour Gerald, et Ursula pensa à Mrs Appleyard. Elle n'aurait peut-être pas songé à elle car depuis son déménagement elle n'était pas restée en relation avec les habitants d'Argyll Road, chose qu'elle regrettait plutôt car elle aimait bien les demoiselles Nesbit et se demandait comment elles supportaient les bombardements incessants. Mais voilà que quelques semaines plus tôt elle était tombée par hasard sur Renée Miller.

Ursula était avec Jimmy « en virée en ville » comme il disait, car il avait deux jours de permission dans la capitale. Ils avaient échoué au Charing Cross Hotel grâce à un UXB – il lui arrivait de penser que les bombes non explosées étaient un fléau pire que les autres – et s'étaient réfugiés au bar du premier étage.

« Il y a là-bas une fille plutôt vulgaire, tout en rouge à lèvres et les dents dehors, qui a l'air de te connaître, dit Jimmy.

« Grand Dieu, Renée Miller, dit Ursula en repérant Renée qui agitait la main avec enthousiasme. Et qui diable est l'homme qui l'accompagne ? On dirait un gangster. »

Renée fut chaleureuse, comme si elle avait été la meilleure copine d'Ursula dans une vie antérieure (« C'est une fille pleine de vitalité », dit Jimmy en riant une fois qu'ils se furent échappés), et insista pour qu'ils se joignent à « Nicky » et à elle pour prendre un verre. Nicky parut loin d'être enchanté par cette idée, mais leur serra néanmoins la main et fit signe au serveur.

Renée mit Ursula au courant des « événements » à Argyll Road même s'il s'était apparemment produit peu de changements depuis son départ pour Egerton Gardens, sauf que Mr Appleyard était à présent à l'armée et que sa femme avait un bébé. « Un garçon, dit Renée. Une petite mocheté. » Jimmy éclata de rire et dit « J'aime les filles qui appellent un chat un chat ». Nicky était plutôt contrarié par la présence séduisante de Jimmy, d'autant qu'après avoir descendu un autre gin trop allongé, Renée s'était mise à flirter avec lui (quasiment en quasi-professionnelle, semblait-il).

Ursula entendit quelqu'un dire que la bombe avait été désamorcée et lorsque Renée lança « Commande-nous une autre tournée, Nicky » et que Nicky commença à jeter des regards noirs, elle se dit qu'il serait peut-être diplomatique de prendre congé. Nicky refusa de les laisser payer, comme si c'était une question de principe. Ursula n'était pas sûre d'avoir envie d'être redevable à un individu de son acabit. Renée la prit dans ses bras, l'embrassa et dit « Venez voir les vieilles dames, ça leur ferait tellement plaisir » et Ursula le lui promit.

« Grand Dieu, j'ai cru qu'elle allait me dévorer tout cru », dit Jimmy tandis qu'ils se frayaient un chemin parmi les tas de gravats d'Henrietta Street.

*

Ursula fut fidèle à sa promesse, que le colis de vieux vêtements de Gerald, son neveu, vint lui remettre en mémoire. Elle arriva à Argyll Road peu de temps après six heures, ayant pour une fois quitté son travail de bonne heure. Elle n'avait pas encore endossé le moindre uniforme ; entre son travail et les bombardements, elle avait à peine le temps de manger et de respirer. « Ton travail participe de l'effort de guerre, lui fit remarquer Crighton, j'aurais cru que tu avais déjà amplement de quoi t'occuper. Comment va le ministère d'une Certaine Obscurité ?

— Oh, tu sais. On ne chôme pas. » Il y avait tant de renseignements à consigner. Chaque incident individuel – type de bombe, dégâts occasionnés, nombre de morts et de blessés (le bilan s'alourdissait horriblement) – passait sur leurs bureaux.

De temps à autre, elle ouvrait un dossier chamois et tombait sur ce qu'elle appelait dans sa tête « du matériau brut » – des rapports tapés par des îlotiers de la défense passive ou même les rapports manuscrits sur lesquels ils étaient basés – et se demandait quel effet ça faisait de se trouver dans le feu de l'action, car c'était bien ça, le Blitz, non ? Parfois, elle voyait des cartes montrant les dégâts causés par les bombes, une fois, elle en repéra une dessinée par Ralph. Il l'avait signée au crayon d'une écriture à peine visible, presque indéchiffrable. Ils étaient amis, elle l'avait rencontré à son cours d'allemand, bien qu'il eût précisé qu'il aimerait aller au-delà. « Ton autre homme », disait Crighton, amusé.

« Que c'est gentil, dit Mrs Appleyard, quand Ursula apparut à sa porte avec le paquet de vêtements. Entrez donc. »

Ursula franchit le seuil à contrecœur. Les précédentes odeurs de chou bouilli se mêlaient à présent à celles moins ragoûtantes encore d'un nourrisson. Hélas, le jugement de Renée sur la beauté du bébé de Mrs Appleyard, ou plutôt son cruel manque de charme, s'avéra justifié – c'était bien « une petite mocheté ».

« Emil » dit Mrs Appleyard en le tendant à Ursula pour qu'elle le prenne dans ses bras. Elle sentit qu'il était trempé à travers la culotte en caoutchouc. Elle faillit le rendre immédiatement à sa mère. « Emil ? » lui dit-elle en esquissant une grimace et un sourire avec une gaieté forcée. Il lui rendit son regard d'un air plutôt teigneux, son géniteur ne faisait pas de doute.

Mrs Appleyard lui offrit du thé, mais Ursula s'excusa et fila dans l'escalier pour gagner le pigeonnier des Nesbit.

Elles étaient semblables à elles-mêmes, affables. Ça devait être très agréable de vivre avec sa sœur, se dit Ursula. Ça ne la dérangerait pas de vivre avec Pamela pour le restant de ses jours.

Ruth lui agrippa l'annulaire avec un doigt semblable à une brindille. « Vous êtes mariée ! Comme c'est merveilleux. » Oh, flûte, songea Ursula, elle avait oublié d'enlever son alliance. Elle commença à nuancer « C'est-à-dire que… » puis, devant la complexité de la situation, finit par admettre modestement « Oui, je suppose que oui. » Elles la félicitèrent profusément comme si elle avait accompli un exploit extraordinaire.

« Dommage que vous n'ayez pas de bague de fiançailles », dit Lavinia.

Ursula avait oublié leur goût pour les bijoux fantaisie et regretta de ne leur avoir rien apporté. Elle avait une petite boîte de boucles et de clips en strass qu'Izzie lui avait donnée et qu'elles auraient sûrement appréciée.

Lavinia portait une broche émaillée en forme de chat noir. Dont l'œil en faux diamant clignait à la lumière. Ruth arborait une topaze monstrueuse sur sa poitrine de moineau. On avait l'impression que son corps frêle pourrait basculer sous son poids.

« Nous sommes comme des pies, s'esclaffa Ruth. Nous aimons tout ce qui brille. »

Elles avaient mis de l'eau à bouillir et s'affairaient gaiement pour savoir quoi lui offrir – un toast tartiné de Marmite[44] ou de confiture – quand la sirène entama son hululement infernal. Ursula regarda dehors. Pas de bombardiers en vue même si un projecteur balayait déjà le ciel noir. La nouvelle lune avait estampé un beau croissant de lumière dans l'obscurité.

« Venez donc, ma chère, descendons à la cave des Miller », dit Lavinia, étonnamment joyeuse. « Chaque nuit est une aventure », ajouta Ruth tandis qu'elles rassemblaient tout un attirail : châles et tasses, livres et raccommodage. « La torche, la torche, n'oublie pas la torche ! », lança gaiement Lavinia.

Elles arrivaient au rez-de-chaussée lorsqu'une bombe atterrit avec un bruit sourd à deux, trois rues de là. « Oh, non ! s'exclama Lavinia. J'ai oublié mon tricot.

— Nous allons retourner le chercher, ma chérie » dit Ruth, et Ursula dit : « Non, vous devez vous mettre à l'abri.

— Je tricote un petit pantalon pour le bébé de Mrs Appleyard, dit Lavinia comme si c'était une raison suffisante pour risquer sa vie.

— Ne vous inquiétez pas pour nous, ma chère, fit Ruth, nous serons de retour en moins de temps qu'il n'en faut pour le dire.

— Pour l'amour du ciel, s'il vous le faut à tout prix, j'y vais », dit Ursula, mais elles hissaient déjà leur vieille carcasse dans l'escalier et Mr Miller la poussa d'un air affairé vers la cave.

« Renée, Dolly, tout le monde – regardez qui est venue voir ses vieux copains ! » annonça-t-il aux occupants des lieux comme si Ursula était un numéro de music-hall.

Elle avait oublié combien les Miller étaient nombreux, à quel point Miss Hartnell pouvait être guindée et Mr Fish carrément bizarre. Quant à Renée, elle semblait avoir entièrement oublié les effusions de leur rencontre précédente et se contenta de dire « Oh, Seigneur, quelqu'un de plus pour bouffer l'air de cet antre. » Renée tenait – avec des pincettes – un Emil grincheux. Elle avait raison, c'était un antre. A Egerton Gardens, ils avaient un sous-sol assez salubre où se réfugier, même si Ursula (et Crighton quand il était là) prenait souvent le risque de rester au lit.

Ursula se souvint de son alliance et imagina le désarroi de Hugh et Sylvie la découvrant sur son cadavre si elle périssait dans un raid aérien. Crighton viendrait-il à ses obsèques pour expliquer sa présence ? Elle s'apprêtait à l'enlever quand Renée lui fourra soudain Emil dans les bras avant qu'une explosion massive n'ébranle le bâtiment.

« Bon sang, ce vieux Fritz essaie vraiment de nous flanquer la trouille, ce soir », dit allègrement Mr Miller.

*

Elle se prénommait apparemment Susie. Elle n'en avait pas la moindre idée, était vraiment incapable de se souvenir de quoi que ce soit. Un homme n'arrêtait pas de l'appeler dans l'obscurité. « Allons, Susie, c'est pas le moment de vous endormir » et « Que diriez-vous d'une bonne tasse de thé quand nous serons sortis d'ici, hein, Susie ? » Elle s'étouffait avec de la cendre et de la poussière. Elle sentait en elle une déchirure irréparable. Une fêlure. Elle était une coupe d'or. « Très Henry James » entendit-elle de la bouche de Teddy. (Avait-il dit ça ?) Elle était un arbre immense (quelle bizarrerie). Elle avait très froid. L'homme lui tenait la main, la lui serrait, « Allez, Susie, restez éveillée. » Mais impossible, l'obscurité veloutée lui faisait signe avec la promesse du sommeil, du sommeil éternel, et la neige se mit à tomber doucement jusqu'au moment où elle fut complètement ensevelie et où tout devint noir.

A LOVELY DAY TOMORROW

Septembre 1940

Crighton lui manquait, plus qu'elle ne l'avait laissé voir à lui ou à Pamela. Il avait pris une chambre au Savoy la veille de la déclaration de guerre et elle s'était mise sur son trente et un dans sa belle robe en satin bleu roi uniquement pour se voir annoncer qu'ils devaient se séparer (« Il nous faut dire adieu »). « Ça va saigner », ajouta-t-il, mais elle n'était pas certaine de savoir s'il voulait parler de la guerre ou d'eux.

En dépit ou peut-être en raison de leurs adieux, ils couchèrent ensemble et il passa un bon moment à lui dire combien « ce corps », « ces formes voluptueuses », « ce joli minois » et ainsi de suite allaient lui manquer jusqu'au moment où elle en eut assez et lui asséna : « C'est *toi* qui veux rompre, pas moi. »

Elle se demanda s'il faisait l'amour à Moira de la même façon — avec autant de détachement que de passion — mais c'était une de ces questions qu'on ne pouvait poser de peur qu'il ne dise la vérité. Quelle importance, Moira le récupérait. Une denrée souillée peut-être, mais qui lui appartenait néanmoins.

Le lendemain matin, ils prirent le petit déjeuner au lit et écoutèrent le discours de Chamberlain. Il y avait une TSF dans la suite. Peu de temps après, une sirène retentit, mais, étrangement, ni l'un ni l'autre ne paniquèrent. Tout semblait très irréel. « Je pense que c'est un test », fit Crighton. Ursula se dit que désormais tout serait probablement un test.

303

Ils quittèrent l'hôtel et marchèrent sur les quais jusqu'au pont de Westminster où des îlotiers de la défense passive soufflaient dans leur sifflet et criaient que l'alerte était terminée. D'autres circulaient à bicyclette avec des panneaux *Fin d'alerte* sanglés sur eux et Crighton s'écria : « Grand Dieu, je ne donne pas cher de notre peau si on ne trouve pas mieux que ça en cas de raid aérien ! » On entassait des sacs de sable le long du pont, partout, et Ursula se dit que ça tombait bien qu'il y ait autant de sable dans le monde. Elle essaya de se remémorer *Le Morse et le Charpentier* de Lewis Carroll. *Si sept bonnes, armées de sept balais* – mais ils étaient arrivés à Whitehall et Crighton interrompit le cours de ses pensées en prenant ses mains dans les siennes et en disant « Il faut que j'y aille à présent, ma chérie » et, l'espace d'un instant, il eut l'air d'une vedette de cinéma dans un navet à l'eau de rose. Elle décida de vivre toute la durée de la guerre comme une nonne. C'était beaucoup plus facile.

Elle l'avait regardé longer Whitehall et s'était soudain sentie horriblement seule. Elle pourrait, tout compte fait, retourner à Finchley.

Novembre 1940

Elle entendait Emil se plaindre de l'autre côté du mur et les remontrances apaisantes de Mrs Appleyard. Celle-ci se mit à chanter une berceuse dans sa langue, sa langue maternelle, songea Ursula. C'était une chanson d'une tristesse extraordinaire et Ursula fit le vœu que si jamais elle avait un jour un enfant (difficile quand on avait décidé de vivre comme une nonne) elle ne lui fredonnerait que des airs entraînants et des chansonnettes joyeuses.

Elle se sentait seule. Elle aurait aimé sentir un corps chaud contre le sien pour la réconforter, un chien vaudrait mieux que d'être seule par une nuit pareille. Une présence vivante, qui respirait.

Elle écarta le panneau de black-out. Aucun signe de bombardier pour l'instant, juste le long doigt d'un projecteur solitaire fouillant l'obscurité. Une nouvelle lune brillait dans le ciel. *Pâle de lassitude* selon Shelley, mais *Reine et chasseresse, chaste et belle* pour Ben Jonson. Aux yeux d'Ursula, elle trahissait une indifférence qui la fit soudain frissonner.

Avant le déclenchement de la sirène, il y avait toujours une seconde où elle avait conscience d'un bruit encore jamais entendu. Ça ressemblait à un écho, ou plutôt à son contraire. Un écho venait après, mais y avait-il un mot pour ce qui venait avant ?

Elle entendit le gémissement d'un avion dans les airs et le *bang-bang-bang-bang-bang* des premières bombes qui tombaient, s'apprêtait à remettre le panneau de black-out en place et à filer à la cave lorsqu'elle remarqua un chien recroquevillé dans l'embrasure d'une porte en face – c'était presque comme si son vœu de tout à l'heure était exaucé. Même de là où elle était, elle devinait sa terreur. Elle hésita une seconde puis se dit, oh, flûte, et dévala l'escalier.

Elle croisa les sœurs Nesbit. « Oh, oh, mauvais signe, miss Todd ! gloussa Lavinia. Se croiser dans l'escalier, vous savez. »

Ursula descendait, les sœurs montaient. « Vous allez dans le mauvais sens, dit Ursula, plutôt inutilement.

— J'ai oublié mon tricot », dit Lavinia. Elle portait une broche émaillée en forme de chat noir. Dont l'œil en strass clignait à la lumière. « Elle tricote un petit pantalon pour le bébé de Mrs Appleyard, dit Ruth. Il fait si froid dans leur appartement. »

*

Il y avait un raffut de tous les diables dans la rue. Elle entendait des bombes incendiaires cliqueter sur un toit non loin, on aurait dit qu'on vidait un seau de charbon géant. Le ciel était embrasé. Une fusée éclairante « lustre » tomba, gracieuse comme un feu d'artifice, illuminant tout en contrebas.

Une vague de bombardiers rugissait au-dessus de sa tête lorsqu'elle traversa la rue pour se précipiter vers le chien. C'était un terrier tout à fait quelconque, gémissant et tout tremblant. Au moment précis où elle s'emparait de lui, elle entendit un effroyable sifflement et comprit qu'elle allait y rester, qu'ils allaient y rester tous les deux. Un grondement colossal fut suivi du BANG le plus retentissant jamais entendu au cours du Blitz. Ça y est, songea-t-elle, voilà comment je meurs.

Elle reçut un coup à la tête, une brique ou autre, mais ne perdit pas connaissance. Un souffle, comme celui d'un ouragan, la renversa. Elle éprouva une horrible douleur dans les oreilles, n'entendit plus qu'un sifflement, un chantonnement aigu, et sut que ses tympans devaient être crevés. Des débris pleuvaient sur elle, la tailladaient, lui rentraient dans la chair. La déflagration semblait se propager en ondes successives et elle sentit une vibration gronder et broyer le sol sous elle.

A distance, une explosion semble prendre fin presque immédiatement, mais quand on se trouve au beau milieu, elle paraît interminable, avoir un caractère qui change et évolue au fur et à mesure de sorte qu'on n'a pas la moindre idée de comment elle finira, de comment *on* finira. Mi-assise, mi-allongée, Ursula essaya de se raccrocher à quelque chose, mais impossible de lâcher le chien (il était pour une raison quelconque devenu sa préoccupation essentielle), et elle fut soufflée lentement au ras du sol.

La pression diminua un peu, mais de la terre et de la poussière continuaient à pleuvoir sur elle et la déflagration n'était pas encore terminée. Puis quelque chose d'autre la frappa à la tête et tout s'obscurcit.

*

Elle fut réveillée par le chien qui lui léchait la figure. C'était très difficile de comprendre ce qui s'était passé, mais au bout d'un moment elle se rendit compte que l'embrasure de porte où elle avait attrapé le chien n'existait plus. Le vantail avait été soufflé à l'intérieur en même temps qu'eux, et le chien et elle gisaient à présent au milieu de décombres, dans le couloir d'une maison. Rempli de morceaux de briques et d'éclats de bois, l'escalier qui se trouvait dans leur dos ne conduisait plus nulle part car les étages avaient disparu.

Toujours assommée, elle se mit tant bien que mal sur son séant. Elle avait le sentiment d'avoir la tête embrumée, d'être hébétée, mais il n'y avait apparemment pas de casse et elle ne découvrit aucun saignement, même si elle devait être couverte de coupures et d'ecchymoses. Bien que très silencieux, le chien avait l'air indemne aussi. « Tu dois t'appeler Lucky » lui dit-elle, mais sa voix fut à peine audible tellement l'air était saturé de poussière. Elle se leva précautionneusement et parcourut le couloir pour gagner la rue.

Sa maison avait disparu également. Partout, il n'y avait plus que d'immenses tas de gravats fumants et des carcasses de bâtiments. La rognure d'ongle de la lune était assez brillante pour éclairer l'horreur qui s'étalait en contrebas malgré le voile de poussière. Si elle ne s'était pas précipitée pour sauver le chien, elle serait maintenant réduite en cendres dans la cave des Miller. Tout le monde était-il mort ? Les Nesbit, Mrs Appleyard et Emil ? Mr Fish ? Tous les Miller ?

Elle émergea en titubant dans la rue où deux pompiers déroulaient un tuyau. Ils l'attachaient à une bouche d'incendie quand l'un d'eux l'aperçut et cria « Vous allez bien, miss ? » C'était drôle, mais il ressemblait comme deux gouttes d'eau à Fred Smith. Puis l'autre hurla : « Attention, le mur s'écroule ! »

C'était vrai. Lentement, incroyablement lentement, comme dans un rêve, l'ensemble du mur bascula sur un axe invisible et, sans qu'une seule brique s'en détache, s'inclina vers eux comme s'il les saluait gracieusement avant de s'abattre d'un seul bloc en même temps que les ténèbres.

Août 1926

Als er das Zimmer verlassen… wußte… was sie aus dieser Erschei-
nung machen solle…

Des abeilles faisaient entendre leur berceuse de l'après-midi
et Ursula à demi assoupie à l'ombre des pommiers abandonna
Die Marquise von O. Yeux mi-clos, elle observa un petit lapin
qui festoyait dans l'herbe quelques mètres plus loin. Il faut
croire qu'il était inconscient de sa présence ou alors il était
très hardi. Maurice l'aurait déjà tué. Il était de retour après sa
licence de droit, attendait de commencer son stage d'avocat et
avait passé toutes ses vacances à s'ennuyer comme un rat mort
et à le faire savoir haut et fort. (« Il pourrait toujours se trouver
un emploi pour l'été, disait Hugh. Des jeunes gens vigoureux
qui travaillent, ce n'est pas sans précédent. »)

Maurice s'embêtait en fait tellement qu'il avait accepté
d'apprendre à Ursula à tirer et alla même jusqu'à donner son
accord pour utiliser comme cibles de vieilles bouteilles et de
vieilles boîtes de conserves plutôt que les nombreux animaux de
la forêt qu'il canardait continuellement au jugé – lapins, renards,
blaireaux, pigeons, faisans, et même une fois un faon, crime que
ni Pamela ni Ursula ne lui pardonneraient jamais. Tant que
c'était sur des objets inanimés, Ursula aimait bien tirer. Elle se
servait du vieux fusil de chasse de Hugh, mais Maurice avait un
splendide Purdey, cadeau de sa grand-mère pour ses vingt et un
ans. Adelaide menaçait de mourir depuis plusieurs années, mais

309

« n'avait jamais tenu sa promesse », disait Sylvie. Elle s'accrochait à la vie à Hampstead « comme une araignée géante », dit Izzie en frissonnant devant les côtelettes de veau à la russe, même si sa réaction aurait pu être due aux côtelettes. Ce n'était pas un des sommets du répertoire culinaire de Mrs Glover.

Une des rares choses, peut-être la seule, que Sylvie et Izzie avaient en commun, était leur antipathie pour la mère de Hugh. « C'est aussi la tienne », signala Hugh à Izzie, et Izzie répondit : « Oh, non, elle m'a trouvée sur le bas-côté de la route. Elle me l'a souvent répété. J'étais si polissonne que même les bohémiens n'ont pas voulu de moi. »

Hugh vint regarder Maurice et Ursula tirer et dit : « Eh bien, mon oursonne, tu es une vraie tireuse de l'Ouest. »

*

« Tu sais, dit Sylvie qui surgit soudain et fit sursauter Ursula qui se réveilla complètement, les longues journées paresseuses comme celles-ci ne se reproduiront jamais de ton vivant. Tu crois que oui, mais non.

— A moins que je ne devienne incroyablement riche, fit Ursula. Je pourrais alors fainéanter à longueur de journée.

— Peut-être, fit Sylvie, mais l'été devrait quand même prendre fin un jour. » Elle se laissa tomber dans l'herbe à côté d'Ursula et ramassa le Kleist. « Un romantique suicidaire, dit-elle avec dédain. Vas-tu vraiment faire des études de langues vivantes ? Ton père dit que le latin pourrait s'avérer plus utile.

— Utile ? Comment ça ? Personne ne le parle », dit Ursula d'un ton raisonnable. La discussion durait depuis le début de l'été sans éclat de voix. Elle étira les bras au-dessus de sa tête. « J'irai vivre à Paris un an et ne parlerai que le français. Ce sera très *utile* là-bas.

— Oh, Paris, dit Sylvie en haussant les épaules, Paris est un peu surfait.

— Berlin alors.

— C'est la pagaille en Allemagne.

— Vienne.

— Guindé.

— Bruxelles, fit Ursula. Personne ne peut élever d'objection contre Bruxelles. »

C'était vrai, Sylvie ne trouva rien à redire à Bruxelles et leur grand tour des capitales européennes s'arrêta brutalement.

« Ce sera après l'université de toute façon, dit Ursula. Dans des *années*, tu peux cesser de t'inquiéter.

— L'université ne t'apprendra pas à être une épouse et une mère.

— Et si je ne voulais pas être épouse et mère ? »

Sylvie rit. « Tu dis des absurdités pour me provoquer. Il y a du thé sur la pelouse, dit-elle en se relevant à contrecœur. Et du gâteau. Et aussi Izzie, malheureusement. »

*

Avant le dîner, Ursula alla se promener sur la petite route avec Jock qui trottait joyeusement devant elle. (C'était un chien d'une gaieté folle. Qu'Izzie ait pu si bien choisir était difficile à croire.) C'était le genre de soirée d'été qui donnait à Ursula l'envie d'être seule. « Oh, disait Izzie, tu es à un âge où les filles sont simplement *consumées* par le sublime. » Ursula n'était pas certaine de savoir ce qu'elle entendait par là (« Personne n'est jamais sûr de saisir ce qu'elle veut dire », disait Sylvie) mais croyait comprendre un peu. Il y avait une étrangeté dans le chatoiement de l'air, un sentiment d'*imminence* qui lui gonflait la poitrine, comme si son cœur se dilatait. Une sorte de sainteté profonde – elle ne trouvait pas d'autre mot pour décrire la chose. Peut-être que c'était l'avenir qui ne cessait de se rapprocher, se dit-elle.

Elle avait seize ans, était à l'orée de tout. Elle avait même reçu son premier baiser, le jour de son anniversaire en plus, de la part de l'ami américain plutôt inquiétant de Maurice. « Un seul », lui dit-elle avant de le repousser quand il devint trop entreprenant. Malheureusement, il s'emmêla les pinceaux (qu'il avait énormes) et tomba à la renverse dans le cotonéaster, ce qui avait l'air plutôt inconfortable et manquait assurément de dignité. Elle le raconta à Millie qui rit aux éclats. N'empêche, disait Millie, un baiser était un baiser.

*

Sa promenade l'amena à la gare où elle dit bonjour à Fred Smith qui ôta sa casquette de cheminot pour la saluer comme si elle était déjà adulte.

L'imminence demeura imminente et recula même lorsqu'elle regarda le train partir en teuf-teufant pour Londres. Elle rebroussa chemin et rencontra Nancy qui herborisait pour sa collection d'histoire naturelle, et elles marchèrent amicalement ensemble avant d'être dépassées par Benjamin Cole à bicyclette. Il s'arrêta, descendit de vélo, proposa « Je vous escorte chez vous, mesdames ? » un peu comme Hugh l'aurait fait et Nancy pouffa de rire.

Ursula était contente que la chaleur de l'après-midi lui ait déjà donné des couleurs car elle se sentit rougir. Elle arracha du cerfeuil sauvage dans la haie et s'éventa (sans effet) avec. Elle ne s'était pas, tout compte fait, trompée tant que ça concernant l'imminence.

Benjamin (« Oh, je vous en prie, appelez-moi Ben, dit-il. Il n'y a plus que mes parents pour m'appeler Benjamin ») marcha avec elles jusqu'au portail des Shawcross où il dit « Bon, ben, au revoir » et remonta sur sa bicyclette pour effectuer le court trajet qui le séparait de son domicile.

« Ah, chuchota Nancy, déçue pour Ursula. Je pensais qu'il te raccompagnerait peut-être chez toi, juste vous deux.

— Je suis transparente à ce point ? demanda Ursula dont le moral chuta.

— Oui. Peu importe. » Nancy lui tapota le bras comme si c'était elle qui avait quatre ans de plus qu'Ursula et non l'inverse. Puis elle lança « Je crois que je suis en retard, je ne veux pas rater le dîner » et, serrant le trésor qu'elle avait glané, elle se dirigea en sautillant vers sa maison en chantant *tralalalaire*.

Nancy était une fille qui chantait vraiment *tralalalaire*. Ursula aurait aimé être ce genre de fille. Elle tourna les talons pour poursuivre son chemin, elle devait être également en retard pour le souper, mais voilà qu'elle entendit le drelin drelin fou d'une sonnette de bicyclette annonçant Benjamin (Ben !) qui fonçait vers elle. « J'ai oublié de te dire, fit-il, nous organisons une fête la semaine prochaine – samedi après-midi – et maman m'a demandé de t'inviter. C'est l'anniversaire de Dan, elle veut quelques filles pour diluer les garçons, je crois que c'est l'expression qu'elle a employée. Elle s'est dit que peut-être Millie et toi pourrez venir. Nancy est un peu jeune, non ?

— Oui, s'empressa de dire Ursula. Mais j'aimerais beaucoup venir. De même que Millie, j'en suis sûre. Merci. »

L'imminence était revenue dans le monde.

Elle le regarda s'éloigner en sifflotant tout en pédalant. Se retournant, elle faillit entrer en collision avec un homme surgi d'on ne sait où et qui semblait l'attendre. Il porta un doigt à sa casquette et marmonna « Soir, miss ». Il avait l'air d'un vagabond et Ursula recula d'un pas. « Indiquez-moi le chemin de la gare, miss », dit-il et elle pointa du doigt la petite route et répondit « Par là.

— Voulez-vous me montrer le chemin, miss ? dit-il en se rapprochant.

— Non, dit-elle. Non, merci. » Puis la main de l'homme s'abattit soudain sur son avant-bras. Elle réussit à se dégager et se mit à courir, n'osa regarder derrière elle qu'une fois arrivée à sa porte.

« Ça va, mon oursonne ? demanda Hugh comme elle s'engouffrait sous le porche. Tu as l'air tout essoufflée.

— Oui, très bien », répondit-elle. Hugh ne ferait que s'inquiéter si elle lui parlait de l'homme.

*

« Côtelettes de veau à la russe, annonça Mrs Glover en posant un grand plat de porcelaine blanche sur la table. Je vous dis

313

ça uniquement parce que la dernière fois que j'en ai préparé quelqu'un s'est demandé ce que ça pouvait bien être. »

« Les Cole font une fête, dit Ursula à Sylvie. Millie et moi sommes invitées.

— Merveilleux », dit Sylvie, chagrinée par le contenu du plat en porcelaine blanche, dont la plus grande partie serait refilée au palais moins délicat (ou, comme aurait dit Mrs Glover, « moins difficile ») d'un westie.

*

La fête fut décevante. Une réception plutôt intimidante avec une interminable série de charades (Millie, inutile de le dire, était dans son élément) et de jeux-concours dont Ursula connaissait la plupart des réponses, mais où elle fut battue de vitesse par les fils Cole et leurs amis animés d'un redoutable esprit de compétition. Ursula se sentit invisible et le seul moment d'intimité qu'elle eut avec Benjamin (il n'avait plus l'air d'un Ben) se produisit quand il lui demanda si une coupe de fruits lui ferait plaisir, puis oublia de la lui apporter. Pas de danses, mais de la nourriture à gogo et Ursula se consola avec les desserts dont le choix était impressionnant. Mrs Cole qui patrouillait devant le buffet s'étonna : « Bonté divine, tu es si menue, où mets-tu tout ça ? »

Si menue que personne ne semblait la remarquer, songea Ursula en rentrant d'un air abattu à Fox Corner.

« Y avait du gâteau ? s'empressa de lui demander Teddy quand elle apparut à la porte.

— A gogo », répondit-elle. Ils s'assirent sur la terrasse et partagèrent la grosse tranche de gâteau d'anniversaire distribuée au départ des invités par Mrs Cole. Jock reçut sa juste part. Lorsqu'un gros renard trotta sur la pelouse crépusculaire, Ursula lui jeta un morceau de gâteau, mais le renard le regarda avec le mépris d'un carnivore.

THE LAND OF BEGIN AGAIN[45]

Août 1933

« *Er kommt ! Er kommt !* » cria une des filles.

— Il arrive ? Enfin ? dit Ursula en lançant un coup d'œil à Klara.

— Apparemment. Dieu merci. Un peu plus et nous mourions de faim et d'ennui », dit-elle.

Elles étaient aussi sidérées et amusées l'une que l'autre par les démonstrations d'adulation outrancières des filles plus jeunes. Elles avaient passé une bonne partie d'un chaud après-midi sur le bas-côté de la route, sans rien manger ni boire hormis un seau de lait que deux filles étaient allées chercher dans une ferme voisine. Certaines avaient entendu dire que le Führer arriverait aujourd'hui dans sa retraite montagnarde et elles l'attendaient patiemment depuis des heures. Plusieurs avaient fait la sieste sur le talus herbeux, mais aucune n'avait l'intention de renoncer sans avoir entraperçu leur idole.

Il y eut quelques acclamations un peu plus bas sur la route raide et tortueuse menant à Berchtesgaden et elles se levèrent toutes d'un bond. Une grosse voiture noire passa à toute allure et quelques filles poussèrent des cris aigus d'excitation, mais « il » n'était pas dedans. Puis une seconde voiture, une magnifique Mercedes noire décapotée, apparut avec un fanion frappé d'une croix gammée voletant sur le capot. Elle roulait plus lentement que la précédente et contenait bel et bien le nouveau Chancelier du Reich.

Le Führer leur adressa une version abrégée de son salut, un drôle de petit geste de la main vers l'arrière de sorte qu'il avait l'air de la mettre en cornet à son oreille pour mieux entendre ce qu'elles lui criaient. A sa vue, Hilde qui se trouvait à côté d'Ursula dit simplement « Oh », conférant à cette syllabe unique une extase religieuse. Puis, tout aussi vite, tout fut terminé. Hanne croisa ses mains sur sa poitrine avec l'air d'une sainte plutôt constipée. « Je suis comblée » s'esclaffa-t-elle.

« Il est mieux en photo », murmura Klara.

Les filles étaient toutes d'un remarquable entrain depuis le début de la journée et sous les ordres de leur *Gruppenführerin* (Adelheid, une amazone blonde de dix-huit ans admirablement compétente) elles formèrent rapidement une brigade pour entamer joyeusement la longue marche de retour à l'auberge de jeunesse en chantant. (« Elles chantent *tout* le temps, écrivit Ursula à Millie. Tout ça est un petit peu trop *lustig* à mon goût. J'ai l'impression d'être dans un chœur d'opérette. »)

Leur répertoire était varié – chansons folkloriques, chansons d'amour surannées, chants patriotiques entraînants et quelque peu violents parlant de drapeaux trempés dans le sang, ainsi que les inévitables chansons que l'on entonnait autour d'un feu de camp. Elles aimaient particulièrement *schunkeln* – se balancer en cadence bras dessus bras dessous. Quand on poussa Ursula à interpréter une chanson, elle leur proposa « Auld Lang Syne », parfait pour *schunkeln*.

Hilde et Hanne étaient les petites sœurs de Klara, des membres enthousiastes de la BDM, la Bund Deutscher Mädel – branche féminine de la Hitlerjugend. (« On l'appelle la *Ha Jot* » dit Hilde, et de se tordre de rire avec Hanne à l'idée de tous ces beaux garçons en uniforme.)

Ursula, qui n'avait entendu parler ni de la Hitlerjugend ni de la BDM avant son arrivée chez les Brenner quinze jours plus tôt, entendait Hilde et Hanne ne parler quasiment que de ça. « C'est un passe-temps sain, disait leur mère, Frau Brenner. Le but est de promouvoir la paix et la compréhension entre les jeunes

316

gens. Plus de guerres. Et ça tient les filles à l'écart des garçons. »
Klara, qui comme Ursula venait d'obtenir son diplôme – elle
avait fait des études artistiques à l'*Akademie* –, était indifférente
à l'obsession de ses sœurs, mais s'était proposée pour chaperonner leur *Bergwanderung*, leur randonnée estivale en montagne,
d'une *Jugendherberge* à l'autre dans les Alpes bavaroises. « Tu
nous accompagnes, hein ? dit Klara à Ursula. Je suis sûre qu'on
va s'amuser et tu verras un peu de pays. Sinon, tu seras coincée
en ville avec Mutti et Vati. »

« Je crois que c'est comme les éclaireuses », écrivit Ursula à
Pamela.

« Pas tout à fait », répondit Pamela.

*

Ursula n'avait pas l'intention de rester longtemps à Munich.
L'Allemagne n'était qu'un détour dans sa vie, une étape de
son année aventureuse en Europe. « Ce sera mon grand tour
à moi, dit-elle à Millie, bien que j'aie peur qu'il ne soit un
peu de second ordre, un "tour pas si grand que ça". » Il devait
inclure Bologne de préférence à Rome ou Florence, Munich et
non Berlin, Nancy au lieu de Paris (choix qui amusa beaucoup
Nancy Shawcross) – autant de villes où ses directeurs d'études
à l'université connaissaient de bonnes familles chez qui elle
pourrait loger. Pour subvenir à ses besoins, elle ferait un peu
d'enseignement, même si Hugh avait pris des dispositions pour
lui envoyer un mandat postal modeste mais régulier. Hugh était
soulagé qu'elle réside « en province » où « les gens se condui-
saient dans l'ensemble mieux ». (« Il veut dire qu'ils sont plus
ennuyeux » dit Ursula à Millie.) Hugh avait opposé son veto à
Paris qui lui inspirait une aversion particulière et n'était guère
plus chaud pour Nancy qui était toujours résolument *française*.
(« Parce que c'est en France », fit remarquer Ursula.) Il avait
assez vu l'Europe pendant la Grande Guerre, disait-il, et ne
comprenait pas pourquoi on en faisait tout un plat.

Ursula avait, malgré les réserves de Sylvie, fait des études de langues vivantes – français, allemand et un peu d'italien (très peu). Licenciée de fraîche date et à défaut d'une autre idée, elle avait posé sa candidature pour un stage de formation pédagogique et obtenu une place. Elle avait repoussé d'un an cette formation au motif qu'elle voulait explorer un peu le vaste monde avant de « s'installer » et de passer sa vie devant un tableau noir. C'étaient en tout cas les raisons soumises à l'examen parental, alors que son véritable espoir était qu'il se produirait au cours de cette année à l'étranger quelque chose qui signifierait qu'elle n'aurait jamais à effectuer son stage. Elle n'avait pas la moindre idée de ce qu'était ce « quelque chose ». (« L'amour, peut-être », dit Millie avec nostalgie.) N'importe quoi au fond plutôt que de finir dans la peau d'une vieille fille aigrie conjuguant à satiété des verbes étrangers dans un lycée de filles, la poussière de craie tombant de ses vêtements comme des pellicules. (Ce portrait s'inspirait de ses professeurs.) Ce n'était pas non plus une profession qui avait suscité beaucoup d'enthousiasme dans son entourage immédiat.

« Tu veux être *professeur* ? » avait dit Sylvie.

« Franchement, pour un peu ses sourcils décollaient pour la stratosphère, dit Ursula à Millie.

— Mais c'est vraiment ce que tu souhaites ? Enseigner ? demanda Millie.

— Pourquoi tous ceux que je connais me posent-ils cette question sur ce ton ? fit Ursula plutôt froissée. Mon inaptitude à la profession est-elle flagrante à ce point ?

— Oui. »

Pour sa part, Millie avait suivi des cours d'art dramatique et jouait à présent dans une troupe à Windsor : du mauvais théâtre de boulevard et des mélodrames. « J'attends qu'on me découvre », disait-elle en prenant une pose théâtrale. Tout le monde semblait attendre quelque chose, songea Ursula. « Mieux vaut ne pas attendre, disait Izzie. Mieux vaut *agir*. » Plus facile à dire pour elle.

Millie et Ursula étaient assises dans les fauteuils en osier sur la pelouse de Fox Corner, espérant que les renards viendraient jouer dans l'herbe. Une renarde et sa portée s'étaient mises à rendre visite au jardin. Sylvie laissait des restes et la renarde à demi apprivoisée s'asseyait plutôt hardiment au beau milieu du gazon comme un chien attendant son dîner pendant que ses petits – déjà grands depuis juin dernier, élancés, avec de longues pattes – se chamaillaient et faisaient la culbute autour d'elle.

« Qu'est-ce que je vais faire alors ? » dit Ursula désemparée (désespérée). Bridget apparut avec du thé et du gâteau sur un plateau qu'elle posa sur une table entre elles. « Apprendre la sténodactylo pour travailler dans la fonction publique ? Ça paraît drôlement déprimant aussi. Qu'est-ce qu'une femme peut bien *faire* d'autre si elle ne veut pas passer directement du domicile parental au domicile conjugal ?

— Une femme instruite, corrigea Millie.

— Une femme instruite », convint Ursula.

Bridget marmonna quelque chose d'incompréhensible et Ursula dit « Merci, Bridget. »

(« Toi, tu as vu l'Europe, avait-elle lancé d'un ton plutôt accusateur à Sylvie. Dans ta jeunesse.

— Je n'étais pas seule, j'étais accompagnée de mon père » avait dit Sylvie. Mais, chose surprenante, l'argument parut porter et c'était pour finir Sylvie qui avait défendu le voyage face aux objections de Hugh.)

Avant le départ d'Ursula pour l'Allemagne, Izzie l'emmena en courses pour lui acheter des dessous et des écharpes en soie, de jolis mouchoirs bordés de dentelle, « une paire de souliers vraiment robustes », deux chapeaux et un nouveau sac. « Pas un mot à ta mère », dit-elle.

*

A Munich, elle devait loger dans la famille Brenner – le père, la mère, trois filles (Klara, Hildegard et Hannelore) et un fils,

Helmut, alors à Potsdam, dans un appartement d'Elisabeths-traße. Hugh avait déjà entretenu une abondante correspondance avec Herr Brenner pour juger s'il avait les qualités requises de la part d'un hôte. « Je vais énormément les décevoir, dit-elle à Millie. Vu les travaux d'approche, Herr Brenner va s'attendre à un second avènement. » Herr Brenner était professeur à la Deutsche Akademie et s'était arrangé pour qu'Ursula donne des cours d'anglais pour débutants et lui avait également trouvé des gens qui cherchaient à prendre des cours particuliers. Il lui avait annoncé tout ça à la gare où il était venu la chercher. Ursula se sentit plutôt abattue : elle ne s'était pas encore habituée à l'idée de travailler et était épuisée après un long voyage franchement éprouvant. Le *Schnellzug* de la gare de l'Est à Paris avait été tout sauf *schnell* et elle avait entre autres partagé un compartiment avec un homme qui tantôt fumait le cigare, tantôt mangeait un salami auquel il avait fait un sort, deux occupations qui l'avaient assez incommodée. (« Tout ce que j'ai vu de Paris, c'est un quai de gare », écrivit-elle à Millie.)

Le mangeur de salami l'avait suivie dans le couloir lorsqu'elle était partie à la recherche des toilettes. Elle pensait qu'il allait au buffet, mais lorsqu'elle atteignit les W-C, il tenta à sa grande frayeur d'y pénétrer à sa suite. Il lui dit quelque chose qu'elle ne comprit pas, bien que le sens parût en être obscène (le cigare et le salami semblaient d'étranges préludes). « Lass mich in Ruhe », fichez-moi la paix, lui dit-elle vaillamment, mais il continua à la pousser et elle à le repousser. Elle soupçonnait que leur lutte, polie plutôt que violente, aurait pu paraître quasiment comique à un observateur. Ursula aurait aimé qu'il y ait dans le cou-loir quelqu'un à qui elle puisse demander de l'aide. Impossible d'imaginer ce que l'homme lui ferait s'il réussissait à s'enfermer avec elle dans l'espace minuscule des toilettes. (Après coup, elle se demanda pourquoi elle n'avait pas simplement crié. Quelle idiote elle était.)

Elle fut « sauvée » par deux officiers, chic dans leur uniforme noir avec leur insigne en fil d'argent, qui surgirent d'on ne sait où et se saisirent fermement de l'homme. Ils lui passèrent un sérieux savon, même si la moitié du vocabulaire échappa à Ursula, puis très galamment ils lui trouvèrent un autre compartiment réservé aux femmes et dont elle ignorait l'existence. Après leur départ, ses compagnes de voyage ne cessèrent de s'extasier sur la beauté des officiers SS. (« *Schutzstaffel*, murmura avec admiration l'une d'elles. Ce n'est pas comme ces butors en chemise brune. »)

Le train arriva en gare de Munich avec du retard. Il y avait eu un petit incident, dit Herr Brenner, un homme était tombé du train.

« Quelle horreur », fit Ursula.

*

Bien que ce fût l'été, il faisait frais et il tombait des cordes. L'atmosphère morose ne se dissipa pas à l'arrivée chez les Brenner : malgré le crépuscule, aucune lampe n'était allumée dans l'immense appartement et la pluie martelait les fenêtres habillées de rideaux en dentelle comme si elle était bien déterminée à entrer.

A eux deux, Ursula et Herr Brenner avaient hissé la lourde malle dans l'escalier, exercice quelque peu burlesque. Quelqu'un aurait quand même pu leur donner un coup de main, se dit Ursula irritée. Hugh aurait employé « un homme » ou même deux et n'aurait pas attendu qu'elle se charge de la tâche elle-même. Elle repensa aux officiers SS du train, avec quelle efficacité et quelle courtoisie ils auraient réglé le problème de sa malle.

L'élément féminin de la famille Brenner se révéla absent. « Ah, pas encore rentrées, dit Herr Brenner d'un air insouciant. Elles sont parties en courses, je crois. » L'appartement était rempli de mobilier lourd, de tapis miteux et de plantes touffues qui donnaient l'impression d'une jungle. Ursula frissonna, les lieux paraissaient inhospitaliers et froids pour cette période de l'année.

Au prix de bien des manœuvres, la malle arriva dans la chambre destinée à Ursula. « C'était celle de ma mère, dit Herr

Brenner. Ce sont ses meubles. Elle est morte l'année dernière, hélas. » La façon dont il contempla le lit – un machin gothique qui semblait avoir été conçu spécialement pour provoquer des cauchemars chez son occupant – laissait clairement entendre que le décès de Frau Brenner mère avait eu lieu sous ses couvre-pieds molletonnés. Le lit semblait dominer la pièce et Ursula se sentit soudain nerveuse. L'incident du train avec le mangeur de salami était encore si vivace que c'en était embarrassant et voilà qu'elle était de nouveau seule en pays étranger avec un parfait inconnu. Les histoires à sensation de Bridget sur la traite des Blanches lui revinrent à l'esprit.

A son grand soulagement, ils entendirent la porte d'entrée s'ouvrir et il y eut un grand remue-ménage dans le vestibule. « Ah, dit Herr Brenner, absolument ravi, les voilà de retour ! »

Les filles se répandirent en se bousculant dans l'appartement, trempées par la pluie, riant et encombrées de paquets. « Regardez qui est là », dit Herr Brenner, ce qui provoqua une grande effervescence chez ses deux filles plus jeunes. (Hilde et Hanne s'avéreraient être les filles les plus démonstratives qu'Ursula ait jamais rencontrées.)

« Te voilà ! dit Klara en serrant ses mains dans les siennes qui étaient froides et humides, *Herzlich willkommen in Deutschland.* »

Pendant que les langues des filles plus jeunes allaient bon train, Klara parcourut rapidement l'appartement en allumant des lampes au passage et l'endroit fut soudain métamorphosé – les tapis étaient usés, mais richement ornés, le mobilier ancien encaustiqué luisait, la froide jungle de plantes se transforma en une jolie tonnelle de fougères. Herr Brenner alluma un gros *Kachelofen* en porcelaine dans le salon (« C'est comme avoir un gros animal bien chaud dans la pièce », écrivit-elle à Pamela) et lui assura que demain le temps redeviendrait chaud et ensoleillé.

La table fut rapidement mise avec une nappe brodée et le souper apparut – un plateau de fromage, de salami, de tranches de saucisse, de la salade et du pain noir qui avait l'odeur du gâteau au carvi de Mrs Glover ainsi qu'une délicieuse soupe de fruits qui confirma qu'Ursula était bien à l'étranger (« Une soupe de fruits froide ! écrivit-elle Pamela. Qu'est-ce que Mrs Glover dirait de ça ! »).

Même la chambre de feu la mère de Mr Brenner était plus hospitalière à présent. Le lit était moelleux et accueillant, les draps étaient ourlés de crochet fait à la main et la lampe de chevet avait un joli abat-jour en verre rose qui diffusait une lumière chaleureuse. Quelqu'un – Klara, soupçonnait Ursula – avait placé un petit bouquet de marguerites dans un vase sur la coiffeuse. Ursula tombait de fatigue lorsqu'elle grimpa dans le lit (il était si haut qu'on y accédait par un petit tabouret) et elle sombra avec reconnaissance dans un sommeil profond, sans rêve, sans être troublée par le fantôme de la précédente occupante.

*

« Mais bien sûr que tu vas avoir des vacances », dit Frau Brenner au petit déjeuner du lendemain (qui ressemblait bizarrement au souper de la veille). Klara « ne savait pas trop quoi faire ». Elle avait fini ses études artistiques et s'interrogeait sur l'étape suivante. Elle avait hâte de quitter la maison et « d'être artiste », mais « il ne restait guère d'argent en Allemagne pour l'art », maugréait-elle. Klara gardait certaines de ses œuvres dans sa chambre, de grandes toiles abstraites sévères qui semblaient à l'opposé de sa nature douce et mesurée. Ursula avait du mal à imaginer qu'elles puissent devenir un gagne-pain. « Je serai peut-être obligée d'enseigner, dit-elle d'un air malheureux.

— Un sort pire que la mort », convint Ursula.

Klara faisait de temps à autre des travaux d'encadrement pour un studio photographique de la Schellingstraße. La fille d'une connaissance de Frau Brenner y travaillait et avait parlé d'elle au patron. Klara et la fille – Eva – étaient ensemble au jardin d'enfants. « Mais l'encadrement n'est guère de l'art », disait Klara. Le photographe – Hoffmann – était le « photographe attitré » du nouveau Chancelier, de sorte que ses traits n'avaient « aucun secret » pour elle, ajoutait-elle.

Les Brenner n'avaient pas beaucoup d'argent (Ursula supposait que c'était la raison pour laquelle ils lui louaient une chambre) et toutes les connaissances de Klara étaient pauvres, mais en 1933 tout le monde était pauvre partout.

Malgré ce manque de fonds, Klara était bien décidée à profiter au maximum du reste de l'été. Elles allaient au Carlton Teahouse ou au Café Heck près du Hofgarten, mangeaient du *Pfannkuchen* et buvaient du *Schokolade* à s'en rendre malades. Elles marchaient pendant des heures dans l'Englischer Garten puis mangeaient des glaces ou buvaient de la bière, le visage rosi par le soleil. Elles s'adonnaient également au canotage et à la natation avec des amis d'Helmut, le frère de Klara – un chassé-croisé de Walter, Werner, Kurt, Heinz et Gerhard. Helmut se trouvait à Potsdam, où il était élève officier, *Jungmann*, dans un nouveau genre d'école militaire fondée par le Führer. « *He's very keen on the Party* », dit Klara. Son anglais était plutôt bon et elle aimait le pratiquer avec Ursula.

« *On parties*, la corrigea Ursula. Nous dirions "*he's very keen on parties*" ». Klara rit et secoua la tête « Non, non, il aime beaucoup le Parti, les Nazis. Ignores-tu que depuis le mois dernier, c'est le seul qui soit autorisé ? Ce qui n'empêche pas Helmut d'aimer aussi les soirées. »

« A son arrivée au pouvoir, lui écrivit une Pamela très didactique, Hitler a fait voter une loi d'habilitation, le *Gesetz zur Behebung der Not von Volk und Reich*, qui se traduit grosso modo par "loi visant au soulagement de la détresse du peuple et de l'Etat". Libellé fantaisiste qui signifie l'abolition de la démocratie. »

Ursula répondit allègrement : « Tout finit par passer. La démocratie se rétablira comme elle l'a toujours fait.

— Pas sans aide », répondit à son tour Pamela.

Il était facile d'ignorer les ronchonnements de Pamela quand on pouvait passer de longs après-midi à prendre des bains de soleil avec des Walter, des Werner, des Kurt, des Heinz et des Gerhard, à se prélasser au bord de la piscine municipale ou de la rivière. Ursula était époustouflée par la quasi-nudité de ces garçons dans leur short court et leur maillot de bain d'une exiguïté déconcertante. D'une manière générale, découvrit-elle, les Allemands ne répugnaient pas à se déshabiller en public.

Klara connaissait aussi un milieu différent, plus cérébral – ses amis de l'école des beaux-arts. Ils avaient tendance à préférer les intérieurs sombres, enfumés des cafés ou de leurs appartements miteux. Ils buvaient et fumaient beaucoup, parlaient jusqu'à plus soif d'art et de politique. (« De sorte qu'entre ces deux groupes, écrivit-elle à Millie, je reçois une éducation complète ! ») Les amis de Klara étaient une bande déguenillée et dissidente, et aucun d'entre eux ne semblait aimer Munich, considérée apparemment comme un centre de « provincialisme petit-bourgeois », et ils parlaient sans cesse de déménager à Berlin. Ils parlaient beaucoup de faire des choses, remarqua-t-elle, mais faisaient en réalité très peu.

Klara était en proie à un autre genre d'inertie. Sa vie était « au point mort », elle était secrètement amoureuse d'un de ses professeurs à l'école des beaux-arts, un sculpteur, mais il était parti en vacances dans la Forêt-Noire avec sa famille. (Elle avoua à contrecœur que la « famille » était en fait une épouse et deux enfants.) Elle attendait que sa vie se décide d'elle-même, disait-elle. Encore des faux-fuyants, songea Ursula. Bien qu'elle fût mal placée pour parler.

Ursula était toujours vierge bien sûr, « intacte » comme aurait dit Sylvie. Pas pour des raisons morales, simplement parce qu'elle n'avait pas encore rencontré quelqu'un qu'elle aime suffisamment. « Tu n'as pas à les *aimer*, s'esclaffait Klara.

— Oui, mais c'est ce dont j'ai envie. » Elle semblait au lieu de ça attirer des types peu recommandables – l'homme du train, l'homme de la petite route – et s'inquiétait à l'idée qu'ils aient pu déceler en elle quelque chose qui lui échappait. Elle se sentait plutôt rigide et anglaise comparée à Klara et à ses amis artistes ou aux camarades d'Helmut (qui étaient en fait formidablement bien élevés).

Hanne et Hilde avaient persuadé Klara et Ursula de les accompagner à un événement qui avait lieu au stade du quartier. Ursula s'était méprise, avait cru à un concert, mais c'était un rassemblement de la Hitlerjugend. Malgré l'optimisme de Frau Brenner, la BDM n'avait en rien diminué l'intérêt de Hilde et Hanne pour le sexe opposé.

Aux yeux d'Ursula, ces garçons sains, enthousiastes et alignés au cordeau se ressemblaient tous, mais Hilde et Hanne passaient beaucoup de temps à se montrer du doigt avec animation les amis d'Helmut, ces Walter, Werner, Kurt, Heinz et Gerhard qui paressaient au bord de la piscine en quasi-tenue d'Adam. A présent, sanglés dans leur uniforme impeccable (rebelote, les shorts courts), ils avaient l'air de boy-scouts très féroces et exemplaires.

Il y eut maints défilés et chants au son d'une fanfare et plusieurs orateurs s'essayèrent (en vain) au style déclamatoire du Führer, puis tout le monde se leva comme un seul homme pour entonner « *Deutschland über alles* ». Comme Ursula ne connaissait pas les paroles, elle fredonna « Glorious Things of Thee Are Spoken » sur le charmant air de Haydn[46], cantique qu'elle avait souvent chanté lors des assemblées matinales de son établissement scolaire. Une fois l'hymne national terminé, chacun cria « *Sieg Heil !* » et fit le salut, et Ursula fut presque surprise de se voir suivre le mouvement. Klara se tordit de rire à ce spectacle, mais Ursula remarqua tout de même que son amie avait aussi le bras levé. « Il y a intérêt, dit nonchalamment Klara. Je n'ai pas envie d'être prise à partie sur la route du retour. »

*

Non, merci, Ursula n'avait pas envie de rester à la maison avec Vati et Mutti Brenner dans un Munich étouffant et poussiéreux. Klara fouilla donc dans sa garde-robe pour lui trouver une jupe bleu marine et un corsage blanc qui étaient l'uniforme obligatoire, et la cheftaine, Adelheid, lui procura une veste en treillis kaki qu'elle avait en trop. Un foulard triangulaire passé dans une bague composée d'un nœud en cuir tressé appelé bonnet turc complétait la tenue. Ursula trouva qu'elle avait plutôt fière allure. Elle se surprit à regretter de n'avoir jamais été éclaireuse, tout en supposant que ce n'était pas seulement une question d'uniforme.

La limite d'âge pour la BDM était dix-huit ans de sorte que ni Ursula ni Klara ne pouvaient y adhérer, elles étaient des « vieilles dames », *alte Damen*, selon Hanne. La troupe n'avait pas vraiment besoin de leur escorte, selon Ursula, car Adelheid était aussi efficace qu'un chien de berger avec ses filles. Avec sa silhouette sculpturale et ses tresses blondes nordiques, elle aurait pu passer pour une jeune déesse Freyja venue en visite de son royaume de Fólkvangr. C'était un parfait instrument de propagande. A dix-huit ans, elle serait bientôt trop vieille pour la BDM, que ferait-elle ensuite ?

« Eh bien, j'adhérerai à la Ligue des femmes national-socialistes, évidemment », répondit-elle. Elle portait déjà une petite croix gammée en argent accrochée sur sa poitrine bien galbée, symbole runique d'appartenance.

Elles prirent un train, mirent leur sac à dos dans le filet à bagages et arrivèrent le soir dans un petit village alpin situé près de la frontière autrichienne. De la gare, elles marchèrent en rangs (et en chantant, naturellement) jusqu'à leur *Jugendherberge*. Les gens s'arrêtaient pour les regarder passer et certains manifestèrent leur approbation en les applaudissant.

Le dortoir qu'on leur assigna était rempli de lits superposés dont la plupart étaient déjà occupés par d'autres filles et elles durent se serrer comme des sardines. Klara et Ursula choisirent de partager un matelas posé à même le sol.

Elles dînèrent dans la salle à manger, assises à de longues tables à tréteaux, où on leur servit ce qui s'avéra être l'ordinaire : de la soupe et du *Knäckebrot* avec du fromage. Le matin, elles petit-déjeunaient de pain noir, de fromage et de confiture accompagnés de thé ou de café. L'air pur des montagnes leur donnait une faim de loup et elles dévoraient tout ce qui leur tombait sous la dent.

Le village et ses environs étaient idylliques, il y avait même un petit château qu'on leur permit de visiter. Il était froid et humide, rempli d'armures, de drapeaux et de blasons. L'endroit paraissait des plus inconfortables.

Elles faisaient de longues promenades autour du lac ou dans la forêt, puis rentraient à l'auberge de jeunesse en stop à l'arrière de camions ou sur des charrettes à foin. Un beau jour, elles marchèrent le long de la rivière jusqu'à une magnifique chute d'eau. Klara avait apporté son carnet de croquis et ses petits fusains rapides, vivants étaient beaucoup plus attirants que ses peintures. « *Ach*, dit-elle, ils sont *gemütlich*. Des petites esquisses agréables. Mes amis riraient. » Le village lui-même était un petit endroit endormi aux fenêtres fleuries de géraniums. Il y avait une auberge au bord de la rivière où elles burent de la bière et s'empiffrèrent de veau et de nouilles. Ursula ne mentionnait jamais la bière dans ses lettres à Sylvie, elle n'aurait pas compris à quel point c'était banal ici. Et l'eût-elle fait, elle n'aurait pas approuvé.

Elles devaient partir le lendemain pour passer quelques jours sous la tente, un grand camp de filles, et Ursula était désolée de quitter le village.

Le dernier soir, il y eut une kermesse, mélange de foire agricole et de fête de la moisson, dont une grande partie était incompréhensible pour Ursula. (« Pour moi aussi, dit Klara. Je suis une enfant des villes, souviens-toi. ») Les femmes portaient toutes le costume régional et on fit défiler des animaux de ferme parés de guirlandes dans un pré avant de leur décerner des prix. Une fois de plus, des drapeaux frappés de la croix gammée décoraient la prairie. La bière coulait à flots et une fanfare jouait. Une grande estrade en bois avait été érigée au milieu du pré et, au son d'un accordéon, des garçons en *Lederhose* firent une démonstration de *Schuhplattler*, tapant des mains et des pieds, se frappant les cuisses et les talons au rythme de la musique.

Klara se moqua d'eux, mais Ursula trouva qu'ils ne manquaient pas d'adresse. Elle aimerait bien vivre dans un village alpin, se disait-elle. (« Comme Heidi », écrivit-elle à Pamela. Elle écrivait moins à Pamela car la nouvelle Allemagne exaspérait profondément sa sœur. Même à distance, Pamela était la voix de sa conscience, mais il était très facile d'avoir une conscience à distance.)

L'accordéoniste prit place au milieu d'un orchestre et les gens se mirent à danser. Ursula fut entraînée sur l'estrade par une succession de garçons de ferme d'une terrible timidité qui évoluèrent sur la piste de danse d'une façon bizarre et lourdaude dans laquelle elle reconnut le rythme à trois temps plutôt gauche du *Schuhplattler*. Entre la bière et la danse, la tête commençait à lui tourner sérieusement et elle fut déconcertée quand Klara apparut en tirant par la main un très bel homme qui n'était de toute évidence pas du coin et dit : « Regarde qui j'ai trouvé !

— Qui ? » demanda Ursula.

— Le petit-cousin du demi-cousin de notre cousin, dit gaiement Klara. Ou un truc de ce genre. Permets-moi de te présenter Jürgen Fuchs.

— Simplement un demi-cousin, fit-il en souriant.

— Ravie de faire votre connaissance », dit-elle. Il claqua des talons et lui baisa la main, ce qui lui rappela le Prince Charmant dans *Cendrillon*. « C'est mon côté prussien », fit-il en riant comme les Brenner. « Nous n'avons pas la moindre goutte de sang prussien », dit Klara.

Il avait un merveilleux sourire, à la fois amusé et pensif, et des yeux d'un bleu extraordinaire. C'était sans conteste un beau garçon comme Benjamin Cole, sauf que Benjamin et lui étaient aux antipodes : Benjamin était brun et le négatif du positif qu'était Jürgen Fuchs.

Un Todd et un Fuchs – deux renards. Le destin était-il intervenu dans sa vie ? Le Dr Kellet aurait peut-être apprécié la coïncidence.

329

« Il est tellement beau, écrivit-elle à Millie après la rencontre. Tous ces mots affreux qui peuplent la littérature de quatre sous vous viennent à l'esprit – *à mourir, à couper le souffle.* » Elle avait passé suffisamment d'après-midi pluvieux à dévorer les romans de Bridget pour le savoir.

« Le coup de foudre », écrivit-elle, toute tourneboulée, à Millie. Mais, bien sûr, de tels sentiments n'étaient pas de l'amour « vrai » (c'était ce qu'elle éprouverait un jour pour un enfant), simplement la fausse splendeur de la folie. « *Folie à deux**, répondit Millie. Quel délice. »

« Tant mieux pour toi », écrivit Pamela.

« Le mariage est fondé sur une sorte d'amour plus durable », l'avertit Sylvie.

« Je pense à toi, mon oursonne, écrivit Hugh, si loin de Fox Corner. »

*

A la tombée de la nuit, il y eut une procession aux flambeaux dans le village, puis un feu d'artifice tiré des remparts du petit château. C'était très exaltant.

« *Wunderschön, nicht wahr ?* dit Adelheid, le visage rayonnant à la lueur des flambeaux.

— Oui, convint Ursula, c'est féerique. »

Août 1939

Der Zauberberg. La montagne magique.

« *Aaw. Sie ist so niedlich.* » *Clic, clic, clic.* Eva adorait son Rolleiflex. Eva adorait Frieda. Elle est si *mignonne*, disait-elle. Elles se trouvaient sur l'énorme terrasse du Berghof baignée de soleil alpin, attendant qu'on leur apporte le déjeuner. C'était beaucoup plus agréable de manger en plein air que dans la grande salle à manger lugubre dont les fenêtres massives ne contenaient rien d'autre que des montagnes. Les dictateurs aiment que tout soit à très grande échelle, même leur décor. *Bitte lächeln !* Un grand sourire. Frieda obligea Klara. C'était une enfant obligeante.

Eva avait réussi à convaincre Frieda d'enlever sa robe à smocks anglaise et pratique (Bourne and Hollingsworth, achetée par Sylvie et envoyée pour l'anniversaire de Frieda) et de revêtir un costume bavarois – dirndl, tablier, chaussettes blanches montantes. Aux yeux anglais d'Ursula (de jour en jour plus anglais, avait-elle l'impression), la tenue avait toujours l'air d'un déguisement, ou peut-être d'un costume de spectacle scolaire. Une fois, dans son école (comme ça semblait éloigné dans le temps et l'espace à présent), ils avaient monté *Le Joueur de flûte de Hamelin* et Ursula avait joué une fille du village, revêtu un costume qui ressemblait beaucoup à celui que Frieda portait maintenant.

Millie était le Roi Rat, morceau de bravoure, et Sylvie avait dit : « Ces filles Shawcross aiment être le point de mire, n'est-ce pas ? » Eva avait quelque chose de Millie – une gaieté remuante, vide, qui avait besoin d'être constamment alimentée. Mais Eva était aussi une actrice qui interprétait le plus grand rôle de sa vie. En fait sa vie *était* son rôle, il n'y avait pas de différence.

Frieda, la charmante petite Frieda, tout juste âgée de cinq ans, avec ses yeux bleus et ses grosses tresses blondes et courtes. Le teint de Frieda si pâle et blafard à son arrivée était à présent rose et doré grâce à tout ce soleil alpin. Quand le Führer voyait Frieda, Ursula surprenait une lueur fanatique dans ses yeux bleus et froids comme le Königssee en contrebas et savait qu'il voyait l'avenir du *Tausendjähriges Reich* se dérouler devant lui, *Mädchen* après *Mädchen*. (« Elle ne tient pas de toi, hein ? » disait Eva sans méchanceté car elle n'en avait pas une once.)

Durant son enfance – période à laquelle Ursula se surprenait à revenir d'une façon quasi compulsive aujourd'hui – elle avait lu des histoires de princesses maltraitées qui échappaient à des pères libidineux ou à des marâtres jalouses en enduisant leur beau minois de brou de noix et en se frottant les cheveux de cendres pour se déguiser – en bohémienne, en étrangère, en paria. Comment se procurait-on du brou de noix ? s'interrogea Ursula. Ça n'avait pas l'air d'être le genre d'article qu'on pouvait acheter en magasin. Sans compter qu'être une étrangère à la peau brune n'était plus très sûr, il valait beaucoup mieux, si on voulait survivre, se trouver ici sur l'Obersalzberg – *Der Zauberberg* – au royaume des chimères, « der Berg », comme ils disaient avec la familiarité des élus.

Qu'est-ce que je fais là et quand pourrai-je partir ? se demandait Ursula. Frieda était suffisamment remise à présent, sa convalescence tirait à sa fin. Ursula décida d'en toucher un mot à Eva aujourd'hui. Après tout, elles n'étaient pas prisonnières, elles pouvaient partir quand bon leur semblait.

*

Eva s'alluma une cigarette. Le Führer n'étant pas là, la souris dansait. Il n'aimait pas qu'elle boive, fume, ni se maquille. Ursula admirait plutôt les petits gestes de défi d'Eva. Depuis l'arrivée d'Ursula au Berghof en compagnie de Frieda quinze jours plus tôt, le Führer était venu et reparti deux fois. Ses arrivées et ses départs étaient des moments éminemment dramatiques pour Eva, pour tout le monde. Le Reich, avait conclu depuis long-temps Ursula, n'était que pantomime et spectacle, « *une histoire racontée par un idiot, pleine de bruit et de fureur*, écrivit-elle à Pamela. Mais malheureusement *non* dénuée de signification ».

A la demande d'Eva, Frieda pivota sur les talons et rit. Elle était le noyau en fusion au centre du cœur d'Ursula, elle était le meilleur de tout ce qu'elle faisait ou pensait. Ursula serait prête à marcher sur le fil de couteaux pour le restant de ses jours si ça pouvait protéger Frieda. A brûler dans les flammes de l'enfer pour la sauver. A se noyer dans les eaux les plus profondes si ça la maintenait à flot. (Elle avait exploré maints scénarios extrêmes. Mieux valait être prête.) Elle ne soupçonnait vraiment pas (Syl-vie n'en donnait que peu d'indication) que l'amour maternel pouvait vous tordre les tripes, être si *douloureusement* physique.

« Ah, oui, répondit Pamela comme si c'était la chose la plus ordinaire du monde, ça vous transforme en véritable louve. » Ursula ne se voyait pas en louve, elle était, après tout, une ourse.

Il y avait de vraies louves qui rôdaient partout sur le Berg – Magda, Emmy, Margarete, Gerda –, les épouses-poulinières des hauts dignitaires du Parti qui jouaient toutes des coudes pour obtenir des miettes de pouvoir et dont les entrailles fer-tiles produisaient sans fin des bébés pour le Reich, le Führer. Ces louves étaient des animaux dangereux, prédateurs et elles détestaient Eva, la pauvre conne – *die blöde Kuh* – qui d'une façon ou d'une autre avait réussi à leur damer le pion.

Elles auraient sûrement donné n'importe quoi pour être la compagne du glorieux chef, à la place de l'insignifiante Eva. Un homme de son envergure ne méritait-il pas une Brünnhilde – ou à tout le moins une Magda ou une Leni ? Ou peut-être la Walkyrie elle-même, « la Mitford[47] », *das Fräulein Mitford*, comme l'appelait Eva. Le Führer admirait l'Angleterre, surtout l'Angleterre aristocratique et impériale, même si Ursula doutait que son admiration l'empêche d'essayer de la détruire si l'occasion se présentait.

Eva détestait toutes les Walkyries susceptibles de lui disputer les attentions du Führer, ses émotions les plus fortes avaient la peur pour origine. Sa plus grande aversion était réservée à Bormann, l'éminence grise du Berg. C'était lui qui tenait les cordons de la bourse, lui qui achetait les cadeaux du Führer destinés à Eva et qui distribuait l'argent pour tous ces manteaux de fourrure et ces souliers Ferragamo, qui lui rappelait de maintes façons subtiles qu'elle n'était qu'une courtisane. Ursula s'interrogeait sur la provenance de ces manteaux de fourrure : la plupart des fourreurs qu'elle avait vus à Berlin étaient juifs.

Que la compagne du Führer soit une vendeuse devait vraiment rester en travers de la gorge des louves. A leur première rencontre, avait expliqué Eva à Ursula, à l'époque où elle travaillait au *Photohaus* d'Hoffmann, elle lui avait donné du Herr Wolf. « Adolf signifie noble loup en allemand. » Comme il avait dû apprécier, songea Ursula. Elle n'avait jamais entendu personne l'appeler Adolf. (Eva l'appelait-elle *mein Führer* même au lit ? Ça semblait parfaitement possible.) « Sais-tu que sa chanson préférée est *Qui craint le grand méchant loup ?* dit Eva en riant.

— Celle du film de Disney *Les Trois Petits Cochons* ? fit Ursula, incrédule.

— Oui ! »

Oh, se dit Ursula, comme il me tarde de raconter ça à Pamela.

*

« Et maintenant une avec *Mutti*, dit Eva. Prends-la dans tes bras. *Sehr schön*. Souriez ! » Ursula avait vu Eva traquer joyeusement le Führer avec son appareil, lui voler une photo quand il n'avait pas tourné la tête pour échapper à l'objectif ni baissé le bord de son chapeau de façon ridicule comme un espion mal déguisé. Il n'aimait pas être photographié par elle, préférait l'éclairage flatteur du studio ou une pose plus héroïque aux instantanés qu'Eva aimait prendre de lui. Eva par contre adorait être photographiée, elle voulait tourner un film. « *Ein* film. » Elle irait à Hollywood (« un de ces jours ») et jouerait son propre rôle, « l'histoire de ma vie », disait-elle. (D'une certaine façon, la caméra rendait tout réel pour Eva.) Le Führer le lui avait promis, apparemment. Bien sûr, le Führer promettait un tas de choses. C'est ce qui l'avait amené à la place qu'il occupait aujourd'hui.

Eva refit la mise au point. Ursula était contente de ne pas avoir apporté son vieux Kodak, il n'aurait guère soutenu la comparaison avec le Rolleiflex. « J'en ferai faire des doubles, dit Eva. Tu pourras les envoyer en Angleterre à tes parents. C'est très joli avec l'arrière-plan de montagnes. Et maintenant, faites-moi un grand sourire. *Jetzt lach doch mal richtig !* »

Le panorama montagneux était la toile de fond de toutes les photos prises ici, la toile de fond de tout. Au début, Ursula l'avait trouvé beau, maintenant elle commençait à trouver sa splendeur oppressante. Les grands à-pics glacés, les cascades bouillonnantes, l'océan de pins – nature et mythe fusionnaient pour former l'âme germanique sublimée. Le romantisme allemand, semblait-il à Ursula, était écrit en majuscules et mystique, les lacs anglais paraissaient fades en comparaison. Et l'âme anglaise, si elle résidait quelque part, se trouvait certainement dans un jardin dénué d'héroïsme – un carré de pelouse, un parterre de roses, une rangée de haricots d'Espagne.

Elle devrait rentrer à la maison. Pas à Berlin, à Savignyplatz, mais en Angleterre. A Fox Corner.

Eva jucha Frieda sur le garde-corps d'où Ursula l'enleva en un tournemain. « Elle a le vertige » dit-elle. Eva passait son temps à se prélasser sur ce parapet ou à y faire défiler des chiens ou des petits enfants. Le vide en contrebas était vertigineux, allait jusqu'au Königssee en passant par Berchtesgaden. Ursula avait plutôt pitié du petit village avec ses innocentes jardinières de joyeux géraniums, ses prairies qui descendaient en pente jusqu'au lac. Ça semblait faire une éternité qu'elle était venue ici avec Klara en 33. Le professeur de Klara avait divorcé, Klara était maintenant mariée avec lui et ils avaient deux enfants.

« Les *Nibelungen* vivent là-haut, dit Eva à Frieda en indiquant les pics qui les entouraient, avec les démons, les sorcières et les chiens méchants.

— Les chiens méchants ? » répéta Frieda d'une voix hésitante. Negus et Stasi, les scotch-terriers agaçants d'Eva, lui avaient déjà fait une peur bleue, elle n'avait pas besoin d'entendre parler de nains et de démons.

Et moi j'ai entendu dire, songea Ursula, que c'était Charlemagne qui s'était caché dans l'Untersberg, avait dormi dans une grotte, attendu qu'on le réveille pour le combat final entre le bien et le mal. Elle se demanda quand il aurait lieu. Bientôt, peut-être.

*

« Encore une, dit Eva. Un grand sourire ! » Le Rolleiflex brillait implacablement au soleil. Eva possédait aussi une caméra, cadeau coûteux de son Mr Wolf, et Ursula supposa qu'elle devrait s'estimer heureuse qu'Eva ne les immortalise pas dans un film en couleurs. Elle s'imagina quelqu'un feuilletant à une époque future les (nombreux) albums d'Eva et se demandant qui elle était, la confondant peut-être avec Gretl, la sœur d'Eva, ou avec son amie Herta, notes en bas de page de l'histoire.

Un jour, évidemment, tout ça serait de l'histoire ancienne, même les montagnes – après tout, le sable est l'avenir des rochers. La plupart des gens se tiraient tant bien que mal des événements et ne comprenaient leur signification qu'après coup. Le Führer était différent, il *faisait* consciemment l'histoire pour l'avenir. Seule une vraie personnalité narcissique en était capable. Et Speer dessinait pour Berlin des bâtiments qui auraient encore fière allure une fois en ruine dans mille ans, son cadeau au Führer. (Penser à si long terme ! Ursula vivait heure après heure,

336

autre conséquence de la maternité, pour elle, l'avenir était aussi mystérieux que le passé.)

Speer était le seul à se montrer gentil envers Eva et Ursula était donc plus généreuse envers lui qu'il ne le méritait peut-être. Il était aussi le seul de ces soi-disant chevaliers teutoniques à être beau, à ne pas être boiteux, courtaud comme un crapaud ou gras comme un cochon ou – pire d'une certaine façon – à ne pas ressembler à un bureaucrate de bas étage. (« Ils sont tous en uniforme ! écrit-elle à Pammy. Mais c'est entièrement du faux-semblant. J'ai l'impression de vivre dans les pages du *Prisonnier de Zenda*. Ils excellent à brasser du vent. » Comme elle aurait aimé que Pammy soit ici à son côté, comme elle aurait pris plaisir à disséquer le caractère du Führer et de ses hommes de main. Elle conclurait qu'ils étaient tous des charlatans qui débitaient des phrases toutes faites.)

En privé, Jürgen prétendait qu'ils laissaient tous « énormément » à désirer et se conduisait cependant en bon serviteur du Reich en public. *Lippenbekenntnis*, disait-il. Intérêt de pure forme. (Nécessité fait loi, aurait dit Sylvie.) C'était ainsi qu'on faisait son chemin dans le monde, affirmait-il. De ce point de vue, supposait Ursula, il ressemblait plutôt à Maurice pour qui il fallait travailler avec des imbéciles et des ânes pour promouvoir sa carrière. Maurice était juriste aussi, bien sûr. Il occupait un poste très élevé au ministère de l'Intérieur. S'ils entraient en guerre, serait-ce un problème ? L'armure de la nationalité allemande – revêtue de si mauvais gré – suffirait-elle à la protéger ? (S'ils entraient en guerre ! Pourrait-elle vraiment accepter de se trouver de ce côté de la Manche ?)

Jürgen était juriste. S'il voulait exercer son métier, il devait adhérer au Parti, il n'avait pas le choix. *Lippenbekenntis*. Il travaillait au ministère de la Justice à Berlin. Lorsqu'il lui avait fait sa demande (« une cour un peu éclair », écrivit-elle à Sylvie) il sortait à peine d'une phase communiste.

Aujourd'hui, Jürgen avait rangé ses idées de gauche au placard et défendait ardemment les succès du régime – le pays était de nouveau en état de marche – du travail pour tout le monde, nourriture, santé, respect de soi. De nouveaux emplois, de nouvelles routes, de nouvelles usines, un nouvel espoir – comment y parvenir autrement ? demandait-il. Mais ça s'accompagnait d'un faux culte religieux et d'un faux messie courroucé. « Tout a un prix », répondait Jürgen. Peut-être pas aussi élevé que celui-là. (Comment s'y étaient-ils donc pris ? se demandait souvent Ursula. Essentiellement par la peur et l'art de la mise en scène. Mais d'où sortaient tout cet argent et ces emplois ? Peut-être tout simplement de la fabrication des drapeaux et des uniformes, il y en avait partout, amplement de quoi sauver la plupart des économies. « L'économie se redresse de toute façon, écrivait Pamela, un hasard heureux veut que les Nazis puissent revendiquer cette reprise. ») Oui, admettait Jürgen, il y avait eu de la violence au départ, mais c'était un spasme, une vague, un défoulement de la Sturmabteilung. Tout, tout le monde, était plus rationnel désormais.

En avril, ils avaient assisté à la parade militaire organisée en l'honneur du cinquantième anniversaire du Führer. Jürgen s'était vu attribuer des places dans la tribune des invités. « Un honneur je suppose », disait-il. Qu'avait-il fait, se demanda-t-elle, pour mériter pareil « honneur » ? (En était-il satisfait ? C'était parfois difficile à savoir.) Il n'avait pas pu leur obtenir des billets pour les Jeux olympiques de 1936, mais voici qu'ils côtoyaient les VIP du Reich. Jürgen était tout le temps occupé. « Les juristes ne dorment jamais », disait-il. (Pourtant, d'après ce qu'en voyait Ursula, ils étaient prêts à dormir pendant les mille ans du Reich.)

La parade avait duré une éternité, c'était le plus grand exercice de mise en scène de Goebbels à ce jour. Beaucoup de musique martiale, puis l'ouverture fournie par la Luftwaffe – un survol impressionnant et bruyant de l'axe est-ouest et de la porte de Brandebourg par des escadrilles de chasseurs en formation, vague après vague. Du bruit et de la fureur une fois de plus. « Des Heinkel et des Messerschmitt », dit Jürgen. Comment le savait-il ? Tous les garçons s'y connaissaient en avions, répondit-il.

Puis le défilé des différents corps d'armée, une réserve apparemment inépuisable de soldats marchant au pas de l'oie. Ils rappelèrent à Ursula la troupe des Tiller Girls levant la jambe en l'air. « *Stechschritt*, dit Ursula, qui diable a inventé ce pas ?
— Les Prussiens, bien sûr », répondit Jürgen en riant.

*

Elle sortit une tablette de chocolat et en cassa un morceau qu'elle offrit à Jürgen. Il fronça les sourcils et secoua la tête comme si elle manquait de respect envers la puissance militaire assemblée. Elle donna le morceau à Frieda et en cassa un autre pour elle. Petits gestes de défi.

Il se pencha à son oreille pour qu'elle l'entende – la foule faisait un raffut épouvantable –, « Admire au moins leur précision », dit-il. C'était le cas, elle l'admirait. C'était tout bonnement extraordinaire. D'une perfection robotique, comme si chaque soldat de chaque régiment était identique à son voisin, comme s'ils sortaient d'une chaîne d'usine. Ce n'était pas tout à fait *humain*, mais avoir l'air humain n'était pas l'affaire des armées. (« Tout était si *viril* », rapporta-t-elle à Pamela.) L'armée britannique serait-elle capable d'effectuer des exercices aussi mécaniques à pareille échelle ? Les Soviétiques, peut-être, mais les Britanniques étaient moins *convaincus*, pour on ne sait quelle raison.

Frieda était déjà endormie sur ses genoux et le spectacle avait à peine commencé. Pendant toute la durée de la parade, Hitler fit le salut, resta le bras levé et raide devant lui (elle n'apercevait que ça, on aurait dit un tisonnier). Le pouvoir procurait de toute évidence une énergie spéciale. Si c'était mon cinquantième anniversaire, songea Ursula, j'aimerais le passer sur les rives de la Tamise, à Bray ou à Henley ou quelque part par là, avec un pique-nique, un pique-nique très anglais – une thermos de thé, des friands à la saucisse, des sandwiches aux œufs durs et au cresson, du gâteau et des scones. Toute sa famille était présente dans ce tableau, mais Jürgen faisait-il partie de cette vision idyllique ? Il s'intégrerait parfaitement, paressant dans l'herbe en pantalon d'aviron de flanelle blanche, discutant cricket avec Hugh. Ils s'étaient rencontrés et bien entendus. Ils étaient allés à Fox Corner en 35. « Il a l'air d'un type sympathique », avait dit Hugh même si apprendre qu'elle avait pris la nationalité allemande avait refroidi son enthousiasme. Ç'avait été une terrible erreur, elle s'en rendait compte à présent. « Le recul est une chose merveilleuse, disait Klara. Si nous l'avions tous, il n'y aurait pas d'histoire à écrire. »

Elle aurait dû rester en Angleterre. Rester à Fox Corner avec la prairie, le bosquet et le ruisseau qui traversait le bois de jacinthes sauvages.

La machine de guerre commença à défiler. « Voici les tanks », dit Jürgen en anglais à l'apparition des premiers *Panzer*, transportés à l'arrière de camions. Son anglais était bon, il avait passé une année à Oxford (d'où ses connaissances en cricket). Suivirent les *Panzer* qui avançaient par leurs propres moyens, des side-cars, des voitures blindées, la cavalerie qui défila au petit trot avec beaucoup d'élégance (succès garanti auprès de la foule – Ursula réveilla Frieda pour les chevaux) puis l'artillerie, des canons légers jusqu'aux canons antiaériens massifs en passant par d'énormes pièces d'artillerie.

« Des K-3 », dit Jürgen en connaisseur, comme si ça voulait dire quelque chose pour elle.

La parade dénotait un amour de l'ordre et de la géométrie incompréhensible pour Ursula. En cela, elle ne différait pas des autres parades et rallyes – tout ce théâtre – à ceci près que celle-ci était extrêmement guerrière. La quantité d'armement était proprement ahurissante – le pays était armé jusqu'aux dents ! Ursula n'en avait pas la moindre idée. Pas étonnant qu'il y ait du travail pour tout le monde. « Si on veut sauver l'économie, il faut une guerre, d'après Maurice », écrivait Pamela. Et pourquoi avait-on besoin d'armement sinon pour faire la guerre ?

« Remettre notre armée sur pied a contribué au sauvetage de notre psyché, disait Jürgen, nous a de nouveau rendus fiers de notre pays. A la reddition des généraux en 1918… » Ursula cessa d'écouter, c'était un argument qu'elle avait entendu trop souvent. « Ils ont commencé la dernière guerre, écrivit-elle, fâchée, à Pamela. Et franchement, à les entendre, on croirait qu'ils ont été les seuls à traverser des temps difficiles après guerre et qu'il n'y a pas eu d'autres gens pauvres, affamés ou endeuillés. » Frieda se réveilla une fois de plus grincheuse. Elle lui donna du chocolat. Ursula était grincheuse aussi. Elles finirent la tablette à elles deux.

L'apothéose fut plutôt émouvante en fait. Les couleurs massées des régiments formaient un long alignement sur plusieurs rangs de profondeur devant l'estrade d'Hitler – une formation si précise que ses bords auraient pu être coupés au rasoir – puis les soldats inclinèrent leur drapeau en son honneur. La foule se déchaîna.

« Qu'en as-tu pensé ? » demanda Jürgen tandis qu'ils quittaient lentement la tribune. Il portait Frieda sur ses épaules.

« Magnifique, dit Ursula. C'était magnifique. » Elle sentait un début de migraine lui vriller les tempes.

*

La maladie de Frieda avait commencé un matin, quelques semaines plus tôt, par de la température. « J'ai mal au cœur », dit Frieda. Quand Ursula lui tâta le front, il était moite et elle dit : « Inutile que tu ailles au jardin d'enfants aujourd'hui, tu peux rester à la maison avec moi. »

« Un rhume d'été », dit Jürgen à son retour à la maison. Frieda avait toujours été fragile de la poitrine (« Elle tient de ma mère », disait Sylvie d'un air sombre) et ils étaient habitués à ses reniflements et à ses maux de gorge, mais le rhume s'aggrava très vite et Frieda devint fiévreuse et sans ressort. On avait l'impression que sa peau allait prendre feu. « Rafraîchissez-la constamment », dit le médecin et Ursula lui baigna le front avec des linges trempés dans de l'eau froide et lui lut des histoires, mais Frieda eut beau essayer, elle fut incapable de s'y intéresser. Puis elle se mit à délirer et le médecin écouta le râle de ses poumons et dit : « Bronchite, il faut attendre que ça passe. »

Tard ce soir-là, l'état de Frieda empira soudain horriblement et ils enveloppèrent son petit corps presque inanimé dans une couverture et se précipitèrent en taxi à l'hôpital le plus proche, un établissement catholique. On diagnostiqua une pneumonie. « Cette petite fille est très malade », dit le médecin comme si c'était d'une certaine manière leur faute.

Pendant deux jours et deux nuits, Ursula ne quitta pas le chevet de Frieda, s'accrocha à sa menotte pour garder sa fille en ce monde. « Si seulement je pouvais être à sa place », chuchota Jürgen de l'autre côté des draps blancs empesés qui contribuaient aussi à retenir Frieda sur terre. Des nonnes voguaient dans la salle comme des galions dans leur énorme cornette. Combien de temps fallait-il, se demanda Ursula dans un moment où toute son attention n'était pas concentrée sur Frieda, pour mettre ce truc compliqué le matin ? Ursula était sûre qu'elle n'y serait jamais arrivée sans faire un beau gâchis. La coiffe à elle seule semblait une bonne raison de ne pas être nonne.

Ils adjurèrent Frieda de vivre et c'est ce qu'elle fit. *Triumph des Willens*. La crise passa et elle entama le long chemin menant au rétablissement. Pâle et faible, elle allait devoir partir en convalescence et un soir en rentrant de l'hôpital, Ursula trouva une enveloppe glissée sous sa porte.

« De la part d'Eva, dit-elle à Jürgen en lui montrant la lettre à son retour du travail.

— Qui est Eva ? » demanda-t-il.

*

« Souriez ! » *Clic, clic, clic*. N'importe quoi pour divertir Eva, supposait-elle. Elle n'y voyait pas d'inconvénient. Eva avait été très gentille de les inviter pour que Frieda puisse respirer le bon air des montagnes et manger les légumes, les œufs et le lait frais de la Gutshof, ferme modèle située sur les pentes en dessous du Berghof.

« S'agit-il d'un ordre royal ? demanda Jürgen. Peux-tu refuser ? En as-tu envie ? J'espère que non. Et ça soulagera aussi tes maux de tête. » Ursula avait remarqué récemment que plus Jürgen s'élevait dans la hiérarchie du ministère, plus leurs conversations devenaient unilatérales. Il faisait des déclarations, soulevait des questions, y répondait et tirait des conclusions sans qu'elle ait jamais à intervenir. (Des façons d'avocat peut-être.) Il ne semblait même pas en être conscient.

« Le vieux bouc a donc une femme tout compte fait. Qui l'aurait deviné ? Tu le savais ? Non, tu l'aurais dit. Quand je pense que tu la connais. Ça ne peut être qu'une bonne chose pour nous, non ? D'être si près du trône. Pour ma carrière, qui est la même chose que nous. *Liebling* », ajouta-t-il plutôt pour la forme.

Ursula trouvait qu'être près du trône était plutôt dangereux. « Je ne connais pas Eva, dit-elle. Je ne l'ai jamais rencontrée. C'est Frau Brenner qui la connaît, qui connaît sa mère, Frau Braun. Klara a quelquefois travaillé chez Hoffmann avec Eva. Elles ont fréquenté le même jardin d'enfants.

— Impressionnant, dit Jürgen, du *Kaffeeklatsch* au siège du pouvoir en deux temps, trois mouvements. Fräulein Eva Braun sait-elle que Klara, sa vieille copine du jardin d'enfants, est mariée à un juif ? » C'est la façon dont il prononça le mot qui la surprit. *Jude*. Elle ne l'avait jamais entendu le dire sur ce ton – sarcastique et dédaigneux. Elle eut un coup au cœur. « Je n'en ai aucune idée, répondit-elle. Je ne fais pas partie du cercle d'Eva, le *Kaffeeklatsch*, comme tu l'appelles. »

*

Le Führer occupait tant de place dans la vie d'Eva que lorsqu'il n'était pas là, elle se sentait vide. Elle veillait toutes les nuits près du téléphone quand son amant était absent, restait comme

343

un chien, l'oreille dressée, pour guetter le coup de fil qui lui apporterait la voix de son maître.

Il y avait si peu à faire là-haut. Au bout d'un moment, toutes ces randonnées sur les sentiers forestiers et toute cette natation dans les eaux (glaciales) du Königssee devenaient plus débilitantes que vivifiantes. Il y avait une limite au nombre de fleurs sauvages qu'on pouvait cueillir, au nombre de bains de soleil qu'on pouvait prendre sur les chaises longues de la terrasse si on ne voulait pas devenir un peu folle. Il y avait des bataillons de bonnes d'enfants et de nurses sur le Berg, qui ne demandaient qu'à s'occuper de Frieda, et Ursula se retrouva avec autant de temps à tuer qu'Eva. Elle avait eu la bêtise de n'emporter qu'un seul livre, il avait au moins le mérite d'être long, *Der Zauberberg* de Thomas Mann. Elle ne s'était pas rendu compte qu'il était sur la liste des ouvrages bannis. Un officier de la Wehrmacht la vit le lire et dit : « Vous êtes très audacieuse, c'est un de leurs livres interdits, vous savez. » A la façon dont il dit « leurs », elle supposa qu'il n'était pas l'un d'entre « eux ». Que pouvait-on lui faire au pire ? Lui prendre le livre et le jeter dans le poêle de la cuisine ?

Il était agréable, l'officier de la Wehrmacht. Sa grand-mère était écossaise, lui dit-il, et il avait passé bien des vacances heureuses dans « les Highlands ».

Im Grunde hat es eine merkwürdige Bewandtnis mit diesem Sicheinleben an fremden Orte, dieser – sei es auch – mühseligen Anpassung und Umgewöhnung, lut-elle et traduisit-elle laborieusement et plutôt mal : « Il y a quelque chose d'étrange dans cette acclimatation à un nouvel endroit, dans cette adaptation et cette familiarisation pénibles... » Comme c'était vrai, songea-t-elle. Mann était ardu. Elle aurait préféré un carton entier de romans de Bridget. Elle était certaine qu'ils ne seraient pas *verboten*.

*

L'air de la montagne n'avait pas soulagé ses maux de tête (Thomas Mann non plus). Ils avaient plutôt empiré. *Kopfschmerzen*, le mot suffisait à lui filer la migraine. « Je ne vois rien, dit le médecin à l'hôpital. Ça doit être nerveux. » Il lui prescrivit du véronal.

Eva n'avait pas le secours d'une grande intelligence, mais la cour qui se réunissait sur le Berg n'avait rien d'une intelligentsia. La seule personne que l'on aurait pu qualifier de penseur était Speer. Ce n'était pas qu'Eva ne se posait pas de questions sur sa vie, loin de là. On sentait la dépression et les névroses tapies sous toute cette *Lebenslust*, mais l'anxiété n'est pas ce qu'un homme recherche chez une maîtresse.

Pour réussir en tant que maîtresse, supposait Ursula (bien qu'elle n'ait jamais assuré cette fonction, avec ou sans succès), une femme devait être un réconfort et un soulagement, un mol oreiller pour une tête lasse. *Gemütlichkeit*. Eva était aimable, elle parlait de choses sans importance et n'essayait pas d'être intelligente ni astucieuse. Les hommes de pouvoir avaient besoin de femmes de tout repos, le foyer ne devrait pas être un lieu de débats intellectuels. « C'est mon propre mari qui le dit, ça doit donc être vrai ! » écrivit-elle à Pamela. Il ne parlait pas pour lui – il n'était pas un homme de pouvoir. « Pas encore, en tout cas », ajoutait-il en riant.

Le monde politique était un souci pour Eva uniquement parce qu'il lui enlevait l'objet de sa dévotion. Elle était écartée brutalement du devant de la scène, n'avait pas de statut officiel, aucun statut du tout, était fidèle comme une chienne, mais moins reconnue. Blondi, la chienne berger allemand d'Hitler, avait la préséance. Son plus grand regret, disait-elle, était de n'avoir pas été autorisée à rencontrer la duchesse lors de la visite des Windsor au Berghof.

A ces mots, Ursula fronça les sourcils. « Mais c'est une nazie », lança-t-elle sans réfléchir. (« Je suppose que je devrais faire plus attention à ce que je dis ! » écrivit-elle à Pamela.) Eva avait simplement répondu « Oui, évidemment » comme si c'était la chose la plus naturelle du monde que l'épouse de celui qui avait été roi d'Angleterre puis renoncé au trône soit hitlérienne.

345

Le Führer devait emprunter la voie noble et solitaire de la chasteté, il ne pouvait convoler car il était marié à l'Allemagne. Il s'était sacrifié au destin de son pays – c'étaient du moins les grandes lignes, Ursula se dit qu'elle avait dû piquer discrètement du nez après. (C'était un des monologues interminables qu'il entamait après le dîner.) Comme notre Reine Vierge, songea-t-elle sans le dire, car elle pensait que le Führer n'aimerait pas être comparé à une femme, même à une aristocrate anglaise qui avait le cœur et les tripes d'un roi[48]. A l'école, Ursula avait eu un professeur d'histoire qui aimait beaucoup citer Elizabeth I. *Ne confiez pas de secrets à ceux dont vous n'avez pas déjà éprouvé la confiance et le silence.*

*

Eva aurait été plus heureuse à Munich, dans la petite maison bourgeoise que le Führer lui avait achetée et où elle pouvait mener une vie sociale normale. Ici, dans sa cage dorée, elle devait se distraire en feuilletant des magazines, en discutant des dernières coiffures à la mode, de la vie amoureuse des vedettes de cinéma (comme si Ursula connaissait quoi que ce soit à la question) et en changeant de tenue aussi vite qu'une artiste de music-hall. Ursula était allée plusieurs fois dans la chambre d'Eva, un joli boudoir féminin (rien à voir avec le décor chargé du reste du Berghof) que seul venait déparer le portrait du Führer qui occupait la place d'honneur au mur. Son héros. Le Führer ne lui avait pas rendu la politesse dans son appartement. Au lieu du visage souriant d'Eva, il était défié par les traits sévères de son héros personnel bien-aimé, Frédéric le Grand. *Friedrich der Große.*

« J'entends toujours "grocer" au lieu de "Große" », écrivit-elle à Pamela. Les épiciers n'étaient pas en règle générale des bellicistes ni des conquérants. Comment le Führer avait-il fait l'apprentissage de la grandeur ? Eva haussa les épaules, elle l'ignorait. « Il a toujours été comme ça. C'est un homme politique né. » Non, songea Ursula, il est né bébé, comme tout le monde. C'est ce qu'il a choisi de devenir.

L'accès à la chambre du Führer voisine de la salle de bain d'Eva était interdit. Ursula l'avait cependant vu endormi, non dans la sacro-sainte chambre à coucher, mais sur la terrasse ensoleillée du Berghof où le grand guerrier faisait sa sieste, bouche ouverte et sa mâchoire pendante en lèse-majesté. Il avait l'air vulnérable, mais il n'y avait pas d'assassins sur le Berg. Ce n'étaient pourtant pas les armes qui manquaient, se disait Ursula, il serait facile de se procurer un Luger et de lui tirer une balle dans le cœur ou la tête. Mais que lui arriverait-il après ? Pis encore, qu'arriverait-il à Frieda ?

Assise à côté de lui, Eva l'observait avec affection comme on regarderait un enfant. Dans le sommeil, il n'appartenait qu'à elle.

Elle était fondamentalement une gentille jeune femme, ni plus ni moins. On ne pouvait pas nécessairement juger une femme d'après l'homme avec lequel elle couchait. (Si ?)

Eva avait une merveilleuse silhouette d'athlète qu'Ursula lui enviait beaucoup. C'était une fille saine, physique – une nageuse, skieuse, patineuse, danseuse, gymnaste – qui adorait le grand air, qui adorait *bouger*. Et pourtant, telle une moule à un rocher, elle se cramponnait à un homme d'âge mûr indolent, un animal nocturne, littéralement, qui ne sortait pas de son lit avant midi (et était encore capable de faire la sieste), qui ne fumait pas, ne buvait pas, ne dansait pas, ne se laissait aller à aucun excès – spartiate dans ses habitudes, mais sans en avoir la vigueur. Un homme qui ne montrait jamais la moindre portion de son anatomie, à part ses genoux lorsqu'il portait sa *Lederhose* (comique parce que peu attrayante aux yeux des non-Bavarois), un homme dont la mauvaise haleine avait inspiré de la répulsion à Ursula la première fois et qui avalait des cachets comme des bonbons pour son « problème de gaz ». (« J'ai entendu dire qu'il pète, dit Jürgen, sois prévenue. Ça doit être tous ces légumes. ») Sa dignité lui importait, mais il n'était pas vraiment vain en tant que tel. « Simplement un mégalomane », écrivit-elle à Pamela.

*

Une voiture avec chauffeur était venue les chercher et, arrivées au Berghof, elles avaient été saluées par le Führer en personne – dans le grand escalier où il accueillait les dignitaires, où il avait reçu Chamberlain l'année précédente. A son retour en Grande-Bretagne, Chamberlain avait déclaré « Je sais à présent ce que Herr Hitler a dans la tête. » Ursula doutait que quiconque le sache, pas même Eva. Surtout pas Eva.

« Vous êtes la bienvenue ici, *gnädiges Frau*, dit-il. Vous devriez rester jusqu'à ce que la *liebe Kleine* aille mieux. »

« Il aime les femmes, les enfants, les chiens, franchement que lui reprocher ? écrivait Pamela. C'est juste dommage que ce soit un dictateur qui n'a pas le moindre respect pour la loi ni l'humanité ordinaire. » Pamela avait pas mal d'amis en Allemagne, connus à l'université et dont beaucoup étaient juifs. Elle avait une tripotée (enfin, un trio) de garçons tapageurs (la calme petite Frieda aurait été complètement noyée à Finchley) et voilà qu'elle écrivait qu'elle était de nouveau enceinte (pourvu que ce soit une fille). Pammy manquait à Ursula.

Pamela aurait des problèmes sous ce régime. Elle serait trop indignée pour garder le silence. Elle ne serait pas capable de se mordre la langue comme Ursula (de se museler). *Ils servent aussi ceux qui se contentent de rester à attendre.* Cela s'appliquait-il à la morale personnelle ? Est-ce là ma défense ? se demandait Ursula. Il vaudrait peut-être mieux détourner Edmund Burke que Milton. *Pour que les forces du mal triomphent dans le monde, il suffit qu'assez de femmes de bien*[49] *ne fassent rien.*

Le lendemain de leur arrivée au Berghof, il y avait eu un goûter d'anniversaire en l'honneur d'un petit Goebbels ou d'un petit Bormann, Ursula n'en était pas certaine – ils étaient si nombreux et se ressemblaient tellement. Cela lui rappela les rangées de soldats de la parade lors de l'anniversaire du Führer. Récurés et astiqués, ils eurent chacun droit à un petit mot d'Oncle Wolf avant d'avoir la permission de se régaler du gâteau présenté sur une longue table. La pauvre Frieda qui aimait les sucreries (et qui de ce point de vue tenait indubitablement de sa mère) avait les paupières trop lourdes pour en goûter le moindre morceau. Il y avait toujours du gâteau au Berghof, du *Streusel* au pavot, des *Torten* aux prunes et à la cannelle, des choux à la crème, du gâteau au chocolat – de grands dômes de *Schwarzwälder Kirschtorte* – et Ursula se demandait qui mangeait toutes ces pâtisseries. De son côté, elle s'en donnait à cœur joie.

Si une journée en compagnie d'Eva était ennuyeuse, que dire d'une soirée quand le Führer était présent ? Ils passaient des heures interminables après le dîner dans le grand salon – une vaste salle laide où ils écoutaient des disques sur le phonographe ou regardaient des films (ou, souvent, les deux). C'était naturellement le Führer qui dictait les choix. En musique, sa prédilection allait à *Die Fledermaus* et *Die lustige Witwe*. Le premier soir, Ursula se dit qu'il serait difficile d'oublier le spectacle de Bormann, Himmler, Goebbels (et de leurs épouses aux dents longues) écoutant *La Veuve joyeuse* avec un sourire pincé, venimeux (encore du *Lippenbekenntnis*, peut-être). Ursula avait vu la *Veuve joyeuse* interprétée par des étudiants quand elle était à l'université. Elle était très amie avec la fille qui jouait le rôle d'Hanna, le personnage principal. Elle n'aurait jamais pu deviner en 1931 que la prochaine fois qu'elle entendrait « Vilja, O Vilja ! la sorcière du bois », ce serait en allemand et en cette compagnie des plus étranges. Elle n'avait pas vu ce que l'avenir lui réservait, encore moins ce qu'il réservait à l'Europe.

Des séances de cinéma avaient lieu chaque soir dans le grand salon. Le projectionniste arrivait et on remontait comme un store la grande tapisserie des Gobelins qui ornait un mur et dissimulait un écran. Ils devaient alors se farcir une affreuse guimauve ou un film d'aventures américain, ou pis encore, un film d'alpinisme. C'est ainsi qu'Ursula avait vu *King Kong, Les Trois Lanciers du Bengale* et *Der Berg ruft*. Le premier soir, ç'avait été *Der heilige Berg* (rebelote, les montagnes, rebelote, Leni). Le film préféré du Führer, lui avoua Eva en confidence, était

349

Blanche-Neige. A quel personnage s'identifiait-il ? se demanda Ursula. A la méchante sorcière, aux nains ? Tout de même pas à Blanche-Neige ? Ça devait être au Prince, conclut-elle (avait-il un nom ? En avaient-ils jamais un, suffisait-il d'*incarner* le rôle ?). Le Prince qui réveillait la fille endormie, tout comme le Führer avait réveillé l'Allemagne. Mais pas avec un baiser.

A la naissance de Frieda, Klara lui avait offert une belle édition de *Schneewittchen und die sieben Zwerge*, « Blanche-Neige et les sept nains » illustrée par Franz Jüttner. Le professeur de Klara avait depuis belle lurette interdiction d'enseigner à l'école des beaux-arts. Ils avaient prévu de partir en 35, puis de nouveau en 36. Après la *Kristallnacht*, Pamela avait écrit directement à Klara qu'elle n'avait jamais rencontrée pour lui proposer de venir vivre à Finchley. Mais cette maudite inertie, cette manie que tout le monde semblait avoir *d'attendre*... puis le professeur avait été pris dans une rafle et transféré à l'est – pour travailler dans une usine, d'après les autorités. « Ses belles mains de sculpteur » disait Klara avec tristesse.

(« Il ne s'agit pas vraiment d'*usines*, tu sais » écrivit Pamela.)

Ursula se souvenait d'avoir dévoré des contes de fées durant son enfance. Elle mettait tous ses espoirs non pas tant dans le dénouement heureux que dans le rétablissement de la justice dans le monde. *Die Brüder* Grimm l'avaient menée en bateau, soupçonnait-elle. *Spieglein, Spieglein, an der Wand/ Wer ist die schönste im ganzen Land ?* Le concours de beauté n'aurait sûrement pas été remporté par cette bande, s'était-elle dit en jetant un regard circulaire dans le grand salon lors de la première soirée ennuyeuse sur le Berg.

Le Führer était un homme qui préférait l'opérette à l'opéra, les dessins animés à la culture intellectuelle. A le voir tenir la main d'Eva tout en fredonnant un air de Franz Lehar, Ursula fut frappée par son côté très *ordinaire* (idiot même), plus Mickey que Siegfried. Sylvie n'aurait fait qu'une bouchée de lui. Izzie l'aurait avalé tout rond et recraché. Mrs Glover – qu'aurait fait Mrs Glover ? se demanda Ursula. C'était son nouveau jeu favori, décider comment les gens qu'elle connaissait s'y seraient pris avec les oligarques nazis. Mrs Glover, conclut-elle, leur aurait donné à tous de bons coups de maillet à viande. Que ferait Bridget ? Elle les ignorerait sans doute délibérément.

Elle avait le souvenir d'une soirée en particulier. Une fois le film fini, le Führer enfourcha (des heures durant) ses dadas – l'art et l'architecture allemands (il se considérait comme un architecte manqué), *Blut und Boden* (le sang et le sol, toujours le sol), sa voie noble et solitaire (le loup, une fois de plus). Il était le sauveur de l'Allemagne, et la pauvre Allemagne, sa *Schneewittchen*, serait sauvée par lui, qu'elle le veuille ou non. Il pérora sur l'art et la musique allemands sains, sur Wagner, *Die Meistersinger*, sa ligne préférée du livret était *Wacht auf, es nahet gen der Tag*, « Debout, voici qu'arrive le jour » (ça n'allait pas tarder s'il continuait à discourir comme ça, se dit-elle). Retour à la destinée – la sienne – comment elle était inextricablement liée à celle du *Volk. Heimat, Boden*, victoire ou effondrement. (Quelle victoire ? se demanda Ursula. Sur qui ?) Puis quelque chose au sujet de Frédéric le Grand qu'elle ne saisit pas, quelque chose sur l'architecture romaine, puis sur la patrie. (Pour les Russes, c'était la mère patrie, quelle conclusion en tirer ? se demanda-t-elle. Et pour les Anglais ? Seulement l'Angleterre, supposait-elle. A la limite, le « Jérusalem » de Blake.)

Puis retour à la destinée et au *Tausendjähriges Reich*. Ça n'en finissait plus et son mal de tête qui n'était qu'une douleur sourde avant le dîner était à présent une couronne d'épines. Elle s'imagina Hugh disant « Oh, taisez-vous donc, Herr Hitler » et se sentit soudain si nostalgique qu'elle crut qu'elle allait se mettre à pleurer.

Elle voulait rentrer à la maison. Elle voulait aller à Fox Corner.

Comme avec les rois et leurs courtisans, ils ne pouvaient partir avant d'être congédiés, avant que le monarque lui-même ne décide de gagner ses appartements. A un moment, Ursula surprit Eva bâillant d'une façon théâtrale en le regardant comme pour lui signifier « Ça suffit maintenant, Wolfi » (son imagination devenait plutôt salace, elle le savait, c'était excusable, au vu des circonstances). Puis enfin, Dieu merci, il fit un geste et la compagnie épuisée se leva dans un bruissement.

*

Les femmes en particulier semblaient aimer le Führer. Elles lui écrivaient des lettres par milliers, lui confectionnaient des gâteaux, lui brodaient des croix gammées sur des coussins et des oreillers, et, comme la troupe de BDM d'Hilde et Hanne, s'alignaient le long de la route en pente raide menant à l'Obersalzberg pour le voir ivres de joie passer brièvement dans sa grosse Mercedes noire. Beaucoup de femmes lui criaient qu'elles voulaient un enfant de lui. « Mais qu'est-ce qu'elles lui *trouvent* ? » avait demandé Sylvie perplexe. Ursula l'avait emmenée à une parade militaire à Berlin, une de ces interminables cérémonies où on agitait des drapeaux et trimbalait des étendards parce que Sylvie voulait découvrir de ses propres yeux pourquoi on en faisait tout un plat. (C'était si britannique de la part de Sylvie de réduire le Troisième Reich à « tout un plat ».)

La rue était une forêt de rouge, de noir et de blanc. « Leurs couleurs sont très criardes », avait déclaré Sylvie comme si elle envisageait de demander aux nationaux-socialistes de venir décorer son salon.

A l'approche du Führer, l'excitation de la foule se transforma en une frénésie fanatique de *Sieg Heil* et *Heil Hitler*. « Suis-je la seule à ne pas être émue ? demanda Sylvie. De quoi s'agit-il, selon toi, d'une sorte d'hystérie collective ?

— Je sais, répondit Ursula, c'est comme les habits neufs de l'Empereur. Nous sommes les seules à le voir nu.

— C'est un clown, dit dédaigneusement Sylvie.

— Chut » fit Ursula. Le mot était le même en allemand et elle ne voulait pas s'attirer l'hostilité des gens qui les entouraient. « Tu devrais lever le bras, dit-elle.

— Moi ? s'indigna la fine fleur des femmes britanniques.

352

« — Oui, toi. »

Sylvie leva le bras à contrecœur. Ursula pensait se souvenir jusqu'à son dernier jour du spectacle de sa mère faisant le salut nazi. Bien sûr, se dit-elle après coup, c'était en 34, à l'époque où la peur ratatinait et embrouillait les consciences, où elle était aveugle à ce qui se préparait vraiment. Aveuglée par l'amour peut-être ou simplement sacrément stupide ? (Pamela avait vu clair, sans œillères.)

Sylvie était venue en Allemagne pour inspecter le mari inattendu d'Ursula. Ursula se demandait ce qu'elle avait prévu de faire au cas où elle n'aurait pas trouvé Jürgen à son goût – de la droguer, de la kidnapper et de la traîner jusqu'au *Schnellzug* ? Ils habitaient encore Munich à l'époque, Jürgen n'avait pas encore commencé à travailler au ministère de la Justice à Berlin, ils n'avaient pas déménagé pour Savignyplatz, n'étaient pas les parents de Frieda bien qu'Ursula fût alourdie par la grossesse.

« Qui aurait cru que tu deviendrais mère ? dit Sylvie, comme si c'était une chose qu'elle n'avait jamais escomptée. D'un Allemand, ajouta-t-elle pensivement.

— D'un bébé », dit Ursula.

*

« C'est agréable de s'échapper », dit Sylvie. De quoi ? se demanda Ursula.

Un jour, Klara se joignit à elles pour déjeuner et dit ensuite « Ta mère est plutôt chic. » Ursula n'avait jamais vu sa mère comme une femme élégante, mais supposait que comparée à la mère de Klara, Frau Brenner, molle et pâteuse comme une miche de *Kartoffelbrot*, Sylvie était une gravure de mode.

Après le déjeuner, Sylvie déclara qu'elle voulait aller à l'Oberpollinger acheter un cadeau pour Hugh. Arrivées au grand magasin, elles trouvèrent les vitrines bardées de slogans antisémites et Sylvie s'exclama « Bonté divine, quelle pagaille. » Le magasin était ouvert, mais deux butors tout sourires en uniforme de la SA

353

rôdaient devant les portes et dissuadaient les gens d'entrer. Pas Sylvie qui passa au pas de charge devant les chemises brunes tandis qu'Ursula entraînée bien malgré elle dans son sillage pénétrait dans le magasin et gravissait l'escalier à l'épais tapis. Devant les uniformes, Ursula avait manifesté son impuissance par un haussement d'épaules de dessin animé et murmuré plutôt penaude « Elle est anglaise. » Elle pensait que Sylvie ne comprenait pas ce que c'était de vivre en Allemagne mais avec le recul se disait que Sylvie l'avait très bien perçu.

*

« Ah, voici le déjeuner », dit Eva qui posa son appareil et prit Frieda par la main. Elle la conduisit à table et la jucha sur une chaise en ajoutant un coussin avant d'entasser la nourriture sur son assiette. Du poulet, des pommes de terre rôties et de la salade, tous venus de la Gutshof. Comme on mangeait bien ici. *Milchreis* en dessert pour Frieda, le lait tout frais provenant de la traite matinale. (Un *Käsekuchen* moins enfantin pour Ursula, une cigarette pour Eva.) Ursula se rappela le gâteau de riz de Mrs Glover, d'un jaune crémeux, collant sous sa croûte brune. Elle sentait encore la noix de muscade bien qu'il n'y en eût pas dans le riz au lait de Frieda. Elle ne se souvenait plus du mot allemand pour muscade et trouva que c'était trop difficile à expliquer à Eva. La nourriture était la seule chose qu'elle regretterait du Berghof, alors autant en profiter pendant que c'était possible, se dit-elle en reprenant une part de gâteau au fromage blanc.

Le déjeuner leur était servi par un petit détachement de l'armée de domestiques qui officiait au Berghof. Le Berg était un curieux mélange de chalet de vacances alpin et de camp d'entraînement militaire. Une petite ville en réalité, dotée d'une école, d'un bureau de poste, d'un théâtre, d'une grande caserne de SS, d'un champ de tir, d'un boulodrome, d'un hôpital de la Wehrmacht et de beaucoup plus encore, dotée de tout sauf d'une église au fond. Il y avait aussi pléthore de jeunes et beaux officiers de la Wehrmacht qui auraient fait de meilleurs prétendants pour Eva.

Après le déjeuner, elles montèrent au *Teehaus* sur le Mooslahner Kopf avec les scotch-terriers jappants et agiles d'Eva courant à leurs côtés. (Si seulement l'un d'eux pouvait tomber du parapet ou du point de vue.) Ursula avait un début de mal de tête et se laissa tomber avec gratitude dans un des fauteuils recouverts d'un lin vert à fleurs qu'elle trouvait particulièrement déplaisants à l'œil. On leur apporta du thé – et, naturellement, des gâteaux. Ursula avala deux cachets de codéine avec son thé et annonça : « Je crois que Frieda est en état de rentrer à la maison. »

*

Ursula se coucha le plus tôt possible, se glissa dans les draps blancs et frais de la chambre d'amis qu'elle partageait avec Frieda. Trop fatiguée pour dormir, elle était encore éveillée à deux heures du matin et alluma donc sa lampe de chevet – Frieda dormait du sommeil profond des enfants, seule la maladie pouvait la réveiller. Ursula sortit du papier et un stylo pour écrire à Pamela.

Bien sûr, aucune de ses lettres à Pamela n'avait jamais été postée. Ursula ne pouvait avoir l'entière certitude qu'elles ne seraient pas lues. On ne *savait* jamais, c'était l'horrible réalité (infiniment plus horrible pour d'autres). A présent, elle aurait voulu que ce ne soit pas la canicule – le *Kachelofen* de leur chambre était froid et éteint – car il aurait été plus sûr d'y brûler sa correspondance. Plus sûr de n'avoir jamais rien écrit. On ne pouvait plus exprimer ses vraies pensées. *La vérité est la vérité jusqu'au Jugement dernier.* D'où ça venait ? De *Mesure pour Mesure* ? Mais peut-être que la vérité était endormie jusqu'au Jugement dernier. Il y aurait le jour venu *énormément* de comptes à régler.

Elle voulait rentrer à la maison. A Fox Corner. Elle avait prévu de le faire en mai, mais Frieda était tombée malade. Elle avait tout préparé, leurs valises étaient bouclées, rangées sous le lit, où on les remisait d'ordinaire vides de sorte que Jürgen n'avait aucune raison d'aller y regarder. Elle avait les billets de train, des billets aller de correspondance avec le bateau, n'en avait parlé à personne, pas même à Klara. Elle n'avait pas voulu sortir leurs passeports – celui de Frieda établi pour leur voyage en Angleterre en 35 était par bonheur encore valide – de la grande boîte décorée de piquants de porc-épic où étaient conservés tous leurs papiers. Elle vérifiait presque chaque jour qu'ils étaient toujours là, mais voilà que la veille de leur départ, elle regarda dans la boîte et ils avaient disparu. Elle crut s'être trompée, feuilleta rapidement actes de naissance, de décès et de mariage, contrats d'assurances et garanties, le testament de Jürgen (c'était un juriste, après tout), toutes sortes de paperasseries, sauf ce qui importait. Gagnée par la panique, elle vida le contenu de la boîte sur le tapis et le passa au peigne fin, plusieurs fois. Pas de passeports à l'exception de celui de Jürgen. Désespérée, elle inventoria tous les tiroirs de la maison, fouilla dans la moindre boîte à chaussures et le moindre placard, sous les coussins du canapé et les matelas. Rien.

Ils dînèrent normalement. Elle arrivait à peine à avaler. « Tu ne te sens pas bien ? s'enquit Jürgen avec sollicitude.

— Si », répondit-elle. Sa voix lui parut aiguë. Que pouvait-elle dire ? Il savait, évidemment, il savait.

« J'ai pensé que nous pourrions prendre des vacances, dit-il. Sur Sylt.

— Sylt ?

— Sylt. Pas besoin de passeport pour aller là-bas. » Avait-il souri ? Oui ? Puis Frieda était tombée malade et rien d'autre n'avait compté.

*

« *Er kommt !* dit Eva d'un air heureux, le lendemain matin au petit déjeuner.

— Quand ? Maintenant ?

— Non, cet après-midi.

— Quel dommage, nous serons parties », fit Ursula. Dieu merci, songea-t-elle. « Remercie-le, veux-tu ? »

*

Elles furent reconduites chez elles dans une des Mercedes noires du garage du *Platterhof*, par le chauffeur qui les avait amenées au Berghof.

Le lendemain, l'Allemagne envahissait la Pologne.

Avril 1945

Ils vivaient dans la cave depuis des mois, comme des rats. Quand les Britanniques bombardaient le jour et les Américains la nuit, c'était inévitable. La cave de l'immeuble de Savignyplatz avait beau être froide, humide et dégoûtante, ne disposer que d'une petite lampe à pétrole pour tout éclairage et d'un seau en guise de toilettes, elle était préférable aux bunkers existant en ville. Ursula avait été surprise par un raid en plein jour, près du zoo, et s'était réfugiée avec Frieda dans la tour de DCA du Tiergarten – des milliers de gens entassés, l'arrivée d'air mesurée par une bougie (elle eut l'impression qu'ils étaient comme ces canaris que les mineurs emportent au fond du puits). Si la bougie s'éteignait, lui expliqua quelqu'un, tout le monde devait partir, sortir au grand air même si un raid était en cours. Elles étaient écrasées contre un mur et tout près d'elles un homme et une femme s'embrassaient (terme poli pour décrire ce qu'ils faisaient). En sortant, elles durent enjamber un vieil homme mort durant le raid. Le pire, bien pire encore que tout ce qui précédait, c'était qu'outre son rôle d'abri, l'énorme citadelle en béton était une gigantesque batterie de DCA : plusieurs immenses pièces d'artillerie installées sur le toit tiraient en permanence de sorte que l'abri était ébranlé à chaque recul. Ursula espérait ne pas devoir revivre un enfer pareil.

Une énorme explosion avait secoué la structure, une bombe était tombée près du zoo. Elle sentit l'onde de choc l'aspirer et la pousser et fut terrifiée à l'idée que les poumons de Frieda éclatent. Le mauvais moment passa. Plusieurs personnes vomirent, bien que, malheureusement, il n'y eût pas d'autre endroit pour le faire que sur ses pieds, ou pire peut-être, sur ceux de ses voisins. Ursula se jura intérieurement de ne jamais remettre les pieds dans une tour de DCA. Elle préférerait mourir vite dans la rue avec Frieda. C'est ce qu'elle se disait le plus souvent à présent. Une mort rapide, sans bavures, avec Frieda au creux de ses bras.

C'était peut-être Teddy là-haut qui larguait des bombes sur elles. Elle l'espérait, cela signifierait qu'il était en vie. Un jour, on avait frappé à leur porte – lorsqu'ils en avaient encore une, avant le début des bombardements britanniques incessants en novembre 43. Quand Ursula ouvrit, elle trouva un jeune garçon maigre, âgé de quinze ou seize ans peut-être. Il avait une expression désespérée et Ursula se demanda s'il cherchait un endroit pour se cacher, mais il lui fourra une enveloppe dans la main et s'enfuit en courant avant qu'elle ait pu lui dire un mot.

L'enveloppe était froissée et crasseuse. Son nom et son adresse y figuraient et elle éclata en sanglots en reconnaissant l'écriture de Pamela. Les feuilles de papier pelure bleu, écrites plusieurs semaines auparavant, détaillaient tous les faits et gestes de la famille – Jimmy était à l'armée, Sylvie menait le bon combat à l'arrière (« une nouvelle arme – des poulets ! »). Pamela allait bien et vivait à Fox Corner, elle avait quatre garçons à présent. Teddy était dans la RAF, commandant et décoré de la DFC[50]. Une longue lettre merveilleuse et en bas de page, presque en post-scriptum : « J'ai gardé la triste nouvelle pour la fin. » Hugh était mort. « A l'automne 1940, paisiblement, d'une crise cardiaque. » Ursula aurait voulu ne pas avoir reçu la lettre, pouvoir continuer à croire Hugh vivant, penser que Teddy et Jimmy ne combattaient pas, passaient la durée de la guerre dans une mine de charbon ou la défense passive.

« Je pense à toi constamment », disait Pamela. Pas de récriminations, pas de « Je te l'avais bien dit », pas de « Pourquoi n'es-tu pas rentrée en Angleterre quand c'était possible ? » Elle avait essayé, trop tard, bien sûr. Le lendemain du jour où l'Allemagne avait déclaré la guerre à la Pologne, elle avait traversé la ville, dûment accompli les choses qu'elle croyait nécessaires quand la guerre était imminente. Elle avait fait des provisions de piles, de torches et de bougies, acheté des conserves et du matériel de black-out, des vêtements pour Frieda au grand magasin Wertheim – une ou deux tailles au-dessus au cas où la guerre s'éterniserait. Elle ne s'était rien acheté, était passée impavide devant manteaux, bottes et bas bien chauds, et robes de bonne qualité, chose qu'elle regrettait amèrement aujourd'hui.

Elle entendit Chamberlain à la BBC, les paroles fatidiques *Nous sommes désormais en guerre avec l'Allemagne*, et pendant plusieurs heures se sentit étrangement hébétée. Elle essaya de téléphoner à Pamela, mais les lignes étaient toutes occupées. Puis vers le soir (Jürgen était resté au ministère toute la journée) elle revint soudain à la vie, telle Blanche-Neige tirée du sommeil. Elle devait partir, elle devait rentrer en Angleterre avec ou sans passeport. Elle boucla à la hâte une valise, bouscula Frieda pour attraper un tram à destination de la gare. Si elle arrivait à monter dans un train, tout irait bien. Pas de trains, lui annonça un employé de la gare. Les frontières étaient fermées. « Nous sommes en guerre, vous n'êtes pas au courant ? » fit-il.

Elle courut à l'ambassade britannique de Wilhelmstraße, en tirant la pauvre Frieda par la main. Elles étaient des citoyennes allemandes, mais elle s'en remettrait à la merci du personnel de l'ambassade, ils seraient tout de même capables de faire quelque chose, elle était toujours anglaise après tout. La nuit commençait à tomber quand elle arriva, les portes étaient cadenassées et il n'y avait pas de lumière allumée dans le bâtiment. « Ils sont partis, lui dit un passant, vous les avez ratés.

— Partis ?

— Rentrés en Angleterre. »

Elle dut plaquer une main sur sa bouche pour retenir le gémissement qui montait en elle. Comment avait-elle pu être aussi stupide ? Pourquoi n'avait-elle pas vu ce qui allait arriver ?

Un imbécile se méfie trop tard, une fois tous les périls passés. Elizabeth I, une fois de plus.

*

Après avoir reçu la lettre de Pamela, elle pleura deux jours par intermittence. Jürgen se montra compatissant, revint avec du vrai café et elle ne lui demanda pas où il l'avait obtenu. Ce n'était pas une bonne tasse de café (aussi miraculeuse fût-elle) qui allait apaiser la peine qu'elle éprouvait pour son père, pour Frieda, pour elle-même. Pour tout le monde. Jürgen mourut dans un raid américain en 44. Ursula eut honte de constater l'étendue de son soulagement en apprenant la nouvelle, d'autant plus que Frieda était profondément bouleversée. Elle aimait son père qui le lui rendait bien, ce qui était la seule petite lueur qui brillait dans la nuit noire de son mariage.

Frieda était malade à présent. Elle avait les traits tirés et la pâleur maladive de la plupart des gens qu'on voyait dans la rue, mais ses poumons étaient remplis de mucosités et ses terribles quintes de toux donnaient l'impression qu'elles ne s'arrêteraient jamais. Quand Ursula mettait sa tête sur sa poitrine pour écouter, elle croyait entendre un galion en mer, qui se soulevait et grinçait sur les vagues. Si seulement elle pouvait l'asseoir près d'une bonne flambée, lui donner du chocolat brûlant à boire, du ragoût de bœuf, des knödels, des carottes. Mangeait-on toujours bien sur le Berg ? se demanda-t-elle. Y avait-il encore quelqu'un là-haut ?

*

Au-dessus de leurs têtes, l'immeuble était toujours debout bien que la majeure partie de la façade ait été emportée par une bombe. Elles montaient toujours à l'appartement pour mettre la main sur tout ce qui pouvait être utile. Il avait été sauvé du pillage par la difficulté presque insurmontable que représentait

361

l'ascension de l'escalier rempli de gravats. Frieda et elle s'attachaient des morceaux de coussin aux genoux à l'aide de chiffons, enfilaient d'épais gants de cuir ayant appartenu à Jürgen et escaladaient ainsi les pierres et les briques comme des singes incompétents.

Ce qui manquait complètement dans l'appartement, c'était la nourriture, seule chose qui les intéressait. Hier, elles avaient fait la queue trois heures pour une miche de pain. Quand elles l'avaient mangée, elle ne semblait pas contenir de farine, bien que sa composition fût difficile à déterminer : de la poussière de ciment et de plâtre ? C'était en tout cas le goût qu'elle avait. Ursula se rappelait Rogerson le boulanger de son village en Angleterre, l'odeur du pain en train de cuire qui flottait dans la rue et la vitrine de la boulangerie remplie de merveilleuses miches de pain blanc moelleux à la croûte dorée et poisseuse. Ou la cuisine de Fox Corner, les jours où Mrs Glover se mettait à la pâtisserie – les grosses miches de pain complet « bon pour la santé » sur lequel Sylvie insistait, mais aussi les génoises, les tartes et les petits pains au lait. Elle s'imagina dégustant une tranche de ce pain bis tout chaud, tartinée d'une épaisse couche de beurre et de confiture faite avec les framboises et les groseilles de Fox Corner. (Elle se torturait sans cesse l'esprit avec des souvenirs de nourriture.) On allait manquer de lait, avait dit quelqu'un dans la queue du pain.

Ce matin, Fräulein Farber et sa sœur Frau Meyer, qui avaient vécu ensemble sous les toits, mais qui à présent quittaient rarement la cave, lui avaient donné deux pommes de terre et un morceau de saucisse cuite pour Frieda, *aus Anstand*, avaient-elles dit, par décence. Herr Richter, autre résident de la cave, avait expliqué à Ursula que les sœurs avaient décidé de ne plus manger. (Chose facile à faire quand il n'y avait plus de nourriture, songea Ursula.) Elles n'en pouvaient plus, avait-il dit. Elles étaient incapables d'affronter ce qui allait se passer à l'arrivée des Russes.

Ils avaient entendu une rumeur selon laquelle les gens à l'Est en étaient réduits à manger de l'herbe. Veinards, songea Ursula, il n'y avait plus d'herbe à Berlin, juste les vestiges noirs et squelettiques d'une ville fière et belle. Londres était-il dans le même état ? Cela semblait invraisemblable, mais pourtant possible. Speer avait ses nobles ruines, mille ans plus tôt que prévu.

Le pain immangeable d'hier, deux demi-pommes de terre crues le jour d'avant, c'était tout ce qu'Ursula avait dans l'estomac. Le reste – qui ne représentait pas grand-chose – elle l'avait donné à Frieda. Mais quel bien cela ferait-il à Frieda si sa mère mourait ? Elle ne pouvait la laisser seule dans ce monde abominable.

Après le raid aérien britannique sur le zoo, elles étaient allées voir s'il y avait des animaux comestibles, mais beaucoup de gens les avaient précédées. (La même chose était-elle *possible* en Angleterre ? Des Londoniens fouillant le zoo de Regent's Park pour trouver quelque chose à se mettre sous la dent ? Pourquoi pas ?)

Elles voyaient encore de temps à autre un oiseau qui n'était de toute évidence pas originaire de Berlin survivre contre toute attente et aperçurent une fois un animal effrayé et galeux qu'elles prirent pour un chien avant de s'apercevoir que c'était un loup. Frieda était toute prête à le ramener à la cave et à s'en faire un animal de compagnie. Ursula préférait ne pas imaginer la réaction de leur vieille voisine, Frau Jaeger, devant cette initiative.

Leur appartement ressemblait à une maison de poupée : il était ouvert aux quatre vents et tous les détails intimes de leur vie de famille étaient exposés aux regards : lits et canapés, tableaux aux murs, et même un ou deux bibelots qui avaient miraculeusement survécu à l'explosion. Elles avaient raflé le moindre objet vraiment utile, mais il restait encore des vêtements et quelques livres et, pas plus tard qu'hier, Ursula avait découvert une cache de bougies sous un amas de vaisselle cassée. Elle espérait les troquer contre des médicaments pour Frieda. Il y avait encore des W-C dans la salle de bain et de temps à autre, allez savoir comment, de l'eau. L'une d'elles tenait un drap pour protéger la pudeur de l'autre. Leur pudeur avait-elle encore de l'importance ?

Ursula avait pris la décision de regagner l'appartement. Il y faisait froid, mais l'air n'y était pas fétide et elle estima que tout bien considéré ce serait préférable pour Frieda. Elles avaient encore des couvertures et des couettes dans lesquelles s'emmitoufler et partageaient un matelas posé à même le sol derrière une barricade formée par la table et les chaises de salle à manger. Ursula ne cessait de penser aux repas pris sur cette table, ses rêves étaient remplis de viande, de grosses tranches de porc et de bœuf grillées, rôties ou revenues à la poêle.

L'appartement était situé au deuxième étage et, ajouté à l'escalier en partie bloqué, ce détail pourrait suffire à décourager les Russes. D'un autre côté, elles seraient les poupées à la devanture de la maison de poupée, une femme et une fille prêtes à être cueillies. Frieda aurait bientôt onze ans, mais si un dixième des rumeurs en provenance de l'Est était vrai, son âge ne la sauverait pas des Russes. Frau Jaeger ne cessait de parler nerveusement de la progression jalonnée de viols et de meurtres des Soviétiques vers Berlin. Il n'y avait plus de TSF, seulement la rumeur et de temps à autre un journal réduit à sa plus simple expression. Frau Jaeger n'avait que le mot *Nemmersdorf* à la bouche (« Un massacre ! »). « Oh, taisez-vous donc », lui avait lancé l'autre jour Ursula. En anglais qu'elle ne comprenait évidemment pas, bien qu'elle ait dû percevoir l'hostilité du ton. Frau Jaeger avait visiblement été très surprise qu'on s'adresse à elle dans la langue de l'ennemi et Ursula en fut désolée. Ce n'était qu'une vieille dame apeurée, se rappela-t-elle.

L'Est se rapprochait chaque jour. L'intérêt pour le front de l'Ouest était retombé depuis longtemps, seul l'Est était inquiétant. Le tonnerre lointain des canons avait fait place à un rugissement constant. Il n'y avait personne pour les sauver. Quatre-vingt mille soldats allemands pour les défendre contre un million et demi de Soviétiques, et la plupart de ces soldats avaient l'air d'être des enfants ou des vieillards. Peut-être que la pauvre vieille Frau Jaeger serait appelée à repousser l'ennemi à coups de manche à balai. Ce n'était peut-être qu'une question de jours, d'heures même, avant qu'elles n'aperçoivent leur premier Russe.

Le bruit courait qu'Hitler était mort. « Ce n'est pas trop tôt », dit Herr Richter. Ursula se rappelait l'avoir vu endormi dans sa chaise longue sur la terrasse du Berg. Il s'était pavané et agité sur scène pendant son heure. Pour quel résultat ? Une sorte d'Armageddon. La mort de l'Europe.

C'était la vie, se corrigea-t-elle, que Shakespeare faisait se pavaner et s'agiter. *La vie n'est qu'un fantôme errant, un pauvre comédien qui se pavane et s'agite durant son heure sur la scène*[51]. Ils étaient tous des fantômes errants à Berlin. La vie avait tant d'importance jadis et à présent c'était devenu la denrée la moins chère. Elle eut une pensée distraite pour Eva, elle avait toujours été blasée s'agissant du suicide, avait-elle suivi son guide en enfer ?

*

L'état de Frieda était devenu des plus préoccupants : frissons, fièvre, et elle se plaignait presque constamment de maux de tête. Si elle n'avait pas été malade, elles se seraient peut-être jointes à l'exode de ceux qui fuyaient vers l'Ouest pour échapper aux Russes, mais impossible pour Frieda de survivre à pareil voyage.

« Je n'en peux plus, maman », chuchota-t-elle, en un terrible écho aux sœurs qui avaient vécu au dernier étage de leur immeuble.

Ursula la laissa seule pour courir à la pharmacie, escalada les décombres jonchant les rues et de temps à autre un cadavre – les morts ne lui faisaient plus ni chaud ni froid. Elle se recroquevillait dans les embrasures de porte quand les tirs semblaient trop proches, puis détalait jusqu'au prochain coin de rue. Le pharmacien était ouvert, mais n'avait pas de médicaments, il ne voulut même pas de ses précieuses bougies ni de son argent. Elle revint vaincue.

Pendant toute la durée de son absence, elle avait craint qu'il arrive quelque chose à Frieda et se promit de ne plus la quitter. Elle avait aperçu un char russe à deux rues de là. Le spectacle l'avait terrifiée, Frieda ne le serait-elle pas encore bien plus ? Le bruit des tirs d'artillerie était constant. L'idée que la fin du monde était proche s'empara d'elle. Si c'était le cas, Frieda devait mourir dans ses bras et non pas seule. Mais dans les bras de qui mourrait-elle, elle ? La sécurité des bras paternels lui manquait énormément et, à l'idée de Hugh, elle se mit à pleurer.

Le temps d'escalader l'escalier encombré de gravats, elle était épuisée, à bout de forces. Elle trouva Frieda en proie à un délire intermittent et s'allongea à côté d'elle sur le matelas posé à même le sol. Caressant ses cheveux trempés, elle lui parla à voix basse d'un autre monde. Elle lui parla des jacinthes sauvages qu'on voyait au printemps dans le bois près de Fox Corner, des fleurs qui poussaient dans la prairie située derrière le bosquet – lin vivace, pied-d'alouette, coquelicot, compagnon rouge et marguerite des prés. Elle lui décrivit l'odeur de l'herbe fraîchement tondue d'une pelouse anglaise, l'été, le parfum des roses de Sylvie, le goût aigre-doux des pommes du verger. Elle évoqua les chênes bordant la petite route, les ifs du cimetière et le hêtre qui se dressait dans le jardin de Fox Corner. Elle parla des renards, des lapins, des faisans, des lièvres, des vaches et des gros chevaux de labour. Du soleil dardant ses rayons amicaux sur les champs de blé et les vertes prairies. Du chant éclatant du merle, de l'alouette lyrique, du doux roucoulement des pigeons ramiers, du hululement de la chouette dans l'obscurité. « Prends ça, dit-elle en mettant le cachet dans la bouche de Frieda. Je l'ai acheté chez le pharmacien, ça t'aidera à dormir. »

Elle expliqua à Frieda qu'elle était prête à marcher sur le fil de couteaux pour la protéger, à brûler dans les flammes de l'enfer pour la sauver, à se noyer dans les eaux les plus profondes si ça la maintenait à flot et à faire une dernière chose pour elle, la plus difficile de toutes.

Elle prit sa fille dans ses bras, l'embrassa et murmura à son oreille, lui raconta Teddy enfant, le goûter surprise organisé pour son quatrième anniversaire, combien Pamela était intelligente, Maurice agaçant et Jimmy drôle quand il était petit. Elle lui parla de l'horloge qui tictaquait dans le vestibule, du vent qui secouait les tuyaux de cheminée, de l'énorme feu de bois qu'ils allumaient la veille de Noël, des chaussettes qu'ils suspendaient au manteau de cheminée, de l'oie rôtie et du plum-pudding qu'ils mangeaient le lendemain et lui promit que c'était ce qu'ils feraient tous ensemble à Noël prochain. « Tout ira bien désormais », lui dit Ursula.

Une fois certaine que Frieda était endormie, elle sortit la petite capsule de verre remise par le pharmacien, la glissa doucement dans la bouche de Frieda, et referma ses mâchoires délicates. La capsule se brisa avec un petit bruit. Un vers d'un des *Sonnets sacrés* de John Donne lui revint à l'esprit lorsqu'elle mordit dans sa petite fiole personnelle. *Je cours vers la mort, et la mort vient à moi aussi vite, Et tous mes plaisirs sont désormais du passé.* Elle se cramponna à Frieda et les ailes veloutées de la chauve-souris noire ne tardèrent pas à les envelopper et cette vie était déjà devenue irréelle et s'enfuyait.

Elle n'avait encore jamais préféré la mort à la vie et au moment de partir comprit que quelque chose s'était fêlé, cassé et que l'ordre des choses avait changé. Puis les ténèbres abolirent toute pensée.

UNE GUERRE LONGUE ET DIFFICILE[52]

Septembre 1940

Regardez là-haut où le sang du Christ coule à flots à travers le firmament, dit une voix proche. « *Dans* » le firmament, songea Ursula et non « à travers ». Le rougeoiement d'une fausse aurore signalait un incendie gigantesque à l'est. Le tir de barrage à Hyde Park claquait et faisait des étincelles, et les canons de DCA plus proches réussissaient à ajouter leur cacophonie, les obus sifflant comme des feux d'artifice et explosant au-dessus de leurs têtes avec des *crac crac crac.* Et sous tout ce tohu-bohu, on percevait le vrombissement des moteurs non synchronisés des bombardiers, bruit qui lui soulevait toujours le cœur.

Une mine attachée à un parachute descendit en flottant gracieusement et un panier de bombes incendiaires déversa son contenu sur ce qui restait de la rue avant d'éclater en fleurs de feu. Un îlotier, Ursula ne voyait pas son visage, courut vers les bombes incendiaires avec un seau-pompe. S'il n'y avait pas eu de bruit, on aurait pu croire à un beau ciel nocturne, mais il y avait un raffut de tous les diables, des dissonances brutales qui donnaient l'impression que quelqu'un avait ouvert les portes de l'enfer en grand et laissé s'échapper les hurlements des damnés.

Mais c'est l'enfer et je n'en suis pas sorti, reprit la même voix comme si elle lisait dans ses pensées. Il faisait si sombre qu'elle distinguait à peine le propriétaire de la voix tout en sachant qu'elle appartenait sans l'ombre d'un doute à Mr Durkin, un des îlotiers de son poste. C'était un professeur d'anglais à la retraite, très enclin à faire des citations. Et à citer de travers. La voix – ou Mr Durkin – dit autre chose, c'était peut-être encore extrait du *Docteur Faust* de Marlowe, mais l'énorme *baoûm* d'une bombe tombant deux rues plus loin emporta ses paroles.

Le sol trembla et une autre voix, celle de quelqu'un travaillant sur l'amas, hurla « Attention ! ». Elle entendit bouger quelque chose et comme un crépitement d'éboulis dévalant une montagne, signe avant-coureur d'une avalanche. Des gravats, pas des éboulis. Et un amas, pas une montagne. Les gravats constituant l'amas étaient tout ce qui restait d'une maison, ou plutôt de plusieurs maisons à présent broyées et amalgamées. Ces gravats étaient des foyers une demi-heure plus tôt, ces foyers n'étaient plus désormais qu'un fouillis cauchemardesque de briques, de solives et de lames de planchers brisées, de meubles, de tableaux, de tapis, de literie, de livres, de vaisselle, de lino et de verre. De gens. Les fragments broyés de vies qui ne seraient plus jamais comme avant.

Le grondement ralentit pour devenir un filet et finit par s'arrêter, l'avalanche évitée de justesse, et la même voix cria : « Parfait ! Continuez ! » C'était une nuit sans lune, la seule lumière provenait des torches tamisées des équipes d'intervention lourde, feux follets fantomatiques qui se déplaçaient sur l'amas. L'autre raison de l'immense et traîtresse obscurité était l'épais nuage de fumée et de poussière qui flottait comme un rideau de gaze infâme dans l'air. La puanteur était comme d'habitude horrible. Ce n'était pas seulement l'odeur de gaz de houille et d'explosifs de grande puissance, c'était l'odeur aberrante produite par un bâtiment complètement soufflé. Cette odeur ne la quitterait pas. Elle avait noué un vieux foulard de soie sur sa bouche et son nez, à la manière d'un bandit, mais ça n'empêchait guère la poussière et l'odeur fétide de pénétrer dans ses poumons. La mort et la décomposition étaient en permanence sur sa peau, dans ses cheveux, ses narines, ses poumons, sous ses ongles. Elles faisaient partie intégrante d'elle.

Ce n'est que récemment qu'on leur avait distribué des salopettes bleu marine peu flatteuses. Jusque là, Ursula avait porté son tailleur d'abri, acheté presque comme une nouveauté chez Simpson's, peu de temps après la déclaration de guerre. Elle y ajoutait un vieux ceinturon en cuir de Hugh auquel elle accrochait ses « accessoires » – une torche, un masque à gaz, une trousse de secours et un bloc-notes. Dans une poche, elle avait un canif et un mouchoir et dans l'autre, une paire d'épais gants de cuir et un tube de rouge à lèvres. « Oh, quelle bonne idée », dit Miss Woolf en voyant le canif. Regardons les choses en face, songea Ursula, malgré une ribambelle de règlements, ils improvisaient au fur et à mesure.

Mr Durkin, car c'était bien lui, surgit de l'obscurité et de l'écran de fumée. Il braqua sur son bloc-notes sa torche dont la faible lueur éclairait à peine le papier. « Des tas de gens vivent dans cette rue, dit-il en scrutant la liste de noms et de numéros de maisons qui n'avaient plus aucun lien avec le chaos environnant. Les Wilson sont au numéro un, dit-il, comme si commencer au début allait on ne sait comment l'aider.

— Il n'y a plus de numéro un, fit Ursula. Il n'y a plus du tout de numéros. » La rue était méconnaissable, tout ce qui était familier avait été anéanti. Il aurait été impossible de la reconnaître même en plein jour. Ce n'était plus une rue, c'était simplement « l'amas ». Six mètres de haut, peut-être plus, avec des planches et des échelles sur ses flancs pour permettre à l'équipe des sauvetages lourds de ramper dessus. Il y avait quelque chose de primitif dans la chaîne humaine qu'ils avaient formée : les seaux de débris passaient de main en main depuis le sommet de l'amas jusqu'en bas. On aurait dit des esclaves construisant les pyramides – ou dans le cas présent, les fouillant. Ursula pensa soudain aux fourmis coupe-feuilles que l'on voyait avant guerre au zoo de Regent's Park, chacune charriant dûment son petit fardeau. Avaient-elles été évacuées en même temps que les autres animaux ou les avait-on simplement lâchées dans le parc ? C'étaient des insectes tropicaux, elles ne seraient peut-être pas capables de survivre aux rigueurs du climat de Regent's Park. Elle y avait vu Millie dans une représentation en plein air du *Songe d'une nuit d'été*, durant l'été 1938.

« Miss Todd ?

— Oui, désolée, Mr Durkin, j'avais l'esprit ailleurs. » Cela lui arrivait souvent à présent – elle était au beau milieu de ces scènes affreuses et se surprenait à repenser à des moments agréables du passé. De petits éclats de lumière dans l'obscurité.

Ils se frayèrent prudemment un chemin vers l'amas. Mr Durkin lui passa la liste des riverains et se mit à donner un coup de main à la chaîne qui passait les seaux. Personne ne creusait sur l'amas, ils dégageaient les gravats à la main, avec des précautions d'archéologue. « C'est un peu délicat, là-haut », lui expliqua un membre de l'équipe de sauvetage qui se trouvait vers le bas de la chaîne. Un puits qui descendait au centre de l'amas avait été dégagé (un volcan donc plutôt qu'un amas, songea Ursula). La plupart des hommes de l'équipe des sauvetages lourds venaient du bâtiment – maçons, manœuvres etc. – et Ursula se demanda si ça leur paraissait étrange d'escalader ces bâtiments démantelés, comme si le temps avait fait on ne sait pourquoi marche arrière. Mais c'étaient des hommes pragmatiques, pleins de ressources, qui n'étaient pas très enclins aux pensées fantasques.

De temps à autre, une voix réclamait le silence – impossible quand un raid aérien était encore en cours – mais tout s'arrêtait néanmoins pendant que les hommes au sommet de l'amas tendaient l'oreille pour déceler le moindre signe de vie. Ça semblait désespéré, mais s'il y avait bien une chose que le Blitz leur avait apprise, c'était que les gens vivaient (et mouraient) dans les circonstances les plus invraisemblables.

Ursula fouilla l'obscurité pour trouver les lumières bleues tamisées signalant le poste de secours et aperçut Miss Woolf qui se dirigeait d'un air décidé vers elle en trébuchant sur des morceaux de briques. « Ça se présente mal, dit-elle d'un ton neutre. Il leur faut quelqu'un de menu.

— De menu ? » répéta Ursula. Le mot pour une raison quelconque était dénué de signification.

Elle s'était engagée dans la défense passive en mars 39 après l'invasion de la Tchécoslovaquie, quand il lui était soudain apparu avec une horrible clarté que l'Europe était condamnée. (« Arrête de jouer les Cassandre », avait dit Sylvie, mais Ursula travaillait dans le service de la défense passive au ministère de l'Intérieur, elle voyait l'avenir.) Durant l'étrange crépuscule de la drôle de guerre, les îlotiers étaient l'objet de plaisanteries, mais à présent ils étaient devenus « la colonne vertébrale des défenses londoniennes » – et c'était Maurice qui le disait.

Ses collègues îlotiers étaient un groupe hétéroclite. Miss Woolf, infirmière en chef à la retraite, était chef d'îlot. Mince et droite comme un i, ses cheveux gris acier ramassés en un chignon dont rien ne dépassait, elle avait une autorité naturelle. Puis venaient son adjoint, Mr Durkin, Mr Simms qui travaillait au ministère de l'Approvisionnement et Mr Palmer, directeur de banque. Ces deux derniers avaient combattu durant la guerre précédente et étaient trop vieux pour celle-ci (Mr Durkin avait été « exempté pour raisons médicales », disait-il sur le ton de la défensive). Puis il y avait Mr Armitage qui était chanteur d'opéra et comme il n'y avait plus d'opéra à chanter, il les distrayait avec ses interprétations de « *La donna è mobile* » et « *Largo al factotum* ». « Seulement des arias populaires, confia-t-il à Ursula. La plupart des gens n'aiment pas les choses trop exigeantes. »

« Je préférerais cent fois le vieux Al Bowlly », disait Mr Bullock. Le plutôt bien nommé Mr Bullock (Bœuf) était pour reprendre l'expression de Miss Woolf « un peu douteux ». Il était certainement bien bâti – il faisait de la lutte en compétition, soulevait des haltères au gymnase local et hantait également plusieurs boîtes de nuit très malfamées. Il connaissait aussi quelques « danseuses » plutôt glamour. Une ou deux étaient « passées le voir » à l'abri et s'étaient fait chasser comme des poules par Miss Woolf. (« Des danseuses, mon œil », avait-elle dit.)

Enfin, il y avait Herr Zimmerman (« Gabi, je vous en prie », disait-il, mais personne n'osait) qui était violoniste dans un orchestre et originaire de Berlin, « notre réfugié » comme ils l'appelaient (Sylvie avait des évacués, désignés pareillement par leur situation). Il avait « déserté le navire » en 35 alors qu'il était en tournée avec son orchestre. Miss Woolf qui l'avait connu via le Comité des réfugiés avait fait des pieds et des mains pour que Herr Zimmerman et son violon ne soient pas internés, ou pis encore, expédiés de l'autre côté des eaux meurtrières de l'Atlantique. Ils suivaient tous l'exemple de Miss Woolf et ne lui donnaient jamais du « Mister », toujours du *« Herr »*. Ursula savait que Miss Woolf l'appelait ainsi pour le mettre à l'aise, mais cela ne faisait que le rendre plus étranger encore.

Miss Woolf avait rencontré Herr Zimmerman dans le cadre de son travail pour le Central British Fund for German Jewry[53] (« Un nom à coucher dehors, j'en ai peur »). Ursula ne savait jamais si Miss Woolf était une femme dotée d'une certaine influence ou si elle était simplement du genre extrêmement tenace. Les deux peut-être.

« On est des gens cultivés, hein ? dit Mr Bullock sur un ton sarcastique. Pourquoi ne pas monter des spectacles au lieu de faire la guerre ? » (« Mr Bullock est un homme aux convictions fortes », dit Miss Woolf à Ursula. Et qui aime également les alcools forts, songea Ursula. En fait, tout était fort chez lui.)

Une petite salle paroissiale appartenant aux méthodistes avait été réquisitionnée pour leur servir de local par Miss Woolf (elle-même méthodiste) et ils l'avaient meublée de deux lits de camp, d'un réchaud avec de quoi faire du thé et d'un assortiment de chaises dures et capitonnées. Comparé à d'autres postes de défense passive, c'était Byzance.

Mr Bullock débarqua un soir avec une table de jeu recouverte de feutre vert et Miss Woolf se déclara amatrice de bridge. Durant l'accalmie entre la chute de la France et les premiers raids de début septembre, Mr Bullock leur apprit à tous à jouer au poker. « Un tricheur professionnel », dit Mr Simms.

Mr Palmer et lui perdirent tous les deux plusieurs shillings au profit de Mr Bullock. Miss Woolf, de son côté, avait gagné deux livres au début du Blitz. Un Mr Bullock amusé se dit surpris que les méthodistes soient autorisés à jouer. Les gains de Miss Woolf leur ayant permis d'acheter une cible de jeu de fléchettes, Mr Bullock n'avait pas de quoi se plaindre, rétorqua-t-elle. Un jour qu'ils déblayaient un tas de cartons dans un coin de la salle, ils découvrirent un piano caché là depuis le début et Miss Woolf – qui s'avérait être une femme aux multiples talents – en jouait plutôt bien. Bien que plus portée sur Chopin et Liszt par goût personnel, elle ne demandait pas mieux que de « marteler quelques airs » – expression de Mr Bullock – sur lesquels ils chantaient tous en chœur.

Tout en étant persuadés que ça ne servirait pas à grand-chose s'ils étaient touchés, ils avaient renforcé le poste à l'aide de sacs de sable. Mis à part Ursula pour qui prendre des précautions semblait des plus raisonnables, ils avaient tous tendance à être d'accord avec Mr Bullock pour qui « si c'est écrit, c'est écrit », forme de détachement bouddhiste que le Dr Kellet aurait admirée. Le nom de ce dernier était apparu dans la rubrique nécrologique du *Times* au cours de l'été. Ursula était plutôt contente que le Dr Kellet rate une autre guerre. Elle lui aurait rappelé la futilité de la mort de son fils Guy à Arras.

Ils étaient tous bénévoles à temps partiel, sauf Miss Woolf qui était payée et à temps complet, et prenait ses responsabilités très au sérieux. Elle leur imposait des exercices rigoureux et s'assurait qu'ils s'entraînaient – aux procédures à suivre en cas d'attaque au gaz, à éteindre une bombe incendiaire, à pénétrer dans un bâtiment en flammes, à charger une civière, à faire une attelle, à bander un bras ou une jambe cassés. Elles les interrogeait sur le contenu de leur manuel qu'elle leur avait fait lire et tenait beaucoup à ce qu'ils apprennent à étiqueter les corps, morts ou vifs, pour pouvoir les expédier comme des colis à la morgue ou à l'hôpital avec tous les renseignements corrects. Ils avaient fait plusieurs exercices grandeur nature, notamment une répétition en cas de raid aérien. (« C'est du cinéma », s'était moqué Mr Bullock incapable de se mettre dans le bon état d'esprit.) Ursula avait joué les victimes deux fois, la première en feignant d'avoir une jambe cassée, la seconde en prétendant avoir perdu complètement connaissance. Une autre fois, elle s'était trouvée de « l'autre côté » et avait dû s'occuper de Mr Armitage simulant une crise d'hystérie. Elle supposa que c'était son expérience sur scène qui lui permit de faire un numéro d'une authenticité des plus troublantes. Ce fut assez difficile de le persuader de sortir de son rôle à la fin de l'exercice.

Ils devaient connaître les occupants de chaque bâtiment de leur secteur, qu'ils aient un abri personnel, utilisent l'abri public ou aucun parce que trop fatalistes. Ils devaient savoir qui était parti ou avait déménagé, qui s'était marié, qui avait eu un bébé et qui était mort. Ils devaient savoir où se trouvaient les bouches d'incendie, les culs-de-sac, les ruelles étroites, les caves, les centres d'accueil.

« Patrouiller et surveiller », telle était la devise de Miss Woolf. Ils avaient tendance à patrouiller deux par deux jusqu'à minuit où il y avait d'ordinaire une accalmie, puis s'il n'y avait pas de bombes dans leur secteur, ils se disputaient poliment pour savoir qui allait occuper les lits de camp. Bien sûr, s'il y avait un raid dans « leurs rues », c'était « tout le monde sur le pont » pour reprendre l'expression de Miss Woolf. Parfois ils s'acquittaient de leur « surveillance » depuis l'appartement de Miss Woolf situé au deuxième étage et bénéficiant d'une excellente vue grâce à une grande fenêtre d'angle.

Miss Woolf leur donna aussi des cours de secourisme. En plus d'avoir été infirmière en chef, elle avait dirigé un hôpital de campagne pendant la dernière guerre et leur expliqua (« Comme en seront conscients ceux d'entre vous, messieurs, qui ont servi dans cet affreux conflit ») que les victimes en temps de guerre n'avaient rien à voir avec celles des accidents banals que l'on voyait en temps de paix. « Bien plus épouvantables, dit-elle. Nous devons nous préparer à des scènes pénibles. »

Bien sûr, même Miss Woolf n'avait pas imaginé à quel point ces spectacles seraient pénibles quand ils impliqueraient des civils plutôt que des soldats sur le champ de bataille, quand il s'agirait de pelleter des morceaux de chair non identifiables ou de ramasser dans les décombres les membres menus à fendre le cœur d'un enfant.

« Nous ne pouvons pas tourner la tête, lui disait Miss Woolf, nous devons continuer notre tâche et nous devons témoigner. » Qu'est-ce que ça signifiait ? demanda Ursula. « Ça signifie, dit Miss Woolf, que nous devrons nous souvenir de ces gens quand nous serons en sécurité dans l'avenir.

— Et si c'est *nous* qui sommes tués ?

— Alors d'autres devront se souvenir de nous. »

Leur première intervention avait eu lieu dans une grande maison frappée de plein fouet au milieu d'une rangée. Le reste de l'enfilade était indemne comme si la Luftwaffe avait ciblé personnellement les occupants de la maison – deux familles dont des grands-parents, plusieurs enfants et deux nourrissons. Ils avaient tous survécu à l'explosion en s'abritant dans la cave, mais la canalisation d'eau et un gros tuyau d'égout s'étaient brisés et avant que l'une ou l'autre aient pu être coupés, tous les occupants de la cave s'étaient noyés dans les horribles vidanges.

Une femme avait réussi à se hisser en haut du mur et à s'y cramponner, ils l'apercevaient par une brèche et Miss Woolf et Mr Armitage s'étaient accrochés au ceinturon de Hugh pendant qu'Ursula se balançait au-dessus des vestiges de la cave. Elle tendit une main à la femme, crut un moment pouvoir l'attraper, mais elle disparut simplement sous l'eau immonde qui montait et remplissait la cave.

Quand les pompiers arrivèrent enfin pour pomper l'eau, ils récupérèrent quinze cadavres dont sept enfants et les alignèrent devant la maison comme pour les faire sécher. Miss Woolf ordonna qu'ils soient recouverts au plus vite et rangés derrière un mur en attendant l'arrivée du fourgon mortuaire. « Ça n'arrange pas le moral de voir des spectacles pareils », dit-elle. Ursula avait vomi son dîner depuis longtemps. Elle vomissait après quasiment chaque intervention. Mr Armitage et Mr Palmer aussi, Mr Simms, lui, vomissait avant. Seuls Miss Woolf et Mr Bullock semblaient avoir l'estomac assez solide pour la mort.

Après coup, Ursula tenta de ne pas repenser aux bébés ni à l'expression de terreur visible sur le visage de la pauvre femme qui avait vainement essayé d'attraper sa main (son visage exprimait aussi autre chose, de l'incrédulité peut-être, à l'idée qu'une ignominie pareille soit possible). « Dites-vous qu'ils sont en paix désormais, conseilla résolument Miss Woolf en leur distribuant du thé bouillant et sucré. Ils sont tirés d'affaire, juste partis un peu plus tôt. » Et Mr Durkin d'enchaîner « *Ils sont tous partis pour le monde de la lumière* » et Ursula de corriger mentalement *Ils s'en sont tous allés dans le monde de la lumière*[54]. Ursula n'était pas convaincue que les morts aillent quelque part, hormis dans un vide noir et infini.

« Eh bien, moi, j'espère ne pas mourir couvert de merde », dit plus prosaïquement Mr Bullock.

Elle crut qu'elle n'arriverait jamais à surmonter ce premier incident épouvantable, mais le souvenir en avait été enseveli sous bien d'autres et désormais elle y repensait à peine.

*

« Ça se présente mal, dit Miss Woolf d'un ton neutre. Il leur faut quelqu'un de menu.

— De menu ? répéta Ursula.

— De mince, fit patiemment Miss Woolf.

— Pour entrer là-dedans ? » demanda Ursula en regardant horrifiée le sommet du volcan. Elle n'était pas sûre d'avoir le cran nécessaire pour descendre dans la gueule de l'enfer.

« Non, non, pas là, dit Miss Woolf. Suivez-moi. » Il s'était mis à pleuvoir assez fort et Ursula emboîta tant bien que mal le pas à Miss Woolf sur le sol accidenté et jonché de toutes sortes d'obstacles. Sa torche était quasiment sans utilité. Elle se prit le pied dans une roue de bicyclette et se demanda si quelqu'un était dessus quand la bombe était tombée.

« Ici », dit Miss Woolf. C'était un autre amas, aussi gros que le dernier. Etait-ce une autre rue ou la même ? Ursula n'avait plus aucun sens de l'orientation. Combien d'amas y avait-il ? Un scénario cauchemardesque lui traversa l'esprit – l'ensemble de Londres réduit à un gigantesque tas de décombres.

Cet amas n'était pas un volcan, l'équipe de sauvetage y pénétrait par un puits horizontal sur le côté. Plus énergique cette fois, elle s'attaquait aux ruines à coups de pioche et de pelle.

« Il y a une sorte de trou ici », dit Miss Woolf en empoignant la main d'Ursula et en la tirant en avant, comme si elle avait affaire à une enfant récalcitrante. Ursula n'apercevait aucune trace de trou. « C'est sans danger, je crois. Il faut juste vous tortiller pour entrer.

— Un tunnel ?

— Non, juste un trou. Il y a une dénivellation de l'autre côté, nous pensons qu'il y a quelqu'un. Pas une grande dénivellation, dit-elle sur un ton encourageant. Ce n'est pas un tunnel, répéta-t-elle. Introduisez la tête d'abord. » L'équipe de sauvetage arrêta de s'attaquer aux gravats et attendit plutôt impatiemment Ursula.

Elle dut enlever son casque pour se faufiler dans le trou, tenant sa torche maladroitement devant elle. Malgré les assurances de Miss Woolf, elle s'attendait à un tunnel, mais se retrouva immédiatement face à un énorme espace. Elle aurait pu être en train de faire de la spéléo. Elle fut soulagée de sentir deux paires de mains invisibles s'accrocher au vieux ceinturon en cuir de Hugh. Elle déplaça sa torche pour essayer d'apercevoir quelque chose, quelqu'un. « Il y a quelqu'un ? » cria-t-elle en la braquant dans la dénivellation. Cette dernière était masquée par un fouillis de tuyaux de gaz tordus et d'éclats de bois de la taille d'une allumette. Elle sélectionna une ouverture dans ce réseau chaotique, essaya de distinguer quelque chose dans l'obscurité qui s'étendait au-delà. Un visage renversé, celui d'un

379

homme, pâle et fantomatique, parut surgir des ténèbres comme une vision, un prisonnier d'une oubliette. Il y avait peut-être un corps attaché au visage, mais pas nécessairement.

« Ça va ? » fit-elle, comme si l'homme risquait de répondre, alors qu'elle voyait à présent qu'une partie de sa tête manquait.

« Vous avez trouvé quelqu'un ? s'enquit Miss Woolf, pleine d'espoir quand Ursula sortit du trou en rampant à reculons.

— Un mort.

— Facile à récupérer ?

— Non. »

*

La pluie rendait tout encore plus immonde si c'était possible, transformait la poussière de brique humide en sable gluant. Deux heures de labeur dans ces conditions et ils en étaient enduits de la tête aux pieds. C'était trop dégoûtant pour y accorder la moindre pensée.

Il y avait pénurie d'ambulances, la circulation était bloquée par un incident dans Cromwell Road, de même que le médecin et l'infirmier qui auraient dû être présents, et les cours de secourisme de Miss Woolf se révélèrent bien utiles. Ursula éclissa un bras cassé, fit un pansement pour une blessure à la tête, un bandeau pour un œil et attacha la cheville de Mr Simms avec une sangle – il se l'était tordue sur le terrain accidenté. Elle étiqueta deux survivants inconscients (blessures à la tête, fémur cassé, clavicule cassée, côtes cassées, probablement un pelvis écrasé) et plusieurs morts (plus faciles, ils étaient simplement morts) puis vérifia de peur de les avoir mal étiquetés et d'envoyer les morts à l'hôpital et les vivants à la morgue. Elle aiguilla aussi de nombreux survivants vers le centre d'accueil et les blessés capables de marcher vers le poste de secours dont la permanence était assurée par Miss Woolf.

« Trouvez-moi Anthony si vous pouvez, voulez-vous ? dit-elle en voyant Ursula. Qu'on nous envoie une roulante. » Ursula confia la mission à Tony. Seule Miss Woolf l'appelait Anthony. Âgé de treize ans, c'était un éclaireur et il était devenu leur messager de défense passive, il fonçait sur sa bicyclette dans les rues jonchées de gravats et de débris de verre. Si Tony avait été son enfant, songeait Ursula, elle l'aurait expédié loin de cet enfer au lieu de le plonger dans ses profondeurs. Inutile de dire que Tony était aux anges.

Après avoir parlé à Tony, Ursula retourna dans le trou car quelqu'un avait cru entendre un bruit, mais le mort était aussi pâle et silencieux qu'auparavant. « Rebonjour », lui dit-elle. C'était peut-être Mr McColl de la rue voisine. Il aurait pu rendre visite à quelqu'un. Pas de chance. Elle était claquée, on en venait presque à envier le repos éternel des morts.

Lorsqu'elle émergea à nouveau du trou, la roulante était arrivée. Elle se rinça la bouche avec du thé et cracha de la poussière de brique. « Je parie que vous avez été une vraie lady autrefois » dit Mr Palmer en riant. « Je suis offensée, fit-elle avant de rire. Je crois que je crache avec beaucoup de classe. » Sur l'amas, l'opération de sauvetage se poursuivait sans résultat, mais la nuit tirait à sa fin et Miss Woolf lui dit de rentrer se reposer au poste. Au sommet de l'amas, on avait réclamé une corde, pour descendre ou remonter quelqu'un, supposa Ursula, ou les deux. (« Une femme, croit-on », dit Mr Durkin.)

Elle était à bout, à peine capable de mettre un pied devant l'autre. Evitant les gravats de son mieux, elle n'avait parcouru qu'une dizaine de mètres lorsque quelqu'un l'attrapa par le bras et la tira si violemment en arrière qu'elle serait tombée si cette même personne ne l'avait fermement soutenue et maintenue debout. « Prenez garde, miss Todd, grommela une voix.

— Mr Bullock ? » Dans l'enceinte du poste, Mr Bullock l'inquiétait un peu, il semblait si invincible, mais curieusement, dehors, dans cet endroit plongé dans les ténèbres, il était inoffensif. « Qu'y a-t-il ? fit-elle. Je suis très fatiguée. »

Il braqua sa torche devant eux. « Vous voyez ? fit-il.

— Non, rien.

— C'est parce qu'il n'y a rien. » Elle plissa les yeux. Un cratère – énorme – un gouffre sans fond. « De six mètres de profondeur, voire neuf, dit Mr Bullock. Vous avez failli tomber dedans. »

Il la raccompagna jusqu'au poste. « Vous êtes trop fatiguée », dit-il. Il lui tint le bras tout le long du chemin, elle sentait sa force musculaire dans sa poigne.

Arrivée au poste, elle se laissa tomber sur un lit de camp et s'évanouit plutôt qu'elle ne s'endormit. Elle se réveilla quand la fin de l'alerte retentit à six heures du matin. Elle avait l'impression d'avoir dormi des jours, mais n'avait eu que trois heures de sommeil.

Mr Palmer était là aussi, s'affairant à préparer du thé. Elle l'imagina chez lui, en pantoufles, la pipe au bec, lisant le journal. Sa présence en ces lieux semblait absurde. « Tenez, dit-il en lui tendant une tasse. Vous devriez rentrer chez vous, la pluie a cessé » comme si c'était la pluie et non la Luftwaffe qui avait gâché sa nuit.

*

Au lieu de regagner directement son appartement, elle retourna voir où en était le sauvetage. L'amas semblait différent à la lumière du jour, la forme en était bizarrement familière. Elle lui rappelait quelque chose, mais impossible de savoir quoi.

C'était une scène de dévastation, toute la rue avait pratiquement disparu, mais l'amas, l'amas d'origine, était toujours une petite ruche. Un sujet intéressant pour un artiste de guerre, songea-t-elle. *Les terrassiers sur l'amas* serait un bon titre. Bea Shawcross avait fait les beaux-arts, obtenu son diplôme au début de la guerre. Ursula se demanda si elle était incitée à dépeindre la guerre ou si elle essayait de la transcender.

Elle escalada très précautionneusement les contreforts du volcan. Un membre de l'équipe de sauvetage lui tendit la main pour l'aider à monter. Une nouvelle équipe était arrivée, mais selon toutes les apparences, la précédente était encore à l'œuvre. Ursula comprenait. C'était dur de quitter un incident quand on avait pour une raison ou une autre l'impression qu'il vous « appartenait ».

Il y eut soudain un bourdonnement d'excitation autour du cratère : les fruits du travail délicat et ingrat de la nuit apparaissaient enfin. Une femme attachée sous les aisselles par une corde (rien de délicat à ce stade de l'opération) fut extirpée des décombres et simplement hissée hors de l'étroite ouverture. Elle fut passée de bras en bras jusqu'en bas.

Elle était quasiment noire de crasse, constata Ursula, et reprenait connaissance par intermittence. Brisée mais vivante, tout juste. On la mit dans une ambulance qui patientait au pied de l'amas.

Ursula redescendit. Sur le sol, gisait un corps recouvert qui attendait un fourgon mortuaire. Ursula souleva la bâche et reconnut le visage de l'homme pâle de la veille. A la lumière du jour, elle vit qu'il s'agissait bien de Mr McColl du numéro dix. « Bonjour, vous », dit-elle. C'était quasiment un vieil ami. Miss Woolf lui aurait dit de l'étiqueter, mais elle s'aperçut qu'elle avait perdu son bloc-notes et n'avait rien pour écrire. Fouillant dans une poche, elle trouva son rouge à lèvres. *Nécessité fait loi*, entendit-elle de la bouche de Sylvie.

Elle songea à écrire sur le front de Mr McColl, mais ça paraissait manquer de dignité (plus que la mort ? se demanda-t-elle) et elle lui découvrit donc le bras, cracha dans un mouchoir et enleva une partie de la crasse comme elle l'aurait fait pour un petit garçon. Elle écrivit son nom et son adresse sur son bras au rouge à lèvres. Il était rouge sang, ça semblait tomber à pic.

« Bon, eh bien, au revoir, dit-elle. Je suppose que nous ne nous reverrons pas. »

*

Contournant le traître cratère de la nuit passée, elle tomba sur Miss Woolf assise à une table de salle à manger récupérée dans les décombres, comme si elle était dans un bureau : elle expliquait aux gens où aller pour trouver de la nourriture et un abri, comment se procurer des vêtements et des cartes de rationnement etc. Miss Woolf était toujours joviale, pourtant Dieu sait depuis combien de temps elle n'avait pas fermé l'œil. Cette femme avait une trempe d'acier, aucun doute là-dessus. Ursula s'était prise d'une immense affection pour Miss Woolf, c'était quasiment la personne qu'elle respectait le plus au monde, hormis Hugh peut-être.

La queue était composée des occupants d'un vaste abri dont beaucoup émergeaient encore, clignant de l'œil à la lumière du jour comme des animaux nocturnes, pour découvrir qu'ils n'avaient plus de maison. L'abri n'était ni au bon endroit ni dans la bonne rue, se dit Ursula. Il lui fallut quelques instants pour s'orienter correctement et se rendre compte qu'elle s'était crue toute la nuit dans une rue différente.

« Ils ont sorti la femme, dit-elle à Miss Woolf.

— Vivante ?

— Plus ou moins. »

*

Enfin de retour à Phillimore Gardens, elle trouva Millie debout et habillée. « *S'est-elle bien passée, la journée*[55] ? demanda-t-elle. Il y a du thé dans la théière, ajouta-t-elle en remplissant une tasse qu'elle tendit à Ursula.

— Oh, tu sais bien », répondit Ursula en la prenant. Le thé était tiède. Elle haussa les épaules. « Assez épouvantable. C'est l'heure ? Il faut que j'aille au travail. »

*

Le lendemain, elle fut surprise de trouver sur son bureau un des comptes rendus de Miss Woolf rédigé de son écriture très lisible d'infirmière en chef. Parfois un dossier chamois s'avérait être un bric-à-brac mystérieux et Ursula ne savait jamais avec certitude comment certains de ces rapports atterrissaient sur son bureau. *05.00 Rapport d'incident provisoire. Rapport de situation. Bilan : 55 blessés transportés à l'hôpital, 30 morts, 3 portés disparus. Sept maisons complètement démolies, environ 120 personnes sans toit. 2 équipes de pompiers, 2 AMB, 2 HRP, 2 LRP[56], un chien encore en opération. Le travail se poursuit.*

Ursula n'avait pas remarqué de chien. Ce n'était qu'un des nombreux incidents qui s'étaient produits dans Londres cette nuit, elle en ramassa une liasse et dit « Miss Fawcett, pouvez-vous me consigner ça ? » Elle n'aspirait qu'à une chose : la pause-thé de onze heures.

*

Elles déjeunèrent dehors sur la terrasse. Une salade de pommes de terre aux œufs durs, des radis, de la laitue, des tomates et même un concombre. « Tous cultivés par les blanches mains de notre mère », dit Pamela. C'était vraiment le repas le plus délicieux qu'Ursula ait fait depuis bien longtemps. « Et pour finir, il y a une charlotte aux pommes, je crois », ajouta Pamela. Elles étaient seules à table. Sylvie était allée ouvrir à quelqu'un qui avait sonné et Hugh, parti examiner une bombe qui était tombée sans exploser, apparemment, dans un champ de l'autre côté du village, n'était pas encore rentré.

Les garçons déjeunaient aussi en plein air – vautrés sur la pelouse, ils mangeaient du ragoût de buffle accompagné de succotash (ou dans le monde réel, des sandwiches au corned-beef et des œufs durs). Ils avaient planté un vieux wigwam qui sentait le moisi déniché dans l'appentis et jouaient aux cow-boys et aux Indiens d'une façon très anarchique en attendant l'arrivée du chariot de ravitaillement (en l'occurrence, Bridget portant un plateau).

Les garçons de Pamela étaient les cow-boys et les évacués ne demandaient pas mieux que de faire les Apaches. « Je crois que

385

ça convient mieux à leur nature », dit Pamela. Elle leur avait confectionné des coiffes en carton sur lesquelles elle avait collé des plumes de poules. Les cow-boys avaient dû se contenter de se nouer un mouchoir de Hugh autour du cou. Les deux labradors couraient partout dans un état de frénésie canine devant toute cette agitation, pendant que Gerald qui n'avait que dix mois dormait comme un bienheureux sur une couverture à côté de la chienne de Pamela, Heidi, trop calme pour de telles pitreries.

« Il symbolise les squaws, apparemment, dit Pamela. Ça a au moins le mérite de les faire tenir tranquilles. C'est miraculeux. Ça va plutôt bien avec l'été indien que nous avons. Six garçons à la maison, poursuivit Pamela. Dieu merci, le premier trimestre a commencé. Les garçons sont infatigables, il faut les occuper tout le temps. Je suppose qu'il s'agit d'une visite éclair ?

— J'en ai peur. »

Un précieux samedi pour elle toute seule qu'elle avait sacrifié pour aller voir Pammy et les garçons. Elle avait trouvé Pamela épuisée tandis que Sylvie semblait requinquée par la guerre. Elle était devenue un pilier inattendu du Service volontaire féminin.

« Je suis surprise. Elle n'aime pas beaucoup les autres femmes », dit Pamela.

Sylvie possédait à présent une quantité impressionnante de poules et avait accru la production pour répondre aux nécessités de la guerre. « Les pauvres poulettes sont obligés de pondre jour et nuit, dit Pamela, on croirait que maman dirige une usine d'armement. » Ursula ne savait pas trop comment on pouvait imposer des heures supplémentaires à une poule. « En usant de persuasion, dit Pamela en riant. C'est une vraie volailleuse. »

Ursula ne mentionna pas une de leurs interventions dans une maison touchée par une bombe, dont les occupants avaient installé un poulailler de fortune dans leur arrière-cour. A leur arrivée, ils avaient trouvé les poulets presque tous en vie, mais sans plumes. « Tout plumés » avait dit Mr Bullock avec un rire cynique. Ursula avait vu des gens dont les vêtements avaient été soufflés et des arbres dépouillés de toutes leurs feuilles en plein été, mais elle n'en parla pas non plus. Elle ne dit pas qu'elle avait dû patauger dans des effluents échappés de canalisations éventrées, ne fit certainement pas mention des noyades dans ces mêmes effluents. Pas plus qu'elle ne décrivit la sensation macabre éprouvée quand on posait la main sur la poitrine d'un homme et découvrait que la main en question avait, on ne sait comment, glissé *à l'intérieur* de cette poitrine. (L'homme était mort, Dieu merci.)

Harold racontait-il à Pamela ce qu'il voyait ? Ursula ne posa pas la question, ne serait-ce qu'aborder le sujet ne paraissait pas la chose à faire par une journée si agréable. Elle songea à tous les soldats de la dernière guerre qui étaient rentrés dans leurs foyers et n'avaient jamais soufflé mot des horreurs dont ils avaient été les témoins dans les tranchées. Mr Simms, Mr Palmer, son père Hugh aussi, bien sûr.

La production d'œufs de Sylvie semblait être au cœur d'une espèce de marché noir rural. Personne au village ne manquait de rien. « C'est une économie de troc par ici, dit Pamela. Et crois-moi, ça y va. C'est ce qu'elle doit faire en ce moment sur le pas de la porte.

— Au moins, vous êtes bien à l'abri ici », dit Ursula. Etait-ce le cas ? Elle pensa à la bombe intacte à laquelle Hugh était allé jeter un coup d'œil. A la semaine précédente où une bombe tombée dans un pré appartenant à la ferme du manoir avait déchiqueté les vaches qui y paissaient. « Un tas de gens mangent discrètement du bœuf par ici. Y compris nous, je suis ravie de le dire », fit Pamela. Sylvie avait l'air de penser que ce « terrible épisode » les mettait sur un pied d'égalité avec les souffrances des Londoniens. Elle était revenue et s'alluma une cigarette plutôt que de terminer son assiette. Ursula s'en chargea pour elle tandis que Pamela prenait une cigarette dans le paquet de Sylvie et l'allumait.

Bridget apparut et commença à débarrasser, mais Ursula se leva d'un bond et dit « Laissez, je vais m'en occuper. » Pamela et Sylvie restèrent à table, fumant en silence et observant la défense du wigwam contre un raid d'évacués. Ursula se sentait plutôt lésée. Sylvie et Pamela parlaient toutes les deux comme si elles avaient la vie dure alors qu'elle, Ursula, travaillait toute la journée, patrouillait la plupart des nuits, affrontait les spectacles les plus affreux. Pas plus tard qu'hier, ils s'étaient démenés pour dégager quelqu'un tandis que du sang leur dégoulinait sur la tête : il provenait d'un corps gisant dans la chambre du dessus, inaccessible parce que l'escalier était rempli jusqu'à hauteur de genou des éclats d'une immense verrière.

« J'envisage de retourner en Irlande, dit Bridget alors qu'elles rinçaient les assiettes. Je ne me suis jamais sentie chez moi dans ce pays.

— Moi non plus », dit Ursula.

*

En fait de charlotte aux pommes, ils eurent droit à une simple compote car Sylvie refusait de gaspiller le précieux pain rassis dans un dessert alors qu'il pouvait plus utilement nourrir les poules. Rien ne se perdait à Fox Corner. Les restes allaient aux poules (« Elle songe à acheter un cochon », dit Hugh d'un air désespéré). Une fois que les os avaient servi à faire du bouillon, on les envoyait à la récupération de même que la moindre boîte de conserve, le moindre pot ou bocal qui n'était pas rempli de confiture, de chutney, de haricots ou de tomates. Tous les livres de la maison avaient été empaquetés et portés à la poste pour être expédiés aux armées. « Nous les avons déjà lus, dit Sylvie, à quoi bon les garder ? »

Hugh revint et Bridget ressortit en grommelant avec une assiette pour lui.

« Oh, lui dit poliment Sylvie, tu habites ici ? Pourquoi ne pas te joindre à nous ?

— Franchement, Sylvie, dit Hugh sur un ton plus brusque qu'à son habitude. Ce que tu peux être gamine parfois.

— Si c'est le cas, le mariage en est la cause, répondit Sylvie.

— Je me rappelle t'avoir entendue dire un jour qu'il n'y avait pas de plus noble vocation pour une femme que le mariage, dit Hugh.

— Ah bon ? Ça devait être dans notre folle jeunesse. »

Pamela haussa les sourcils en regardant Ursula, et Ursula se demanda quand ses parents étaient devenus si ouvertement querelleurs. Elle s'apprêtait à interroger Hugh au sujet de la bombe, mais désireuse de changer de sujet, Pamela lui demanda jovialement : « Comment va Millie ?

— Bien, répondit Ursula. Elle est très facile à vivre. Quoique je ne la voie quasiment jamais à Phillimore Gardens. Elle est membre du Théâtre aux Armées. D'une sorte de troupe qui fait la tournée des usines pour divertir les ouvriers à l'heure du déjeuner.

— Pauvres gars, dit Hugh en riant.

— En jouant du Shakespeare ? demanda Sylvie, dubitative.

— Je crois qu'elle fait un peu de tout maintenant. Un peu de chant, de comédie, tu vois ? » Non, Sylvie n'avait pas l'air de voir.

« J'ai un amoureux », laissa échapper Ursula, prenant tout le monde au dépourvu, y compris elle-même. C'était plus pour égayer la conversation que pour autre chose. Vraiment, elle aurait dû réfléchir.

*

Il se prénommait Ralph. Il habitait à Holborn et c'était un nouvel ami, un « copain » rencontré à son cours d'allemand. Il était architecte avant guerre et Ursula supposait qu'il le rede-viendrait après. S'il y avait des survivants, évidemment. (Londres pouvait-elle être rayée de la carte comme Cnossos ou Pompéi ? Les Crétois et les Romains se disaient probablement « On en a vu d'autres » au cœur même du désastre.) Ralph débordait d'idées pour la reconstruction des taudis sous forme de tours modernes. « Une ville pour le peuple, disait-il, qui renaîtrait de ses cendres comme un phénix, d'une modernité absolue. »

389

« Il a l'air très iconoclaste, dit Pamela.

— Il n'est pas nostalgique comme nous.

— Tu trouves ? Que nous sommes nostalgiques ?

— Oui, répondit Ursula. La nostalgie est fondée sur quelque chose qui n'a jamais existé. Nous imaginons une Arcadie dans le passé, Ralph la voit dans le futur. Les deux sont tout aussi irréelles, bien sûr.

— Des tours couronnées de nuages[57] ?

— Quelque chose d'approchant.

— Mais il te plaît ?

— Oui.

— Avez-vous… enfin, tu vois ce que je veux dire ?

— Franchement ! Quelle question ! » Ursula rit. (Sylvie était de nouveau sur le pas de la porte ; assis les jambes en tailleur sur la pelouse, Hugh faisait mine d'être le grand chef indien Running Bull.)

« C'est une excellente question », dit Pamela.

Il se trouvait que non, ils n'étaient pas passés à l'acte. Peut-être que si Ralph se montrait plus ardent… Elle songea à Crighton. « De toute façon, il y a si peu de temps pour…

— Faire l'amour ? l'interrompit Pamela.

— J'allais dire la cour, mais oui, l'amour. » Sylvie était revenue et essayait de séparer les factions en guerre sur la pelouse. Les évacués étaient des ennemis très déloyaux. Hugh était maintenant ligoté avec une vieille corde à linge. « Au secours ! » articula-t-il silencieusement à l'adresse d'Ursula, mais il affichait un grand sourire d'écolier. C'était bon de le voir heureux.

Avant guerre, la cour de Ralph (ou celle d'Ursula peut-être) aurait pu prendre la forme de soirées dansantes, de séances de cinéma, d'agréables dîners en tête-à-tête mais à présent, le plus souvent, ils se retrouvaient sur des sites bombardés, comme des touristes visitant des ruines anciennes. L'impériale de l'autobus 11 offrait un excellent point de vue à cet égard, avaient-ils découvert.

C'était peut-être davantage dû à un défaut de leurs caractères respectifs qu'à la guerre. Après tout, les autres couples réussissaient à maintenir les rituels.

Ils avaient « visité » la Duveen Gallery du British Museum, Hammonds à côté de la National Gallery, l'énorme cratère à la Banque d'Angleterre, si vaste qu'on avait dû construire un pont provisoire pour le traverser. John Lewis, encore fumant à leur arrivée, les mannequins des vitrines jonchant le trottoir, noircis, vêtements déchiquetés.

« Tu crois que nous sommes morbides ? » demanda Ralph et Ursula dit « Non, nous sommes des témoins. » Elle finirait par coucher avec lui, supposait-elle. Aucune bonne raison ne s'y opposait.

Bridget apparut avec du thé et du cake et Pamela dit « Je crois que je ferais mieux d'aller détacher papa. »

*

« Bois un coup, dit Hugh en lui versant un verre de son whisky pur malt qu'il gardait en carafe dans sa tanière. Je passe de plus en plus de temps ici. C'est le seul endroit où je peux avoir la paix. Les chiens et les évacués sont strictement interdits. Je m'inquiète pour toi, tu sais, ajouta-t-il.

— Moi aussi, je m'inquiète pour moi.

— C'est affreux ?

— Atroce. Mais je crois que c'est bien. Je pense que nous avons fait le bon choix.

— Une guerre juste ? Tu sais que les Cole ont encore la plus grande partie de leur famille en Europe. Mr Cole m'a raconté quelques horreurs, des horreurs qui sont faites aux juifs. Je crois que personne ici n'a vraiment envie de le savoir. Quoi qu'il en soit, dit-il en levant son verre et en essayant d'introduire une note joyeuse, à la tienne. A la fin de la guerre. »

*

391

Il faisait sombre quand Hugh l'accompagna à la gare à pied.

« Pas d'essence, j'en ai peur, dit-il, tu aurais dû venir plus tôt », ajouta-t-il avec regret. Il avait une grosse torche et il n'y avait personne pour lui hurler de l'éteindre. « Ça m'étonnerait beaucoup que je guide un Heinkel », dit-il. Ursula lui expliqua que la plupart des équipes de sauvetage avaient une peur quasi superstitieuse des lumières même au beau milieu d'un raid, même entourées de bâtiments en flammes, de bombes incendiaires et de fusées éclairantes. Comme si le faisceau d'une petite torche allait faire la moindre différence.

« J'ai connu un type dans les tranchées, dit Hugh, il a craqué une allumette et, pan, un tireur isolé allemand lui a fait sauter la cervelle. Un brave type, ajouta-t-il pensivement, du nom de Rogerson, comme le boulanger du village. Aucun lien.

— Tu n'en parles jamais, dit Ursula.

— Je t'en parle maintenant, fit Hugh. Que cela te serve de leçon, rase les murs et mets ta lumière sous le boisseau.

— Je sais que tu ne le penses pas. Pas vraiment.

— Oh si. Je préférerais que tu sois lâche plutôt que morte, mon oursonne. Même chose pour Teddy et Jimmy.

— Tu ne le penses pas non plus.

— Si. Nous y voilà, la gare est tellement plongée dans l'obscurité qu'on pourrait passer dix fois devant sans la voir. Je doute que ton train soit à l'heure, si tant est qu'il y en ait un. Oh, regarde, voici Fred. Bonsoir, Fred.

— Mr Todd, miss Todd. C'est le dernier train ce soir, vous savez », dit Fred Smith. Fred était monté depuis longtemps en grade, passé de chauffeur à mécanicien.

« Ce n'est pas vraiment un train », fit Ursula, déconcertée. Il y avait une locomotive, mais pas de compartiments.

Fred jeta un regard vers le quai où auraient dû se trouver les wagons, comme s'il avait oublié leur absence. « Ah, oui, fit-il, la dernière fois qu'on les a vus, ils pendaient du pont de Waterloo. C'est une longue histoire », ajouta-t-il, visiblement peu désireux d'en dire plus. Ursula essayait de comprendre pourquoi la locomotive était là *sans* compartiments, mais Fred avait l'air plutôt sombre.

« Je ne rentrerai donc pas chez moi ce soir, dit Ursula.

— C'est-à-dire, fit Fred, il faut que je reconduise cette loco à Londres, j'ai de la pression et un chauffeur, le vieux Willie ici présent, alors si vous voulez bien sauter sur la plate-forme, miss Todd, je crois que nous pouvons vous ramener.

— Vraiment ? fit Ursula.

— Le voyage ne sera pas aussi propre que sur les coussins de première, mais si vous êtes prête ?

— Fin prête. »

La locomotive était impatiente de partir, Ursula serra brièvement Hugh dans ses bras, lui dit « A bientôt » et monta les marches menant à la plate-forme où elle se jucha sur le siège du chauffeur.

« Tu feras bien attention, hein, mon oursonne ? dit Hugh. A Londres ? » Il dut élever la voix pour couvrir le sifflement de la vapeur. « Tu me le promets ?

— Promis, cria-t-elle. A plus tard. »

Elle se retourna pour essayer de le distinguer sur le quai sombre lorsque le train s'éloigna en haletant. Elle éprouva soudain une culpabilité lancinante, elle avait fait une partie de cache-cache endiablée avec les garçons après le dîner. Elle aurait dû, comme le lui conseillait Hugh, partir quand il faisait encore jour. Maintenant il allait devoir rebrousser chemin seul dans le noir. (Elle repensa soudain à la pauvre petite Angela, voilà bien des années.) Hugh ne tarda pas à disparaître dans les ténèbres et la fumée.

« Voilà qui est vraiment excitant », dit-elle à Fred. Il ne lui traversa pas l'esprit qu'elle ne reverrait jamais son père.

*

Excitant, c'était vrai, mais aussi quelque peu terrifiant. La locomotive était une énorme bête métallique rugissant dans la

393

nuit, la puissance brute de la machine semblait animée d'une vie propre. Elle tremblait et oscillait comme si elle essayait de déloger Ursula. Ursula n'avait encore jamais réfléchi à ce qui se passait dans la cabine d'une locomotive. Elle s'était imaginé, si tant est qu'elle ait imaginé quelque chose, un endroit relativement serein – le mécanicien concentré sur la voie devant lui, le chauffeur pelletant joyeusement le charbon. Mais en fait, il y avait une activité constante, des échanges continuels entre chauffeur et mécanicien au sujet des déclivités et de la pression, un pelletage frénétique alternant avec la fermeture soudaine de la porte du foyer, un boucan incessant, la chaleur quasi insupportable de la chaudière, la suie dégoûtante des tunnels qui s'infiltrait malgré les plaques métalliques installées pour empêcher que de la lumière s'échappe de la cabine. Il faisait si chaud ! « Plus chaud qu'en enfer », dit Fred.

Malgré les restrictions de vitesse dues à la guerre, ils avaient l'air de rouler au moins deux fois plus vite que lorsqu'elle voyageait dans un compartiment (« sur les coussins de première », se dit-elle, il fallait qu'elle s'en souvienne pour Teddy qui, bien qu'actuellement pilote, caressait toujours son rêve d'enfant : conduire un train).

*

Aux environs de Londres, ils aperçurent des incendies à l'est et entendirent le grondement lointain de canons, mais à l'approche des centres de triage et des rotondes, les choses se calmèrent d'une façon presque inquiétante. Ils s'arrêtèrent et subitement, Dieu merci, tout fut paisible.

Fred l'aida à descendre de la cabine. « Et voilà, madame, dit-il. Vous voici arrivée. Enfin, pas tout à fait. » Il eut soudain une expression dubitative. « Je vous raccompagnerais bien chez vous, mais nous devons mettre cette loco au lit. Ça ira ? » Ils avaient l'air d'être loin de tout, rien que des voies et des aiguillages et les ombres menaçantes des locomotives. « Il y a une bombe à Marylebone. Nous sommes derrière King's Cross, dit Fred lisant dans ses pensées. Ce n'est pas aussi dramatique que vous le croyez. » Il alluma une torche très peu puissante, qui n'éclairait qu'à une trentaine de centimètres devant eux. « Faut être prudent, dit-il, nous sommes une cible de choix ici.

— Tout ira très bien, fit-elle, un peu plus faraude qu'elle ne l'était en réalité. Ne vous tracassez plus pour moi, et merci. Bonne nuit, Fred. » Elle se mit en route d'un pas résolu et trébucha immédiatement sur un rail, poussa un petit cri de détresse en se cognant brutalement le genou sur les cailloux pointus du ballast.

« Allons, miss Todd, dit Fred en l'aidant à se relever. Vous ne trouverez jamais votre chemin dans le noir. Venez, je vous accompagne jusqu'aux portes. » Il lui prit le bras et la guida : on aurait pu croire qu'ils se promenaient le long des quais de la Tamise, un dimanche. Elle se rappela son béguin de jeunesse pour Fred. Ce serait sans doute très facile d'en pincer à nouveau pour lui.

Ils atteignirent un énorme portail à deux vantaux et il ouvrit une petite porte ménagée dans l'un d'eux.

« Je crois savoir où je suis », dit-elle. Elle n'en avait pas la moindre idée, mais ne voulait pas déranger Fred plus longtemps. « Bon, eh bien, merci encore, je vous verrai peut-être la prochaine fois que j'irai à Fox Corner.

— J'en doute, dit-il. Je commence demain dans l'AFS. Un tas de vieux bonshommes comme Willie sont capables de faire rouler les trains.

— Félicitations », fit-elle tout en se disant qu'il était très dangereux d'être pompier même auxiliaire.

*

Elle n'avait jamais connu de black-out plus noir. Elle marcha en mettant une main devant elle et finit par entrer en collision avec une femme qui lui dit où elle était. Elles parcoururent ensemble environ huit cents mètres puis se séparèrent. Au bout de quelques minutes de marche solitaire, Ursula entendit des pas derrière elle et dit « Je suis ici » pour signaler sa présence et éviter la collision. C'était un homme, une simple silhouette dans l'obscurité, qui marcha avec elle jusqu'à Hyde Park. Avant guerre, il ne serait venu à l'idée de personne de prendre le bras d'une personne inconnue – surtout d'un homme – mais à présent le danger venu des cieux semblait beaucoup plus grand que ce qui pouvait vous arriver à la suite de ce bizarre moment d'intimité.

*

De retour à Phillimore Gardens, elle croyait l'aube toute proche, mais il était à peine minuit. Millie, sur son trente et un, venait juste de rentrer d'une sortie. « Oh, mon Dieu, dit-elle en voyant Ursula. Qu'est-ce qui t'est arrivé ? Tu as été bombardée ? »

Ursula se regarda dans le miroir et découvrit qu'elle était bardée de suie et de poussière de charbon. « Je suis à faire peur, dit-elle.

— On dirait un mineur de fond, fit Millie.

— Plutôt un mécanicien, dit-elle en lui rapportant succinctement ses aventures nocturnes.

— Oh, fit Millie, Fred Smith, le garçon boucher. Il était plutôt beau gosse.

— Il l'est toujours, je suppose. J'ai rapporté des œufs de Fox Corner », dit-elle en sortant de son sac la boîte en carton que Sylvie lui avait donnée. Bien que nichés dans de la paille, les œufs avaient été fêlés ou cassés par les cahots du voyage ou sa chute au dépôt.

Le lendemain, elles réussirent à faire une omelette avec ce qu'elles avaient pu récupérer.

« Délicieux, dit Millie, tu devrais aller plus souvent à Fox Corner. »

Octobre 1940

« C'est vraiment animé, ce soir », dit Miss Woolf. La litote était savoureuse. Un raid aérien de grande envergure était en cours, des bombardiers que le faisceau d'un projecteur illuminait parfois brièvement vrombissaient au-dessus de leurs têtes. Des explosifs de grande puissance tonnaient, fulguraient et les grosses batteries faisaient *bang, wouf, crac* – le raffut habituel. Des obus sifflaient ou hurlaient en fusant dans les airs à une vitesse de 1600 mètres par seconde avant de clignoter et scintiller comme des étoiles, puis de s'éteindre. Des fragments retombaient en cliquetant. (Quelques jours plus tôt, le cousin de Mr Simms avait été tué par un shrapnel provenant des canons de DCA de Hyde Park. « C'est dommage d'être tué par les siens, dit Mr Palmer. Un peu dénué de sens. ») Un rougeoiement au-dessus de Holborn indiquait une bombe incendiaire. Ralph vivait à Holborn, mais par une nuit comme celle-ci, il devait être à St Paul's, supposa Ursula.

« On dirait quasiment une peinture, n'est-ce pas ? dit Miss Woolf.

— Ou l'apocalypse peut-être », fit Ursula. Sur la toile de fond noire de la nuit, les débuts d'incendie avaient une très grande variété de couleurs – écarlate, or et orange, indigo et un citron souffreteux. De temps à autre, des verts et des bleus vifs apparaissaient, signe qu'une substance chimique avait pris feu. Des flammes orange et une épaisse fumée noire sortaient

397

à gros bouillons d'un entrepôt. « Ça vous donne une perspective très différente, hein ? » dit Miss Woolf d'un ton songeur. C'était vrai. Ça semblait à la fois grandiose et terrible comparé à leur petit labeur sordide. « Ça me rend fier, dit tranquillement Mr Simms. Le fait qu'on continue à batailler comme ça, je veux dire. Tout seuls.

— Alors que tout est contre nous », soupira Miss Woolf.

Ils voyaient tout du long de la Tamise. Des ballons de barrage ponctuaient le ciel comme des baleines aveugles voguant sur le mauvais élément. Ils étaient sur le toit de Shell-Mex House. Le bâtiment était maintenant occupé par le ministère de l'Approvisionnement pour lequel travaillait Mr Simms et il avait invité Ursula et Miss Woolf à venir « voir le panorama d'en haut ».

« C'est spectaculaire, n'est-ce pas ? Sauvage et cependant étrangement magnifique », dit Mr Simms comme s'ils se trouvaient sur un sommet de la région des lacs et non dans un bâtiment du Strand au beau milieu d'un raid aérien.

— Enfin, je ne suis pas tout à fait sûre pour *magnifique*, fit Miss Woolf.

— Churchill est monté ici l'autre soir, dit Mr Simms. C'est un excellent poste d'observation. Il était fasciné. »

Plus tard, quand Ursula et Miss Woolf furent seules, Miss Woolf dit « Vous savez, j'avais plutôt l'impression que Mr Simms était un employé subalterne, il est très effacé, mais il doit être haut placé dans la hiérarchie du ministère pour avoir accompagné Churchill ici. » (Un des guetteurs sur le toit avait dit « Bonsoir, Mr Simms » avec le genre de respect que les gens se sentaient tenus de témoigner à Maurice, bien que dans le cas de Mr Simms il eût été accordé avec moins de réticence.) « Il est sans prétention, dit Miss Woolf. J'aime ça chez un homme. » Tandis que moi je préfère avec, songea Ursula.

*

« C'est vraiment un spectacle, dit Miss Woolf.

— N'est-ce pas ? » fit Mr Simms avec enthousiasme. Ursula supposa qu'ils se rendaient tous compte de la bizarrerie qu'il y avait à admirer le « spectacle » alors qu'ils étaient douloureusement conscients de sa signification sur le terrain.

« C'est comme si les dieux donnaient une soirée tapageuse, fit Mr Simms.

— Une soirée à laquelle je préférerais ne pas avoir été invitée », dit Miss Woolf.

Un sifflement affreux et familier les obligea à se mettre à couvert, mais les bombes explosèrent à une certaine distance et même s'ils entendirent les *bang-bang-bang*, ils ne virent pas ce qui avait été touché. Ursula trouvait très étrange de penser qu'il étaient survolés par des bombardiers allemands pilotés par des hommes qui, au fond, étaient comme Teddy. Ce n'étaient pas des êtres maléfiques, ils se contentaient de faire ce que leur pays leur demandait. C'était la guerre qui était maléfique, pas les hommes. Encore qu'elle ferait une exception pour Hitler. « Oh, oui, dit Miss Woolf, je crois que cet homme est très, très malade. »

A ce moment précis et à leur grande surprise, un panier d'incendiaires descendit en piqué et percuta le toit du ministère de son chargement bruyant. Les bombes crépitèrent, firent des étincelles et les deux guetteurs se précipitèrent avec un seau-pompe. Miss Woolf attrapa un seau de sable et les devança. (« Rapide pour une vieille chouette », dit Mr Bullock à propos de la réaction de Miss Woolf quand elle était sous pression.)

*

« *Et si c'était la dernière nuit du monde ?* dit une voix familière.

— Ah, Mr Durkin, vous avez réussi à nous rejoindre, fit Mr Simms avec affabilité. Vous n'avez pas eu de problème avec le portier ?

— Non, non, il savait que j'étais attendu, dit Mr Durkin comme s'il était conscient de son importance.

— Reste-t-il quelqu'un au poste ? » murmura Miss Woolf en ne s'adressant à personne en particulier.

Ursula se sentit soudain obligée de corriger Mr Durkin. « *Et si ce* présent *était la dernière nuit du monde* ? dit-elle. Le mot "présent" fait toute la différence, vous ne trouvez pas ? Il donne l'impression qu'on est dans le feu de l'action, ce qui est notre cas, plutôt qu'en train d'envisager un simple concept théorique. Nous y sommes, la fin, c'est pour tout de suite, plus de tergiversations.

— Bonté divine, que d'histoires pour un petit mot, dit Mr Durkin d'un ton contrarié. Toutefois, je reconnais évidemment mon erreur. » Un mot pouvait être très important, se dit-elle. S'il y avait un poète scrupuleux dans le choix de ses mots, c'était bien John Donne. Donne qui avait été jadis doyen de St Paul's avait été transféré dans une dernière demeure ignominieuse au sous-sol de la cathédrale. Mort, il avait survécu au grand incendie de Londres de 1666, survivrait-il à celui-ci aussi ? La tombe de Wellington, trop massive pour être déplacée, avait simplement été murée. Ralph lui avait offert une visite guidée – il assurait la garde de nuit là-bas. Il savait tout ce qu'il y avait à savoir sur la cathédrale. Ce n'était pas tout à fait l'iconoclaste présumé par Pamela.

Quand ils émergèrent à la lumière vive de l'après-midi, il proposa « On essaie de se prendre une tasse de thé quelque part ? » et Ursula dit « Non, retournons chez toi à Holborn et couchons ensemble. » Ce qu'ils avaient fait et elle s'était sentie coupable parce qu'elle n'avait pu s'empêcher de penser à Crighton pendant que Ralph adaptait poliment son corps au sien. Après, Ralph eut l'air confus comme s'il ne savait plus comment se comporter avec elle. Elle dit « Je suis la même qu'avant » et il répondit « Je ne suis pas sûr que ce soit mon cas » et elle songea, oh, bon Dieu, il est puceau, mais il rit et dit, non, non, *pas du tout*, c'était juste qu'il était si amoureux d'elle et qu'à présent il se sentait, comment dire… *sublimé.*

« Sublimé ? fit Millie. Ce sont des fadaises sentimentales si tu veux mon avis. Il t'a mise sur un piédestal, je lui souhaite bien du plaisir quand il va découvrir que tu as des pieds d'argile.

— Merci.

— C'est un mélange de métaphores ou c'est une image plutôt futée ? » Millie, bien sûr, avait toujours…

« Miss Todd ?

— Pardon. J'avais l'esprit ailleurs.

— Nous devrions regagner notre secteur, dit Miss Woolf. C'est étrange, mais on se sent plutôt en sécurité sur ce toit.

— Je suis sûre que c'est une illusion trompeuse », fit Ursula. Elle avait raison : quelques jours plus tard Shell-Mex House fut ravagé par une bombe.

*

Elle était de garde avec Miss Woolf dans l'appartement de cette dernière. Assises à sa grande fenêtre d'angle, elles buvaient du thé et mangeaient des biscuits et, sans les roulements de tonnerre des tirs de barrage, elles auraient pu être deux femmes ordinaires passant la soirée ensemble. Ursula apprit que le pré-nom de Miss Woolf était Dorcas (qu'elle n'avait jamais aimé) et que son promis (Richard) était mort pendant la Grande Guerre. « Je continue à dire grande alors que celle-ci l'est encore plus, fit-elle. Au moins, cette fois-ci, nous avons le droit de notre côté, j'espère. » Miss Woolf croyait à la guerre, mais sa foi religieuse avait commencé à « s'effriter » depuis le début des bombarde-ments. « Nous devons néanmoins nous cramponner à ce qui est bon et vrai. Mais tout semble si aléatoire. On s'interroge sur le dessein divin etc.

— Le chaos plutôt qu'un dessein, convint Ursula.

— Et les pauvres Allemands, je doute que beaucoup d'entre eux soient en faveur de la guerre – bien sûr, on ne doit pas dire ça devant des gens comme Mr Bullock. Mais si c'était *nous* qui avions perdu la Grande Guerre et nous étions retrouvés sous une montagne de dettes au moment où l'économie mondiale s'effondrait, peut-être que nous aussi, nous aurions été une poudrière qui n'attendait que l'étincelle pour exploser – un Mosley ou un horrible personnage du même genre. Une autre tasse de thé, mon petit ?

— Je sais, dit Ursula, mais ils essaient de nous *tuer*, vous savez » et comme pour illustrer cette réalité, le sifflement annonçant une bombe qui venait dans leur direction se fit entendre et elles se réfugièrent en toute hâte derrière le sofa. Il semblait peu probable qu'il suffirait à les sauver et pourtant, voilà seulement deux nuits, elles avaient sorti une femme presque indemne de dessous un canapé renversé dans une maison qui était à part ça quasiment détruite.

La bombe ébranla les pots à crème « vache » en Staffordshire du vaisselier de Miss Woolf, mais elles convinrent qu'elle avait atterri en dehors de leur secteur. Elles avaient toutes les deux l'oreille très fine à présent pour évaluer le point d'impact.

Elles avaient aussi le moral au trente-sixième dessous car Mr Palmer, le directeur de banque, avait été tué par une bombe à retardement lors d'une intervention. La bombe l'avait projeté à une certaine distance et on l'avait retrouvé à moitié enfoui sous un châlit métallique. Il avait perdu ses lunettes, mais paraissait relativement indemne. « Vous sentez son pouls ? » demanda Miss Woolf et Ursula trouva curieux qu'elle lui pose la question – elle était bien plus compétente qu'elle dans ce domaine – mais se rendit compte que Miss Woolf était toute tourneboulée. « C'est différent quand on connaît quelqu'un, dit-elle en caressant doucement le front de Mr Palmer. Je me demande où sont passées ses lunettes. Sans elles, il ne se ressemble plus, non ? »

Pas la moindre pulsation. « On l'emporte ? » dit Ursula. Elle le prit sous les épaules et Miss Woolf par les chevilles et le corps de Mr Palmer se disloqua comme une papillote de Noël.

« Je peux remettre de l'eau dans la théière », offrit Miss Woolf. Pour lui remonter le moral, Ursula lui raconta des anecdotes sur l'enfance de Jimmy et Teddy. Elle laissa Maurice de côté. Miss Woolf aimait beaucoup les enfants, son seul regret dans la vie était de ne pas en avoir eu. « Si Richard avait vécu peut-être… mais on ne peut pas regarder en arrière, seulement devant soi. Ce qui est passé est passé à jamais. Que dit Héraclite déjà ? Qu'on n'entre jamais deux fois dans le même fleuve ?

— En gros. Je suppose qu'une façon plus exacte de formuler les choses serait "On peut entrer dans le même fleuve, mais l'eau sera nouvelle à chaque fois".

— Vous êtes une jeune femme si intelligente, dit Miss Woolf. Ne gâchez pas votre vie, voulez-vous ? Si Dieu vous prête vie. »

Ursula avait vu Jimmy quelques semaines plus tôt. Il avait une permission de deux jours à Londres et avait dormi sur leur sofa à Kensington. « Ton petit frère est devenu très beau », dit Millie. D'une façon ou d'une autre, Millie avait tendance à trouver tous les hommes beaux. Elle avait suggéré de passer la soirée en ville et Jimmy avait volontiers accepté. Il avait été enfermé suffisamment longtemps, dit-il, il était « temps de s'amuser un peu ». Jimmy avait toujours su s'amuser. La soirée faillit ne pas commencer car il y avait une bombe non explosée sur le Strand et ils se réfugièrent au Charing Cross Hotel.

« Qu'est-ce qu'il y a ? dit Millie à Ursula quand ils s'assirent.

— Comment ça qu'est-ce qu'il y a ?

— Tu as cette drôle d'expression, celle que tu affiches quand tu essaies de te souvenir de quelque chose.

— Ou d'oublier quelque chose, offrit Jimmy.

— Je ne pensais à rien », dit Ursula. Ce n'était rien, juste quelque chose qui voletait et lui titillait la mémoire. Une chose bête – c'était toujours le cas –, un hareng saur sur une éta-gère de garde-manger, une pièce au linoléum vert, un cerceau désuet roulant en silence. Des moments vaporeux auxquels il était impossible de s'accrocher.

Ursula se rendit aux toilettes où elle trouva une fille qui pleurait bruyamment sans se préoccuper de son apparence. Elle était très maquillée et son mascara coulait en rigoles sur ses joues. Ursula l'avait remarquée un peu plus tôt en train de boire avec un homme plus âgé – « plutôt mielleux », avait décrété Millie. Vue de près, la fille avait l'air beaucoup plus jeune. Ursula l'aida à retoucher son maquillage et à essuyer ses larmes, mais ne voulut pas mettre le nez dans ce qui les avait déclenchées. « C'est Nicky, dit spontanément la fille, c'est un salopard. Votre jeune homme est charmant, ça vous dirait une partie à quatre ? J'ai mes entrées au Ritz, au Rivoli Bar. Je connais un portier.

— C'est-à-dire que le jeune homme est en fait mon frère, dit Ursula d'un ton dubitatif, et je ne pense pas... »

La fille lui enfonça assez violemment un doigt dans les côtes et rit. « Je plaisantais. Profitez bien de lui, toutes les deux, hein ? » Et d'offrir à Ursula une cigarette qu'elle refusa. La fille avait un étui en or qui semblait avoir de la valeur. « Un cadeau », dit-elle en surprenant le regard d'Ursula. Elle le referma d'un coup sec et le lui tendit pour qu'elle l'examine. Le dessus était orné d'une belle gravure de cuirassé surmontant un mot unique, « Jütland ». Si elle le rouvrait, Ursula savait qu'elle trouverait les initiales « A » et « C » entrelacées à l'intérieur du couvercle, « A » pour Alexander et « C » pour Crighton. Ursula fit instinctivement un geste pour saisir l'étui, mais la fille le rangea brusquement en disant « Bon, faut que j'y retourne. Je me porte comme un charme à présent. Vous avez l'air d'une brave fille », ajouta-t-elle comme si un doute avait plané sur la personnalité d'Ursula. Elle lui tendit la main. « Je m'appelle Renée à propos, au cas où on tomberait à nouveau l'une sur l'autre, bien que je doute que nous fréquentions les mêmes *endroits**, comme on dit. » Sa prononciation française était parfaite. Bizarre, songea Ursula. Elle prit la main tendue – dure et chaude comme si la fille avait de la fièvre – et dit : « Ravie d'avoir fait votre connaissance, je m'appelle Ursula. »

La fille – Renée – lança un dernier regard approbateur à son reflet dans le miroir et dit « *Au revoir** donc » puis partit.

Quand Ursula retourna au bar, Renée l'ignora délibérément. « Quelle fille étrange, dit-elle à Millie.

— Elle m'a fait de l'œil toute la soirée, dit Jimmy.

— Comme quoi elle a pris des vaisseaux pour des lanternes, n'est-ce pas, chéri ? fit Millie en battant des cils d'une façon ridiculement théâtrale.

— *Vessies*, dit Ursula. Elle a pris des vessies pour des lanternes. »

*

Leur joyeux trio fit la tournée de toutes sortes de lieux étranges que Jimmy semblait connaître. Même Millie, vieille habituée des boîtes de nuit, exprima sa surprise devant certains d'entre eux.

« Mince alors, dit-elle, alors qu'ils quittaient un club d'Orange Street pour regagner d'un pas chancelant Phillimore Gardens, c'était différent.

— Un drôle d'*endroit** », convint Ursula en riant. Elle était passablement pompette. C'était tellement un mot d'Izzie qu'il avait été bizarre de l'entendre de la bouche de cette Renée.

« Promets-moi de ne pas mourir, dit Ursula à Jimmy tandis qu'ils rentraient à tâtons.

— Je ferai de mon mieux », dit Jimmy.

Octobre 1940

« *L'homme né de la femme est de courte durée, et il est rassasié de peines. Il s'épanouit comme une fleur, puis il se fane ; il s'enfuit comme une ombre qui ne s'arrête point.* »

Il bruinait. Ursula éprouva l'envie de sortir un mouchoir et d'essuyer le couvercle humide du cercueil. De l'autre côté de la fosse, Pamela et Bridget soutenaient Sylvie qui semblait si rongée de chagrin qu'elle tenait à peine debout. Ursula sentait son cœur se durcir et se contracter à chaque sanglot qui secouait la poitrine de sa mère. Ces derniers mois, Sylvie avait été désagréable sans raison envers Hugh et sa grande affliction avait l'air d'une façade. « Tu es trop dure, dit Pamela. Personne ne peut comprendre ce qui se passe dans un mariage, chaque couple est différent. »

Jimmy, expédié en Afrique du Nord la semaine précédente, n'avait pas pu obtenir de permission exceptionnelle, mais Teddy avait débarqué à la dernière minute. Eblouissant dans son uniforme, il était rentré du Canada avec ses « ailes » (« Comme un ange », disait Bridget) et était en garnison dans le Lincolnshire. Nancy et lui se raccrochèrent l'un à l'autre pendant la mise en terre. Nancy restait vague sur son travail (« De bureau ») et Ursula crut reconnaître le flou du secret défense.

L'église était comble, la plupart des villageois étaient venus pour Hugh et pourtant la cérémonie avait quelque chose de bizarre, comme si l'invité d'honneur n'avait pu se déplacer.

C'était bien sûr le cas. Hugh n'aurait pas voulu de tralala. Il lui avait dit une fois « Oh, vous pouvez me sortir en même temps que la poubelle, ça m'est égal. »

Le service n'était pas sorti de l'ordinaire – des réminiscences et des lieux communs, assaisonnés d'une forte dose de doctrine anglicane, bien qu'Ursula fût surprise de découvrir combien le pasteur connaissait bien Hugh. Le Major Shawcross lut un passage des Béatitudes, d'une façon plutôt émouvante, et Nancy « un des poèmes préférés de Mr Todd », ce qui surprit toutes les femmes de la famille qui ignoraient que Hugh ait le moindre goût pour la poésie. Nancy avait une jolie élocution (meilleure en fait que celle de Millie qui était ouvertement théâtrale). « Robert Louis Stevenson, dit Nancy. Le poème est peut-être approprié pour ces temps éprouvants :

Ballottés par la tempête et en grande affliction, souillés par le péché et accablés par le souci,
Venez à moi, vous tous qui êtes fatigués et chargés, venez, et je vous donnerai le repos.
N'ayez plus peur, ô cœurs qui doutez, ne pleurez plus, ô yeux qui pleurez !
Écoutez, la voix de votre sauveur ; écoutez, le matin rempli de chants qui approche.

Ici-bas, une heure vous peinez et combattez, péchez et souffrez, saignez et mourez ;
Avant de déposer bientôt votre fardeau dans la demeure paisible de mon père.
Endurez-le un moment, croulant sous son poids, la main lasse et l'œil larmoyant.
Regardez, les pieds de votre libérateur ; regardez, l'heure de la liberté, ici.

— Des foutaises, au fond, chuchota Pamela, mais des foutaises étrangement réconfortantes. »

*

A l'inhumation, Izzie murmura : « J'ai l'impression d'attendre l'arrivée d'une catastrophe, puis je me rends compte qu'elle a déjà eu lieu. »

Izzie était rentrée de Californie quelques jours seulement avant la mort de Hugh. Elle avait pris, chose assez admirable, un vol Pan Am éprouvant de New York à Lisbonne, puis un vol BOAC jusqu'à Bristol. « J'ai vu deux avions de chasse allemands par le hublot, dit-elle, je vous jure que j'ai cru qu'ils allaient nous attaquer. »

En sa qualité d'Anglaise, elle avait décidé que ce n'était pas bien d'attendre la fin de la guerre au milieu des orangeraies. Tout cet hédonisme n'était pas pour elle, affirmait-elle (Ursula aurait dit que ça lui allait au contraire comme un gant). Elle avait espéré comme son mari, le célèbre dramaturge, qu'on lui demanderait d'écrire des scénarios pour l'industrie du cinéma, mais n'avait reçu qu'une seule offre, un film en costume d'époque « idiot », projet étouffé dans l'œuf. Ursula eut l'impression que le scénario d'Izzie n'avait pas répondu aux attentes (« trop spirituel »). Elle avait continué avec Auguste, cependant — *Auguste s'en va-t-en guerre*, *Auguste et la mission de sauvetage* etc. Le fait que le célèbre dramaturge était entouré de starlettes de Hollywood et assez superficiel pour les trouver fascinantes n'avait rien arrangé, selon Izzie.

« A vrai dire, on en a simplement eu assez l'un de l'autre, fit-elle. Tous les couples finissent par s'ennuyer, c'est inévitable. »

C'est Izzie qui avait découvert Hugh. Il était dans un transat sur la pelouse. Le mobilier en osier pourri depuis longtemps avait été remplacé par des transatlantiques plus communs. L'arrivée de ce siège pliant en bois et en toile avait contrarié Hugh. Il aurait préféré rendre le dernier soupir dans la chaise longue en osier. Les pensées d'Ursula étaient remplies d'inconséquences de ce genre. C'était plus facile que d'affronter la réalité brute de la mort de Hugh.

« Je le croyais endormi dehors, dit Sylvie. Je ne l'ai donc pas dérangé. Une crise cardiaque, d'après le médecin.

— Il avait l'air paisible, dit Izzie à Ursula. Comme si ça ne le dérangeait pas vraiment de partir. »

Ça le dérangeait sans doute énormément, songea Ursula, mais ce n'était une consolation ni pour l'une ni pour l'autre.

Elle échangeait peu avec sa mère. Sylvie semblait avoir la bougeotte. « Je n'arrive pas à rester en place », disait-elle. Elle portait un vieux cardigan de Hugh. « J'ai froid, expliquait-elle. Si froid », comme quelqu'un sous le choc. Miss Woolf aurait su s'occuper de Sylvie. Du thé bouillant, sans doute, et des mots gentils, mais ni Ursula ni Izzie n'avaient envie de les lui offrir. Ursula sentait qu'elles étaient plutôt d'humeur vengeresse, mais elles avaient leurs propres blessures à panser.

« Je vais rester un certain temps auprès d'elle », dit Izzie. Ursula trouvait que c'était une très mauvaise idée et se demanda si Izzie ne cherchait pas simplement à éviter les bombes.

« Vous feriez mieux de vous procurer des tickets de ration-nement dans ce cas, dit Bridget. Vous dévalisez notre garde-manger. » Bridget avait été très affectée par la mort de Hugh. Ursula l'avait surprise en train de pleurer dans le cellier et avait dit « Je suis vraiment navrée » comme si c'était Bridget qui avait perdu un être cher et non pas elle. Bridget essuya vigoureusement ses larmes sur son tablier et dit « Faut que je m'occupe du thé. »

Ursula ne resta que deux jours de plus et passa le plus clair de son temps à aider Bridget à trier les affaires de Hugh. (« Je ne peux pas, dit Sylvie. C'est au-dessus de mes forces. » « Moi non plus », fit Izzie. « C'est donc vous et moi », dit Bridget à Ursula.) Les vêtements de Hugh étaient si réels qu'il paraissait absurde que l'homme qui les avait portés ait disparu. Ursula sortit un costume de la penderie et le tint contre elle. Si Bridget ne le lui avait pas pris et dit « C'est un bon costume, quelqu'un sera reconnaissant de l'avoir », elle se serait peut-être traînée jusqu'à la penderie et aurait renoncé à vivre. Les sentiments de Bridget étaient à présent soigneusement sous clé, Dieu merci. Face à la tragédie, la force d'âme avait décidément du bon. Son père aurait certainement approuvé.

Elles empaquetèrent les vêtements de Hugh avec du papier kraft et de la ficelle et le laitier les mit dans sa carriole et les porta au Service volontaire féminin.

Izzie avait le cœur brisé. Elle suivait Ursula à la trace dans la maison, essayait de faire revivre Hugh à partir de ses souvenirs. Ils faisaient tous la même chose, supposa Ursula, qu'il soit parti à jamais était si incompréhensible qu'ils avaient tous commencé à le reconstituer à partir de petits riens, surtout Izzie. « Impossible de me rappeler la dernière chose qu'il m'ait dite, fit Izzie. Ni d'ailleurs ce que je lui ai dit.

— Ça ne fera aucune différence », dit Ursula avec lassitude. Quel deuil était le plus grand après tout, celui de la fille ou celui de la sœur ? Mais voici qu'elle songea à Teddy.

Ursula essaya de se souvenir de ses dernières paroles à son père. Un nonchalant « A plus tard », conclut-elle. Ultime ironie. « On ne sait jamais quand ce sera la dernière fois », dit-elle à Izzie avec une grande platitude dont elle eut elle-même conscience. Elle avait vu tant de détresse chez autrui qu'elle y était devenue insensible. Hormis l'instant où elle avait tenu le costume de Hugh (elle y pensait – de façon ridicule – comme à « l'instant de la penderie »), elle avait rangé la mort de Hugh dans un endroit tranquille pour la ressortir plus tard et y réfléchir. Peut-être quand tous les autres auraient fini d'en parler.

« C'est-à-dire que… fit Izzie.

— S'il te plaît, dit Ursula. J'ai un affreux mal de tête. »

*

Ursula ramassait des œufs dans les pondoirs quand Izzie entra sans but dans le poulailler. Les poules caquetaient nerveusement, elles semblaient regretter les attentions de Sylvie, la Mère Poule. « J'aimerais te confier quelque chose, fit Izzie.

— Ah oui ? dit Ursula distraite par une poule sur le point de pondre.

— J'ai eu un bébé.

410

— Quoi ?

— Je suis mère, dit Izzie, apparemment incapable de s'empêcher de prendre un air dramatique.

— Tu as eu un bébé en Californie ?

— Non, non, dit-elle en riant. Il y a longtemps. Je n'étais qu'une enfant à l'époque. Seize ans. Je l'ai eu en Allemagne, on m'a disgraciée et envoyée à l'étranger, comme tu peux l'imaginer. Un garçon.

— En Allemagne ? Et il a été adopté ?

— Oui. Enfin, plutôt donné. Comme c'est Hugh qui s'est occupé de tout, je suis sûre qu'il a trouvé une très bonne famille. Mais il a fait de lui le jouet du destin, non ? Pauvre Hugh, il a été un vrai roc à l'époque, maman ne voulait entendre parler de rien. Mais là est le problème, il devait connaître le nom, l'adresse et cætera. » Les poules faisaient à présent un raffut terrible et Ursula dit : « Sortons d'ici.

— Je m'étais toujours dit, continua Izzie en prenant le bras d'Ursula et en lui faisant faire le tour de la pelouse, qu'un jour je demanderais à Hugh ce qu'il avait fait du bébé, puis que j'essaierais peut-être de le retrouver. "Mon fils" », ajouta-t-elle, prononçant les mots comme pour la première fois. Des larmes commencèrent à couler sur son visage. Pour une fois, ses émotions semblaient venues du cœur. « Et voilà que Hugh est parti et que je ne pourrai jamais retrouver le bébé. Ce n'est plus un bébé, bien sûr, il a le même âge que toi.

— Que moi ? dit Ursula, essayant de comprendre.

— Oui. Mais c'est l'*ennemi*. Il est possible qu'il soit là-haut – elles lancèrent automatiquement et conjointement un regard au ciel bleu d'automne, vide d'amis comme d'ennemis – ou dans les forces terrestres. Il est peut-être mort ou en danger si cette fichue guerre continue. » Izzie sanglotait ouvertement à présent. « Il a peut-être été élevé dans la religion juive, pour l'amour du ciel. Hugh n'était pas antisémite, bien au contraire, il était très ami avec votre voisin. Comment s'appelait-il déjà ?

— Mr Cole.

411

— Tu sais bien ce qui arrive aux juifs en Allemagne, non ?

— Oh, je t'en prie, dit Sylvie qui se matérialisa soudain comme une méchante fée. Pourquoi fais-tu tant d'histoires ?

— Tu devrais rentrer à Londres avec moi », dit Ursula à Izzie. Il serait plus simple pour Izzie de supporter les bombes de la Luftwaffe que Sylvie.

Novembre 1940

Miss Woolf leur offrait un petit récital de piano. « Du Bee-thoven, dit-elle. Je ne suis pas Myra Hess, mais j'ai pensé que ce serait agréable. » Elle avait raison sur les deux plans. Mr Armi-tage, le chanteur d'opéra, demanda à Miss Woolf si elle pouvait l'accompagner pendant qu'il chantait *« Non più andrai »* des *Noces de Figaro* et Miss Woolf qui décidément ce soir ne reculait devant rien acquiesça volontiers. Ce fut une interprétation entraînante (« étonnamment virile » dit Miss Woolf) et personne ne fit objec-tion quand Mr Bullock (pas de surprise) et Mr Simms (grande surprise) se joignirent à eux avec une version plutôt grivoise.

« Je connais ! » s'exclama Stella, ce qui était vrai de l'air, mais pas des paroles qu'elle entonna avec enthousiasme « Tralala, tralala, tralalalaire » etc.

Leur poste avait reçu récemment deux personnes en renfort. La première, Mr Emslie, était épicier et venait d'un autre poste, après avoir été chassé de son domicile, de son magasin et de son secteur par une bombe. Comme Mr Simms et Mr Palmer avant lui, il avait fait la guerre précédente. La deuxième personne venait d'un horizon plus exotique. Stella était une des « girls » de Mr Bullock et avoua (sans ambages) être « une artiste de strip-tease », mais Mr Armitage, le chanteur d'opéra, dit « Nous sommes tous des artistes ici, chérie. »

« Quelle tapette, ce type, maugréa Mr Bullock, qu'on le mette dans l'armée, ça résoudra ses problèmes. » « J'en doute », fit

Miss Woolf. (On se demandait d'ailleurs pourquoi le solide Mr Bullock n'avait pas été mobilisé dans le service actif.) « Donc, conclut Mr Bullock, nous avons un youpin, une tantouze et une pute, on dirait une blague cochonne de music-hall.

— C'est l'intolérance qui nous a amenés dans cette mauvaise passe, Mr Bullock », le réprimanda légèrement Miss Woolf. Ils étaient tous franchement grognons – même Miss Woolf – depuis la mort de Mr Palmer. Ils feraient mieux de garder leurs griefs pour eux jusqu'au retour de la paix, songea Ursula. Ce n'était pas seulement la mort de Mr Palmer, bien sûr, mais aussi le manque de sommeil et les raids nocturnes incessants. Combien de temps les Allemands allaient-ils continuer ? Eternellement ?

« Oh, je ne sais pas, lui dit calmement Miss Woolf en préparant du thé, c'est l'impression générale de *saleté*, comme si nous ne devions jamais redevenir propres, comme si le pauvre vieux Londres ne devait jamais redevenir propre. Tout est si terriblement *miteux*. »

Ce fut donc un soulagement que leur petit concert impromptu soit bon enfant, que tout le monde ait apparemment meilleur moral que ces derniers temps.

Mr Armitage fit suivre son Figaro d'une interprétation a cappella passionnée de « *O mio babbino caro* » (« Il a des talents si variés, dit Miss Woolf. J'ai toujours cru que c'était une aria pour soprano ») qu'ils applaudirent tous frénétiquement. Puis Herr Zimmerman, leur réfugié, dit qu'il serait honoré de leur jouer quelque chose.

« Et après ça, tu nous fais un numéro de strip-tease, mon ange ? » demanda Mr Bullock à Stella qui dit « Si tu veux » et adressa un clin d'œil complice à Ursula. (« J'ai l'art de me retrouver coincé avec une bande d'enquiquineuses », se plaignait Mr Bullock. Régulièrement.)

Miss Woolf demanda d'un air inquiet à Herr Zimmerman « Votre violon est *ici* ? Est-ce que ce n'est pas risqué ? » Il ne l'avait encore jamais apporté au poste. C'était un instrument de grande valeur, selon Miss Woolf, et pas seulement du point

414

de vue marchand, car Herr Zimmerman avait laissé toute sa famille en Allemagne et le violon était tout ce qui lui restait de sa vie passée. Miss Woolf avait fait un « brin de causette » tard le soir avec Herr Zimmerman au sujet de la situation en Allemagne et l'échange avait été « poignant », disait-elle. « Les choses sont terribles là-bas, vous savez.

— Je sais, dit Ursula.

— Ah bon ? fit Miss Woolf dont la curiosité fut piquée. Vous avez des amis là-bas ?

— Non, répondit Ursula. Parfois on *sait*, tout simplement. »

Herr Zimmerman sortit son violon et dit « Il faut me pardonner, je ne suis pas soliste », puis annonça en s'excusant presque « Bach, sonate en *sol* mineur. »

« C'est drôle, n'est-ce pas, chuchota Miss Woolf à l'oreille d'Ursula, la quantité de musique allemande que nous écoutons. L'extrême beauté transcende tout. Peut-être qu'après la guerre, elle guérira tout également. Pensez à la Neuvième – *Alle Menschen werden Brüder.* »

Ursula ne répondit pas car Herr Zimmerman avait levé son archet, prêt à jouer, et un silence profond s'installa comme s'ils étaient dans une salle de concert et non dans un poste de défense passive délabré. Le silence était dû en partie à la qualité de l'interprétation. (« Sublime », jugea Miss Woolf plus tard. « Vraiment beau », dit Stella) et en partie peut-être au statut de réfugié de Mr Zimmerman, mais la musique avait aussi un côté si dépouillé qu'on pouvait s'absorber dans ses pensées. Ursula se surprit à revenir sur la mort de Hugh, sur son absence plutôt que sur sa mort. Il n'était parti que depuis quinze jours et elle s'attendait toujours à le revoir. C'étaient les pensées qu'elle avait mises de côté pour y repenser par la suite et la suite était soudain là. Elle fut soulagée de ne pas se donner en spectacle en versant des larmes et sombra à la place dans une affreuse mélancolie. Comme si elle percevait ses émotions, Miss Woolf lui serra fermement la main. Ursula s'aperçut que Miss Woolf était si remuée par la musique qu'elle en vibrait presque.

Une fois la sonate terminée, il y eut un moment de silence pur, profond comme si le monde avait cessé de respirer, puis la paix fut brisée non pas par des compliments et des applaudissements, mais par une alerte violette : « des bombardiers dans vingt minutes ». Il était plutôt bizarre de penser que ces alertes venaient de son Centre de crise, Région 5, envoyées par les filles dans la salle du téléscripteur.

« Allez, dit Mr Simms en se levant avec un gros soupir, sortons d'ici. » Le temps d'évacuer le poste, l'alerte rouge était arrivée. Plus que douze minutes, s'ils avaient de la chance, pour contraindre les gens à gagner les abris, avec la sirène qui les assourdissait.

Ursula n'utilisait jamais les abris publics, tous ces corps qui s'écrasaient la rendaient claustrophobe, la révulsaient. Ils étaient intervenus sur un incident particulièrement épouvantable : un abri situé dans leur secteur avait été frappé de plein fouet par une mine attachée à un parachute. Ursula se disait qu'elle préférerait mourir en plein air plutôt que prisonnière comme un renard dans un terrier.

*

C'était une belle soirée. Un croissant de lune et son cortège d'étoiles avaient percé la toile de fond noire de la nuit. Elle songea à l'éloge de Roméo à Juliette – *Elle semble suspendue à la joue de la nuit comme un riche joyau à l'oreille d'une Ethiopienne.* Ursula était d'humeur poétique, auraient dit certains, elle incluse, conséquence de son humeur mélancolique. Il n'y avait pas de Mr Durkin pour citer de travers. Il avait eu une crise cardiaque durant un incident. Il se remettait, « Dieu merci », disait Miss Woolf. Elle avait trouvé le temps de lui rendre visite à l'hôpital et Ursula n'éprouvait aucune culpabilité de ne pas en avoir fait autant. Hugh était mort, Mr Durkin, non, il y avait peu de place dans son cœur pour la compassion. Mr Simms avait remplacé Mr Durkin auprès de Miss Woolf.

416

Les bruits stridents de la guerre avaient commencé. Le grondement des tirs de barrage, le vrombissement monotone et mal synchronisé des bombardiers, qui lui soulevait le cœur. Les décharges de canon, les projecteurs enfonçant leur doigt dans le ciel, l'anticipation muette de la terreur – tout cela ne tarda pas à gâcher toute notion de poésie.

Le temps d'arriver sur les lieux de l'incident, tout le monde était là, le gaz, l'eau, l'équipe de déminage, celle des sauvetages lourds, celle des sauvetages légers, plusieurs groupes de brancardiers, le fourgon mortuaire (une camionnette de boulanger dans la journée). Les tuyaux enchevêtrés d'une équipe de pompiers auxiliaires tapissaient la rue car un bâtiment embrasé crachait des étincelles et des braises brûlantes. Ursula crut apercevoir Fred Smith, les traits brièvement illuminés par les flammes, mais en vint à la conclusion que c'était le fruit de son imagination.

L'équipe de sauvetage était toujours aussi prudente avec ses torches et ses lampes bien qu'un incendie fît rage dans son dos. Pourtant les sauveteurs avaient tous sans exception la cigarette au bec, alors que les gaziers n'avaient pas fini leur travail, sans compter que la présence de l'équipe de déminage indiquait qu'une bombe pouvait exploser à tout moment. Face à la possibilité d'un désastre, tout le monde accomplissait sa tâche (nécessité fait loi) d'une façon cavalière. A moins que certains (et Ursula se demanda si elle s'incluait dans le nombre) n'en aient tout simplement plus rien à faire.

Elle eut le sentiment désagréable, une prémonition peut-être, que les choses ne se passeraient pas bien ce soir. « C'est Bach, la réconforta Miss Woolf, ça remue l'âme. »

La rue était apparemment à cheval sur deux secteurs et l'officier responsable se querellait avec deux îlotiers qui prétendaient tous les deux que c'était leur territoire. Miss Woolf ne se joignit pas à cette prise de bec car il s'avéra que ce n'était pas du tout leur secteur, mais comme il s'agissait visiblement d'un incident majeur, elle déclara que leur brigade devait retrousser ses manches et ignorer délibérément ce qu'on leur disait.

« Des hors-la-loi, dit Mr Bullock sur un ton approbateur.

— Loin de là », dit Miss Woolf.

La moitié de la rue qui ne brûlait pas avait été très endommagée et l'odeur acide, âcre de la brique pulvérisée et de la cordite leur frappa immédiatement les poumons. Ursula essaya de penser à la prairie située derrière le bosquet de Fox Corner. Lin vivace et pied-d'alouette, coquelicot, compagnon rouge et marguerite des prés. Elle songea à la senteur de l'herbe tondue et à la fraîcheur de la pluie estivale. C'était une nouvelle tactique de diversion destinée à combattre les relents infects d'explosion. (« Ça marche ? » demanda un Mr Emslie curieux. « Pas vraiment », dit Ursula). « J'avais pour habitude de penser au parfum de ma mère, dit Miss Woolf. April Violets. Mais malheureusement, quand j'essaie de me souvenir de ma mère, tout ce qui me vient à l'esprit à présent, ce sont les bombes. »

Ursula offrit une pastille de menthe à Mr Emslie. « Ça aide un petit peu », dit-elle.

Plus ils s'approchaient de l'incident, plus les choses empiraient (d'après l'expérience d'Ursula, il était rare que l'inverse soit vrai).

Un spectacle sinistre les accueillit — partout des corps mutilés, dont beaucoup n'étaient plus que des torses sans membres (on aurait dit des mannequins de couturière), aux vêtements soufflés. Ils rappelèrent à Ursula les mannequins vus avec Ralph dans Oxford Street après la bombe tombée sur le grand magasin John Lewis. Un brancardier qui n'avait pas encore trouvé de victimes vivantes ramassait des bras et des jambes émergeant des décombres. Comme s'il avait l'intention de reconstituer les morts à une date ultérieure. Quelqu'un s'occupait-il de ça ? se demanda Ursula. Dans les morgues — d'essayer d'assembler les gens comme des puzzles macabres ? Tâche impossible pour certains, bien sûr, deux hommes de l'équipe de sauvetage ratissaient et pelletaient des morceaux de chair dans des paniers, un autre enlevait quelque chose d'un mur à l'aide d'un balai.

Ursula se demanda si elle connaissait quelqu'un parmi les victimes. Leur appartement de Phillimore Gardens n'était qu'à deux rues de là. Peut-être était-elle passée devant certaines le matin en partant au travail, ou leur avait adressé la parole chez l'épicier ou le boucher.

« Il y a apparemment pas mal de personnes portées disparues », dit Miss Woolf. Elle avait parlé à l'officier responsable qui avait été reconnaissant, semblait-il, de parler à une préposée dotée de bon sens. « Vous serez contents d'apprendre que nous ne sommes plus des hors-la-loi. »

Un étage au-dessus de l'homme au balai (bien qu'il n'y eût plus d'étage), une robe pendait sur un cintre accroché à une cimaise. Ursula était souvent plus émue par ces petits détails domestiques – la bouilloire toujours sur la cuisinière, la table mise pour un souper qui ne serait jamais pris – qu'elle ne l'était par la détresse et les destructions plus grandes qui les entouraient. Mais en regardant de nouveau la robe, elle comprit qu'il y avait encore une femme qui la portait : sa tête et ses jambes avaient été soufflées, mais pas ses bras. Le côté capricieux des explosifs de grande puissance ne cessait jamais de la surprendre. La femme semblait avoir fusionné avec le mur d'une certaine façon. Les flammes de l'incendie étaient si brillantes qu'Ursula distinguait une petite broche toujours accrochée à la robe. Un chat noir avec un œil en strass.

Les décombres bougèrent sous ses pieds quand elle se dirigea vers le mur du fond de cette même maison. Une femme était assise, le dos calé contre les gravats, bras et jambes écartés comme une poupée de chiffon. On aurait dit qu'elle avait été projetée en l'air et était retombée n'importe comment – ce qui était probablement le cas. Ursula essaya d'appeler le brancardier, mais une vague de bombardiers passait au-dessus de leurs têtes et personne ne l'entendit.

La femme était grise de poussière et il était donc presque impossible de déterminer son âge. Elle avait une horrible brûlure à la main. Ursula fouilla dans sa trousse de secours pour

419

trouver le tube de Burnol et lui étala un peu de crème sur la main. Elle ne savait pas pourquoi car la femme avait l'air trop atteinte pour être soignée avec du Burnol. Ursula regretta de ne pas avoir d'eau, c'était pénible de voir combien les lèvres de la femme étaient sèches. Cette dernière ouvrit inopinément ses yeux sombres aux cils pâles et hérissés de poussière et essaya de dire quelque chose, mais sa voix était si enrouée par la poussière qu'Ursula ne parvint pas à la comprendre. Etait-elle étrangère ? « Qu'y a-t-il ? » demanda Ursula. Elle avait le sentiment que la femme était très proche de la mort maintenant.

« Bébé, dit soudain la femme d'une voix rauque, où est mon bébé ?

— Bébé ? » fit écho Ursula en regardant autour d'elle. Elle ne voyait aucune trace de bébé. Il pouvait se trouver n'importe où sous les décombres.

« Il s'appelle, dit la femme d'une voix gutturale et peu claire — elle faisait un effort considérable pour être lucide —, Emil.

— Emil ? »

La femme hocha très légèrement la tête comme si elle n'était plus capable de parler. Ursula lança un nouveau regard à la ronde pour essayer de trouver le moindre signe de bébé. Elle se retourna vers la femme pour lui demander plus de précisions, mais sa tête pendait mollement et quand Ursula lui prit le pouls, elle ne sentit rien.

Elle abandonna la femme et se mit en quête des vivants.

*

« Pouvez-vous porter ce cachet de morphine à Mr Emslie ? » demanda Miss Woolf. Elles entendaient toutes les deux une femme crier et jurer comme un charretier et Miss Woolf ajouta « A la dame qui fait tout ce boucan. » En règle générale, plus quelqu'un manifestait sa présence bruyamment, moins il risquait de mourir. A entendre la victime en question, on s'attendait à la voir s'extraire toute seule des décombres et faire le tour de Kensington Gardens en courant.

Mr Emslie était dans la cave de la maison et Ursula dut être descendue par deux hommes de l'équipe de sauvetage, puis traverser en rampant une barricade de solives et de briques. Elle avait conscience que toute la bâtisse semblait reposer de façon précaire sur cette même barricade. Elle trouva Mr Emslie étendu presque horizontalement à côté de la femme. Elle était ensevelie jusqu'à la taille sous les gravats, mais consciente et extrêmement claire sur la détresse dans laquelle elle se trouvait.

« On vous va vous tirer de là bientôt, disait Mr Emslie. Vous donner une bonne tasse de thé, hein ? Qu'en dites-vous ? Chouette, non ? J'en ai bien envie, moi aussi. Et voici Miss Todd avec quelque chose pour la douleur » continua-t-il d'une voix apaisante. Ursula lui tendit le minuscule cachet de morphine. Mr Emslie semblait exceller à ce genre de tâche, il était difficile de l'imaginer en tablier d'épicier pesant le sucre et tapotant du beurre.

Un des murs de la cave avait été protégé par des sacs de sable, mais la majeure partie du sable s'était répandue dans l'explosion et l'espace d'une seconde alarmante et hallucinatoire, Ursula fut sur une plage quelque part, elle ne savait où, un cerceau poussé par une forte brise passa en roulant à côté d'elle et des mouettes poussèrent des cris rauques au-dessus de sa tête, puis tout aussi soudainement, elle fut de retour dans la cave. Manque de sommeil, se dit-elle, c'était vraiment l'enfer.

« Putain, c'est pas trop tôt, dit la femme en avalant goulûment le cachet de morphine. C'est à croire que vous étiez à un putain de thé, vous autres. » Elle était jeune, s'aperçut Ursula, et lui disait bizarrement quelque chose. Elle se cramponnait à son sac à main, un grand machin noir, comme s'il la maintenait à flot sur l'océan de bois de construction. « L'un de vous n'aurait pas une sèche ? » Avec une certaine difficulté, vu l'espace exigu dans lequel ils se trouvaient, Mr Emslie sortit un paquet de Players écrasé de sa poche, puis avec encore plus de difficultés en extirpa une boîte d'allumettes. La femme tapota impatiemment le cuir de son sac. « Ne vous pressez pas, surtout, lança-t-elle d'un ton sarcastique. Désolée, dit-elle après avoir tiré longuement sur sa cigarette. Se trouver dans un *endroit** pareil vous affecte les nerfs.

— Renée ? fit Ursula, abasourdie.

— Ça vous regarde ? dit-elle, redevenue revêche.

— On s'est rencontrées dans les toilettes du Charing Cross Hotel, il y a une quinzaine de jours.

— Je crois que vous me confondez avec quelqu'un d'autre, dit-elle d'un ton guindé. Les gens n'arrêtent pas de me faire le coup. Je dois avoir une tête à ça. »

Elle tira longuement sur sa cigarette, puis exhala lentement et avec un plaisir extraordinaire. « Vous en avez d'autres, de ces petits cachets ? demanda-t-elle. Ils doivent atteindre un bon prix au marché noir, je parie. » Elle avait l'air dans les vapes, la morphine faisait effet, supposa Ursula, puis la cigarette lui tomba des doigts et ses yeux se révulsèrent. Elle fut prise de convulsions. Mr Emslie lui saisit la main.

Jetant un coup d'œil à Mr Emslie, Ursula aperçut une reproduction en couleur des *Bulles de savon* de Millais collée à un sac de sable derrière lui. C'était un tableau qu'elle n'aimait pas, elle détestait tous les Préraphaélites avec leurs femmes à l'air languide et drogué. Mais ce n'était guère le lieu ni le moment de se livrer à de la critique d'art. Elle était devenue quasiment indifférente à la mort. Son âme tendre s'était cristallisée. (Ce n'était pas plus mal.) Elle était une épée dont l'acier avait été trempé dans le feu. De nouveau, elle fut ailleurs, un petit vacillement du temps. Elle descendait un escalier, la glycine était en fleur, elle s'envolait par une fenêtre.

Mr Emslie encourageait Renée. « Allez, Susie, ne renoncez pas maintenant. On va vous sortir de là en trois coups de cuiller à pot, vous allez voir. Tous les gars sont sur le pont. Et les filles », ajouta-t-il à l'attention d'Ursula. Renée avait cessé d'avoir des convulsions, mais voilà qu'elle se mit à frissonner d'une façon

inquiétante et Mr Emslie lui dit sur un ton plus pressant :
« Allons, Susie, allons, ma fille, restez éveillée, courage.

— Elle s'appelle Renée, fit Ursula, même si elle le nie.

— Je les appelle toutes Susie, dit doucement Mr Emslie.
J'ai eu une petite fille prénommée comme ça. La diphtérie l'a
emportée quand elle était encore toute petiote. »

Renée fut prise d'un dernier grand frisson, puis la vie disparut
de ses yeux mi-clos.

« Partie, dit Mr Emslie avec tristesse. Des blessures internes,
probablement. » De son écriture soignée d'épicier, il inscrivit
« Argyll Road » sur une étiquette et la noua à un doigt de Renée.
Ursula enleva le sac des mains plutôt récalcitrantes de Renée et
en vida le contenu. « Sa carte d'identité, dit-elle en la tendant
à Mr Emslie. Elle dit sans conteste "Renée Miller". » Il ajouta
le nom sur l'étiquette.

Pendant que Mr Emslie entamait la manœuvre complexe qui
consistait à se retourner pour sortir de la cave, Ursula ramassa
l'étui à cigarettes en or qui était tombé en même temps que le
poudrier, le tube de rouge à lèvres, les capotes anglaises et Dieu
sait quoi encore, tout ce qui constituait le contenu du sac de
Renée. Ce n'était pas un cadeau, mais un objet volé, elle en était
certaine. Difficile pour Ursula d'imaginer Renée et Crighton dans
la même pièce, et a fortiori dans le même lit. La guerre formait
bel et bien de drôles de couples. Il avait dû la lever dans un
hôtel quelque part, ou peut-être dans un *endroit** moins salubre.
Où avait-elle appris le français ? Elle ne connaissait probablement
que quelques mots. Pas avec Crighton en tout cas : il pensait
que l'anglais était plus que suffisant pour dominer le monde.

Elle glissa l'étui à cigarettes et la carte d'identité dans une
de ses poches.

*

Les gravats bougèrent d'une façon terrifiante quand ils
essayèrent de sortir de la cave à reculons (ils avaient renoncé à

se retourner). Ils restèrent paralysés, accroupis comme des chats, osant à peine respirer pendant ce qui leur sembla être une éternité. Quand il leur parut sûr de reprendre leur progression, ils découvrirent que la nouvelle configuration des décombres avait rendu la barricade infranchissable et furent forcés de trouver une autre issue tortueuse, de se faufiler à quatre pattes dans le soubassement en ruine du bâtiment. « Ça me bousille le dos, cette rigolade, maugréa Mr Emslie derrière elle.

— Et moi, les genoux », dit Ursula. Ils persévérèrent avec une ténacité empreinte de lassitude. Ursula se remonta le moral en pensant à des tartines grillées et beurrées bien que Phillimore Gardens fût à court de beurre et aussi de pain à moins que Millie soit sortie faire la queue à la boulangerie (peu vraisemblable).

La cave avait l'air d'être un labyrinthe interminable et Ursula comprit lentement pourquoi il y avait des gens portés disparus à la surface : ils étaient tous dans des cachettes secrètes sous terre. Les habitants de la maison utilisaient de toute évidence cette partie de la cave comme abri. Les morts — hommes, femmes, enfants et même un chien — semblaient avoir été ensevelis là où ils étaient assis. Ils étaient entièrement recouverts d'une gangue terreuse et ressemblaient plus à des sculptures, ou à des fossiles. Elle songea à Pompéi et à Herculanum. Ursula avait visité les deux sites durant ce qu'elle appelait pompeusement son « grand tour » de l'Europe. Elle logeait à Bologne où elle s'était liée d'amitié avec une Américaine — Kathy, une fille tout feu tout flammes — et elles avaient fait un voyage éclair à Venise, Florence, Rome et Naples avant qu'Ursula ne parte pour la France et la dernière étape de son année à l'étranger.

A Naples, ville qui les avait franchement terrifiées, elles avaient engagé un guide loquace et, sous un soleil implacable, elles avaient passé le jour le plus long de leur vie à se traîner obstinément dans les ruines sèches et poussiéreuses des cités disparues de l'Empire romain.

« Eh bien, dit Kathy tandis qu'elles titubaient dans un Herculanum déserté, j'aurais préféré que personne ne se donne la peine de les déterrer. » Leur amitié avait brillé brièvement de mille feux et tourné court aussi vite quand Ursula était partie pour Nancy.

« J'ai déployé mes ailes et appris à voler, écrivit-elle à Pamela après avoir quitté Munich et ses hôtes, les Brenner. Je suis une vraie femme du monde sophistiquée » alors qu'elle n'était en réalité qu'une débutante. Si cette année lui avait appris une chose, c'est qu'après avoir donné des cours particuliers à une succession d'étudiants, enseigner était la dernière chose dont elle avait envie.

A son retour – visant un emploi dans la fonction publique – elle suivit un cours intensif de sténodactylo à High Wycombe, dirigé par un certain Mr Carver qui fut par la suite arrêté pour exhibitionnisme. (« Un type qui montre sa queue ? » dit Maurice, la lèvre retroussée de dégoût, et Hugh lui cria de quitter la pièce et de ne plus jamais utiliser pareil langage sous son toit. « Infantile, dit-il une fois Maurice sorti dans le jardin en claquant la porte. Est-il vraiment apte à se marier ? » Maurice était venu annoncer ses fiançailles avec une fille prénommée Edwina, la fille aînée d'un évêque. « Juste ciel, dit Sylvie, allons-nous devoir faire une génuflexion ou quoi ?

— Ne sois pas ridicule », fit Maurice et Hugh dit « Comment oses-tu parler ainsi à ta mère ? » Ce fut une visite extrêmement désagréable de bout en bout.)

Mr Carver n'était pas un mauvais bougre. Il était très emballé par l'espéranto, ce qui semblait à l'époque une excentricité absurde, mais Ursula trouvait maintenant que ça pourrait être une bonne chose d'avoir une langue universelle, à l'instar du latin jadis. Oh, oui, disait Miss Woolf, une langue commune était une idée merveilleuse, mais complètement utopique. Toutes les bonnes idées l'étaient, ajoutait-elle avec tristesse.

Ursula était vierge en s'embarquant pour l'Europe, mais ne l'était plus à son retour. Elle pouvait en remercier l'Italie. (« Ma foi, si on ne peut pas prendre un amant en Italie, on se demande bien où c'est possible », disait Millie.) Lui, Gianni, faisait un doctorat de philologie à l'université de Bologne et était plus grave et sérieux qu'Ursula ne s'y attendait de la part d'un Italien. (Dans les romans sentimentaux de Bridget, les Italiens étaient toujours fringants, mais indignes de confiance.) Gianni apporta une solennité studieuse à l'occasion et rendit le rite de passage moins embarrassant et gauche qu'Ursula ne l'avait craint.

« Eh bien, dit Kathy, tu es audacieuse. » Elle lui rappelait Pamela. A certains égards, pas à d'autres – pas dans son refus serein de Darwin par exemple. Kathy, baptiste, se réservait pour le mariage, mais mourut dans un accident de canotage quelques mois après son retour à Chicago. C'est sa mère qui annonça la triste nouvelle à Ursula. Elle avait dû consulter le carnet d'adresses de sa fille et écrire à tous ceux qui y figuraient, un par un. Quelle horrible tâche. Pour Hugh, ils s'étaient contentés de mettre une annonce dans le *Times*. La pauvre Kathy s'était réservée pour rien. *La tombe est un bel endroit privé, Mais personne je crois ne s'y embrasse*[58].

« Miss Todd ?

— Pardon, Mr Emslie. On se croirait dans une crypte, hein ? Pleine de morts anciens.

— Oui, et j'aimerais bien en sortir avant d'en devenir un. »

Alors qu'elle rampait précautionneusement, son genou appuya sur quelque chose de mou et de souple. Elle eut un mouvement de recul et se cogna la tête contre un chevron brisé qui fit tomber une pluie de poussière.

« Ça va ? s'enquit Mr Emslie.

— Oui, dit-elle.

— Un autre obstacle ?

— Attendez. » Elle avait une fois marché sur un corps, en reconnut la qualité molle, charnue. Il fallait qu'elle regarde et pourtant Dieu sait si elle n'en avait pas envie. Elle braqua sa torche sur un amas poussiéreux de tissu, des lambeaux divers – crochet, rubans, laine – en partie enfoncés dans le sol. Ç'aurait pu être le contenu d'une boîte à couture. Mais il n'en était rien, évidemment. Elle enleva une couche de laine, puis une autre,

426

comme si elle déballait un paquet mal ficelé ou épluchait un gros chou. Une menotte presque sans défaut, une petite étoile, finit par surgir de la masse comprimée. Elle avait peut-être trouvé Emil. Il valait mieux que sa mère soit morte avant d'apprendre la nouvelle.

« Attention ici, Mr Emslie, lança-t-elle par-dessus son épaule, il y a un bébé, essayez de l'éviter. »

*

« Ça va ? » lui demanda Miss Woolf quand ils émergèrent enfin comme des taupes. L'incendie d'en face était presque éteint et la rue obscurcie par la nuit, la suie, la crasse. « Combien ? s'enquit Miss Woolf.

— Plusieurs, fit Ursula.

— Faciles à récupérer ?

— Difficile à dire. » Elle lui tendit la carte d'identité de Renée. « Il y a un bébé en bas, en bouillie, j'en ai peur.

— Il y a du thé, fit Miss Woolf. Allez vous servir. »

*

Alors qu'elle se dirigeait vers la roulante avec Mr Emslie, elle fut ébahie de repérer un chien recroquevillé dans une embrasure un peu plus haut dans la rue.

« Je vous rattrape, dit-elle à Mr Emslie. Prenez-moi une tasse, voulez-vous ? Avec deux sucres. »

C'était un petit terrier banal, gémissant et tremblant de peur. La plus grande partie de la maison avait disparu et Ursula se demanda si ç'avait été le domicile de ses propriétaires, s'il espérait une sorte de sécurité ou de protection et ne savait pas où aller. Mais lorsqu'elle s'approcha de lui, il se mit à détaler dans la rue. Maudit chien, se dit-elle en se lançant à sa poursuite. Elle finit par le rattraper, le prit dans ses bras avant qu'il ait eu une chance de se remettre à courir. Il tremblait de tous ses membres et elle le serra contre elle, lui parla sur un ton apaisant, un peu comme Mr Emslie à Renée. Elle pressa son visage contre son poil (d'une saleté répugnante, mais elle-même ne valait guère mieux). Il était si petit et sans défense. « Le massacre des Innocents », avait dit Miss Woolf l'autre jour en apprenant qu'une école de l'East End avait été frappée de plein fouet. Mais tout le monde n'était-il pas innocent ? (A moins que tous soient coupables ?) « Ce bouffon d'Hitler l'est certainement, avait déclaré Hugh la dernière fois qu'ils s'étaient parlé, il porte l'entière responsabilité de cette guerre. » Ne reverrait-elle vraiment jamais son père ? Un sanglot lui échappa et le chien gémit de peur ou de compassion, difficile à dire. (Mis à part Maurice, tous les membres de la famille Todd prêtaient des sentiments humains aux chiens.)

Sur ce, il y eut un bruit épouvantable derrière eux, le chien essaya de filer une fois de plus et elle dut le tenir fermement. Quand elle se retourna, elle vit le mur pignon du bâtiment incendié s'écrouler, presque d'un seul bloc, les briques crépiter brutalement sur le sol, atteindre la roulante du Service volontaire féminin.

*

Deux femmes du SVF furent tuées ainsi que Mr Emslie. Sans compter Tony leur messager qui passait en coup de vent sur sa bicyclette, mais pas assez vite, malheureusement. Insensible à la douleur, Miss Woolf s'agenouilla sur les morceaux de briques coupants et lui prit la main. Ursula s'accroupit à côté d'elle.

« Oh, Anthony », dit Miss Woolf, incapable d'ajouter autre chose. Des cheveux échappés de son chignon d'ordinaire impeccable lui donnaient l'air farouche d'un personnage de tragédie. Tony était inconscient – une terrible blessure à la tête, elles l'avaient extrait sans ménagement des gravats – et Ursula estima qu'elles devraient dire quelque chose d'encourageant et ne pas lui laisser voir à quel point elles étaient bouleversées. Elle se souvint qu'il était éclaireur et se mit à lui parler des joies de la vie au grand air : planter sa tente dans un pré, entendre couler un ruisseau non loin, ramasser du petit bois pour le feu, regarder le brouillard monter le matin pendant les préparatifs du petit déjeuner dehors. « Comme tu vas bien t'amuser, une fois la guerre finie, dit-elle.

— Ta mère sera drôlement contente de te voir rentrer ce soir » fit Miss Woolf en se joignant à la comédie. Elle étouffa un sanglot avec sa main. Tony ne parut pas les avoir entendues et elles le regardèrent devenir lentement d'une pâleur mortelle, de la couleur du petit-lait. Il était parti.

« Oh, mon Dieu, cria Miss Woolf. Je ne le supporte pas.

— Mais il le faut pourtant », dit Ursula en essuyant la morve, les larmes et la crasse de ses joues avec le dos de sa main et en songeant que naguère les rôles auraient été inversés.

*

« Bande d'idiotes, dit Fred Smith, furieux, quelle idée aussi d'aller garer la roulante là-bas ! Juste à côté du mur pignon !

— Elles ne savaient pas, dit Ursula.

— Elles auraient dû s'en rendre compte, putain.

— Dans ce cas, quelqu'un aurait dû les prévenir, putain, dit Ursula, piquant soudain une colère. Un putain de pompier par exemple. »

Le jour se levait et ils entendirent le signal de fin d'alerte.

« J'ai cru vous apercevoir plus tôt, puis j'ai décidé que c'était le fruit de mon imagination », dit Ursula pour faire la paix. Il était en colère parce qu'elles étaient mortes, pas parce qu'elles étaient stupides.

Elle avait l'impression d'être dans un rêve, que la réalité lui échappait. « Je suis morte de fatigue, dit-elle. Il faut que je dorme si je ne veux pas devenir folle. J'habite juste au coin, ajouta-t-elle. Par bonheur, ce n'était pas notre appartement. Par bonheur aussi, j'ai couru après ce chien. » Un membre de l'équipe de sauvetage lui avait donné un bout de corde et elle avait attaché le terrier à un morceau de poteau noirci qui sortait du sol. Le poteau lui rappela les bras et les jambes ramassés par le brancardier un peu plus tôt. « Je suppose que les circonstances me dictent le nom que je devrais lui donner – Lucky, même si ça fait un peu cliché. Il m'a sauvé la vie, vous savez, je m'apprêtais à boire mon thé là-bas quand je me suis lancée à sa poursuite.

— Bande d'idiotes, répéta Fred. Je vous raccompagne ?

— Ce serait gentil », dit Ursula mais elle ne le conduisit pas « au coin de la rue », à Phillimore Gardens. Main dans la main comme des enfants, le chien trottant à leurs côtés, ils remontèrent d'un air las Kensington High Street presque déserte à cette heure matinale, avec un seul petit détour parce qu'une canalisation de gaz avait pris feu.

Ursula savait où ils allaient, c'était en quelque sorte inévitable.

*

Dans la chambre d'Izzie, un tableau encadré était accroché au mur faisant face au lit. C'était une des illustrations originales des *Aventures d'Auguste*, un dessin au trait montrant un garçon effronté et son chien. Il frisait la caricature – la casquette d'écolier, la joue gonflée par un gros bonbon et le westie à l'air un peu idiot qui ne ressemblait en rien au vrai Jock.

Le tableau ne collait pas du tout avec le souvenir qu'Ursula avait de la chambre avant que les meubles ne soient recouverts de housses – un boudoir féminin rempli de soies ivoire et de satins pâles, de coûteux flacons en cristal taillé et de brosses émaillées. Un beau tapis d'Aubusson avait été roulé bien serré, noué avec une grosse ficelle et rangé contre un mur. Il y avait auparavant sur un autre mur une toile d'un petit maître impressionniste acquise, suspectait Ursula, davantage pour la façon dont elle s'harmonisait avec le décor que par amour pour l'artiste. Auguste était-il là pour rappeler à Izzie ses succès ? L'impressionniste avait été mis en lieu sûr quelque part, mais cette illustration semblait avoir été oubliée à moins qu'Izzie s'en fiche un peu désormais. Quoi qu'il en soit, le verre était traversé par une fissure en diagonale. Ursula se rappela la nuit où Ralph et elle avaient été dans la cave à vins, la nuit où Holland House avait été bombardée, peut-être qu'il avait été endommagé cette fois-là.

Izzie avait sagement choisi de ne pas rester à Fox Corner avec « la veuve éplorée » comme elle appelait Sylvie, car elles se seraient « entendues comme chien et chat ». Elle avait fichu le camp en Cornouailles, dans une maison perchée au sommet d'une falaise (« extrêmement sauvage et romantique, comme Manderley, mais pas de Mrs Danvers, Dieu merci ») et commencé à « pondre » une bande dessinée des *Aventures d'Auguste* pour un des quotidiens populaires. Il aurait été beaucoup plus intéressant de permettre à son Auguste de grandir, comme Teddy.

Un soleil jaune beurre qui n'était pas de saison essayait à tout prix de se faufiler entre les épais rideaux de velours. *Pourquoi par les rideaux nous sonner le réveil ?*[59] se dit-elle. Si elle pouvait remonter le temps et se choisir un amant dans l'histoire, ce serait John Donne. Pas Keats, savoir qu'il allait mourir prématurément colorerait tout en noir. C'était le problème avec les voyages dans le temps, évidemment (outre leur impossibilité) – on était à jamais une Cassandre, un oiseau de malheur, parce qu'on connaissait d'avance la suite. C'était d'une épuisante inexorabilité, mais on ne pouvait aller que de l'avant.

Elle entendait un oiseau chanter dehors bien qu'on fût en novembre. Les oiseaux étaient probablement aussi déboussolés que les humains par le Blitz. Quel était l'effet de toutes ces explosions sur eux ? Elles en tuaient sans doute une bonne partie, leur pauvre cœur lâchait tout simplement sous le choc ou leurs petits poumons éclataient sous les ondes de pression. Ils devaient tomber du ciel comme des pierres sans poids.

« Tu as l'air bien pensive », dit Fred Smith. Il était allongé, un bras sous la tête, en train de fumer une cigarette.

« Et toi, étrangement à l'aise.

— C'est le cas », dit-il avec un grand sourire en se penchant pour l'enlacer et lui embrasser la nuque. Ils étaient tous les deux crasseux comme s'ils avaient trimé toute la nuit dans une mine de charbon. Elle se souvint qu'ils étaient bardés de suie le fameux soir où elle avait voyagé sur la plate-forme de la locomotive. C'était la dernière fois qu'elle avait vu Hugh vivant.

Il n'y avait pas d'eau chaude à Melbury Road, pas d'eau du tout, ni d'électricité, tout avait été coupé pour la durée de la guerre. Ils avaient rampé dans le noir sous la housse qui recouvrait le matelas d'Izzie et sombré dans un sommeil qui ressemblait à la mort. Quelques heures plus tard, ils s'étaient réveillés en même temps et avaient fait l'amour. C'était le genre d'amour (de la luxure à vrai dire) que devaient pratiquer les survivants de désastres – ou les gens qui en anticipaient un –, dénué de toute inhibition, sauvage par moments et cependant étrangement tendre et affectueux. Il était teinté de mélancolie. Comme la sonate de Bach interprétée par Herr Zimmerman, il lui avait remué l'âme, séparé le cerveau du corps. Elle essaya de se rappeler un autre vers d'Andrew Marvell, est-ce que c'était dans « Un dialogue entre l'âme et le corps » ? Quelque chose à propos de *verrous d'os*, d'entraves et de menottes, mais impossible de s'en souvenir. Les mots semblaient durs alors qu'il y avait tant de peau et de chair tendres dans ce lit laissé (et propice) à l'abandon.

« Je pensais à Donne, dit-elle. Tu sais bien – *Vieux fou qui as la bougeotte* ». Non, supposa-t-elle, il ne connaissait proba-blement pas.

« Ah ouais ? » dit-il sur un ton indifférent. Pire qu'indifférent en réalité.

Le souvenir des fantômes gris de la cave et du bébé sur lequel elle s'était agenouillée la prit soudain au dépourvu. Puis, l'espace d'une seconde, elle fut ailleurs, ni dans une cave d'Argyll Road, ni dans la chambre d'Izzie à Holland Park, mais dans un vide étrange. En train de tomber, tomber…

« Cigarette ? » offrit Fred Smith. Il l'alluma avec le mégot de la sienne et la lui tendit. Elle l'accepta et dit : « Je ne fume pas vraiment.

432

— Et moi je ne lève pas vraiment des inconnues pour les baiser dans des maisons de rupins.

— Très D.-H. Lawrence. Et je ne suis pas une inconnue, on se connaît en gros depuis l'enfance.

— Pas de cette façon.

— Manquerait plus que ça. » Elle commençait déjà à le prendre en grippe. « Je n'ai aucune idée de l'heure, dit-elle. Mais je peux t'offrir du très bon vin pour le petit déjeuner. C'est tout ce qu'il y a, je le crains. »

Il regarda sa montre et dit « On a raté le petit déjeuner. Il est trois heures de l'après-midi. »

Le chien poussa la porte, ses pattes cliquetèrent sur le plancher nu. Il sauta sur le lit et regarda Ursula d'un air intense. « Le pauvre, dit-elle, il doit mourir de faim. »

*

« Fred Smith ? Il a été comment ? Raconte-moi !

— Décevant.

— Comment ça ? Au lit ?

— Oh, non, pas du tout. Je n'ai jamais… comme ça, tu sais. Je pense que j'ai cru que ce serait romantique. Non, ce n'est pas le mot, romantique est un mot stupide. "Emouvant"peut-être.

— Transcendant ? proposa Millie.

— Oui, c'est ça. Je cherchais la transcendance.

— J'imagine qu'elle vous trouve plutôt que l'inverse. C'est beaucoup demander au pauvre vieux Fred.

— Je m'étais fait une *idée* de lui, dit Ursula, mais l'idée n'était pas lui. Peut-être que j'avais envie de tomber amoureuse.

— Et au lieu de ça, tu as eu une joyeuse partie de jambes en l'air. Pauvre petite.

— Tu as raison, c'était une attente injuste de ma part. Oh, mon Dieu, je crois que je me suis conduite comme une horrible snob avec lui. J'ai cité Donne. Tu me trouves snob ?

— Affreusement. Tu pues, tu sais, ajouta joyeusement Millie. Cigarettes, sexe, bombes, Dieu sait quoi encore. Je te fais couler un bain ?

— Oh, oui, s'il te plaît, ce serait merveilleux.

— Et pendant que tu y es, dit Millie, prends ce maudit chien avec toi dans la baignoire. Il empeste. Mais il est plutôt mignon », dit-elle en imitant (plutôt mal) l'accent américain.

Ursula soupira et s'étira. « Tu sais, j'en ai vraiment, *vraiment*, marre d'être bombardée.

— La guerre ne va pas s'arrêter de sitôt, j'en ai peur », répondit Millie.

Mai 1941

Millie avait raison. La guerre n'en finissait pas. Il y eut un hiver atrocement froid, puis un raid abominable sur la City en fin d'année. Ralph avait contribué à empêcher l'incendie de la cathédrale St Paul's. Toutes les belles églises de Christopher Wren, songea Ursula. Elles avaient été construites à cause du Grand incendie de 1666 et avaient à présent disparu.

Le reste du temps, Ralph et elle faisaient ce que faisaient tous les gens comme eux. Ils allaient au cinéma, danser, aux concerts de midi de la National Gallery. Ils mangeaient, buvaient et faisaient l'amour. Ils ne « baisaient » pas. Ce n'était pas du tout le genre de Ralph. « Très D.-H. Lawrence », avait-elle dit d'un air décontracté à Fred Smith – qui devait ignorer de quoi elle voulait parler – mais le mot grossier l'avait horriblement choquée. Elle avait l'habitude d'entendre les mots « foutu » et « foutre » de la bouche des équipes de sauvetage, c'étaient des éléments vitaux de leur vocabulaire, mais elle n'était pas concernée. Elle essaya de dire le mot devant le miroir de la salle de bain, mais se sentit honteuse.

*

« Où diable l'as-tu trouvé ? » demanda-t-il.

Ursula ne l'avait jamais vu aussi abasourdi. Crighton soupesa l'étui à cigarettes en or. « Je croyais l'avoir perdu à jamais.

— Tu tiens vraiment à le savoir ?

435

— Bien sûr, dit Crighton. Pourquoi ce mystère ?

— Renée Miller, ça te dit quelque chose ? »

Il fronça les sourcils, puis secoua la tête. « Je crains que non. Ça devrait ?

— Tu l'as probablement payée pour coucher avec elle. Ou invitée à dîner. Ou tu lui as juste donné du bon temps.

— Ah, cette Renée Miller-là », fit-il en riant. Au bout de deux ou trois secondes de silence, il avoua « Non, vraiment, le nom ne me dit rien. De toute façon, je ne crois pas avoir jamais *payé* pour coucher avec une femme.

— Tu es dans la marine, fit-elle remarquer.

— Enfin, j'y étais il y a très, *très* longtemps. Mais merci, dit-il, tu sais que j'étais très attaché à cet étui. Mon père…

— Te l'a donné après la bataille du Jütland, je sais.

— Je t'ennuie ?

— Non. On va quelque part ? Au refuge ? *Baiser* ? »

Il éclata de rire. « Si tu veux. »

Il se souciait moins des « mondanités » à présent, expliqua-t-il. Ces mondanités semblaient inclure Moira et les filles et ils ne tardèrent pas à reprendre leur liaison clandestine, bien que moins clandestine à présent. Il était si différent de Ralph qu'elle avait à peine l'impression d'être infidèle. (« Oh, quel argument séduisant », disait Millie.) Elle ne voyait quasiment plus Ralph de toute façon et le désamour paraissait mutuel.

*

Teddy lut l'inscription gravée sur le Cénotaphe. « *A nos morts glorieux.* Tu crois qu'ils le sont ? Glorieux ? demanda-t-il.

— Enfin, c'est sûr qu'ils sont morts, dit Ursula. Quant à "glorieux", c'est pour nous, afin que nous nous sentions mieux, à mon avis.

— Je ne pense pas que les morts se soucient de grand-chose, dit Teddy. Quand on est mort, on est mort, selon moi. Je ne crois pas qu'il y ait un au-delà, et toi ?

— J'y croyais peut-être avant guerre, dit Ursula, avant d'avoir vu tous ces cadavres. Mais ils ressemblaient juste à des ordures qu'on avait jetées. » (Elle repensa à Hugh disant « Sortez-moi en même temps que la poubelle ».) On n'a pas l'impression que leurs âmes se soient envolées.

— Je mourrai probablement pour l'Angleterre, dit Teddy. Et il y a une chance pour que ce soit aussi ton cas. La cause est-elle suffisante ?

— Je pense que oui. Papa disait qu'il préférerait que nous soyons lâches et vivants plutôt qu'héroïques et morts. Je ne crois pas qu'il le pensait vraiment, esquiver les responsabilités n'était pas son style. Qu'est-ce qui est écrit sur le monument aux morts du village ? *Pour vos lendemains nous avons donné notre aujourd'hui.* C'est ce que vous faites, vous autres, vous renoncez à tout, ça ne semble pas juste d'une certaine façon. »

Ursula se dit qu'elle préférerait mourir pour Fox Corner plutôt que pour « l'Angleterre ». Pour la prairie, le bosquet et le ruisseau qui coulait dans le bois aux jacinthes sauvages. Enfin, c'était l'Angleterre aussi. Le lopin béni[60].

« Je suis patriote, dit-elle. Ce qui me surprend, bien que je ne sache pas pourquoi. Qu'est-ce qui est écrit sous la statue d'Edith Cavell, celle qui se trouve près de l'église St Martin's-in-the-Fields ?

— *Le patriotisme n'est pas suffisant*[61], dit Teddy.

— Tu es d'accord ? demanda-t-elle. Personnellement, je trouve que c'est plus que suffisant. » Elle rit et ils prirent bras dessus bras dessous la direction de Whitehall. Les bombardements avaient fait pas mal de dégâts. Ursula indiqua le Cabinet de guerre à Teddy. « Je connais une fille qui travaille là, dit-elle. Elle dort quasiment dans un placard. Je n'aime ni les bunkers, ni les caves, ni les sous-sols.

— Je me fais beaucoup de souci pour toi, dit Teddy.

— Et moi pour *toi*, dit-elle. Tous ces soucis ne nous font aucun bien ni à l'un ni à l'autre. » On aurait cru entendre Miss Woolf.

Teddy (« Sous-lieutenant Todd ») avait survécu à son passage dans une unité d'entraînement dans le Lincolnshire où il avait appris à voler sur des Whitley et devait dans environ une semaine rejoindre une unité de conversion aux bombardiers lourds basée dans le Yorkshire pour apprendre à piloter les nouveaux Halifax et entamer sa première période de service proprement dite.

Seule la moitié des équipages de bombardiers survivaient à leur première période de service, avait dit la fille du ministère de l'Air.

(« Les chances ne sont-elles pas les mêmes chaque fois qu'ils décollent ? avait demandé Ursula. Ça ne marche pas comme ça ?

— Pas dans le cas des équipages de bombardiers », avait répondu la fille du ministère de l'Air.)

Teddy la raccompagnait à son bureau après le déjeuner, elle avait pris une bonne heure. Les journées n'étaient plus aussi chargées.

Ils avaient prévu d'aller dans un endroit huppé, mais avaient atterri dans un British Restaurant[62] où ils avaient commandé du rosbif suivi d'une tarte aux prunes accompagnée de crème anglaise. Les prunes sortaient évidemment d'une boîte de conserve. Ils se régalèrent néanmoins.

« Tous ces noms, dit Teddy en contemplant le Cénotaphe. Toutes ces vies. Et voilà qu'on remet ça. Quelque chose ne tourne pas rond dans le genre humain. Ça sape le moral, tu ne penses pas ?

— Ça ne sert à rien de penser, dit-elle brusquement, il faut juste continuer à vivre. » (Elle se transformait vraiment en Miss Woolf.) « Nous n'avons qu'une vie après tout, nous devrions essayer de faire de notre mieux. Nous nous trompons toujours, mais nous devons *essayer*. » (La transformation était totale.)

« Et si nous avions la chance de recommencer encore et encore jusqu'à ce que nous finissions par ne plus nous tromper ? Ce ne serait pas merveilleux ?

— Je crois que ce serait épuisant. Je te citerais bien Nietzsche, mais je vais me faire taper sur les doigts.

— Sans doute, dit-il aimablement. C'est un nazi, non ?

— Pas vraiment. Tu écris toujours de la poésie, Teddy ?

— Je ne trouve plus les mots. Toutes mes tentatives ressemblent à de la sublimation. Je transforme la guerre en jolies images. Impossible d'aller au cœur.

— Le cœur sombre, sourd et sanglant ?

— C'est peut-être toi qui devrais écrire », dit-il en riant.

*

Elle n'allait pas patrouiller pendant que Teddy était là, Miss Woolf l'avait enlevée du tableau de service. Les raids aériens étaient plus sporadiques à présent. Il y avait eu des raids dramatiques en mars et en avril et les raids actuels leur semblaient d'autant plus pénibles qu'ils avaient eu le temps de souffler un peu. « C'est drôle, disait Miss Woolf, on a les nerfs tellement à cran quand ça n'arrête pas que c'est presque plus facile. »

Il y avait eu une nette accalmie au poste d'Ursula. « Je crois qu'Hitler s'intéresse davantage aux Balkans », dit Miss Woolf.

« Il va s'attaquer à la Russie », lui dit Crighton avec une certaine autorité. Millie était partie pour une autre tournée du Théâtre aux Armées et ils avaient l'appartement à eux.

« Ce serait de la folie.

— Mais il est complètement fou, qu'est-ce que tu crois ? » Il soupira et dit : « Ne parlons pas de la guerre. » Ils buvaient le whisky de l'Amirauté et jouaient aux cartes comme un vieux couple marié.

Teddy l'accompagna jusqu'à Exhibition Road et à son bureau et dit « Je m'imaginais ton "Centre de crise" comme un grand machin avec des portiques et des piliers – pas comme un bunker.

— Les portiques, c'est pour Maurice. »

*

439

Elle n'avait pas fait deux pas qu'Ivy Jones, une des opératrices du téléscripteur qui venait de prendre son service, lui sauta dessus et dit « Vous êtes cachottière, miss Todd, garder cet homme superbe pour vous toute seule » et Ursula songea, voilà ce qui arrive quand on se montre trop amical avec le personnel. « Faut que je file, dit-elle, le Rapport de situation journalier m'appelle. »

*

Ses « filles », Miss Fawcett et compagnie, classaient, rassemblaient et lui envoyaient les dossiers chamois pour qu'elle en fasse des synthèses tous les jours, toutes les semaines et parfois toutes les heures. Comptes rendus quotidiens, comptes rendus de dégâts, rapports de situation, ça n'en finissait pas. Puis tout devait être tapé, mis dans de nouveaux dossiers chamois et signé par elle avant d'être acheminé vers quelqu'un d'autre, quelqu'un comme Maurice.

« Nous ne sommes que des rouages, au fond, hein ? » disait Miss Fawcett et Ursula disait « Mais rappelez-vous, sans rouages, pas de machine. »

*

Teddy l'emmena prendre un verre. La soirée était chaude et les arbres étaient en pleine floraison de sorte que l'espace d'un moment ils eurent l'impression que la guerre était finie.

Teddy ne voulait pas parler d'aviation, ne voulait pas parler de la guerre, ne voulait même pas parler de Nancy. Où était-elle ? En train de faire quelque chose dont elle ne pouvait pas parler, apparemment. Personne n'avait plus envie de parler de rien, semblait-il.

« Parlons de papa, dit-il, et c'est ce qu'ils firent et ils eurent l'impression que Hugh avait enfin la commémoration qu'il méritait.

Teddy prit le train pour Fox Corner le lendemain matin, il y passerait quelques jours, et Ursula dit « Je peux te confier un autre évacué ? » et lui remit Lucky. Il restait enfermé dans l'appartement toute la journée pendant qu'elle était au travail, mais elle l'emmenait souvent au poste de défense passive si elle était de garde et tout le monde le traitait comme une sorte de mascotte. Même Mr Bullock qui ne semblait pas très amateur de chiens lui apportait des restes et des os. Il y avait des jours où le chien mangeait mieux qu'elle. N'empêche que Londres en temps de guerre n'était pas un bon endroit pour les chiens, expliqua-t-elle à Teddy. « Tout ce bruit, ça doit être très effrayant.

— Ce toutou me plaît, dit-il en frottant la tête du terrier. C'est un genre de chien très franc du collier. »

Elle les accompagna à Marylebone. Le petit chien calé sous son bras, Teddy lui adressa un salut à la fois gentil et ironique et monta dans le train. Elle fut presque aussi triste de voir partir le chien que Teddy.

*

Ils avaient été trop optimistes. Il y eut un terrible raid en mai. Leur appartement de Phillimore Gardens fut touché. Ni Ursula ni Millie n'étaient présentes, Dieu merci, mais le toit et le dernier étage furent détruits. Ursula regagna simplement les lieux et fit du camping pendant quelques jours. Le temps était correct et bizarrement ça ne lui déplaisait pas. Il y avait encore de l'eau mais plus d'électricité, et quelqu'un au travail lui prêta une vieille tente sous laquelle elle dormait. La dernière fois qu'elle avait campé, c'était en Bavière lorsqu'elle avait accompagné les filles Brenner dans leur randonnée estivale en montagne avec les BDM et partagé une tente avec Klara, l'aînée. Elles s'étaient prises d'une profonde affection, mais elle était sans nouvelles de Klara depuis la déclaration de guerre.

Crighton voyait les nuits d'Ursula au grand air d'un œil amusé : « C'est comme dormir sur le pont à la belle étoile dans l'océan Indien. » Elle éprouva un pincement de jalousie, elle n'était même pas allée à Paris. L'axe Munich-Bologne-Nancy avait défini les frontières du monde connu pour elle. Avec son amie Hilary – la fille qui dormait dans un placard au Centre de crise – elle avait prévu de visiter la France à bicyclette, mais ce projet de vacances était tombé à l'eau à cause de la guerre. Tout le monde était coincé sur la petite île porte-scêptre[63]. Si on s'appesantissait trop sur la question, on pouvait commencer à souffrir de claustrophobie.

Rentrée de sa tournée avec le Théâtre aux Armées, Millie déclara qu'Ursula était tombée sur la tête et insista pour qu'elles trouvent un autre appartement et elles déménagèrent donc à Lexham Gardens. Ursula sut tout de suite qu'elle n'arriverait jamais à aimer cet endroit minable. (« Nous pourrions vivre ensemble si tu voulais, dit Crighton. Un petit appartement à Knightsbridge ? » Elle s'y opposa.)

Ce n'était pas le pire, bien sûr. Leur poste de défense passive avait été touché de plein fouet au cours du même raid et Herr Zimmerman et Mr Simms avaient été tués tous les deux.

Aux obsèques de Herr Zimmerman, un quatuor à cordes composé exclusivement de réfugiés joua du Beethoven. Contrairement à Miss Woolf, Ursula se dit qu'il faudrait davantage que les œuvres du grand compositeur pour guérir leurs blessures. « Je les ai entendus au Wigmore Hall avant guerre, chuchota Miss Woolf. Ils sont excellents. »

Après l'enterrement, Ursula alla chercher Fred Smith à sa caserne et ils louèrent une chambre dans un petit hôtel déplaisant près de Paddington. Plus tard, après l'amour, qui eut la même qualité irrépressible que la fois précédente, ils s'endormirent bercés par l'arrivée et le départ des trains et elle se dit que Fred devait regretter ce bruit.

Au réveil, il dit : « Je suis désolé de m'être conduit comme un vrai crétin la dernière fois. » Il partit et revint avec deux tasses de thé – il avait dû faire du charme à quelqu'un dans l'hôtel, l'endroit ne semblait pas du genre à avoir une cuisine, encore moins un garçon d'étage. Fred avait comme Teddy un charme naturel qui émanait d'une sorte de franchise de caractère. Le charme de leur petit frère Jimmy était différent, plus malhonnête peut-être.

Ils burent leur thé au lit et fumèrent des cigarettes. Elle pensa au poème de Donne *La Relique*, un de ses préférés – au *brillant bracelet de crins autour de l'os*[64] –, mais se retint de faire la citation, étant donné que les précédentes avaient été fort mal accueillies. Comme ce serait bizarre pourtant si l'hôtel était touché et que personne ne comprenne qui ils étaient ni ce qu'ils faisaient ensemble, unis dans un lit devenu leur tombeau. Elle était devenue très morbide depuis Argyll Road. L'incident l'avait affectée d'une façon différente des autres. Qu'aimerait-elle voir gravé sur sa pierre tombale ? se demanda-t-elle vaguement. « Ursula Beresford Todd, vaillante jusqu'au bout. »

« Savez-vous quel est votre problème, miss Todd ? » dit Fred Smith en écrasant son mégot. Il lui prit la main, embrassa sa paume ouverte – elle songea : savoure ce moment car il est doux – et dit « Non, quel est mon problème ? » et ne le sut jamais car la sirène retentit, il s'écria « Merde, merde, merde, je suis censé être de garde », se rhabilla à toute allure, lui donna un baiser en vitesse et sortit de la chambre en courant. Elle ne le revit jamais.

*

Elle lisait le Journal de guerre de la Sécurité intérieure concernant les premières heures affreuses du 11 mai :

Heure de la source : 0045. Forme de la source : téléscripteur. Envoyé ou reçu : Reçu. Sujet : Bureau du South West India Dock détruit par bombes explosives. De même que l'abbaye de Westminster, le Parlement, le QG de De Gaulle, la Monnaie, le Palais de justice. Elle avait vu l'église St Clement Dane's flamber comme un monstrueux feu de cheminée sur le Strand. Plus tous les gens ordinaires vivant leurs précieuses vies ordinaires à Bermondsey, Islington, Southwark. La liste était interminable.

Elle fut interrompue par Miss Fawcett qui dit « Un message pour vous, miss Todd » et lui remit un bout de papier.

Une connaissance qui connaissait elle-même une fille travaillant à la brigade des sapeurs-pompiers auxiliaires lui avait envoyé le double d'un rapport de l'AFS, un petit mot ajoutait : « C'était un de vos amis, n'est-ce pas ? Navrée... »

Frederick Smith, pompier, écrasé par un mur qui s'est écroulé lors d'une intervention sur un incendie à Earl's Court.

Espèce d'idiot, songea Ursula. Triple idiot.

Novembre 1943

C'est Maurice qui lui apporta la nouvelle. Son arrivée coïn-cida avec celle du chariot annonçant la pause-thé du matin. « Je peux te dire deux mots ?

— Tu veux du thé ? demanda-t-elle en se levant de son bureau. Je suis sûre que nous pouvons t'offrir un peu du nôtre, même s'il ne doit pas arriver à la cheville de votre Orange Pekoe, de votre Darjeeling et des vos autres thés de luxe. Je ne pense pas non plus que nos biscuits soutiennent la comparaison avec les vôtres. » La dame qui distribuait le thé attendait, pas du tout impressionnée par cet échange avec un intrus des sphères supérieures.

« Non, pas de thé, merci », répondit-il avec une politesse et un manque d'entrain surprenants. Elle s'avisa que Maurice bouillait en permanence d'une rage refoulée (drôle d'état pour vivre une vie), à certains égards, il lui rappelait Hitler (elle avait entendu dire que Maurice se déchaînait contre les secrétaires. « Oh, c'est si injuste ! s'était exclamée Pamela, mais ça me fait bien rire. »)

Maurice ne s'était jamais sali les mains. N'était jamais allé sur un incident, n'avait jamais disloqué un homme comme une papillote de Noël pas plus qu'il ne s'était agenouillé sur un ballot de tissu et de chair enchevêtrés qui avait été auparavant un bébé.

Qu'est-ce qu'il fichait ici, allait-il se remettre à pontifier sur sa vie amoureuse ? Il ne lui traversa jamais l'esprit qu'il était là pour dire : « Je suis navré de devoir t'annoncer ça (comme s'il s'agissait d'une annonce officielle) mais Ted a cassé sa pipe.

— Quoi ? » Elle n'arrivait pas à démêler le sens de sa phrase. Cassé quoi ? « Je ne vois pas ce que tu veux dire, Maurice.

— Ted, dit-il. L'avion de Ted s'est écrasé. »

Teddy était à l'abri du danger. Il était « arrivé au terme de sa période de service » et était instructeur dans une unité d'entraînement. Il était commandant et décoré. (Ursula, Nancy et Sylvie étaient allées débordantes de fierté au palais de Buckingham.) Puis il avait demandé à retourner en opération. (« Je m'y suis juste senti tenu. ») La fille qu'elle connaissait au ministère de l'Air – Anne – lui avait dit qu'un équipage sur quarante survivait à une seconde période de service.

« Ursula, dit Maurice. Tu comprends ce que je suis en train de te dire ? Nous l'avons perdu.

— Alors nous le retrouverons.

— Non. Il est officiellement « porté disparu au combat ».

— Alors il n'est pas *mort*, fit Ursula. Où ça ?

— Berlin, il y a deux nuits.

— Il s'en est sorti et a été fait prisonnier, dit Ursula comme si elle constatait un fait.

— Non, j'ai peur que non. Son avion s'est écrasé en flammes, personne ne s'en est sorti.

— Comment le sais-tu ?

— On l'a vu, un témoin, un camarade pilote.

— Qui ça ? Qui l'a vu ?

— Je ne sais pas. » Il commençait à s'impatienter.

« Non », fit-elle. Puis de nouveau, non. Son cœur se mit à s'emballer, sa bouche devint sèche. Sa vision se brouilla, se moucheta, devint une peinture pointilliste. Elle allait s'évanouir.

« Ça va ? » entendit-elle Maurice demander. Est-ce que je vais bien ? s'interrogea-t-elle, est-ce que je vais bien ? Comment pourrais-je aller bien ?

La voix de Maurice semblait très lointaine. Elle l'entendit réclamer de l'aide en criant. Une fille apporta une chaise, un verre d'eau. Elle lui dit « Tenez, miss Todd, mettez votre tête entre vos genoux. » C'était Miss Fawcett, une brave fille. « Merci, miss Fawcett, murmura Ursula.

— Maman l'a très mal pris aussi », dit Maurice comme si le chagrin le laissait perplexe. Il n'avait jamais aimé Teddy comme eux tous.

« Bon, fit-il en lui tapotant l'épaule – elle essaya de ne pas tressaillir –, je ferais mieux de retourner au bureau, je te verrai à Fox Corner, je suppose, ajouta-t-il presque nonchalamment, comme si le pire moment de la conversation était passé et qu'ils pouvaient revenir à des bavardages plus insipides.

— Pourquoi ?

— Pourquoi quoi ? »

Elle se redressa. Le verre trembla légèrement dans sa main. « Pourquoi me verras-tu à Fox Corner ? » Elle sentait que Miss Fawcett rôdait dans les parages avec sollicitude.

« Ma foi, les familles se rassemblent dans des occasions pareilles, dit Maurice. Après tout, il n'y aura pas d'obsèques.

— Ah bon ?

— Non, bien sûr que non. Pas de corps », fit-il. Avait-il haussé les épaules ? Oui ? Elle frissonnait, se disait qu'elle allait peut-être s'évanouir, tout compte fait. Elle aurait voulu que quelqu'un la soutienne. Pas Maurice. Miss Fawcett lui prit son verre. Maurice dit « Je te descendrai en voiture, évidemment. J'ai compris à la voix de maman qu'elle avait l'air complètement anéantie », ajouta-t-il.

Il lui avait annoncé ça au téléphone ? Quelle horreur, songea-t-elle, hébétée. Peu importe la façon dont on apprenait la nouvelle, supposa-t-elle. Pourtant, se la voir annoncée par Maurice dans son costume trois-pièces à rayures, appuyé à son bureau et inspectant ses ongles en attendant qu'elle lui dise qu'elle allait bien et qu'il pouvait partir...

« Je vais bien. Tu peux partir. »

Miss Fawcett lui apporta du thé bouillant et sucré et dit : « Je suis navrée, miss Todd. Voulez-vous que je vous raccompagne chez vous ?

— C'est très gentil de votre part, fit Ursula, mais ça ira. Ça vous embêterait d'aller me chercher mon manteau ? »

*

Il tordait sa casquette d'uniforme dans ses mains. Leur simple présence le rendait nerveux. Roy Holt buvait de la bière dans une grande chope en verre alvéolé, à longues rasades comme s'il avait très soif. C'était l'ami de Teddy, le témoin de sa mort. Le « camarade pilote ». La dernière fois qu'Ursula était venue ici, c'était pour rendre visite à Teddy durant l'été 42 : ils s'étaient assis dans le jardin du pub où ils avaient mangé des sandwiches au jambon et des œufs au vinaigre.

Roy Holt était de Sheffield où l'air était encore celui du Yorkshire, mais n'était peut-être pas si bon. Sa mère et sa sœur avaient péri dans les épouvantables raids de décembre 1940 et il disait qu'il ne trouverait le repos qu'une fois qu'il aurait largué une bombe directement sur la tête d'Hitler.

« Bravo », dit Izzie. Elle avait de curieuses façons avec les jeunes gens, avait remarqué Ursula, elle était à la fois maternelle et charmeuse (alors que jadis elle était simplement charmeuse). C'était plutôt perturbant à voir.

Dès qu'elle avait appris la nouvelle, Izzie avait quitté les Cornouailles en toute hâte pour gagner Londres où elle avait réquisitionné une voiture et une poignée de coupons d'essence auprès d'une « connaissance » au gouvernement afin qu'elles puissent aller toutes les deux à Fox Corner, puis se rendre au terrain d'aviation de Teddy. (« Tu seras bien trop tourneboulée pour prendre le train. ») Ses « connaissances » étaient en général un euphémisme pour ses ex-amants. (« Qu'est-ce que vous avez fait pour obtenir ça ? » lui avait demandé un garagiste revêche quand elles avaient fait le plein à sa pompe sur la route du Yorkshire. « J'ai couché avec quelqu'un d'extrêmement important », lui susurra Izzie.)

Ursula n'avait pas vu Izzie depuis les obsèques de Hugh, depuis la stupéfiante révélation qu'elle avait un enfant, et se disait qu'elle devrait peut-être revenir sur le sujet pendant le trajet (tâche délicate) vu qu'Izzie avait été si bouleversée et n'avait sans doute personne d'autre à qui en parler. Mais quand elle demanda « Tu as envie de m'en dire plus sur ton bébé ? » Izzie répondit « Oh, *ça* » comme s'il s'agissait d'une chose sans intérêt. « Oublie ce que t'ai dit. J'étais juste morbide. On s'arrête pour prendre un thé quelque part, j'avalerais bien un scone, pas toi ? »

*

Ils s'étaient bel et bien rassemblés à Fox Corner et il n'y avait pas de « corps », comme avait dit Maurice. Le statut de Teddy et de son équipage était désormais passé de « porté disparu au combat » à « porté disparu, présumé mort ». Il n'y avait aucun espoir, déclara Maurice, ils devaient cesser d'y croire. « Il y a toujours de l'espoir, dit Sylvie.

— Non, dit Ursula, parfois il n'y en a vraiment pas. » Elle songea au bébé Emil. Dans quel état aurait été Teddy ? Noirci, carbonisé et rétréci comme un morceau de bois ancien ? Peut-être qu'il ne restait rien du tout, pas de « corps ». Arrête, arrête. Elle respira. Pense à lui petit, jouant avec ses avions et ses trains – non, en fait, c'était pire. Bien pire.

« Ça n'a rien d'une surprise », dit Nancy d'un air sombre. Elles étaient assises dehors sur la terrasse. Elles avaient un peu trop forcé sur le whisky pur malt de Hugh. Ça faisait bizarre de boire son whisky alors qu'il était parti. Il était conservé dans une carafe en cristal taillé sur le bureau de la tanière et c'était la première fois qu'elle en buvait un verre qui n'ait pas été versé de sa main. (« Ça te dirait une goutte d'élixir, mon oursonne ? »)

« Il avait tant de missions à son actif, dit Nancy, les chances étaient contre lui.

— Je sais.

— Il s'y attendait, dit Nancy. Il l'acceptait, même. Ils sont bien obligés, tous ces garçons. J'ai l'air optimiste, je sais, continua-t-elle tranquillement, mais mon cœur est brisé. Je l'aimais tant.

Je *l'aime* tant. Je ne sais pas pourquoi j'utilise le passé. Ce n'est pas comme si l'amour mourait avec celui qu'on aime. Je l'aime encore plus maintenant parce que je suis sacrément triste pour lui. Il ne se mariera jamais, n'aura jamais d'enfants, n'aura jamais la vie merveilleuse à laquelle il avait droit. Je ne parle pas de tout ça, dit-elle en agitant la main, englobant dans son geste Fox Corner, la bourgeoisie, l'Angleterre en général, mais parce que c'était quelqu'un de si *bien*. Vrai et solide comme un roc. » Elle rit. « C'est stupide, je sais. Je sais aussi que tu es la seule à comprendre. Je n'arrive pas à pleurer, je n'en ai même pas envie. Mes larmes ne rendraient pas justice à l'étendue de ma perte. »

Nancy n'avait pas envie de parler, avait dit un jour Teddy, et voilà qu'elle ne pouvait plus s'arrêter. Ursula avait à peine parlé, mais pleuré comme une Madeleine. Il ne se passait quasiment pas une heure sans qu'elle pleure à chaudes larmes, sans pouvoir s'arrêter. Ses yeux étaient encore gonflés et douloureux. Crighton avait été formidable, l'avait bercée, apaisée, lui avait préparé d'innombrables tasses de thé, thé dérobé à l'Amirauté, supposait-elle. Il ne débitait pas de lieux communs, ne disait pas que tout irait bien, que le temps guérirait ses blessures, que Teddy était dans un monde meilleur – aucune de ces inepties. Miss Woolf était merveilleuse aussi. Elle venait et s'asseyait à côté de Crighton, sans jamais chercher à savoir qui il pouvait être, lui tenait la main, lui caressait les cheveux et lui permettait d'être une enfant inconsolable.

C'était terminé à présent, songea-t-elle, en finissant son whisky. Maintenant, il n'y avait plus rien. Rien qu'un vaste paysage monotone et vide qui s'étendait jusqu'aux confins de son esprit. *Le désespoir derrière et la mort devant.*

« Je peux te demander quelque chose ? dit Nancy.

— Oui, bien sûr. Tout ce que tu veux.

— Pourrais-tu essayer de voir s'il y a le moindre petit espoir qu'il soit vivant ? Il y a tout de même une chance, si minime soit-elle, pour qu'il ait été fait prisonnier. J'ai pensé que tu connaissais peut-être quelqu'un au ministère de l'Air...

— C'est-à-dire que je connais une fille…

— A moins que Maurice connaisse quelqu'un, quelqu'un qui pourrait se montrer… catégorique. » Elle se leva soudain en titubant légèrement à cause du whisky et dit « Il faut que j'y aille. »

*

« On s'est déjà vus, lui dit Roy Holt.

— Oui, je suis venue, l'année dernière, fit Ursula. Je suis descendue ici au White Hart, ils ont des chambres, mais je suppose que vous êtes au courant. C'est "votre" pub, non ? Celui des équipages, je veux dire.

— On buvait tous au bar, je me souviens, dit Roy Holt.

— Oui, la soirée fut très joyeuse. »

Maurice avait été au-dessous de tout, évidemment, mais Crighton s'était renseigné. C'était toujours la même histoire. L'avion de Teddy s'était écrasé en flammes, personne n'avait sauté.

« Vous êtes le dernier à l'avoir vu, dit Ursula.

— Je n'y pense pas vraiment, fit Roy Holt. C'était un brave type, Ted, mais c'est la règle du jeu. Ils ne reviennent pas. Ils sont là au dîner et plus là au petit déjeuner. On pleure leur perte une minute, puis on n'y pense plus. Vous connaissez les statistiques ?

— Il se trouve que oui. »

Il haussa les épaules et dit : « Après la guerre, peut-être, je ne sais pas. Qu'est-ce que vous attendez de moi ?

— Nous voulons juste savoir qu'il ne s'en est pas sorti, dit gentiment Izzie. Qu'il est mort. Vous étiez attaqués, dans des circonstances extrêmes, vous n'avez peut-être pas vu tout le déroulement de ce triste drame.

— Il est mort, croyez-moi, dit Roy Holt. L'équipage aussi. Tout l'avion était en feu. La plupart des membres de l'équipage étaient probablement déjà morts. Je le voyais, les avions étaient très proches, encore en formation. Il s'est tourné pour me regarder.

451

« — Vous regarder ? » fit Ursula. Teddy pendant les derniers instants de sa vie, sachant qu'il allait mourir. A quoi avait-il pensé ? A la prairie, au bosquet et au ruisseau qui coulait dans le bois aux jacinthes sauvages ? Ou aux flammes qui allaient le consumer – faire de lui un martyr de plus pour l'Angleterre ?

Izzie serra fort la main d'Ursula. « Du calme », dit-elle.

« Je n'avais qu'une idée en tête, m'éloigner d'eux. Il ne maîtrisait plus son coucou, je n'avais pas envie que ce salaud nous rentre dedans. » Il haussa les épaules. Il avait l'air incroyablement jeune et vieux en même temps.

« Vous devriez tourner la page », dit-il plutôt brutalement avant d'ajouter en se radoucissant « J'ai apporté le chien. Je me suis dit que vous voudriez peut-être le récupérer. »

Lucky était endormi aux pieds d'Ursula, il avait été fou de joie en la voyant. Teddy ne l'avait pas laissé à Fox Corner, mais l'avait emmené dans le Nord, à sa base. « Avec le nom et la réputation qu'il a, que pouvais-je faire d'autre ? » avait-il écrit. Il avait joint une photo de son équipage se prélassant dans de vieux fauteuils, Lucky fièrement au garde-à-vous sur le genou de Teddy.

« Mais c'est votre mascotte, protesta Ursula. Ça ne risque pas de vous porter malheur ? De la donner, je veux dire.

— Nous n'avons que des malheurs depuis la disparition de Ted, dit Roy Holt d'un ton morose. C'était son chien, ajouta-t-il plus gentiment, fidèle jusqu'au bout, comme on dit. Il se languit de lui comme c'est pas possible, vous devriez l'emmener. Les gars ne supportent pas de le voir traîner sur le terrain d'aviation, à attendre le retour de Ted. Ça leur rappelle juste que ce sera sans doute leur tour la prochaine fois. »

*

« Je ne le supporte pas », dit-elle à Izzie quand elles repartirent. C'était ce que Miss Woolf avait dit à la mort de Tony, se souvint-elle. Combien d'horreurs était-on censé supporter ? Le

452

chien était assis sur ses genoux, tout content, comme s'il sentait chez elle quelque chose de Ted peut-être. C'est du moins ce qu'elle se plaisait à croire.

« Que faire d'autre ? » dit Izzie.

Eh, bien, on pouvait se tuer. Et elle l'aurait peut-être fait mais comment abandonner le chien ? « Tu trouves ça ridicule ? demanda-t-elle à Pamela.

— Non, pas ridicule, dit Pamela. Le chien est tout ce qui reste de Teddy.

— Parfois j'ai l'impression que *c'est* Teddy.

— Ça par contre, c'est ridicule. »

Elles étaient assises sur la pelouse de Fox Corner, une quinzaine de jours après le 8 mai 1945. (« C'est maintenant que commence la partie difficile », dit Pamela.) Elles n'avaient pas fêté l'armistice. Sylvie avait marqué la journée en mourant d'une overdose de somnifères. « Egoïste, vraiment, dit Pamela. Après tout, nous sommes aussi ses enfants. »

Sylvie avait accueilli la vérité à sa façon personnelle et inimitable en s'allongeant sur le lit d'enfant de Teddy et en avalant un flacon entier de somnifères arrosés du reste de whisky de Hugh. C'était aussi la chambre de Jimmy, mais il ne semblait guère compter à ses yeux. A présent, deux des garçons de Pamela dormaient dans cette chambre et jouaient avec le vieux train électrique de Teddy, installé dans la vieille mansarde de Mrs Glover.

Ils vivaient à Fox Corner, les garçons, Pamela et Harold. A la surprise générale, Bridget avait mis à exécution sa menace de retourner en Irlande. Sylvie, énigmatique jusqu'au bout, avait laissé sa bombe à retardement personnelle. A la lecture de son testament, ils découvrirent qu'il y avait de l'argent – des valeurs boursières et ainsi de suite, Hugh n'était pas banquier pour rien – qui serait divisé à parts égales, mais Pamela héritait de Fox Corner. « Pourquoi moi ? essaya de comprendre Pamela. Je n'étais pas plus sa préférée qu'un autre.

— Aucun de nous ne l'était, dit Ursula, seulement Teddy. Je suppose que s'il avait survécu, elle lui aurait laissé la maison.

— S'il avait survécu, elle ne serait pas morte. »

Maurice était blême de rage. Jimmy n'était pas encore rentré de la guerre et, une fois de retour, ne parut pas plus affecté que ça. Ursula ne fut pas entièrement insensible au rejet (pour ne pas dire la trahison) mais trouvait que Pamela était la personne idéale pour vivre à Fox Corner et était contente de la voir maîtresse des lieux. Pamela voulait vendre la maison et diviser le produit de la vente entre eux tous, mais à la surprise d'Ursula, Harold l'en dissuada. (Et c'était difficile de dissuader Pamela.) Harold n'avait jamais aimé Maurice, autant pour ses idées politiques que sa personnalité, et Ursula soupçonnait que c'était sa façon de punir Maurice... d'être Maurice. Tout ça faisait très roman d'E. M. Forster et il aurait été facile d'en concevoir de la rancune, mais Ursula décida de ne pas en avoir.

Le contenu de la maison devait être divisé entre eux cinq. Jimmy ne voulut rien : il avait déjà son billet de bateau pour New York où un travail l'attendait dans une agence de publicité grâce à quelqu'un rencontré pendant la guerre. « Une connaissance », dit-il, faisant écho à Izzie. Maurice, par contre, ayant décidé de ne pas contester le testament (« Même si j'aurais évidemment gain de cause »), envoya un camion de déménagement et dévalisa pratiquement la maison. Comme aucun des meubles ni des objets ne réapparut au domicile de Maurice, on supposa qu'il avait vendu le tout par dépit plus que pour autre chose. Pamela déplora la disparition des beaux tapis et bibelots de Sylvie, de la table Regency Revival, de quelques très belles chaises Queen Anne, de l'horloge de parquet du vestibule, « des choses au milieu desquelles nous avons grandi », mais la razzia parut apaiser Maurice et empêcha le déclenchement d'une guerre totale.

Ursula prit la pendulette de Sylvie. « Je ne veux rien d'autre, dit-elle. Seulement être toujours la bienvenue ici.

— Tu le seras toujours, tu le sais bien. »

Février 1947

Merveilleux ! Comme un colis de la Croix-Rouge, écrivit-elle, et elle posa la carte du pavillon de Brighton à côté de la pendulette de Sylvie sur le manteau de cheminée, près de la photo de Teddy. Elle posterait la carte avec le courrier demain après-midi. Elle mettrait une éternité à atteindre Fox Corner, bien sûr.

Une carte d'anniversaire avait fini par lui arriver. Le mauvais temps avait empêché les festivités habituelles à Fox Corner, Crighton l'avait emmenée à la place au Dorchester pour un dîner qui s'était terminé aux chandelles car il y avait eu une coupure d'électricité au beau milieu du repas.

« Très romantique, dit-il. Juste comme au bon vieux temps.

— Je n'ai pas souvenir que nous ayons été particulièrement romantiques », fit-elle. Leur liaison avait pris fin avec la guerre, mais il s'était rappelé son anniversaire, détail qui l'avait touchée plus profondément qu'il ne le soupçonnait. Il lui offrit une boîte de chocolats Milk Tray (« Ce n'est pas grand-chose, j'en ai peur. »)

« Provisions de l'Amirauté ? » demanda-t-elle et ils rirent tous les deux. Rentrée chez elle, elle mangea toute la boîte d'un coup.

*

Cinq heures. Elle emporta son assiette à l'évier et l'ajouta au reste de la vaisselle sale. La cendre grise était un blizzard dans

455

le ciel sombre et elle essaya de fermer le fin rideau de coton pour le faire disparaître. Il tira éperdument sur son câble et elle renonça avant de tout faire dégringoler. La fenêtre qui était vieille fermait mal et laissait entrer un courant d'air glacial.

L'électricité fut coupée et elle tâtonna pour trouver la bougie sur le manteau de cheminée. Est-ce que ça pouvait être pire ? Ursula emporta la bougie et la bouteille de whisky dans son lit et se mit sous les couvertures sans quitter son manteau. Elle était si fatiguée. La faim et le froid provoquaient une affreuse léthargie.

La flamme de son petit radiateur à gaz tremblota d'une façon alarmante. Serait-ce si atroce ? *Ô, cesser d'être – sans souffrir – à Minuit.* Il y avait bien pire. Auschwitz, Treblinka. Le Halifax de Teddy s'écrasant en flammes. La seule façon d'arrêter les larmes était de continuer à boire du whisky. Bonne vieille Pammy. La flamme du radiateur dansa et mourut. La veilleuse aussi. Elle se demanda quand le gaz reviendrait. Si l'odeur la réveillerait, si elle se lèverait pour le rallumer. Elle ne s'attendait pas à mourir comme un renard gelé dans son terrier. Pammy verrait la carte postale, saurait que son cadeau avait été apprécié. Ursula ferma les yeux. Elle avait l'impression d'être éveillée depuis plus de cent ans. Elle était vraiment très, très fatiguée.

Les ténèbres commencèrent à s'abattre.

*

Elle se réveilla en sursaut. Faisait-il jour ? La lumière était allumée, mais il faisait sombre. Elle avait rêvé qu'elle était coincée dans la cave. Elle se leva, elle se sentait encore très pompette et comprit que c'était la TSF qui l'avait tirée du sommeil. L'électricité était revenue à temps pour la météo marine.

Elle mit des pièces dans le compteur et le petit radiateur se ralluma. Elle ne s'était donc pas gazée tout compte fait.

Juin 1967

Ce matin, les Jordaniens avaient ouvert le feu sur Tel-Aviv, disait le reporter de la BBC, à présent, ils bombardaient Jérusalem. Il se trouvait sans doute dans une rue de Jérusalem, elle ne prêtait pas vraiment attention, on entendait des tirs d'artillerie à l'arrière-plan, trop lointains pour représenter un danger pour le journaliste, même si sa fausse tenue de combat et son style de reportage – haletant et néanmoins solennel – suggéraient des actes de bravoure peu probables de sa part.

Benjamin Cole était à présent député du Parlement israélien. Il avait combattu dans la Brigade juive à la fin de la guerre, puis rejoint le groupe Stern en Palestine pour revendiquer une patrie. C'était un garçon si droit que ça lui avait fait drôle de l'imaginer en terroriste.

Ils s'étaient rencontrés pour prendre un verre durant la guerre, mais le rendez-vous avait été embarrassant. Les élans romantiques de la jeunesse d'Ursula s'étaient estompés depuis longtemps tandis que la relative indifférence de Ben envers elle en tant que membre du sexe féminin avait changé du tout au tout. Elle avait à peine terminé son gin citron (très allongé) qu'il suggéra « d'aller quelque part ».

Elle s'indigna. « J'ai à ce point l'air d'une femme de petite vertu ? demanda-t-elle après coup à Millie.

— Pourquoi pas ? répondit Millie en haussant les épaules. Nous pourrions êtres tuées par une bombe demain. *Carpe diem* etc.

457

— Tout le monde a l'air d'invoquer cette excuse pour justifier ses écarts de conduite, maugréa Ursula. Si les gens croyaient à la damnation éternelle, ils s'empresseraient moins de goûter l'instant présent. » La journée s'était mal passée au bureau. Une des documentalistes, ayant appris que le bateau de son bon ami avait coulé, avait piqué une crise de nerfs, un document important avait disparu dans l'océan de paperasserie, provoquant des angoisses supplémentaires quoique d'un ordre différent, de sorte qu'Ursula n'avait pas goûté l'instant présent avec Benjamin Cole, malgré l'insistance de ce dernier. « J'ai toujours senti quelque chose entre nous, pas toi ? fit-il.

— Trop tard, je le crains, dit-elle en prenant son sac et son manteau. Dans une prochaine vie peut-être. » Elle songea au Dr Kellet et à ses théories de la réincarnation et se demanda sous quelle forme elle aimerait renaître. Un arbre, se dit-elle. Un grand et bel arbre dansant sous la brise.

*

La BBC tourna son attention vers Downing Street. Quelqu'un, elle ignorait qui, avait démissionné. Elle avait entendu des potins au bureau, mais n'y avait prêté qu'une oreille très distraite.

Elle dînait d'un toast au fromage, un plateau posé sur les genoux. C'était devenu son habitude, le soir. Mettre la table, sortir des légumiers, des sets de table et tout le bazar pour une seule personne semblait ridicule. Tout ça pour quoi ? Pour manger en silence ou penchée sur un livre ? Il y avait des gens qui voyaient dans les dîners devant la télévision le début de la fin de la civilisation. (Le fait qu'elle les défendait si énergiquement indiquait-il qu'elle était secrètement du même avis ?) Ces gens-là ne vivaient de toute évidence pas seuls. Et franchement le début de la fin de la civilisation s'était produit il y a longtemps. A Sarajevo peut-être, à Stalingrad au plus tard. D'aucuns diraient que la fin avait commencé au début, dans le Jardin d'Eden.

Quel mal y avait-il à regarder la télévision de toute façon ? On ne pouvait guère aller au théâtre ou au cinéma (ni d'ailleurs au pub) tous les soirs. Et quand on vivait seule, la seule conversation qu'on pouvait avoir chez soi était avec son chat, ce qui tendait à ressembler à un soliloque. Les chiens étaient différents, mais elle n'en avait plus eu depuis Lucky. Il était mort durant l'été 49, de vieillesse, avait dit le véto. Ursula l'avait toujours vu jeune. Ils l'avaient enterré à Fox Corner et Pamela avait planté un rosier d'un rouge profond en guise de pierre tombale. Le jardin de Fox Corner était un véritable cimetière pour chiens. Où qu'on aille, il y avait un rosier avec un chien dessous bien que seule Pamela fût capable de se rappeler qui était à tel ou tel endroit.

Quelle était d'ailleurs l'alternative à la télévision ? (Elle ne laissait pas tomber la discussion, bien que ce fût un débat intérieur.) Faire un puzzle ? Ah oui ? Il y avait la lecture, évidemment, mais après une journée de travail éprouvante, remplie de messages, de mémos et d'ordres du jour, on n'avait pas toujours envie de s'user encore les yeux avec d'autres mots. La TSF, les disques étaient parfaits, bien sûr, mais restaient du *solipsisme* d'une certaine façon. (Oui, elle protestait trop.) Au moins avec la télévision, on n'avait pas à *penser*. Ce qui n'était pas si mal.

Elle dînait plus tard que d'habitude car elle venait de fêter sa retraite – c'était un peu comme assister à ses propres funérailles sauf qu'on pouvait rentrer chez soi après. Une petite sauterie modeste et néanmoins agréable, quelques verres au pub du coin, mais elle était soulagée que ça se soit terminé tôt (là où d'autres auraient pu s'estimer lésés). Elle ne prenait officiellement sa retraite que vendredi, mais avait jugé préférable pour le personnel que tout soit terminé un jour de semaine. Il n'aurait peut-être pas apprécié de sacrifier sa soirée de vendredi.

Avant ça, au bureau, on lui avait offert une pendulette sur laquelle était gravée l'inscription suivante : *A Ursula Todd, en reconnaissance de ses nombreuses années de bons et loyaux services.* Grand Dieu, songea-t-elle, quelle épitaphe assommante. C'était un cadeau traditionnel et elle n'avait pas eu le cœur de leur dire qu'elle en avait déjà une, beaucoup plus belle de surcroît. Mais ils lui avaient aussi donné deux billets (bien placés) pour la Neuvième symphonie de Beethoven au Royal Albert Hall, attention pleine de délicatesse – elle y voyait l'influence de Jacqueline Roberts, sa secrétaire.

« Vous êtes de celles qui ont ouvert la voie pour faire accéder les femmes à des postes élevés dans la fonction publique », lui avait dit discrètement Jacqueline en lui tendant un Dubonnet, sa boisson préférée désormais. Pas *si* élevé que ça malheureusement, songea Ursula. Pas un poste de *responsabilité*. Ils étaient toujours réservés aux Maurice de ce monde.

« A la vôtre », avait-elle dit en faisant tinter son verre contre le porto citron de Jacqueline. Elle ne buvait pas beaucoup, un Dubonnet de temps à autre, une bonne bouteille de bourgogne le week-end. Pas comme Izzie qui habitait toujours sa maison de Melbury Road et errait dans ses nombreuses pièces comme une Miss Havisham dipsomane. Ursula lui rendait visite tous les samedis matin avec un sac d'épicerie, dont la plus grande partie semblait finir à la poubelle. Plus personne ne lisait *Les Aventures d'Auguste*. Teddy aurait été soulagé et pourtant Ursula en était désolée comme si le monde l'oubliait encore un peu plus.

« Tu vas probablement recevoir une médaille maintenant que tu as pris ta retraite, avait dit Maurice. Un MBE[65] ou autre. » Il avait été fait chevalier lors de la précédente remise de distinctions honorifiques. (« Mon Dieu, avait dit Pamela, le pays est tombé bien bas. ») Il avait envoyé à tous les membres de la famille une photo encadrée qui le montrait se courbant sous l'épée de la reine dans la salle de bal de Buckingham. « Oh, quel orgueil démesuré », avait dit Harold en riant.

Miss Woolf aurait été la compagne idéale pour la Neuvième symphonie de Beethoven à l'Albert Hall. La dernière fois qu'Ursula l'avait vue, c'était là-bas, au concert donné pour le soixante-quinzième anniversaire d'Henry Wood en 1944. Elle avait été tuée quelques mois plus tard dans l'attaque à la roquette à Aldwych.

Anne, la fille du ministère de l'Air, avait péri lors de la même attaque. Elle prenait un bain de soleil sur le toit du ministère tout en mangeant son panier-repas avec un groupe de collègues femmes. C'était il y a longtemps. Et en même temps, c'était hier.

Ursula était censée la rencontrer dans St James's Park à l'heure du déjeuner. Anne avait quelque chose à lui dire et Ursula s'était demandé s'il pouvait s'agir de renseignements sur Teddy. On avait peut-être retrouvé l'épave de l'avion ou un corps. Elle avait depuis longtemps accepté le fait qu'il était parti pour toujours : s'il avait été prisonnier de guerre ou réussi à fuir en Suède, ils seraient au courant maintenant.

A la dernière minute, le destin était intervenu sous la forme de Mr Bullock qui s'était présenté inopinément à sa porte la veille au soir (comment connaissait-il son adresse ?) pour lui demander si elle accepterait de l'accompagner au tribunal pour se porter garante de sa moralité. Il était poursuivi pour marché noir, ce qui n'était guère surprenant. Elle était son second choix après Miss Woolf, mais Miss Woolf était devenue chef de district et responsable de la vie de deux cent cinquante mille personnes qui, à ses yeux, passaient toutes avant Mr Bullock. Ses « incartades » avaient fini par susciter son hostilité. Aucun des îlotiers du poste d'Ursula n'était encore en vie en 1944.

Ayant supposé qu'il ne s'agissait que d'une petite infraction relevant d'un tribunal d'instance, Ursula avait été assez alarmée de découvrir que Mr Bullock comparaissait devant l'Old Bailey. Elle avait attendu en vain toute la matinée qu'on l'appelle et à la suspension d'audience pour le déjeuner, avait entendu le son mat d'une explosion, mais ignorait que c'était la roquette faisant un carnage à Aldwych. Inutile de dire que Mr Bullock avait été acquitté de tous les chefs d'accusation.

*

Crighton l'avait accompagnée aux obsèques de Miss Woolf. Ç'avait beau être un roc, il était finalement resté à Wargrave.

« *Leurs corps ont été ensevelis en paix, et leur nom vivra dans les siècles des siècles*, tonna le pasteur comme si les fidèles étaient durs d'oreille. Ecclésiaste, chapitre 44, verset 14. » Ursula ne pensait pas que ce soit vrai. Qui se souviendrait d'Emil ou de Renée ? Ou du pauvre petit Tony, de Fred Smith. De Miss Woolf. Ursula avait déjà oublié les noms de la plupart des morts. Tous ces aviateurs fauchés dans la fleur de l'âge. A sa mort, Teddy était commandant et n'avait que vingt-neuf ans. Le plus jeune commandant en avait vingt-deux. Le temps s'était accéléré pour ces garçons comme il l'avait fait pour Keats.

Ils chantèrent « En avant, soldats du Christ », Crighton avait une assez belle voix de baryton qu'elle n'avait encore jamais entendue. Elle était certaine que Miss Woolf aurait préféré Beethoven aux chants guerriers entraînants de l'Eglise.

Miss Woolf avait espéré que Beethoven pourrait guérir le monde d'après-guerre, mais les obusiers pointés sur Jérusalem semblaient la défaite finale de son optimisme. Ursula avait à présent le même âge que Miss Woolf au début de la dernière guerre. Ursula l'avait trouvée vieille. « Et maintenant, c'est à notre tour d'être vieilles, dit-elle à Pamela.

— Parle pour toi. Et tu n'as même pas soixante ans. Ce n'est pas vieux.

— C'est pourtant l'impression que j'ai. »

Une fois que ses enfants n'avaient plus nécessité sa surveillance constante, Pamela était devenue une dame qui s'adonnait aux bonnes œuvres. (Ursula ne critiquait pas, bien au contraire.) Elle avait d'abord été juge de paix, puis d'instance, siégeait au conseil d'administration d'organisations caritatives et avait l'an passé été élue au conseil municipal en tant que candidate indépendante. Il fallait ajouter à cela l'entretien de la maison (bien qu'elle eût une femme de ménage) et de l'énorme jardin. En 1948, à la naissance de la Sécurité sociale, Harold avait repris le cabinet du Dr Fellowes. Le village s'était développé autour d'eux, il y avait de plus en plus de maisons. La prairie avait disparu ainsi que le bosquet, une bonne partie des champs de la ferme du manoir d'Ettringham avait été vendue à un promoteur immobilier. Le manoir lui-même était vide et quelque peu à l'abandon. (On parlait de le transformer en hôtel.) L'arrêt de mort de la petite gare avait été signé par Beeching[66] et elle avait fermé deux mois plus tôt, malgré une campagne héroïque dont Pamela avait été le fer de lance.

« Mais les environs sont toujours merveilleux, disait-elle. Il suffit de marcher cinq minutes pour se retrouver en rase campagne. Et le bois n'a pas été touché. Pas encore. »

Sarah. Elle emmènerait Sarah au Royal Albert Hall. La patience de Pamela avait été récompensée par la naissance d'une fille en 1949. Elle entrait à Cambridge à la fin de l'été – pour étudier les sciences, elle était intelligente, bonne en tout comme sa mère. Ursula était extrêmement attachée à Sarah. Etre tante l'avait aidée à sceller le vide que la mort de Teddy avait laissé dans son cœur. Elle se disait souvent ces jours-ci – si seulement j'avais un enfant... Elle avait eu des aventures au fil des années, quoique rien de très grisant (la faute en était au manque « d'engagement », surtout de sa part, bien sûr) mais n'avait jamais été enceinte, jamais été mère ni épouse et c'est seulement lorsqu'elle se rendit compte qu'il était trop tard, que ça n'arriverait jamais, qu'elle mesura l'étendue de sa perte. La vie de Pamela se poursuivrait après sa mort, ses descendants se répandraient de par le monde comme les eaux d'un delta, mais quand Ursula mourrait, ce serait fini. Un ruisseau à sec.

*

On lui avait aussi offert des fleurs, Jacqueline une fois de plus, soupçonnait-elle. De magnifiques lys roses qui avaient, Dieu merci, survécu à la soirée au pub et trônaient à présent sur sa desserte, embaumant la pièce. Le séjour était exposé à l'ouest et baigné par le soleil couchant. Il faisait encore jour, les arbres des jardins communs arboraient de jeunes feuilles tendres. C'était un très joli appartement situé près de Brompton Oratory et elle avait utilisé tout l'argent que lui avait laissé Sylvie pour l'acheter. Il y avait une petite cuisine et une petite salle de bain modernes, mais elle avait évité le moderne en matière de décoration. Après la guerre, elle avait acheté des meubles anciens simples et de bon goût à une époque où personne n'avait envie de ce genre de choses. Partout de la moquette d'un vert saule pâle et le même imprimé de William Morris, un des plus subtils, pour les rideaux, les fauteuils et le canapé. Les murs étaient d'une nuance citron pâle qui donnait à la pièce un aspect clair et spacieux même les jours de pluie. Quelques porcelaines de Meissen et de Worcester – une bonbonnière, une garniture de cheminée – également achetées bon marché après guerre, et elle avait toujours des fleurs, Jacqueline le savait.

La seule fausse note était une paire de renards en Staffordshire, des bêtes d'un orange criard dont chacune tenait un lapin mort entre ses crocs. Elle les avait chinés pour une bouchée de pain à Portobello, voilà des années. Ils lui avaient rappelé Fox Corner.

« J'adore venir ici, disait Sarah. Tu as de si jolies choses et c'est toujours si propre et si bien rangé, tout le contraire de la maison.

— On peut se permettre d'être propre et ordonnée quand on vit seule », disait Ursula néanmoins flattée par le compliment. Elle devrait rédiger son testament, supposait-elle, laisser tous ses biens terrestres à quelqu'un. Elle aurait bien aimé que Sarah ait l'appartement, mais se rappelant le fiasco lors de la succession de Sylvie, elle hésitait. Devrait-on faire montre d'un favoritisme aussi flagrant ? Peut-être pas. Elle devait partager ses biens entre ses sept neveux et nièces, même ceux qu'elle n'aimait pas ou ne voyait jamais. Jimmy, bien sûr, ne s'était jamais marié et n'avait jamais eu d'enfants. Il vivait à présent en Californie. « C'est un homosexuel, tu es au courant, non ? dit Pamela. Il a toujours eu ce penchant. » Il s'agissait d'une information et non d'une critique, mais ses paroles étaient néanmoins empreintes d'une légère grivoiserie et d'un très vague soupçon de suffisance comme si les idées

464

larges lui faisaient moins peur qu'à d'autres. Ursula se demandait si elle était au courant du « penchant » de son fils Gerald.

« Jimmy est Jimmy », répondit-elle.

*

La semaine dernière, au retour de sa pause-déjeuner, Ursula avait trouvé le *Times* sur son bureau. Plié pour qu'on n'aperçoive que la rubrique nécrologique. On y voyait une photo de Crighton en uniforme, prise avant qu'elle ait fait sa connaissance. Elle avait oublié à quel point il était beau. Elle apprit que son épouse Moira l'avait « précédé dans la tombe », qu'il était plusieurs fois grand-père et passionné de golf. Comme il avait toujours détesté le golf, elle se demanda quand la conversion avait eu lieu. Et qui diable avait laissé le *Times* sur son bureau. Qui au bout de toutes ces années avait bien pu penser à lui annoncer la nouvelle ? Elle n'en avait pas la moindre idée et supposait qu'elle ne le saurait jamais. Il y avait eu une période durant leur liaison où il avait l'habitude de lui laisser des mots sur son bureau, des petits billets doux plutôt cochons qui apparaissaient comme par magie. Peut-être la même main invisible lui avait-elle apporté le *Times* toutes ces années plus tard.

« L'homme de l'Amirauté est mort, annonça-t-elle à Pamela. Bien sûr, tout le monde finit par mourir.

— En voilà un truisme, fit Pamela en riant.

— Non, je veux dire par là que tous ceux que nous avons connus, y compris nous-mêmes, mourrons un jour.

— Ça reste un truisme.

— *L'Amor fati*, dit Ursula. Nietzsche a beaucoup écrit sur le sujet. Je ne comprenais pas, j'entendais « l'amorphe Hattie ». Tu te souviens que je voyais un psychiatre ? Le Dr Kellet ? C'était un philosophe au fond.

— L'amour du destin ?

465

— Ça signifie l'acceptation. Quoi qu'il t'arrive, embrasse ta destinée, les bonnes choses comme les mauvaises. La mort n'est qu'une chose de plus à embrasser, je suppose.

— Ça ressemble au bouddhisme. Je t'ai dit que Chris partait en Inde, dans un genre de monastère, pour une retraite comme il appelle ça ? Il a des difficultés à se fixer depuis Oxford. C'est un "hippie" apparemment. » Ursula jugeait Pamela très indulgente envers son troisième fils. Christopher lui donnait plutôt la chair de poule. Elle tenta d'être plus généreuse à son égard, mais échoua. Il était du genre à vous regarder fixement avec un sourire éloquent comme s'il vous était supérieur sur le plan intellectuel et spirituel alors qu'en réalité il était juste maladroit en société.

Le parfum des lys, merveilleux quand elle les avait mis dans l'eau, commençait à l'écœurer un peu. On étouffait dans la pièce. Elle devrait ouvrir une fenêtre. Elle se leva pour porter son assiette à la cuisine et eut immédiatement une douleur fulgurante à la tempe droite. Elle dut se rasseoir et attendre qu'elle passe. Elle avait ces douleurs depuis plusieurs semaines. Une douleur aiguë, puis le cerveau embrumé, bourdonnant. Ou parfois un simple mal de tête horrible et violent. Elle avait cru à de l'hypertension, mais après une batterie d'examens médicaux, le verdict de l'hôpital avait été « probablement » de la névralgie. On lui avait donné des analgésiques puissants et dit qu'elle devrait se sentir mieux une fois à la retraite. « Vous aurez le temps de vous détendre, de lever le pied », avait dit le médecin sur le ton que l'on réserve aux personnes âgées.

La douleur cessa et elle se leva, hésitante.

Qu'allait-elle bien pouvoir faire de son temps ? Elle songea à s'installer à la campagne, dans un petit cottage, à prendre part à la vie du village, peut-être près de Pamela. Elle imagina St Mary Mead ou le Fairacre de Miss Read[67]. Elle pourrait peut-être elle aussi écrire un roman ? Ça occuperait certainement ses journées. Et un chien, il était temps d'avoir un autre chien. Pamela avait eu une succession de golden retrievers, l'un remplaçait l'autre et Ursula était incapable de les différencier.

Elle fit sa petite vaisselle. Se dit qu'elle se coucherait tôt, se préparerait une tasse d'Ovomaltine et lirait au lit. Elle lisait *Les Comédiens* de Graham Greene. Peut-être qu'elle devrait se reposer davantage, mais dernièrement elle était devenue plutôt appréhensive à l'idée de s'endormir. Elle avait des rêves si pénétrants qu'il lui était parfois difficile d'accepter leur irréalité. Plusieurs fois, récemment, elle avait cru qu'il lui était vraiment arrivé quelque chose d'extravagant alors que de toute évidence et en toute logique ce n'était pas le cas. Dans ses rêves, elle était toujours en train de tomber, dans les escaliers, de falaises, la sensation était des plus déplaisantes. Etait-ce le premier signe de démence sénile ? Le commencement de la fin. La fin du commencement.

De la fenêtre de sa chambre, elle apercevait une grosse lune qui se levait. La Lune-Reine de Keats, songea-t-elle. *Tendre est la nuit.* La douleur dans sa tête revint. Elle remplit un verre d'eau au robinet et avala deux cachets.

*

« Mais si Hitler avait été tué avant de devenir chancelier, ça aurait empêché tout ce conflit entre les Arabes et les Israéliens, non ? » La guerre des Six Jours, comme on disait, venait de se terminer par la victoire décisive des Israéliens. « Je comprends bien pourquoi les juifs voulaient créer un Etat indépendant et le défendre à tout crin, continua Ursula, et j'ai toujours eu de la sympathie pour la cause sioniste, même avant guerre, mais d'un autre côté, je peux aussi comprendre pourquoi les Etats arabes sont si mécontents. Mais imagine qu'Hitler n'ait pas pu mettre en œuvre l'Holocauste...

— Parce qu'il était mort ?

— Oui. Alors le soutien pour un Etat juif aurait été au mieux faible...

467

— Avec des "si" on récrit l'histoire », dit Nigel. L'aîné de Pamela, son neveu préféré, était directeur d'études en histoire à Brasenose, le vieux collège de Hugh à Oxford. Elle l'avait invité à déjeuner chez Fortnum & Mason.

« C'est agréable d'avoir une conversation intelligente avec quelqu'un, dit-elle. Je suis allée en vacances dans le sud de la France avec mon amie Millie Shawcross, tu l'as déjà rencontrée ? Non ? Elle ne s'appelle plus comme ça, bien sûr, elle a eu plusieurs maris, tous plus riches les uns que les autres. »

Millie, l'épouse de guerre, était revenue d'Amérique au triple galop à la première occasion car sa nouvelle famille était des « cow-boys » selon elle. Elle était « remontée sur les planches » et avait eu plusieurs relations désastreuses avant de trouver le bon filon en la personne du rejeton d'un magnat du pétrole en exil fiscal.

« Elle vit à Monaco. C'est *fou* ce que c'est petit, je n'en avais pas la moindre idée. Elle est devenue vraiment stupide. Je suis mauvaise langue, hein ?

— Pas du tout. Je te sers un peu d'eau ?

— Les gens qui vivent seuls ont tendance à l'être. Nous vivons sans contrainte, verbale en tout cas. »

Nigel sourit. Il portait des lunettes sérieuses et avait le charmant sourire de Harold. Quand il les enleva pour les nettoyer avec sa serviette de table, il lui parut très jeune.

« Tu as l'air si jeune, dit Ursula. Enfin, tu l'es, bien sûr. Est-ce que je te fais l'effet d'une vieille tante qui radote ?

— Grand Dieu, non, dit-il. Tu es la personne la plus futée que je connaisse. »

Elle se beurra un petit pain, plutôt ravie du compliment. « J'ai entendu quelqu'un dire que le recul était une chose merveilleuse, que sans recul il n'y aurait pas d'histoire.

— C'est sans doute vrai.

— Mais songe combien les choses seraient différentes, persista Ursula. Il n'y aurait sans doute pas de rideau de fer et la Russie n'aurait pas été capable d'engloutir l'Europe de l'Est.

— Engloutir ?

— C'était bel et bien de la gloutonnerie à l'état pur. Et les Américains ne se seraient peut-être pas remis aussi vite de la dépression sans une économie de guerre et n'auraient donc pas exercé une telle influence sur le monde d'après-guerre..

— Enormément de gens seraient encore en vie.

— Oui, à l'évidence. Et toute la face culturelle de l'Europe serait différente à cause des juifs. Pense à toutes ces personnes déplacées, ballottées d'un pays à l'autre. La Grande-Bretagne aurait encore un empire, ou du moins nous ne l'aurions pas perdu aussi précipitamment – je ne dis pas qu'être une puissance impériale est une bonne chose, bien sûr. Nous ne nous serions pas ruinés et n'aurions pas eu ces horribles difficultés à nous rétablir sur le plan financier et psychologique. Et pas de Marché commun...

— Qui ne veut pas de nous de toute façon.

— Songe combien l'Europe serait forte ! Mais peut-être que Göring ou Himmler seraient entrés en scène. Et que tout se serait passé de la même façon.

— Peut-être. Mais le parti nazi est resté marginal quasiment jusqu'à sa prise de pouvoir. C'étaient tous des psychopathes fanatiques, mais aucun n'avait le charisme d'Hitler.

— Oh, je sais, dit Ursula. Il était extraordinairement charismatique. Les gens parlent du charisme comme si c'était une bonne chose, mais au fond c'est une sorte d'enchantement au sens premier du terme, un sortilège. Je crois que c'était ses yeux, il avait des yeux absolument *fascinants*. Si on plongeait son regard dedans, on avait l'impression de risquer de croire...

— Parce que tu l'as *rencontré* ? fit Nigel, abasourdi.

— Enfin. Pas vraiment, dit Ursula. Un dessert, mon chéri ? »

*

Juillet et une chaleur forte, infernale tandis qu'elle marchait dans Piccadilly à la sortie de Fortnum's. Même les couleurs semblaient fortes, trop vives. Tout était trop vif à présent, en particulier la jeunesse. Certaines filles à son bureau avaient des jupes aussi courtes que la cantonnière de ses rideaux. Les jeunes avaient tant d'*enthousiasme* pour eux-mêmes, comme s'ils avaient inventé l'avenir. C'était la génération pour laquelle on avait fait la guerre et voilà qu'elle galvaudait le mot « paix » à tort et à travers comme s'il s'agissait d'un slogan publicitaire. Ils n'avaient pas connu la guerre (« Ce qui est une bonne chose, entendit-elle de la bouche de Sylvie, quand bien même ils devaient se révéler décevants »). On leur avait remis, pour reprendre l'expression de Churchill, les titres de propriété de la liberté. Ce qu'ils en faisaient était à présent leur affaire. (On aurait cru entendre un vieux croûton, la personne qu'elle avait toujours pensé ne jamais devenir.)

*

Elle se dit qu'elle allait marcher dans les parcs et traversa pour entrer dans Green Park. Elle se promenait toujours dans les parcs le dimanche, mais maintenant qu'elle était à la retraite, tous les jours étaient dimanche. Elle passa devant Buckingham et entra dans Hyde Park, s'acheta une glace à un kiosque près de la Serpentine et décida de louer une chaise longue. Elle était horriblement fatiguée, le déjeuner l'avait apparemment achevée.

Elle avait dû s'assoupir – toute cette nourriture. Les barques et les pédalos étaient de sortie sur le lac, les gens ramaient, riaient, plaisantaient. Oh, zut, se dit-elle, elle sentait venir un mal de tête et n'avait pas de cachets dans son sac. Elle pourrait peut-être héler un taxi dans Carriage Drive, elle n'arriverait jamais à rentrer chez elle à pied par cette chaleur et souffrante comme elle l'était. Mais voilà que la douleur se mit à diminuer au lieu de s'aggraver, ce qui n'était pas l'évolution habituelle de ses maux de tête. Elle referma les yeux, le soleil était toujours brûlant et vif. Elle se sentait merveilleusement indolente.

C'était bizarre de sommeiller entourée de gens. Elle aurait dû se sentir vulnérable, mais éprouvait une sorte de réconfort.

470

Quelle était l'expression de Tennessee William déjà – *la bonté des inconnus* ? Le chant du cygne de Millie au théâtre, le dernier soupir du cygne mourant, avait été de jouer Blanche DuBois dans une représentation d'*Un tramway nommé Désir* à Bath en 1955.

Elle se laissa bercer par les bourdonnements du parc. La vie n'était pas une question de devenir, n'est-ce pas ? C'était être. Le Dr Kellet aurait approuvé l'idée. Tout était éphémère et néanmoins éternel, se dit-elle à moitié endormie. Un chien aboya quelque part. Un enfant pleura. L'enfant était le sien, elle sentait son poids fragile dans ses bras. C'était une sensation merveilleuse. Elle rêvait. Elle était dans une prairie – lin vivace et pied-d'alouette, coquelicot, compagnon rouge et marguerite des prés – plus des perce-neige qui n'étaient pas de saison. Les bizarreries de l'univers du rêve, se dit-elle, et elle entendit la pendulette de Sylvie sonner minuit. Quelqu'un chantait, un enfant, une petite voix aiguë qui ne déraillait pas, *J'avais un petit arbre qui ne voulait donner qu'une Muskatnuss*, le mot allemand pour noix de muscade. Elle le cherchait depuis une éternité et voilà qu'il lui était soudain revenu.

A présent, elle était dans un jardin. Elle entendait le tintement délicat des tasses sur les soucoupes, le crissement et le cliquètement d'une tondeuse à gazon, sentait le parfum poivré-sucré des œillets. Un homme la souleva et la lança en l'air et des morceaux de sucre s'éparpillèrent sur une pelouse. Il y avait un autre monde, mais c'était celui-ci. Elle s'autorisa un petit gloussement même si elle pensait que les gens qui riaient tout seuls en public avaient de grandes chances d'être fous.

Malgré la chaleur estivale, la neige commença à tomber, ce qui était après tout le genre de chose qui se produisait dans les rêves. La neige se mit à lui recouvrir le visage, c'était merveilleusement frais par ce temps. Puis elle se mit elle-même à tomber, à tomber dans les ténèbres noires et profondes…

Puis la neige à nouveau – blanche et accueillante, la lumière comme une épée pointue perçant les rideaux épais et on la soulevait, la berçait dans des bras moelleux.

« Je vais la prénommer Ursula, dit Sylvie. Qu'en penses-tu ?

— J'aime bien », fit Hugh. Son visage se dessina. Sa moustache bien taillée, ses favoris, ses gentils yeux verts. « Bienvenue, mon oursonne », dit-il.

LA FIN DU COMMENCEMENT

« Bienvenue, mon oursonne. » Son père. Elle avait ses yeux.

Banni du saint des saints, Hugh faisait les cent pas, comme le voulait la tradition, sur le chemin de couloir Voysey du premier étage. Il ne savait pas trop ce qui se passait derrière la porte de la chambre. Dieu soit loué, on n'attendait pas de lui qu'il soit familiarisé avec la mécanique de l'enfantement. Les cris de Sylvie suggéraient la torture pour ne pas dire carrément la boucherie. Les femmes étaient d'un courage extraordinaire. Il fumait cigarette sur cigarette pour conjurer toute délicatesse excessive et indigne d'un homme.

Les notes graves et calmes de la voix du Dr Fellowes lui apportaient un certain réconfort, mais il entendait malheureusement en contrepoint le babil celtique et hystérique de la fille de cuisine. Où était donc Mrs Glover ? Dans ce genre de circonstances, une cuisinière pouvait parfois être d'un grand secours. La cuisinière de son enfance à Hampstead était imperturbable en temps de crise.

A un moment donné, on entendit un brouhaha, signe d'une grande victoire ou d'une grande défaite dans la bataille qui se déroulait derrière la porte. Hugh s'interdit d'entrer à moins d'y être invité et ne le fut pas. Pour finir, le Dr Fellowes ouvrit brusquement la porte et annonça « Vous avez un beau bébé bien dodu. Elle a failli mourir », ajouta-t-il après coup.

Dieu merci, j'ai réussi à rentrer à Fox Corner avant que la neige ne coupe les routes, songea Hugh. Il venait de ramener sa sœur de France, une chatte qui avait fait la bringue. Il arborait une morsure plutôt douloureuse à la main et continuait à se demander d'où sa sœur tenait cette tendance à la sauvagerie. Pas de Nanny Mills et de la nursery de Hampstead.

Izzie portait encore sa fausse alliance, héritée de la semaine honteuse passée avec son amant dans un hôtel parisien, même si Hugh doutait que les Français, ce peuple immoral, se soucient de pareilles subtilités. Elle était partie pour la France en jupe courte et petit canotier (leur mère lui avait fourni une description détaillée comme si Izzie était une criminelle en cavale) mais était rentrée dans une robe de chez Worth (ainsi qu'elle le lui rappelait fréquemment comme si ça pouvait l'impressionner). Il était également clair que le scélérat avait abusé d'elle un certain temps avant leur fuite, car Worth ou pas, les coutures de sa robe lâchaient.

Il avait fini par forcer sa sœur à sortir de l'Hôtel d'Alsace à Saint Germain-des-Prés, un lieu de débauche selon lui, où Oscar Wilde était mort, ce qui voulait tout dire. Il y avait eu un pugilat déplacé non seulement avec Izzie, mais aussi avec le butor aux bras de qui Hugh l'arracha avant de la traîner hurlante et trépignante jusqu'à un beau taxi Renault à deux portes payé d'avance pour attendre devant l'hôtel. Hugh se dit que ce serait épatant d'avoir une automobile. Pourrait-il se le permettre avec son salaire ? Pourrait-il apprendre à conduire ? Etait-ce difficile ?

Sur le bateau, ils avaient mangé de l'agneau français rosé ma foi plutôt correct et Izzie avait exigé du champagne qu'il lui avait autorisé car toute cette histoire d'enlèvement l'avait beaucoup trop épuisé pour envisager une autre bagarre. Il était tentant de jeter sa sœur par-dessus le bastingage dans les eaux gris foncé de la Manche.

Il avait télégraphié de Calais à sa mère Adelaide pour l'informer de l'infortune d'Izzie, jugeant préférable de la préparer avant qu'elle ne pose les yeux sur sa benjamine dont l'état ne faisait hélas pas le moindre doute.

Les autres passagers du bateau les prirent pour un couple marié et Izzie reçut nombre de jolis compliments sur sa maternité imminente. Si épouvantable que ce soit, Hugh supposa qu'il valait mieux ne pas les détromper plutôt que de voir ces parfaits inconnus découvrir la vérité. Il se retrouva donc à jouer cette comédie absurde pendant toute la durée de la traversée au cours de laquelle il fut forcé de nier l'existence de sa véritable épouse et de ses enfants, et de faire comme si Izzie était sa femme enfant. Il devint en fait le scélérat qui avait séduit une fille au berceau (oubliant peut-être que Sylvie n'avait que dix-sept ans quand il lui avait fait sa demande).

Izzie, bien sûr, se lança dans cette supercherie avec jubilation, prit sa revanche sur Hugh en l'embarrassant le plus possible, en lui donnant du *mon cher mari** et autres cajoleries des plus agaçantes.

« Quelle charmante jeune épouse vous avez, gloussa un homme, un Belge, alors que Hugh prenait l'air sur le pont en s'accordant une cigarette après le repas. A peine sortie du berceau et bientôt mère. C'est la meilleure façon – les prendre jeunes – pour pouvoir les modeler à sa guise.

— Votre anglais est remarquable, monsieur », dit Hugh en jetant son mégot dans la mer et en s'éloignant. Un simple mortel en serait venu aux poings. Il pourrait, s'il y était forcé, se battre pour défendre l'honneur de son pays, mais il voulait bien être pendu s'il allait se battre pour défendre l'honneur terni de sa sœur irresponsable. (Même si, de fait, il aurait été indéniablement agréable de modeler une femme qui réponde exactement à ses exigences, comme les costumes sur mesure de son tailleur de Jermyn Street.)

Trouver la bonne formulation du télégramme destiné à sa mère avait été difficile et il avait fini par se décider pour SERAI À HAMPSTEAD POUR MIDI STOP ISOBEL EST AVEC MOI STOP ENCEINTE STOP. C'était un message plutôt sec et il aurait peut-être dû payer un supplément pour l'atténuer avec des adverbes. « Malheureusement » par exemple. Le télégramme (malheureusement) eut un résultat opposé à l'effet désiré et quand il débarqua à Douvres une réponse l'attendait : NE L'AMÈNE EN AUCUN CAS CHEZ MOI STOP. Le STOP final charriait le poids d'une certitude inébranlable. Résultat, Hugh ne savait pas trop ce qu'il *devait* faire d'Izzie. Malgré les apparences, ce n'était encore qu'une enfant, seize printemps, il ne pouvait guère la laisser à la rue. Impatient de rentrer à Fox Corner au plus tôt, il la trimbala là-bas avec lui.

Quand ils arrivèrent enfin, glacés comme des bonshommes de neige, c'est une Bridget tendue qui lui ouvrit la porte à minuit et dit « Oh, non, j'espérais que ce serait le docteur, moi ». Son troisième enfant était, semblait-il, sur le point de naître. *Sa* troisième, songea-t-il avec tendresse en contemplant les minuscules traits chiffonnés. Hugh aimait bien les bébés.

*

« Mais qu'allons-nous faire d'elle ? se tracassait Sylvie. Pas question qu'elle accouche sous mon toit.

— *Notre* toit.

— Elle devra le donner à adopter.

— L'enfant fait partie de notre famille, dit Hugh. Le sang qui coule dans ses veines est le même que celui de mes enfants.

— *Nos* enfants.

— Nous dirons que c'est un enfant adopté, dit Hugh. Un orphelin de notre famille. Les gens ne poseront pas de questions, pourquoi le feraient-ils ? »

Pour finir, le bébé naquit bel et bien à Fox Corner, c'était un garçon, et dès que Sylvie le vit, elle fut incapable de s'en débarrasser aussi facilement. « C'est un charmant poupon au fond », dit-elle. Sylvie trouvait tous les bébés charmants.

Izzie avait eu interdiction de s'aventurer au-delà du jardin pour le reste de sa grossesse. On la retenait prisonnière, « comme le comte de Monte-Cristo », disait-elle. Elle remit le bébé à Sylvie dès sa naissance et ne manifesta plus le moindre intérêt pour lui, comme si toute cette histoire – la grossesse, les couches – avait été une tâche agaçante qu'on l'avait forcée à entreprendre et que maintenant elle avait rempli sa part du marché et était libre de s'en aller. Après avoir paressé quinze jours au lit, servie par une Bridget mécontente, elle fut mise dans un train pour regagner Hampstead d'où on l'expédia dans une *finishing school* à Lausanne.

Hugh avait raison, personne ne posa de questions sur l'apparition soudaine d'un enfant supplémentaire. On avait fait jurer le secret à Mrs Glover et Bridget, serment facilité à l'insu de Sylvie par une somme en argent liquide. Hugh connaissait la valeur de l'argent, il n'était pas banquier pour rien. On espérait pouvoir compter sur la discrétion professionnelle du Dr Fellowes.

« Roland, dit Sylvie. J'ai toujours bien aimé ce prénom. *La Chanson de Roland* – c'était un chevalier français.

— Mort au combat, non ? fit Hugh.

— Comme la plupart des chevaliers, non ? »

*

Le lièvre argent tourbillonna, brilla et miroita devant ses yeux. Les feuilles du hêtre dansèrent, le jardin bourgeonna, fleurit, fructifia sans aucune aide de sa part. *Fais dodo, mon bébé*, chantait Sylvie. *Patatras, voilà le bébé, le berceau et la branche en bas.* Cette menace ne dégoûta pas Ursula qui poursuivit son petit bonhomme de chemin intrépide avec son compagnon, Roland.

C'était un enfant d'un naturel doux et Sylvie mit un certain temps à s'apercevoir qu'il avait « quelque chose qui ne tournait pas tout à fait rond », comme elle l'expliqua un soir à Hugh à son retour d'une dure journée à la banque. Il avait beau savoir qu'il était inutile de faire part de ses problèmes à Sylvie, il se plaisait à s'imaginer rentrant du travail auprès d'une épouse fascinée par les livres de comptes, les bilans, l'augmentation du prix du thé et le marché instable de la laine. Une épouse « modelée » selon ses exigences au lieu de la femme belle, intelligente et parfois contrariante à laquelle il était marié.

Il s'était retiré dans sa tanière, assis à son bureau avec un grand whisky pur malt et un petit cigare dans l'espoir qu'on lui ficherait la paix. Las ! Sylvie débarqua, s'assit en face de lui comme un client à la recherche d'un prêt bancaire et déclara « Je crois que l'enfant d'Izzie pourrait être simplet. » Jusqu'alors, elle l'avait toujours appelé Roland, maintenant qu'il était apparemment anormal, il appartenait de nouveau à Izzie.

Hugh rejeta cette idée, mais à mesure que le temps passait, il était indéniable que Roland ne progressait pas de la même façon que les autres. Il apprenait lentement et ne semblait pas posséder la curiosité naturelle des enfants pour le monde. On pouvait l'installer devant la cheminée avec un livre en tissu ou un jeu de construction et le retrouver une demi-heure plus tard toujours en train de contempler béatement le feu (bien protégé par un pare-étincelles) ou bien Queenie la chatte faisant sa toilette à côté de lui (moins bien protégée et très portée à la malveillance). On pouvait lui assigner n'importe quelle tâche simple : Roland ne demandait pas mieux que de passer une bonne partie de son temps à faire le grouillot pour les filles ou Bridget ; même Mrs Glover ne dédaignait pas de l'envoyer chercher un sac de sucre au cellier, une cuiller en bois dans le pot à ustensiles. Il paraissait peu probable qu'il fréquente la vieille école de Hugh ou soit admis dans son vieux *college* à Oxford, et l'affection de Hugh pour le bambin s'en trouva renforcée.

« Nous devrions lui offrir un chien, suggéra-t-il. Un chien fait toujours ressortir ce qu'il y a de meilleur chez un garçon. » Bosun, gros mastiff amical et enclin à garder ainsi qu'à protéger, arriva et comprit immédiatement qu'on lui avait confié une responsabilité importante.

Le garçonnet avait au moins l'avantage d'être placide, contrairement à sa maudite mère et aux deux aînés de Hugh qui se bagarraient sans cesse. Ursula, bien sûr, était différente. Elle était vigilante, comme si les petits yeux verts qu'elle avait hérités de son père essayaient de ne pas perdre la moindre miette du monde qui l'entourait. Elle était plutôt déconcertante.

478

*

Le chevalet de Mr Winton était installé devant la mer. Il était assez satisfait de son travail jusque-là, les bleus, les verts et les blancs – et les bruns sales – du rivage des Cornouailles. Plusieurs estivants s'arrêtèrent au passage pour observer l'œuvre en cours. Il espéra, en vain, des compliments.

Une flottille de yachts aux voiles blanches rasait l'horizon, une course quelconque, supposa Mr Winton. Il ajouta quelques touches de blanc de zinc sur son horizon et recula pour admirer le résultat. Mr Winton voyait des yachts là où d'autres auraient peut-être vu des taches de peinture blanche. Quelques personnages au premier plan offriraient un beau contraste, se dit-il. Les deux petites filles si absorbées par la construction de leur château de sable seraient parfaites. Il mordit l'extrémité de son pinceau en contemplant sa toile. Comment procéder au mieux ? s'interrogea-t-il.

*

Le château de sable était une idée d'Ursula. Pourquoi ne pas essayer de construire le plus beau château de sable jamais vu ? suggéra-t-elle à Pamela. Elle brossa un tableau si saisissant de cette citadelle sableuse – douves, tourelles et créneaux – que Pamela voyait presque des dames médiévales en guimpe faire signe aux chevaliers qui sortaient, entendait résonner les sabots de leurs chevaux sur le pont-levis (il allait falloir trouver un morceau de bois flotté à cet effet). Elles avaient mis toute leur énergie à cette tâche bien qu'elles n'en fussent qu'aux préliminaires, au creusement d'un double fossé qui, à marée haute, se remplirait d'eau de mer pour protéger ces dames en guimpe d'un siège en règle (mené inévitablement par quelqu'un comme Maurice). Elles envoyèrent Roland, leur laquais toujours obligeant, écumer la plage à la recherche de coquillages décoratifs et du ô combien important pont-levis.

Elles se trouvaient à une certaine distance de Sylvie et de Bridget plongées chacune dans leur livre tandis que le nouveau bébé, Edward – Teddy –, dormait sur une couverture posée sur le sable à l'ombre d'un parasol. Maurice draguait des flaques entre les rochers à l'autre extrémité de la plage. Il s'était fait de nouveaux compagnons, des garçons rudes du coin avec lesquels il allait nager et escalader les falaises. Les garçons étaient tous pareils aux yeux de Maurice. Il n'avait pas encore appris à les juger d'après leur accent ou leur statut social.

Maurice avait un côté indestructible et personne n'avait jamais l'air de s'inquiéter pour lui, surtout pas sa mère.

Bosun, malheureusement, avait été confié aux Cole.

A la manière consacrée par l'usage, le sable des douves fut entassé pour former un amas central qui servirait de matériau de construction pour le projet de forteresse. Transpirantes et poisseuses après leurs efforts, les deux filles s'accordèrent une pause pour prendre du recul et contempler l'amas informe. Pamela eut tout à coup des doutes au sujet des tourelles et des créneaux, quant aux dames en guimpe, elles paraissaient encore plus improbables. L'amas rappelait quelque chose à Ursula mais quoi ? Quelque chose de familier et de néanmoins nébuleux et indéfinissable, rien de plus qu'une forme dans son cerveau. Elle était sujette à ces sensations, comme si un souvenir était tiré à contrecœur de sa cachette. Elle supposait qu'il en allait de même pour tout le monde.

Puis ce sentiment fit place à la peur, à l'ombre d'un frisson aussi, le genre qui accompagne un roulement de tonnerre ou la brume marine gagnant le rivage. Le danger pouvait être partout, dans les nuages, les vagues, les petits yachts à l'horizon, l'homme peignant devant son chevalet. Elle se mit à trotter résolument vers sa mère pour lui confier ses peurs et les voir apaisées.

Ursula était une enfant bizarre, pleine d'inquiétudes en tous genres, de l'avis de Sylvie qui passait son temps à répondre aux questions angoissées de sa fille : *Qu'est-ce qu'on ferait si la maison prenait feu ? Si notre train avait un accident ? Si la rivière débordait ?* Plutôt que d'écarter ces peurs en les déclarant peu fondées, Sylvie avait découvert que le meilleur moyen de les atténuer était les conseils pratiques (*Eh bien, ma chérie, nous rassemblerions nos affaires et nous grimperions sur le toit jusqu'à ce que l'eau se retire*).

Pendant ce temps, Pamela se remettait stoïquement à creuser les douves. Mr Winton était profondément absorbé par les coups de pinceau minutieux nécessités par le chapeau de soleil de Pamela. Quelle merveilleuse coïncidence que ces deux petites filles aient choisi d'édifier leur château de sable au beau milieu de sa composition. Il songeait à appeler son tableau *Les Pelleteuses*. Ou *Les Pelleteuses de sable*.

Sylvie s'était assoupie sur *L'Agent secret* et n'apprécia guère d'être réveillée. « Qu'y a-t-il ? » dit-elle. Elle jeta un coup d'œil sur la plage et vit Pamela creuser industrieusement. Des hurlements dans le lointain et des cris de sauvage suggéraient Maurice.

« Où est Roland ? demanda-t-elle.

— Roland ? fit Ursula en cherchant du regard leur esclave consentant et ne l'apercevant nulle part. Il cherche un pont-levis. » Sylvie était debout à présent et balayait anxieusement la plage du regard.

« Un quoi ?

— Un pont-levis » répéta Ursula.

*

Elles conclurent qu'il avait dû repérer un morceau de bois dans la mer et entrer docilement dans l'eau pour le ramasser. Il n'avait pas vraiment la notion du danger et ne savait pas nager, bien sûr. Si Bosun avait été de garde sur la plage, il aurait pagayé dans les vagues sans se soucier du danger et aurait ramené Roland. En son absence, *Archibald Winton, aquarelliste amateur de Birmingham*, comme le qualifiait le journal régional, avait tenté de porter secours à l'enfant (*Roland Todd, âgé de quatre ans, en vacances avec sa famille*). Il avait mis de côté son pinceau, nagé vers le large et sorti le garçon de l'eau, *mais, hélas, en vain*. L'article fut soigneusement découpé et conservé pour être montré à Birmingham. En une colonne de huit centimètres de long, Mr Winton était devenu à la fois un héros et un artiste. Il s'imaginait disant modestement « Oh, ce n'était rien » et c'était le cas, bien sûr, car personne n'avait été sauvé.

Ursula regarda Mr Winton regagner le rivage en tenant le petit corps flasque de Roland dans ses bras. Pamela et Ursula avaient cru que la marée descendait, mais elle montait, remplissait déjà les douves et clapotait contre le tas de sable qui aurait bientôt disparu à jamais. Poussé par la brise, un cerceau sans propriétaire passa en roulant devant elle. Ursula contempla le large pendant que derrière elle divers inconnus tentaient de ranimer Roland. Pamela vint la rejoindre et elles se tinrent par la main. Les vagues arrivèrent petit à petit, leur léchèrent les pieds avant de les recouvrir. Si seulement elles n'avaient pas été aussi absorbées par le château de sable, songea Ursula. L'idée avait paru si *bonne*.

*

« Je suis désolé pour votre garçon, madame » marmonna George Glover. Et de porter la main à une casquette invisible sur sa tête. Sylvie avait monté une expédition pour aller voir la rentrée de la moisson. Il fallait se sortir de leur chagrin et de leur apathie, disait-elle. Suite à la noyade de Roland, l'été avait été sombre, naturellement. Roland paraissait occuper plus de place absent qu'il ne l'avait fait présent.

« *Votre* garçon ? » maugréa Izzie après qu'ils eurent laissé George Glover à son labeur. Elle était arrivée à temps pour les obsèques de Roland, en tenue de deuil noire chic, et avait pleuré « Mon garçon, mon garçon » devant le petit cercueil de Roland.

« C'était *mon* garçon, protesta Sylvie avec véhémence, ne t'avise pas de dire qu'il était à toi » tout en sachant qu'elle aurait pleuré davantage la mort d'un de ses vrais enfants. Mais c'était naturel, non ? Tout le monde avait l'air de revendiquer un droit de propriété sur lui maintenant qu'il était parti. (Mrs Glover et Bridget aussi y seraient allées de leur petite revendication si on les avait écoutées.)

Hugh était très affecté par la perte du « petit bonhomme » mais savait que par égard pour sa famille il devait continuer comme si de rien n'était.

Izzie avait prolongé son séjour au grand agacement de Sylvie. Elle avait vingt ans, était « coincée » à Hampstead, à attendre le mari encore inconnu qui l'arracherait aux « griffes » d'Adelaide. Après avoir interdit de prononcer le nom de Roland chez elle, Adelaide déclarait à présent que sa mort était une « bénédiction ». Hugh était désolé pour sa sœur tandis que Sylvie passait son temps à chercher dans la campagne environnante un bon parti, un propriétaire terrien assez patient et assez bête pour supporter Izzie.

*

Dans la chaleur étouffante, elles s'étaient traînées à travers champs, avaient franchi péniblement les échaliers, pataugé dans les ruisseaux. Sylvie portait le bébé dans un châle en bandoulière. Le bébé avait beau être lourd, il l'était peut-être moins que le panier à pique-nique trimbalé par Bridget. Bosun cheminait consciencieusement à leurs côtés, ce n'était pas un chien qui courait devant, il avait plutôt tendance à fermer la marche. Il était encore perplexe de ne plus voir Roland et tenait à ne perdre personne d'autre. Izzie était à la traîne, il y avait beau temps que son enthousiasme initial pour une excursion pastorale s'était envolé. Bosun faisait de son mieux pour lui faire accélérer le pas.

La randonnée était placée sous le signe de la mauvaise humeur et le pique-nique final ne valut guère mieux car Bridget avait oublié d'emporter les sandwiches. « Comment diable vous êtes-vous débrouillée ? » fit Sylvie d'un ton fâché et ils durent en conséquence manger le pâté en croûte que Mrs Glover destinait à George. (« Pour l'amour du ciel, ne lui dites rien », fit Sylvie.) Pamela s'était égratignée dans des ronces, Ursula avait culbuté dans un carré d'orties. Même Teddy, d'ordinaire heureux de vivre, était grognon parce qu'il avait trop chaud.

*

George vint leur montrer deux minuscules lapereaux et dit « Ça vous ferait plaisir de les emporter chez vous ? » et Sylvie dit sèchement : « Non, merci, George. Ils vont mourir ou se multiplier, dénouements qui ne sont ni l'un ni l'autre à souhaiter. » Pamela en fut désespérée et il fallut lui promettre un chaton. (A sa grande surprise, cette promesse fut tenue et un chaton fut dûment obtenu à la ferme d'Ettringham Hall. Une semaine plus tard, il mourait d'une attaque. On organisa des funérailles en bonne et due forme. « Le sort s'acharne sur moi », déclara Pamela sur un ton mélodramatique qui ne lui ressemblait pas.)

« Il est très beau, ce laboureur, n'est-ce pas ? » fit Izzie et Sylvie dit « Bas les pattes. C'est hors de question » et Izzie de répliquer « Je ne vois vraiment pas de quoi tu veux parler. »

La température ne se rafraîchit pas dans l'après-midi et ils n'eurent pour finir pas d'autre choix que de rebrousser chemin dans la même chaleur qu'à l'aller. Pamela, déjà malheureuse à cause des lapereaux, s'enfonça une épine dans le pied, Ursula se prit une branche dans la figure. Teddy pleura, Izzie jura, Sylvie jeta feu et flammes et Bridget déclara que si ce n'était pas un péché mortel, elle se noierait dans le prochain ruisseau.

« Regardez-vous, dit Hugh avec le sourire quand ils rentrèrent titubants à Fox Corner. Tout dorés par le soleil.

— Oh, je t'en prie, fit Sylvie en l'écartant de son chemin. Je vais m'allonger en haut. »

*

« Je crois que nous allons avoir de l'orage cette nuit », dit Hugh. Ce fut le cas. Ursula qui avait le sommeil léger fut réveillée. Elle se glissa hors de son lit et trottina jusqu'à la fenêtre de la mansarde, monta sur une chaise pour voir dehors.

Les roulements de tonnerre dans le lointain ressemblaient à des tirs d'artillerie. Le ciel violet et lourd de mauvais présages fut soudain fendu par la fourche d'un éclair. Un renard qui rôdait furtivement autour d'une petite proie fut brièvement illuminé, comme par le flash d'un photographe.

Ursula oublia de compter et fut surprise par le coup de tonnerre assourdissant qui retentit presque au-dessus de sa tête.

C'était le bruit que faisait la guerre, se dit-elle.

*

Ursula entra directement dans le vif du sujet. Bridget qui hachait des oignons sur la table de la cuisine avait déjà la larme à l'œil. Ursula s'assit à côté d'elle et dit « Je suis allée au village.

— Ah, fit Bridget que ce renseignement n'intéressait pas le moins du monde.

— Acheter des bonbons, dit Ursula. Chez le marchand de bonbons.

— Voyez-vous ça, dit Bridget. Des bonbons chez le marchand de bonbons ? Qui l'eût cru ? » L'épicerie vendait bien d'autres choses que des bonbons, mais aucune ne présentait le moindre intérêt pour les enfants de Fox Corner.

« J'ai vu Clarence.

— Clarence ? fit Bridget qui cessa de hacher ses oignons à la mention de son bien-aimé.

— En train d'acheter des bonbons, dit Ursula. A la menthe, précisa-t-elle pour l'authenticité avant d'enchaîner : Tu connais Molly Lester ?

— Oui, fit prudemment Bridget, elle travaille dans le magasin.

— Eh bien, Clarence l'embrassait. »

Bridget se leva, couteau à la main. « L'embrassait ? Pourquoi Clarence embrasserait-il Molly Lester ?

— C'est ce que Molly a dit ! Elle a dit "Pourquoi tu m'embrasses, Clarence Dodds, alors que tout le monde sait que tu es fiancé à cette bonne qui travaille à Fox Corner." »

Bridget avait l'habitude des mélodrames et des romans de quatre sous. Elle attendit la révélation qui ne manquerait pas de suivre.

Ursula la lui fournit obligeamment. « Et Clarence a dit "Oh, tu veux parler de Bridget. Elle n'est rien pour moi. C'est un laideron. Je me contente de la faire marcher". » Lectrice précoce, Ursula avait également lu les romans de Bridget et en maîtrisait le discours.

Il y eut un cri glaçant et le couteau tomba à terre. Les jurons celtiques fusèrent. « Le salaud, dit Bridget.

— Un traître ignoble », convint Ursula.

La bague de fiançailles, la petite bague jonc (« une babiole »), fut rendue à Sylvie. Les protestations d'innocence de Clarence furent ignorées.

*

« Vous pourriez monter à Londres avec Mrs Glover, dit Sylvie à Bridget. Pour célébrer l'Armistice. Je crois qu'il y a des trains jusque très tard le soir. »

Mrs Glover déclara qu'elle ne se risquerait pas à aller dans la capitale en raison de l'épidémie de grippe et Bridget dit qu'elle espérait très fort que Clarence irait, de préférence avec Molly Lester, et qu'ils attraperaient tous les deux la grippe espagnole et en mourraient.

*

Molly Lester qui n'avait jamais adressé la parole à Clarence en dehors d'un innocent « Bonjour, monsieur, vous désirez ? »

486

assista à une petite fête dans le village, mais Clarence monta à Londres avec deux ou trois copains et mourut bel et bien.

« Mais au moins personne n'a été poussé dans l'escalier, dit Ursula.

— Qu'entends-tu par là ? demanda Sylvie.

— Je ne sais pas », fit Ursula. Et c'était vrai.

Elle se faisait peur. Elle rêvait tout le temps qu'elle volait et tombait. Parfois, juchée sur une chaise pour regarder par la fenêtre de sa chambre, elle éprouvait une forte envie de se hisser sur le toit et de se jeter dans le vide. Elle ne s'écraserait pas à terre avec un son mat comme une pomme trop mûre, elle était sûre au contraire d'être rattrapée. (Mais par quoi ? s'interrogeait-elle.) Elle s'abstint de vérifier cette théorie contrairement à la pauvre petite poupée en crinoline de Pamela, qui avait été balancée par cette même fenêtre par un Maurice rendu malveillant par l'ennui, un hiver à l'heure du dîner.

L'entendant s'approcher dans le couloir – arrivée signalée par de bruyants cris de guerre indiens –, Ursula s'était hâtée de cacher sa poupée préférée, la Reine Solange, un tricotin, sous son oreiller où elle était restée à l'abri tandis que la malheureuse dame en crinoline avait été défenestrée et s'était cassée en mille morceaux sur les ardoises. « Je voulais juste voir ce qui se passerait » se lamenta après coup Maurice auprès de Sylvie. « Eh bien, maintenant tu le sais », dit-elle. Elle trouvait la réaction hystérique de Pamela à l'incident des plus agaçantes. « On est en pleine guerre, lui dit-elle. Il y a des choses plus graves qu'un bibelot cassé. » Non, pas pour Pamela.

Si Ursula avait permis à Maurice de s'en prendre à son petit tricotin en bois incassable, la dame en crinoline aurait été sauvée.

Bosun, qui ne tarderait pas à mourir de la maladie de Carré, se glissa dans la chambre cette nuit-là et posa une patte pesante sur la courtepointe de Pamela pour lui témoigner sa compassion avant de s'endormir en grognant sur la lirette qui séparait les deux lits.

Le lendemain, Sylvie qui se reprochait de manquer de cœur envers ses enfants se procura un autre chaton à la ferme du manoir. Les chatons y abondaient toujours, une sorte de monnaie d'échange féline avait cours dans le voisinage : les parents l'utilisaient pour consoler de la perte d'une poupée ou récompenser la réussite à un examen.

Bosun eut beau surveiller le chaton de près, ils ne l'avaient que depuis une semaine quand Maurice marcha dessus alors qu'il jouait un peu trop énergiquement à la guerre avec les garçons Cole. Sylvie s'empressa de ramasser le petit corps et de le donner à Bridget pour qu'elle l'emporte ailleurs afin que les affres de son agonie se déroulent en coulisse.

« C'était un accident ! s'écria Maurice. Je ne savais pas que ce truc stupide traînait là ! » Sylvie le gifla et il se mit à pleurer. C'était horrible de le voir bouleversé à ce point, il s'agissait bien d'un accident. Ursula essaya de le réconforter, ce qui eut pour seul effet de le rendre furieux, et Pamela qui avait bien sûr perdu toute notion de conduite civilisée essaya de lui arracher les cheveux. Les garçons Cole avaient fichu le camp depuis longtemps pour regagner leur domicile où le calme régnait généralement sur les esprits.

Il était parfois plus difficile de changer le passé que l'avenir.

*

« Des maux de tête, dit Sylvie.

— Je suis psychiatre, lui dit le Dr Kellet. Pas neurologue.

— Et des rêves et des cauchemars », tenta Sylvie.

Il y avait quelque chose de réconfortant à être dans cette pièce, se dit Ursula. Les lambris de chêne, la bonne flambée, le tapis épais à motifs rouges et bleus, les fauteuils de cuir, même la fontaine à thé saugrenue – tout semblait familier.

« Des rêves ? fit le Dr Kellet dûment tenté.

— Oui, dit Sylvie. Et du somnambulisme.

— Ah bon ? fit Ursula, très surprise.

488

— Et elle a tout le temps ces impressions de déjà-vu, ajouta Sylvie qui prononça les mots avec un certain dégoût.

— Ah bon ? » dit le Dr Kellet qui s'empara d'une pipe en écume de mer et en vida les cendres en la cognant sur le garde-feu. C'était le fourneau en tête de Turc, familier pour on ne sait quelle raison, comme un vieil animal domestique.

« Oh, s'exclama Ursula. Je suis déjà venue ici !

— Vous voyez, dit Sylvie triomphante.

— Hum... » fit pensivement le Dr Kellet. Il se tourna vers Ursula et s'adressa directement à elle. « As-tu entendu parler de la réincarnation ?

— Oh, oui, absolument, dit Ursula avec enthousiasme.

— Je suis sûre que non, fit Sylvie. S'agit-il d'une doctrine catholique ? Mais qu'est-ce que c'est donc que *ça* ? demanda-t-elle, distraite par la fontaine à thé saugrenue.

— C'est un samovar qui vient de Russie, expliqua le Dr Kellet, bien que je ne sois pas russe, loin de là, je suis de Maidstone, j'ai visité Saint-Pétersbourg avant la révolution. » Il demanda ensuite à Ursula « Voudrais-tu me dessiner quelque chose ? » et lui glissa un crayon et une feuille de papier. « Désirez-vous du thé ? » demanda-t-il à Sylvie qui foudroyait toujours le samovar du regard. N'ayant aucune confiance dans une infusion qui ne venait pas d'une théière en porcelaine, elle déclina son offre.

Ursula termina son dessin et le tendit au Dr Kellet.

« Qu'est-ce que c'est ? s'enquit Sylvie en regardant par-dessus l'épaule d'Ursula. Une sorte de cercle ou d'anneau ? Une couronne ?

— Non, dit le Dr Kellet, c'est un serpent qui se mord la queue. » Il hocha la tête d'un air approbateur et dit à Sylvie : « C'est un symbole représentant la circularité de l'univers. Le temps est une construction mentale, en réalité tout coule, il n'y a ni passé ni présent, seulement ici e⸱ maintenant.

— Très gnomique », fit Sylvie avec raideur. Le Dr Kellet joignit les mains et posa son menton dessus. « Tu sais, dit-il à Ursula. Je crois que nous allons très bien nous entendre. Est-ce qu'un biscuit te ferait plaisir ? »

*

Une chose la rendait perplexe. La photo de *Guy, tombé à Arras* dans sa tenue blanche de cricket avait disparu du guéridon. Sans l'avoir voulu – c'était une question qui en soulevait tant d'autres – elle dit au Dr Kellet « Où est la photo de Guy ? » et le Dr Kellet dit « *Quel* Guy ? »

On ne pouvait même plus, semblait-il, compter sur l'instabilité du temps.

*

« Ce n'est qu'une Austin, dit Izzie. Une bonne routière – quatre portes quand même – mais, juste ciel, rien à voir avec le prix astronomique d'une *Bentley*, c'est quasiment un véhicule pour la populace comparé au luxe que tu t'es offert, Hugh. » « Achetée à crédit, sans aucun doute », fit Hugh. « Pas du tout, payée rubis sur l'ongle. J'ai un *éditeur*, j'ai de *l'argent*, Hugh. Tu n'as plus besoin de te faire de souci pour moi. »

Pendant que tout le monde (à l'exception de Hugh et Sylvie) admirait le véhicule rouge cerise, Millie dit : « Il faut que j'y aille, j'ai un spectacle de danse ce soir. Merci beaucoup pour ce thé délicieux, Mrs Todd.

— Allez, je te raccompagne », fit Ursula.

Pour rentrer, elle évita le raccourci mille fois emprunté au fond du jardin et prit le chemin le plus long, esquivant de justesse Izzie qui s'éloignait à toute berzingue dans sa voiture. Izzie lui adressa un salut insouciant en guise d'adieu.

« Qui c'était ? » demanda Benjamin Cole qui fit déraper sa bicyclette dans une haie pour ne pas être tué par l'Austin. Le cœur d'Ursula vacilla, se dilata et s'emballa en le voyant. L'objet même de son affection ! La raison pour laquelle elle avait pris le chemin le plus long dans l'espoir bien peu probable de provoquer une rencontre « accidentelle » ! Et il était là ! Quelle chance.

*

« Ils ont perdu mon ballon, dit tristement Teddy quand elle regagna la salle à manger.

— Je sais, fit Ursula. Nous pourrons partir à sa recherche plus tard.

— Ben dis donc, t'es rouge comme une pivoine. Il s'est passé quelque chose ? »

S'était-il passé quelque chose ? songea-t-elle. S'était-il *passé* quelque chose ? Juste le fait que le plus beau garçon du monde entier l'avait embrassée et le jour de son seizième anniversaire en plus. Il l'avait raccompagnée en poussant sa bicyclette et à un moment donné leurs mains s'étaient effleurées, leurs joues empourprées (c'était de la poésie) et il avait dit « Tu sais que je t'aime vraiment Ursula » et là, devant sa porte (où tout le monde pouvait les voir) il avait posé sa bicyclette contre le mur et l'avait attirée à lui. Et le baiser ! Doux, long et beaucoup plus agréable qu'elle ne s'y attendait bien qu'il l'ait laissée… eh bien, oui… *rouge comme une pivoine*. Benjamin aussi, et ils s'étaient écartés, légèrement sous le choc.

« Mince alors, fit-il. Je n'avais encore jamais embrassé une fille, je ne me doutais pas que ça pouvait être si… excitant. » Il secoua la tête comme un chien, apparemment très étonné de son manque de vocabulaire.

Cela resterait, songea Ursula, le meilleur moment de sa vie, quoi qu'il lui arrive par ailleurs. Ils se seraient bien embrassés plus, mais la charrette du chiffonnier apparut au détour de la petite route et le cri perçant de *Chiiiiiiiffonnier* ! *Chiiiiiiiffonnier* ! s'immisça dans leur idylle naissante.

« Non, il ne s'est rien passé, répondit-elle à Teddy. Je disais au revoir à Izzie. Tu as raté l'occasion de voir sa voiture. Elle t'aurait plu. »

Teddy haussa les épaules et poussa *Les Aventures d'Auguste* qui tombèrent par terre. « C'est vraiment n'importe quoi », dit-il.

491

Ursula ramassa une coupe de champagne à moitié vide et au bord décoré de rouge à lèvres écarlate, versa la moitié de ce qui restait dans une coupe à gelée qu'elle tendit à Teddy. « A la tienne », dit-elle. Ils trinquèrent et firent cul sec.

« Joyeux anniversaire », dit Teddy.

*

Quelle vie prodigieuse que la mienne !
Des pommes mûres me tombent sur la tête ;
Les grappes savoureuses de la vigne
Sur ma bouche pressent leur vin...

« Qu'est-ce que tu lis ? demanda Sylvie d'un air soupçonneux.
— Marvell. »
Sylvie lui prit son livre et examina les vers de près. « C'est plutôt luxuriant, conclut-elle.
— "Luxuriant" ? – quelle drôle de critique, dit Ursula en riant avant de mordre dans une pomme.
— Essaie de ne pas jouer les prodiges, soupira Sylvie. Ce n'est pas agréable chez une fille. Qu'est-ce que tu vas choisir à la rentrée ? Le latin ? Le grec ? Pas la littérature anglaise, j'espère. Je n'en vois pas l'intérêt.
— Tu ne vois pas l'intérêt de la littérature anglaise ?
— Je ne vois pas l'intérêt de *l'étudier*. Il suffit de la *lire*, non ? » Elle soupira de nouveau. Aucune de ses filles ne lui ressemblait. L'espace d'un instant, Sylvie se revit dans le passé sous un ciel londonien sans nuages, sentit les fleurs printanières rafraîchies par une ondée récente, entendit tinter et cliqueter le harnais de Tiffin.

« Je choisirai peut-être les langues vivantes. Je ne sais pas. Je n'en suis pas sûre. Mon projet n'est pas encore tout à fait au point.
— Ton projet ? »

*

Elles se turent. La renarde mit ce silence à profit pour faire une entrée insouciante. Maurice passait son temps à lui tirer dessus. De deux choses l'une : ou il n'était pas la fine gâchette qu'il aimait à se croire ou la renarde était plus maligne que lui. Ursula et Sylvie penchaient pour le second point de vue. « Elle est si jolie, dit Sylvie. Et elle a une queue si magnifique. » La renarde s'assit tel un chien attendant son dîner, sans jamais quitter Sylvie du regard. « Je n'ai rien », fit cette dernière en lui montrant ses paumes vides. Ursula lança son trognon de pomme, gentiment sous son bras, pour ne pas alarmer l'animal, et la renarde trottina vers lui, le ramassa maladroitement dans sa gueule avant de filer. « Elle mange n'importe quoi, dit Sylvie. Elle est comme Jimmy. »

Maurice apparut et les fit sursauter toutes les deux. Il avait son nouveau Purdey cassé sur le bras et dit : « Ce n'était pas cette saleté de renarde ?

— Surveille ton langage, Maurice », le réprimanda Sylvie.

Il était de retour à Fox Corner en attendant de commencer son stage d'avocat après avoir obtenu sa licence de droit et s'ennuyait tellement qu'il tapait sur les nerfs de tout le monde. Il pourrait travailler à la ferme du manoir, suggéra Sylvie, ils sont toujours à la recherche de saisonniers. « Comme un manant dans les champs ? fit Maurice. C'est pour cette raison que vous m'avez payé des études si chères ? » (« Pourquoi lui avons-nous payé des études si chères ? », fit Hugh.)

« Apprends-moi plutôt à tirer, dit Ursula qui bondit sur ses pieds et épousseta sa jupe. Allez, viens, je peux utiliser le vieux fusil de chasse de papa. »

Maurice haussa les épaules et dit « Faute de mieux, mais les filles sont incapables de tirer, c'est un fait bien connu.

— Les filles sont des bonnes à rien, convint Ursula. Elle ne sont pas fichues de faire *quoi que ce soit*.

— C'est un sarcasme ?

— Un sarcasme ? Moi ? »

*

493

« Pas mal pour une novice », dit Maurice à contrecœur. Ils tiraient sur des bouteilles alignées sur un mur à proximité du bosquet et Ursula atteignait sa cible beaucoup plus souvent que Maurice. « Tu es sûre de n'avoir jamais fait ça avant ?

— Que puis-je dire ? fit-elle. Je comprends vite, c'est tout. »

Maurice braqua soudain le canon de son fusil vers la lisière du bosquet et avant même qu'Ursula ait eu le temps de voir ce qu'il visait, il avait appuyé sur la détente, exterminé quelque chose.

« Je l'ai enfin eue, cette petite saloperie », dit-il triomphalement.

Ursula se mit à courir, mais aperçut le tas de fourrure brun roux bien avant d'arriver à sa hauteur. L'extrémité blanche de sa belle queue fut agitée d'un petit tremblement, mais la renarde de Sylvie n'était plus.

Elle trouva Sylvie sur la terrasse en train de feuilleter un magazine. « Maurice a tué la renarde », dit-elle. Sylvie appuya sa tête au dossier de son fauteuil en osier et ferma les yeux, résignée. « C'était à prévoir », dit-elle. Elle rouvrit les yeux. Ils brillaient de larmes. Ursula n'avait jamais vu sa mère pleurer. « Je le déshériterai un jour », dit Sylvie qui à l'idée de ce plat qui se mange froid séchait déjà ses pleurs.

Pamela apparut sur la terrasse et haussa un sourcil interrogateur à l'adresse d'Ursula qui dit « Maurice a tué la renarde.

— J'espère que toi, tu l'as tué », dit Pamela. Elle n'avait pas l'air de plaisanter en plus.

« Je vais peut-être aller chercher papa à la gare », dit Ursula, une fois Pamela rentrée dans la maison.

*

Elle n'allait pas vraiment à la rencontre de Hugh. Depuis son seizième anniversaire, elle voyait Benjamin Cole en cachette. Ben, comme elle l'appelait à présent. Dans la prairie, dans le bois, sur la petite route. (N'importe où à l'extérieur, semblait-il.

« Ça tombe bien que le temps ait été au beau fixe pour vos mamours », disait Millie avec force petits sourires narquois et haussements de sourcils clownesques.)

Ursula découvrit qu'elle était une menteuse hors pair. (Ne le savait-elle pas depuis toujours pourtant ?) *Vous avez besoin de quelque chose à l'épicerie ? Je vais juste cueillir des framboises sur la petite route.* Serait-ce une telle catastrophe si les gens étaient au courant ? « Eh bien, je pense que ta mère me tuerait », disait Ben. (« Un juif ? » entendait-elle d'ici Sylvie dire.)

« Et mes vieux, aussi, ajoutait-il. Nous sommes trop jeunes.

— Comme Roméo et Juliette, dit Ursula. Les amants aux étoiles contraires etc.

— Sauf que nous n'allons pas mourir par amour, fit Ben.

— Est-ce que ce serait une si mauvaise raison de mourir ? demanda Ursula songeuse.

— Oui. »

Les choses avaient commencé à devenir très « chaudes » entre eux, beaucoup de doigts tâtonnants et de gémissements (de la part de Ben). Il ne pensait pas pouvoir « se retenir » beaucoup plus longtemps, disait-il, mais elle n'était pas sûre de savoir tout à fait de quoi. L'amour ne signifiait-il pas qu'ils ne devraient rien retenir ? Elle supposait qu'ils se marieraient. Devrait-elle se convertir ? Devenir « juive » ?

*

Ils étaient allés dans la prairie où ils s'étaient allongés et enlacés. C'était très romantique, à part la fléole des prés qui chatouillait Ursula et les marguerites qui la faisaient éternuer. Sans parler de la façon dont Ben se jucha soudain sur elle, si bien qu'elle eut plutôt l'impression d'être dans un cercueil rempli de terre. Il eut une sorte de spasme qu'elle prit pour un prélude à une crise d'apoplexie et elle lui caressa les cheveux comme s'il était devenu invalide, lui demandant d'un air soucieux : « Ça va ?

— Pardon, fit-il. Je n'avais pas l'intention de faire ça. » (Mais qu'avait-il fait ?)

« Je ferais mieux d'y aller », dit Ursula. Ils se levèrent et s'enlevèrent mutuellement l'herbe et les fleurs de leurs vêtements avant de reprendre le chemin de leurs domiciles respectifs.

Ursula se demanda si elle avait raté le train de Hugh. Ben regarda sa montre et dit « Oh, ils sont rentrés depuis longtemps. » (Hugh et Mr Cole voyageaient dans le même train.) Ils quittèrent la prairie et grimpèrent l'échalier pour entrer dans le pré longeant la petite route, celui où paissait habituellement un troupeau de vaches laitières. Elles n'étaient pas revenues de la traite.

Ben l'aida à descendre de l'échalier et ils s'embrassèrent une fois de plus. Lorsqu'ils se séparèrent, ils remarquèrent un homme venu du côté menant au bosquet, qui traversait le pré pour se diriger vers la petite route. Il était pauvrement vêtu – c'était peut-être un vagabond – et avançait à toute vitesse en clopinant. Il jeta un regard à la ronde et, les apercevant, accéléra encore l'allure. Il trébucha sur une touffe d'herbe, mais se releva vite et bondit vers la barrière.

« Ce type a vraiment l'air louche, dit Ben en riant. Je me demande ce qu'il a bien pu fabriquer. »

*

« Le dîner est servi, tu es très en retard, dit Sylvie. Où étais-tu passée ? Mrs Glover nous a une fois de plus préparé cet horrible veau à la russe. »

*

« Maurice a tué la renarde ? » dit Teddy avec une mine profondément déçue.

S'ensuivit une discussion qui tourna au vinaigre et à laquelle tout le monde se mêla, tout ça pour un renard mort, songea

Hugh. C'est un animal nuisible, avait-il envie de signaler, mais il ne voulait pas jeter de l'huile sur le feu. Il se contenta de dire « S'il vous plaît, n'en parlons pas à table, ces trucs sont déjà assez difficiles à digérer. » Mais rien à faire. Il tenta d'ignorer délibérément tout le monde, de mastiquer stoïquement ses côtelettes de veau (Mrs Glover y avait-elle jamais goûté ? se demanda-t-il). Il fut soulagé de voir le dîner interrompu par un coup à la porte.

« Ah, major Shawcross, dit Hugh, entrez donc.

— Oh, mon Dieu, je ne veux pas vous déranger, fit le major Shawcross d'un air gêné. Je me demandais juste si votre Teddy n'aurait pas vu notre Nancy.

— Nancy ? fit Teddy.

— Oui, dit le major Shawcross. Elle est introuvable. »

*

Ils ne se donnèrent plus rendez-vous dans le bosquet ni sur la petite route ni dans la prairie. Hugh imposa un couvre-feu strict après la découverte du corps de Nancy et de toute façon Ursula et Ben étaient tous les deux en proie à l'horreur et à la culpabilité. S'ils étaient rentrés à l'heure dite, s'ils avaient traversé le pré, ne serait-ce que cinq minutes plus tôt au lieu de s'attarder, ils auraient peut-être sauvé Nancy. Mais le temps de rentrer en flânant, Nancy était déjà morte et au fond de l'abreuvoir dans le coin supérieur du pré. Et donc, exactement comme dans Roméo et Juliette, ça s'était effectivement terminé par une mort. Nancy sacrifiée pour leur amour.

« C'est une terrible tragédie, dit Pamela. Mais tu n'y es pour rien, pourquoi te conduire comme si tu en étais responsable ? »

Parce qu'elle l'était. Elle le savait à présent.

Quelque chose était déchiré, cassé, la fourche d'un éclair fendant un ciel lourd.

*

497

Aux petites vacances d'octobre, elle alla passer quelques jours chez Izzie. Elles étaient attablées au Russian Tea Room à South Kensington. « La clientèle est terriblement de droite, dit Izzie, mais ils font des crêpes absolument extraordinaires. » Il y avait un samovar. (Etait-ce le samovar qui avait tout déclenché parce qu'il lui rappelait le Dr Kellet ? Ça semblerait absurde que ce soit le cas.) Elles avaient fini leur thé et Izzie dit « Attends-moi une seconde, je vais me repoudrer le bout du nez. Demande l'addition, veux-tu ? »

Ursula attendait patiemment son retour quand soudain la terreur s'abattit sur elle avec la rapidité d'un oiseau de proie. L'appréhension de quelque chose d'inconnu, mais d'extrêmement menaçant. La menace la concernait personnellement, ici, au milieu des tintements polis des petites cuillers sur les soucoupes. Elle se leva en renversant sa chaise. La tête lui tournait et elle avait un voile de brouillard devant la figure. Comme de la poussière de bombe, songea-t-elle, et pourtant elle n'avait jamais été bombardée.

Elle écarta le voile, sortit du Russian Tea Room dans Harrington Road. Elle se mit à courir sans s'arrêter jusqu'à Brompton Road, puis à l'aveuglette jusqu'à Egerton Gardens.

Elle était déjà venue ici. Elle n'était jamais venue ici.

Il y avait toujours quelque chose de caché, qui l'attendait au tournant, quelque chose qu'elle ne pouvait jamais rattraper – quelque chose qui la rattrapait, elle. Elle était à la fois le chasseur et la proie. Comme la renarde. Elle continua, puis trébucha sur quelque chose, tomba en plein sur le nez. La douleur était extraordinaire. Il y avait du sang partout. Elle s'assit sur le trottoir et pleura à cause de la peine atroce. Elle ne s'était pas aperçue qu'il y avait quelqu'un dans la rue, mais voilà qu'une voix d'homme dans son dos dit « Ça par exemple, ç'a dû être terrible. Laissez-moi vous aider. Votre jolie écharpe turquoise est tout éclaboussée de sang. C'est turquoise ou c'est bleu-vert ? Je m'appelle Derek, Derek Oliphant. »

Elle connaissait cette voix. Elle ne la connaissait pas. Le passé semblait *s'échapper* dans le présent, comme s'il y avait une fuite

quelque part. A moins que l'avenir ne déborde sur le passé ?
De toute façon, c'était cauchemardesque, comme si son sombre
paysage intérieur était devenu apparent. L'intérieur devenu l'extérieur. Le temps était désarticulé, c'était certain.

Elle se remit tant bien que mal debout, mais n'osa pas regarder autour d'elle. Ignorant délibérément la douleur abominable,
elle courut, courut. Elle était à Belgravia quand elle finit par
s'écrouler complètement. Ici aussi, songea-t-elle. Elle était déjà
venue ici. Elle n'était encore jamais venue ici. J'abandonne,
songea-t-elle. Je ne sais pas ce qui me poursuit, mais je me
rends. Elle tomba à genoux sur le trottoir dur et se roula en
boule. Un renard sans terrier.

*

Elle avait dû perdre connaissance car lorsqu'elle ouvrit les
yeux, elle était alitée dans une chambre peinte en blanc. Il y
avait une grande fenêtre et elle apercevait dehors un marronnier
qui n'avait pas encore perdu ses feuilles. Elle tourna la tête et
vit le Dr Kellet.

« Tu t'es cassé le nez, dit-il. Nous avons cru que tu avais
été agressée.

— Non, je suis tombée.

— C'est un pasteur qui t'a trouvée. Il t'a emmenée en taxi
au St George's Hospital.

— Mais vous, qu'est-ce que vous faites ici ?

— Ton père m'a téléphoné. Il ne savait pas trop qui contac-
ter d'autre.

— Je ne comprends pas.

— Eh bien, à ton arrivée à l'hôpital, tu n'arrêtais pas de
crier. Ils ont cru qu'il t'était arrivé quelque chose de terrible.

— Ce n'est pas St George, ici ?

— Non, dit-il gentiment. C'est une clinique privée. Repos,
bonne nourriture etc. Ils ont des jardins merveilleux. Je pense toujours qu'un jardin merveilleux arrange bien des choses, pas toi ? »

499

« Le temps n'est pas circulaire, dit-elle au Dr Kellet. Ça ressemble à un... palimpseste.

— Oh là là, ça semble très contrariant.

— Et les souvenirs sont parfois dans le futur.

— Tu es une vieille âme, dit-il. Ça ne peut pas être facile. Mais tu as encore toute la vie devant toi. Il faut la vivre. » Il n'était pas son médecin, il avait pris sa retraite, expliqua-t-il. Il était « un simple visiteur ».

Le sanatorium lui donnait l'impression qu'elle était un cas bénin de consomption. Elle passait la journée assise sur la terrasse ensoleillée à lire d'innombrables livres et des filles de salle lui apportaient à boire et à manger. Elle se promenait dans les jardins, avait des conversations polies avec des médecins et des psychiatres, parlait aux autres patients (de son étage, en tout cas. Ceux qui étaient vraiment fous étaient relégués sous les toits comme Mrs Rochester). Il y avait même des vraies fleurs dans sa chambre et une coupe de fruits. Son séjour devait coûter une fortune, songea-t-elle.

« Ça doit coûter une fortune, dit-elle à Hugh lorsqu'il vint lui rendre visite, ce qu'il faisait souvent.

— C'est Izzie qui paie, répondit-il. Elle a insisté. »

*

Le Dr Kellet alluma pensivement sa pipe en écume de mer. Ils étaient assis sur la terrasse. Ursula se disait qu'elle ne verrait aucun inconvénient à passer le reste de sa vie ici. C'était merveilleusement dépourvu de défis.

« *Quand j'aurais le don de prophétie, que je connaîtrais tous les mystères et que je posséderais toute la science...* dit le Dr Kellet.

— *... quand bien même j'aurais toute la foi jusqu'à transporter les montagnes, s'il me manque la charité, je ne suis rien,* termina Ursula.

500

— *Caritas*, c'est évidemment l'amour. Mais, ça, tu le sais.

— Je ne suis pas dénuée de charité, dit Ursula. Pourquoi citons-nous l'Epître aux Corinthiens ? Je vous croyais bouddhiste.

— Oh, je ne suis rien, dit le Dr Kellet. Et tout en même temps, bien sûr, ajouta-t-il – d'une façon plutôt elliptique de l'avis d'Ursula.

— La question, reprit-il, est de savoir si tu en as assez.

— Assez de quoi ? » fit Ursula. La conversation lui échappait en grande partie, mais le Dr Kellet était retenu par les exigences de sa pipe et ne répondit pas. L'arrivée du thé les interrompit.

« Ils font un excellent gâteau au chocolat ici » dit le Dr Kellet.

*

« Ça va mieux, mon oursonne ? » demanda Hugh en l'aidant gentiment à monter en voiture. Il était venu la chercher dans sa Bentley.

« Oui, dit-elle. Absolument.

— Bien. Rentrons à la maison. Ce n'est pas pareil sans toi. »

*

Elle avait perdu un temps précieux, mais elle avait désormais un projet, songea-t-elle, allongée sur son lit dans l'obscurité à Fox Corner. Le projet impliquerait de la neige, sans aucun doute. Le lièvre argent, les feuilles vertes qui dansaient. Et cætera. L'allemand et non les lettres classiques, et après ça des cours de sténodactylo avec peut-être en plus l'étude de l'espéranto juste au cas où l'utopie deviendrait réalité. Elle s'inscrirait à un club de tir, poserait sa candidature pour un poste d'employée de bureau quelque part, travaillerait un moment, mettrait de l'argent de côté – rien que de très ordinaire. Elle ne voulait pas attirer l'attention, elle écouterait les conseils de son père même s'il ne lui en avait pas encore donné, elle raserait les murs et mettrait sa lumière sous le boisseau. Puis, une fois prête, elle aurait de quoi vivre et s'enfoncerait au cœur de la bête, d'où elle extirperait la tumeur noire qui s'y étendait, chaque jour plus grosse.

Puis un jour, elle marcherait dans Amalienstraße, s'arrêterait devant la vitrine de Photo Hoffmann, contemplerait les Kodak, les Leica et les Voigtländer, ouvrirait la porte du magasin, entendrait retentir le petit carillon annonçant son arrivée et la fille derrière le comptoir dirait probablement *Guten Tag, gnädiges Fräulein*, à moins qu'elle ne dise *Grüss Gott* parce qu'on est en 1930 et que les gens peuvent encore s'adresser à vous en disant *Grüss Gott* et *Tschüss* au lieu de multiplier les *Heil Hitler* et d'absurdes saluts martiaux.

Et Ursula brandira son vieux Kodak Brownie et dira « La pellicule n'a plus l'air de s'enrouler » et une Eva Braun de dix-sept ans toute guillerette dira « Laissez-moi y jeter un coup d'œil. »

*

Le caractère éminemment sacré du projet lui gonflait le cœur. L'imminence la cernait. Elle était à la fois guerrière et lance étincelante. Elle était une épée luisant dans les profondeurs de la nuit, une pique de lumière trouant l'obscurité. Cette fois, il n'y aurait pas d'erreurs.

Quand tout le monde fut endormi et la maison silencieuse, Ursula se tira du lit et grimpa sur la chaise placée sous la fenêtre ouverte de la petite mansarde.

Il est temps, songea-t-elle. Une horloge sonna quelque part en guise de soutien. Elle pensa à Teddy et à Miss Woolf, à Roland et à la petite Angela, à Nancy et à Sylvie. Elle pensa au Dr Kellet et à Pindare. *Deviens tel que tu as appris à te connaître.* Elle savait qui elle était à présent. Elle était Ursula Beresford Todd et elle était un témoin.

502

Elle ouvrit les bras à la chauve-souris noire et elles volèrent l'une vers l'autre, s'embrassèrent dans l'air comme des âmes qui se sont perdues de vue depuis longtemps. C'est ça, l'amour, se dit Ursula. C'est en forgeant qu'on devient forgeron.

MONTREZ VOTRE VALEUR

Décembre 1930

Ursula savait tout d'Eva. Elle connaissait sa passion pour la mode, le maquillage et les cancans. Savait qu'elle patinait, skiait et adorait danser. Ursula s'attardait donc avec elle devant les robes chères du grand magasin Oberpollinger avant d'aller prendre un café accompagné d'un gâteau ou une glace à l'Englischer Garten où elles s'asseyaient et regardaient les enfants sur le manège. Elle allait à la patinoire avec Eva et sa sœur Gretl. Elle était invitée à dîner chez les Braun. « Ton amie anglaise est très gentille », disait Frau Braun à Eva.

Elle leur expliqua qu'elle améliorait son allemand avant de rentrer l'enseigner en Angleterre. Eva bâilla d'ennui à cette idée.

Eva adorait être photographiée et Ursula la mitraillait avec son Kodak Brownie, puis elles passaient leurs soirées à coller les photos dans des albums et à admirer les différentes poses d'Eva. « Tu devrais faire du cinéma », dit Ursula à Eva qui en fut ridiculement flattée. Ursula avait potassé les célébrités hollywoodiennes, britanniques ainsi qu'allemandes, les chansons et les danses les plus récentes. Elle était comme une femme plus mûre qui s'intéressait à une débutante. Elle prit Eva sous son aile et Eva fut époustouflée par la sophistication de sa nouvelle amie.

Ursula était également au courant du béguin d'Eva pour son « homme plus âgé » à qui elle faisait les yeux doux, qu'elle suivait partout à la trace, dans les restaurants et les cafés, oubliée dans un coin pendant qu'il menait des conversations interminables au sujet de la politique. Eva commença à l'emmener à ces réunions – Ursula était sa meilleure amie après tout. Eva n'avait qu'une envie, être auprès d'Hitler. Et c'était aussi l'unique souhait d'Ursula.

Ursula était au courant du Berg et du bunker. Et franchement, elle rendait à cette fille frivole un très grand service en se glissant dans sa vie.

Et donc de la même façon qu'ils s'étaient habitués à remorquer Eva, ils s'habituèrent aussi à voir sa petite amie anglaise. Ursula était agréable, c'était une fille, autant dire rien. Elle devint une présence si familière que personne ne fut surpris de la voir se présenter seule et minauder d'un air admiratif devant le grand homme en puissance. Il prenait l'adoration pour argent comptant. Quelle chose extraordinaire ce devait être de douter si peu de soi-même, se disait-elle.

Mais, Grand Dieu, que c'était ennuyeux. On brassait tellement de vent aux tables du Café Heck et de l'Osteria Bavaria qu'il était difficile de croire qu'Hitler allait mettre le monde à feu et à sang dans quelques années.

*

Il faisait plus froid que d'ordinaire à cette époque de l'année. La nuit passée, une légère couche de neige qui ressemblait au sucre glace saupoudré sur les tartelettes de Noël de Mrs Glover s'était déposée sur Munich. Il y avait un gros arbre de Noël sur la Marienplatz et partout une merveilleuse odeur d'aiguilles de sapin et de marrons grillés. Ces atours festifs rendaient Munich plus féerique que l'Angleterre ne pourrait jamais espérer l'être.

L'air glacial était revigorant et elle se dirigea vers le café d'un pas élastique et déterminé, se réjouissant d'avance à l'idée de déguster une tasse de *Schokolade* brûlant et épaissi de crème fraîche.

L'intérieur du café était enfumé et plutôt désagréable après l'air étincelant et froid du dehors. Les femmes étaient en manteau de fourrure et Ursula regrettait de ne pas avoir emporté le vison de

506

Sylvie. Sa mère ne le portait jamais et il restait en permanence accroché dans sa penderie avec des boules de naphtaline.

Il était attablé à l'autre bout de la salle, entouré des disciples habituels. Tous plus laids les uns que les autres, songea-t-elle avant de rire toute seule.

« *Ah. Unsere Englische Freundin*, dit-il en l'apercevant. *Guten Tag, gnädiges Fräulein.* » D'un geste du doigt à peine perceptible, il fit décamper de la chaise qui se trouvait en face de lui un acolyte aux allures de blanc-bec et elle s'y assit. Il avait l'air irascible.

« *Es schneit*, dit-elle. Il neige. » Il regarda par la fenêtre comme s'il n'avait pas remarqué le temps qu'il faisait. Il mangeait des *Palatschinken*. Ses crêpes avaient l'air bonnes mais quand le serveur arriva d'un air affairé, elle commanda une *Schwarzwälder Kirschtorte* pour accompagner son chocolat chaud. C'était délicieux.

« *Entschuldigung* », murmura-t-elle en plongeant la main dans son sac pour y prendre un mouchoir. Des coins en dentelle, brodé à ses initiales « UBT », un cadeau d'anniversaire de Pammy. Elle tamponna poliment les miettes accrochées à ses lèvres, puis se baissa à nouveau pour ranger son mouchoir dans son sac et saisir le lourd objet qui y était niché. Le vieux revolver de son père, son arme de service datant de la Grande Guerre, un Webley Mark V. Elle obligea son cœur battant d'héroïne à se calmer. « *Wacht auf* », dit calmement Ursula. Ces paroles attirèrent l'attention du Führer et elle ajouta « *Es nahet gen der Tag* ».

Un geste répété cent fois. Un seul coup. Tout était dans la rapidité, pourtant après qu'elle eut sorti l'arme et l'eut visé au cœur, il y eut un moment, une bulle hors du temps, où tout parut se figer.

« *Führer*, dit-elle, rompant l'enchantement. *Für Sie.* »

Des armes jaillirent des étuis autour de la table et furent braquées sur elle. Une inspiration. Un seul coup.

Ursula appuya sur la détente.

Les ténèbres s'abattirent.

LA NEIGE

11 février 1910

Toc, toc, toc. Les coups frappés à la porte de sa chambre s'incorporèrent au rêve de Bridget. Dans ce rêve, elle était chez elle, dans le comté de Kilkenny, et les martèlements étaient ceux du fantôme de son pauvre père mort essayant de revenir dans sa famille. *Toc, toc, toc.* Elle se réveilla, les larmes aux yeux. *Toc, toc, toc.* Il y avait vraiment quelqu'un à la porte.

« Bridget, Bridget ? » murmura de façon pressante Mrs Todd. Bridget se signa : les nouvelles apportées dans l'obscurité de la nuit n'étaient jamais bonnes. Mr Todd avait-il eu un accident à Paris ? Maurice ou Pamela étaient-ils tombés malades ? Elle se tira tant bien que mal du lit pour affronter le froid glacial de la petite mansarde. Elle sentit de la neige dans l'air. Ouvrant sa porte de chambre, elle trouva Sylvie quasiment pliée en deux, mûre comme un tégument de graine sur le point d'éclater. « Le bébé est en avance, dit-elle. Pouvez-vous m'aider ?

— Moi ? » glapit Bridget. Bridget n'avait que quatorze ans mais en connaissait un rayon sur les bébés, bien que pas grand-chose de bon. Elle avait vu sa propre mère mourir en couches, mais ne l'avait jamais dit à Mrs Todd. Il était clair que ce n'était pas le moment de le mentionner. Elle aida Sylvie à regagner sa chambre à l'étage du dessous.

« Inutile d'essayer de joindre le Dr Fellowes, dit Sylvie. Il n'arrivera jamais jusqu'ici avec cette neige.

— Sainte Marie, mère de Dieu, s'écria Bridget quand Sylvie tomba à quatre pattes comme un animal et émit un grognement.

— Le bébé va sortir, j'en ai peur, dit Sylvie. L'heure est venue. »

Bridget la persuada de se remettre au lit et leur long et solitaire travail nocturne commença.

*

« Oh, madame, s'écria soudain Bridget, elle est bleue, toute bleue !

— C'est une fille ?

— Le cordon est enroulé autour de son cou. Oh, Seigneur Jésus et tous les saints du paradis, elle s'est étranglée, pauvre petiote, étranglée avec son cordon.

— Il faut faire quelque chose, Bridget. Mais quoi ?

— Oh, madame, elle est partie. Morte avant d'avoir eu une chance de vivre.

— Non, ce n'est pas possible », dit Sylvie. Elle se souleva pour se mettre sur son séant dans le champ de bataille ensanglanté des draps rouge et blanc, le bébé toujours encordé. Pendant que Bridget poussait des lamentations lugubres, Sylvie ouvrit brusquement le tiroir de sa table de nuit et en fouilla furieusement le contenu.

« Oh, madame, pleurnicha Bridget, allongez-vous, il n'y a plus rien à faire. Si seulement Monsieur était ici, si seulement.

— Chut, dit Sylvie en brandissant son trophée – une paire de ciseaux chirurgicaux qui brillèrent à la lumière de la lampe. On doit être préparée à toute éventualité, marmonna-t-elle. Approchez le bébé de la lampe pour que j'y voie. Vite, Bridget. Il n'y a pas une seconde à perdre. »

Clic, clic.

C'est en forgeant qu'on devient forgeron.

LES HAUTES ET VASTES TERRES ENSOLEILLÉES[68]

Mai 1945

Ils étaient assis à une table d'angle dans un pub de Glasshouse Street. Un sergent américain les avait pris en stop à la sortie de Douvres et déposés à Piccadilly. Au lieu d'attendre deux jours un vol, ils s'étaient entassés sur un navire américain de transport de troupes au Havre. En principe, il était possible que ce soit considéré comme une absence sans permission, mais ils s'en fichaient tous les deux pas mal.

C'était leur troisième pub depuis Piccadilly et ils convenaient l'un comme l'autre qu'ils étaient ronds comme des queues de pelle, mais qu'ils avaient encore de la ressource. On était samedi soir et l'endroit était bondé. Etant en uniforme, ils n'avaient pas payé une seule consommation de toute la nuit. Le soulagement, à défaut d'euphorie, était encore dans l'air.

« Bon, dit Vic en levant son verre, buvons à notre retour.

— A la tienne, dit Teddy. Buvons à l'avenir. »

Son avion avait été abattu en novembre 43 et il avait été envoyé au Stalag Luft VI à l'Est. Ç'aurait pu être pire dans le sens où il aurait pu être russe – les Russes étaient traités comme des animaux. Mais voilà que début février ils avaient été tirés en pleine nuit de leurs bat-flanc superposés aux cris familiers de « *Raus ! Raus !* » et obligés de se mettre en marche vers l'Ouest, de fuir l'avance russe. Un ou deux jours de plus et ils étaient libérés, l'ironie du sort semblait particulièrement cruelle. S'ensuivirent des semaines de marche forcée avec des rations de misère dans un froid glacial, moins vingt, le plus clair du temps.

Vic était un petit sergent-chef plutôt culotté, le navigateur d'un Lancaster abattu au-dessus de la Ruhr. La guerre formait de drôles de paires. Ils s'étaient soutenus mutuellement durant la marche. Une camaraderie qui leur avait presque certainement sauvé la vie, ça plus de temps à autre un colis de la Croix-Rouge.

L'avion de Teddy avait été abattu près de Berlin, il n'avait réussi à s'échapper du cockpit qu'à la dernière minute. Il avait essayé de garder son appareil à l'horizontale pour donner à son équipage de bonnes chances de s'en sortir. Un capitaine n'abandonne son navire qu'en dernier. La même règle tacite s'appliquait à un pilote de bombardier.

Le Halifax était la proie des flammes et Teddy avait accepté que la fin était venue. Il commença à se sentir plus léger d'une certaine façon et, le cœur gonflé, il sut soudain que tout irait bien, que la mort prendrait soin de lui lorsqu'elle viendrait. Mais elle ne vint pas, car son radio australien rampa jusqu'au cockpit, lui boucla son parachute sur le dos et dit « Saute, ducon ». Il ne le revit jamais, ne revit jamais un seul membre de son équipage, ignorait s'ils étaient morts ou vivants. Il sauta à la dernière minute et eut la chance de s'en sortir avec seulement une cheville et un poignet cassés car son parachute s'était à peine ouvert. Il fut transporté dans un hôpital et la Gestapo locale vint l'arrêter dans la salle commune avec les paroles immortelles « Pour vous, la guerre est finie », formule à laquelle quasiment chaque aviateur avait droit quand il était fait prisonnier.

Il avait dûment rempli sa fiche de prisonnier et attendu une lettre d'Angleterre, mais rien ne vint. Pendant deux ans, il se demanda s'il figurait bien sur la liste des prisonniers de la Croix-Rouge, si quelqu'un chez lui savait qu'il était vivant.

Ils marchaient sur une route près de Hambourg quand la guerre se termina. Vic avait pris un immense plaisir à dire à leurs gardiens « *Ach so, mein Freund, für Sie der Krieg ist zu ende* ».

*

« Alors, Ted, tu as réussi à joindre ta chérie ? demanda Vic quand Teddy revint du bar où il avait baratiné la propriétaire du pub pour qu'elle lui permette d'utiliser le téléphone.

— Oui, dit-il en riant. On m'avait fait passer pour mort, apparemment. Elle n'arrivait pas à croire que c'était moi. »

Une demi-heure et deux autres verres plus tard, Vic dit « Hé, Ted. A son grand sourire, je dirais que la femme qui vient d'entrer pourrait être pour toi.

— Nancy, dit tranquillement Teddy pour lui-même.

— Je t'aime, articula silencieusement Nancy au milieu du vacarme.

— Oh, elle a amené une petite copine pour moi, quelle prévenance » fit Vic et Teddy de dire en riant : « Fais gaffe, c'est de ma sœur que tu parles. »

*

Nancy serrait la main d'Ursula si fort que c'en était doulou-reux, mais peu importe. Il était là, en chair et en os, attablé dans un pub londonien, en train de boire une pinte de bière anglaise. Nancy émit un drôle de son étranglé et Ursula se retint de fondre en larmes. Elles étaient comme les deux Marie, abasourdies devant la Résurrection.

Puis Teddy les repéra et se fendit d'un grand sourire. Il bondit, faillit renverser les verres sur la table. Nancy se fraya un chemin dans la foule et se jeta à son cou, mais Ursula resta à sa place, soudain inquiète à l'idée que tout disparaisse si elle bougeait, que la scène d'heureuses retrouvailles se désintègre sous ses yeux. Mais ensuite elle se dit, non, c'est la réalité, c'est vrai, et elle rit avec une joie simple quand Teddy lâcha

513

Nancy le temps de se mettre au garde-à-vous et de lui adresser un salut élégant.

Il lui cria quelque chose, mais ses paroles se perdirent dans le brouhaha. Elle crut que c'était « Merci », mais elle aurait pu se tromper.

LA NEIGE

11 février 1910

Mrs Haddock sirotait un grog d'une façon qu'elle espérait distinguée. C'était son troisième et elle commençait à prendre des couleurs. Elle était en chemin pour un accouchement quand la neige l'avait forcée à se réfugier dans le *snug* du Blue Lion à la sortie de Chalfont St Peter. Sauf nécessité, elle n'aurait jamais envisagé de mettre les pieds dans ce genre d'établissement, mais il y avait une bonne flambée et la compagnie s'avérait étonnamment conviviale. Les décorations de harnais en laiton et les pichets de cuivre luisaient et étincelaient. Le *public bar*, où la bière semblait couler à flots, était un endroit nettement plus bruyant. On y chantait présentement en chœur et Mrs Haddock se surprit à taper de l'orteil pour accompagner les chanteurs.

« Si vous voyiez la neige, dit le patron en se penchant sur son vaste comptoir en laiton luisant. Il se pourrait qu'on soit tous coincés ici pendant des jours.

— Des jours ?

— Vous feriez mieux de reprendre un petit verre de rhum. C'est pas ce soir que vous allez courir les routes. »

Notes

1. Discours de Churchill, 19 mai 1940.
2. John Keats, *Les Saisons humaines, Poèmes et poésies* traduits par Paul Gallimard, *Poésie*/Gallimard.
3. Société prônant un changement graduel et pacifique de la société capitaliste.
4. Diminutif d'Edward et mot signifiant ours en peluche.
5. Tomcat signifie matou en anglais.
6. Jeu de mots sur Wellington boots : bottes en caoutchouc, et l'expression « as tough as old boots » qui signifie coriace.
7. Infirmière anglaise qui a révolutionné les soins infirmiers et s'est illustrée pendant la guerre de Crimée.
8. *Endymion*, John Keats.
9. Les femmes aux champs.
10. Référence aux *Hommes creux* de T. S. Eliot.
11. *Minuit de Glace*, traduction de Jacques Darras dans *La Ballade du vieux marin et autres textes*, Gallimard, 2007.
12. Vers d'un poème de Christina Rossetti devenu un cantique, *In the bleak midwinter*.
13. Suite du vers de Christina Rossetti cité précédemment.
14. John Donne, *Aux coins imaginés de la terre ronde, Sonnets sacrés*.
15. « Je préférerais être morte et dans la tombe. »
16. Allusion à des vers célèbres de Henry Longfellow (1807-1882).
17. *Ode à un rossignol, Les Odes* de Keats, traduites par Alain Suied, Editions Arfuyen.
18. Petite arrière-salle d'un pub, jadis réservée aux femmes, car il était mal vu qu'elles fréquentent le *public bar* ou même le *lounge*.
19. *La Terre vaine* de T. S. Eliot.
20. Idem.

21. Idem.

22. Village du Buckinghamshire situé au sud de Chalfont St Peter.

23. Terme qui désigne les Ecossais sur le mode insultant ou humoristique.

24. Shakespeare, *Macbeth*, Acte IV, scène 1.

25. Neasden est considéré dans la presse humoristique comme la quintessence de la banalité suburbaine.

26. Keats, *Ode à un rossignol, op. cit.*

27. Idem.

28. Idem.

29. Personnage pompeux du *Middlemarch* de George Eliot qui ne termine jamais sa « Clé de toutes les mythologies ».

30. Keats, *Ode à un rossignol, op. cit.*

31. Roman d'Edith Nesbit paru en 1906 et qui a été adapté au cinéma et à la télévision.

32. « Il fera beau demain », chanson d'Irving Berlin chantée par Vera Lynn.

33. Andrew Marvell, *A sa prude maîtresse,* 1681.

34. « Attaques aériennes », « pertes ».

35. Pâte à tartiner à l'extrait de bœuf.

36. *Emma* de Jane Austen.

37. Conserve de porc aux qualités gustatives très controversées.

38. Gilbert et Sullivan, *Les Pirates de Penzance*, Acte II.

39. *Sonnets sacrés* de John Donne.

40. Célèbre boîte de nuit « gay » pendant la Seconde Guerre mondiale.

41. *Sonnets sacrés* de John Donne.

42. Auxiliary Territorial Service : auxiliaire féminine de l'armée de terre.

43. Women's Royal Naval Service : auxiliaire féminine de la marine britannique.

44. Extrait de levure.

45. « Le pays du recommencement », chanson de Vera Lynn.

46. Ce cantique se chante sur le même air de Haydn que l'hymne national allemand.

47. Unity Valkyrie Mitford (1914-1948), aristocrate britannique, amie d'Hitler, qui fit une tentative de suicide en apprenant l'entrée en guerre de la Grande-Bretagne.

48. Discours d'Elizabeth I à ses troupes en 1588 : « ... mon corps est celui d'une faible femme, mais j'ai le cœur et les tripes d'un roi... »

49. Edmund Burke parle des « hommes de bien » et Milton de servir Dieu dans le sonnet *Sur sa cécité*.

50. Distinguished Flying Cross.

51. Shakespeare, *Macbeth* (Acte V, scène 5) traduction de F.-V. Hugo, Classiques Garnier.

52. Discours de Churchill, 26 décembre 1941.

53. Caisse centrale britannique en faveur des juifs allemands.

54. Henry Vaughan, poète métaphysique gallois. Vers extrait du recueil *Silex Scintillans,* 1650.

55. Inscription figurant sur les tombes des soldats morts au champ d'honneur et sur les monuments aux morts de la Première Guerre mondiale.

56. Heavy Rescue Patrol et Light Rescue Patrol : Equipes d'intervention lourde et légère.

57. Shakespeare, *La Tempête*, Acte IV, scène 1.

58. Andrew Marvell, *A sa prude maîtresse.*

59. *Au Soleil levant* de John Donne, *Poèmes*, traduits par J. Fuzier et Y. Denis *Poésie*/Gallimard.

60. Shakespeare, *Richard II*, Acte II, scène 1.

61. *« Je ne dois avoir ni haine ni amertume envers quiconque »*, dernières paroles prononcées par l'infirmière britannique exécutée en 1915 par les Allemands pour avoir aidé des centaines de soldats alliés à s'évader de Belgique vers les Pays-Bas.

62. Le rationnement fut peu à peu étendu aux restaurants et en 1941 Londres comptait déjà deux cents British Restaurants installés dans des écoles ou des salles paroissiales et gérés par les autorités locales.

63. Shakespeare, *Richard II*, Acte II, scène 1, traduction de F.-V. Hugo.

64. John Donne, *Poèmes*, traduits par J. Fuzier et Y. Denis. *Poésie*/Gallimard.

65. Member of the Order of the British Empire.

66. Auteur d'un rapport publié en 1963 prévoyant la fermeture de deux mille gares.

67. St Mary Mead est le village imaginaire de Miss Marple et Miss Read le nom de plume de Dora Jessie Saint (1913-2012), auteur d'une série de romans centrés sur le village fictif de Fairacre.

68. Discours de Churchill au Parlement, le 18 juin 1940.

Remerciements

J'aimerais remercier les personnes suivantes :

Andrew Janes (Archives nationales de Kew)
Dr Juliet Gardiner
Le lieutenant-colonel Michael Keech (Royal Signals)
Dr Pertti Ahonen (du département d'histoire de l'université d'Edimbourg)
Frederike Arnold
Annette Weber

Et aussi mon agent Peter Straus, Larry Finlay, Marianne Velmans, Alison Barrow et tout le monde chez Transworld Publishers ainsi que Camilla Ferrier et toute l'équipe de Marsh Agency.

Pour en savoir plus sur ce livre, prière de consulter mon site internet : www.kateatkinson.co.uk.

Table

Cet ouvrage a été imprimé en France
par CPI Bussière
à Saint-Amand-Montrond (Cher)
pour le compte des Éditions Grasset
en décembre 2014

Mise en pages PCA
44400 Rezé

Grasset s'engage pour
l'environnement en réduisant
l'empreinte carbone de ses livres.
Celle de cet exemplaire est de :
1,350 kg éq. CO₂
Rendez-vous sur
www.grasset-durable.fr

PAPIER À BASE DE
FIBRES CERTIFIÉES

N° d'édition : 18642 — N° d'impression : 2012923
Dépôt légal : janvier 2015